UNE EDUCATION POLITIQUE

DANS L'OMBRE DE CLINTON

GEORGE STEPHANOPOULOS

UNE EDUCATION POLITIQUE
DANS L'OMBRE DE CLINTON

TRADUIT DE L'ANGLAIS (ÉTATS-UNIS) PAR DANIEL ROCHE

Titre original de l'édition américaine : All Too Human : A Political Education

Published by arrangement with Little, Brown and Company, Inc

ISBN 2-87691-525-1
Dépôt légal : 3e trimestre 1999

Nous nous efforçons de publier des ouvrages qui correspondent à vos attentes et votre satisfaction est pour nous une priorité.
Alors, n'hésitez pas à nous faire part de vos commentaires à :

Éditions Générales First
13-15, rue Buffon
75005 Paris
téléphone : 01 55 43 25 25
télécopie : 01 55 43 25 20
Minitel : AC3*FIRST
e-mail : firstinfo@efirst.com

En avant-première, nos prochaines parutions, des résumés de tous les ouvrages du catalogue. Dialoguez en toute liberté avec nos éditeurs. Tout cela et bien plus sur internet à : www.efirst.com

À MES PARENTS

SOMMAIRE

PROLOGUE

En janvier 1998, quelques jours après le déclenchement de l'affaire Monica Lewinsky, j'ai rêvé du président Clinton : j'étais retourné à la Maison-Blanche, après un an d'absence, et, assis dans le Bureau ovale, dans mon fauteuil habituel, juste à côté du président, je l'aidais à se préparer pour une interview avec CBS News. *Comme au bon vieux temps*, ai-je pensé, *c'est bon d'être de retour*. Mais quelques instants avant le début de l'interview, le bruit d'une tragédie indéfinie mais terrible a couru. Tout le pays allait bientôt en être informé et le président allait devoir réagir. Je sortais mon calepin et m'efforçais de trouver les mots de consolation et d'espoir appropriés. Rien ne venait, mais ça n'avait pas d'importance. Clinton faisait ce qu'il savait toujours si bien faire dans ce genre de moments. Il disait exactement ce qu'il fallait, et il trouvait le ton juste. *Il est toujours le meilleur... le meilleur politicien que j'aie jamais vu*. J'ai traversé le Bureau ovale, j'ai ouvert une porte et me suis retrouvé dans une pièce minuscule, sans fenêtre et vide, hormis les photos déshabillées de Monica punaisées aux murs.

Dans ce rêve, je luttais avec le Clinton que j'aimais et celui que je redoutais, le président que je servais et l'homme que je ne voulais pas voir. Au moment où j'écris ces mots, une procédure en destitution a été lancée contre le président d'une Amérique prospère et en paix. Les avocats de Clinton font feu de tout bois pour le défendre contre un Sénat qui l'accuse de parjure et d'obstruction à la justice, pour avoir tenté de dissimuler sa liaison avec une stagiaire de vingt-deux ans. La bataille est loin d'être finie et je suis toujours aussi dérouté par le paradoxe de Clinton : comment un président si intelligent, doué d'un tel charisme, d'un tel sens de l'État et si conscient de sa place dans l'histoire a-t-il pu agir d'une façon si stupide, si égocentrique, si autodestructrice ?

Je ne connais pas la réponse à cette question et j'étais loin de penser que je me la poserais un jour. Quand j'ai songé pour la première fois à raconter mes années à la Maison-Blanche, j'ai imaginé des souvenirs politiques en forme de comédie humaine, l'histoire d'une équipe de gens sympathiques et compétents mais faillibles, mus par l'espoir que la politique « ne peut être seulement l'art du possible surtout si le "possible" comprend l'art de la spéculation, des calculs, de l'intrigue, des arrangements secrets et des manœuvres pragmatiques, mais qu'elle peut aussi être l'art de l'impossible, c'est-à-dire celui de nous améliorer et d'améliorer le monde » (Vaclav Havel). Je voulais écrire un récit candide qui ne dédaigne pas de montrer « l'art du possible » sans se résigner cyniquement à considérer que la politique s'y trouve résumée. J'espérais expliquer comment un président ambitieux et idéaliste, d'un caractère personnel hésitant, a progressé dans sa fonction, comment il s'est montré plus malin que ses ennemis, comment il a débordé ses adversaires, comment il a surmonté ses défaillances et celles de son équipe pour parvenir à un résultat qu'aucun démocrate n'avait atteint depuis Roosevelt : rester huit ans à la Maison-Blanche et afficher un bilan positif. Je pensais conclure mon récit sur une fin heureuse.

Jusqu'au coup de théâtre.

Les événements de l'an dernier m'ont forcé à réviser l'histoire que je voulais écrire. Elle ne pourra plus avoir une fin vraiment heureuse. Je me suis attaché à rapporter avec précision mes pensées et mes sentiments et les événements comme je les ai perçus à l'époque, mais comment éviter la liaison du président avec Monica Lewinsky et ses conséquences ? En 1998 et 1999, j'ai vécu déchiré entre deux Clinton : celui du passé que j'avais connu de l'intérieur et celui d'aujourd'hui que j'observais de l'extérieur. Au fur et à mesure que les histoires se développaient, l'une sur mon traitement de texte et l'autre dans les médias, j'ai commencé à mieux comprendre leurs rapports et j'ai été tenté par moments de considérer l'histoire de Clinton comme une tragédie. Mais, avec tout son talent, Clinton n'a jamais eu la grandeur d'un héros tragique. Pourtant, sa présidence a bien le profil d'une tragédie classique. Son parcours personnel en dents de scie, depuis son élection improbable de 1992 jusqu'à son procès en destitution, en 1998, est un récit bourré de dizaines de personnages, de centaines de décisions et de milliers de coïncidences dont la commune conclusion semble assez tristement inévitable.

Ce livre raconte la part que j'ai prise au drame Clinton. Il couvre deux campagnes présidentielles et quatre années à la Maison-Blanche. Depuis le jour où je l'ai rencontré en septembre 1991 jusqu'au jour où j'ai quitté la Maison-Blanche en décembre 1996, le président a été la figure dominante de ma vie. Notre relation a été intense, par moments intime, sans jamais devenir une amitié personnelle. Le Clinton que je connais est celui que je montre dans ce livre. Un homme politique et un président au travail, un homme complexe réagissant aux pressions et aux plaisirs de la vie publique d'une manière souvent impressionnante mais souvent, aussi, consternante.

En retravaillant cet ouvrage, j'ai fini par comprendre que l'effronterie de Clinton est une des clés de sa réussite politique et que sa capacité à nier l'évidence témoigne de son optimisme, sa plus grande force politique. Clinton a su exploiter ses propres faiblesses et celles de son entourage avec brio, comme utiliser parfaitement les talents de ses proches. Je suis toujours convaincu que le président Clinton a beaucoup contribué à faire avancer l'Amérique et que cet homme est animé par un patriotisme et un altruisme profonds. Nombre de ses décisions peuvent être taxées d'imprudence ou d'opportunisme mais la plupart ont été inspirées par une vision et un sens supérieur de l'État. Je ne sais pas comment le président Clinton réagira à la lecture du portrait esquissé dans ces pages, mais j'ai tenté de montrer la loyauté de sa personnalité.

J'ai aussi essayé de décrire la Maison-Blanche actuelle au travail. Ma fonction était assez polyvalente, puisque je jouais le rôle du médiateur, du conseiller en relations publiques, de l'expert politique et du spécialiste des crises. J'étais frustré que mes responsabilités soient si vaguement définies, mais cela m'a permis de participer à l'élaboration d'un vaste éventail de décisions au plus haut niveau : qu'il s'agisse de la préparation d'un budget ou de la rédaction des plaisanteries du président aux journalistes, de la désignation d'un juge à la Cour suprême ou de l'étouffement d'un scandale sexuel, de préparer le vote d'une loi ou une conférence de presse, d'organiser une cérémonie d'anciens combattants ou de conseiller une intervention militaire. Une grande part de l'excitation du travail à la Maison-Blanche vient du sentiment qu'on a le privilège extraordinaire d'être témoin de l'histoire et d'avoir l'impression de la faire. J'espère que cet exposé constituera un document utile pour les historiens de la présidence.

Cet ouvrage ne se veut toutefois ni une biographie de Clinton ni même une histoire détaillée de son premier mandat. C'est plutôt un récit personnel, l'histoire de ce qui m'est arrivé à la Maison-Blanche, de ce que j'y ai vu et fait, mes impressions et mes réactions aux pressions et aux plaisirs de la vie publique. Theodore White a écrit un jour : « La proximité du pouvoir élève la dignité de tous les hommes. » Je sais aujourd'hui que ce n'est pas toujours vrai. Je sais que je me suis bien souvent laissé dominer par mon ambition, mon insécurité et mon immaturité et j'ai tâché d'en témoigner honnêtement. Je sais également que se trouver en position de commettre les erreurs que j'ai commises était une immense chance. Parce que malgré tous les compromis et toutes les déceptions, malgré toutes ces journées où mon travail ressemblait à un bagne délicieux, travailler à la Maison-Blanche a été la plus grande aventure de ma vie.

— Morningside Heights
Le 31 janvier 1999

1 MES ANTÉCÉDENTS

Ce samedi d'avant Noël 1992, je suis heureux. Quelques semaines plus tôt, avec mon aide, Bill Clinton vient d'être élu président et je vais bientôt travailler pour lui à la Maison-Blanche. Mais je dois d'abord rendre visite aux avocats du cabinet Rose Law. Si vous avez lu John Grisham, vous avez une idée assez exacte de ce qu'était ce cabinet : *La Firme* version Little Rock. Pour autant que je sache personne ne s'y est jamais fait trucider, mais le pedigree des associés, leur influence et l'aura de mystère feutré qui l'entourait en ont fait une puissance presque centenaire en Arkansas. C'était aussi le cabinet de Hillary Rodham Clinton.

Tout cela me rend un peu nerveux, alors que j'avance d'un pas rapide dans les rues de Little Rock. Je sais que la vérification de mes antécédents n'est qu'une formalité et je crois n'avoir rien à cacher. Pourtant, je suis assez mal à l'aise en traversant le parking souterrain. Je vais sonner à la porte de derrière, suivant la consigne.

Celui qui m'attend dans la salle de conférence n'est autre que Webster L. Hubbell, une légende à Little Rock, champion de football, ancien maire, ancien juge, associé d'Hillary, partenaire de golf de Bill. Nous ne nous étions rencontrés qu'une fois auparavant et je l'associais automatiquement à son alter ego, Vince Foster. Webb et Vince. Hubbell et Foster. Foster était l'autre collaborateur et ami intime de Hillary. Droit, flegmatique et mince comme un fil, Vince me rappelait Gregory Peck. Webb avait la carrure de l'arrière de football qu'il avait été[1]. Un homme massif avec une poigne d'ours et des lèvres épaisses qui vous faisaient presque oublier qu'il y avait un cerveau derrière tous ces muscles.

J'avais souvent entendu leurs noms dans la bouche des Clinton. Quand ils disaient : « J'en ai parlé à Webb et il pense... » ou « Vince n'en est pas sûr... », c'était une manière de trancher la discussion. Webb et Vince symbolisaient l'influence, l'intégrité et la sûreté de jugement. Nous vivions dans des mondes communicants mais séparés. Eux à Little Rock, moi à Washington. Ils étaient les avocats, j'étais l'homme d'action. Ils étaient des amis, j'étais un collaborateur.

« Ça ne devrait pas être trop difficile », m'assura Hubbell en me serrant la main avant de m'inviter à m'asseoir. Il commença par les questions de base : dans quelles écoles j'étais allé et où j'avais travaillé. Puis il attaqua le vif du sujet : avais-je déjà été arrêté ? Des problèmes d'argent qui pourraient me créer des ennuis, des dettes importantes ? Je n'avais ni obligations ni actions, à la différence de Bob Rubin (le banquier de Wall Street qui allait devenir chef du Conseil économique national) dont l'épluchage du portefeuille d'investissements aurait nécessité toute une équipe de professionnels. Mes seuls investissements consistaient en un appartement hypothéqué à Washington et un plan d'épargne retraite. L'enquête financière prit une minute.

« La drogue ?

– Comme vous vous y attendiez sans doute : un peu d'herbe au lycée et à la fac, mais je n'y ai pas touché depuis des années. Rien d'autre. »

Je dus ensuite répondre à quelques questions obliques sur ma « vie sociale », destinées à me donner l'occasion – au cas où – d'avouer que j'étais homosexuel ou que j'étais le père d'un enfant que je n'aurais pas reconnu. Nous savions tous les deux où Webb voulait en venir. J'avais été convoqué dans son bureau pour que cet homme qui symbolisait la probité et la proximité au prochain président puisse se pencher au-dessus de la table, me regarder au fond des yeux et dire : « Écoutez, George, je

1. NdT. Il s'agit bien sûr de football américain, plus proche de notre rugby.

veux que vous réfléchissiez très sérieusement à cette question. Y a-t-il dans votre passé proche ou lointain, un élément quelconque qui pourrait un jour remonter à la surface et embarrasser le président ? » À partir de cet instant, tout ce que j'avais fait rejaillirait sur le président et risquait d'affecter sa mission. Même si c'était arrivé il y a longtemps. Comme tout ce que j'allais faire et dire. Le bien-être du président devait être mon souci numéro un, tout le reste était secondaire. En contrepartie, j'allais participer à quelque chose d'encore plus formidable que ce que j'avais imaginé.

« Eh bien, je dois vous avouer que je suis sous le coup d'une enquête criminelle conduite par le FBI[2]. » À la suite de plaintes émanant de l'état-major des républicains, une enquête avait été ouverte ; elle devait déterminer si j'avais conspiré avec l'avocat Lawrence Walsh, qui avait trempé dans l'affaire Iran-Contra[3], pour nuire à la campagne de Bush. Ce n'était pas le cas mais peut-être cette enquête allait-elle déboucher sur autre chose, comme ma tentative malheureuse de prouver que Dan Quayle avait été un revendeur de drogue.

À l'automne 1988, quand la campagne Dukakis était en train de s'effondrer, j'avais fait partie d'une équipe de « réaction immédiate » qui avait effectué un travail remarquablement inefficace pour contrer les attaques des stratèges républicains. Vers la fin de la campagne, un détenu du nom de Brett Kimberlin avait affirmé aux journalistes qu'il avait autrefois vendu de la drogue à Dan Quayle et que Quayle lui-même avait sans doute été un revendeur. Une rumeur me persuada que, quelques années plus tôt, un grand jury obéissant aux pressions d'un procureur proche de la famille Quayle avait étouffé cette affaire. Si je parvenais à retrouver des jurés mécontents d'avoir cédé et à les

2. NdT. Federal Bureau of Investigation. Créé en 1908, ce service est chargé d'enquêter sur toute violation des lois fédérales ainsi que sur les affaires d'espionnage à l'intérieur des États-Unis.

3. NdT. En 1895 et 1986, des hauts fonctionnaires du gouvernement Reagan organisèrent une vente secrète d'armes à l'Iran pour accélérer la libération d'otages américains détenus par des islamistes libanais. Ils transférèrent ensuite les fonds provenant de cette vente à la Contra, une organisation de rebelles nicaraguayens insurgée contre le gouvernement sandiniste de l'époque. Le scandale éclata en 1987.

convaincre de parler, nous allions gagner l'élection et je deviendrais un héros.

J'achetai donc un billet d'avion pour Indianapolis et m'enfermai dans l'hôtel de l'aéroport avec des photocopies des dossiers judiciaires. Après une journée passée au téléphone à questionner à brûle-pourpoint des gens ne saisissant pas le premier mot de ce que je leur racontais, je compris que j'étais sur une fausse piste. Mon investigation n'était pas illégale – seulement un peu sordide –, elle ne faisait que trahir une totale incompétence. Je suppose que nous aurions utilisé ces informations si elles s'étaient avérées fondées. Comment avais-je pu être assez naïf pour croire que j'allais lever un lièvre pareil à la dernière minute, une bombe que tous les médias américains avaient ratée ? Cette histoire était embarrassante, peut-être pas pour le président Clinton, mais sûrement pour moi.

Après m'être creusé les méninges pour repérer les problèmes éventuels, je parlai même à Webb de ma dernière soirée au lycée et de ma virée « autos tamponneuses » avec mes amis. Rien de très grave : rien, dans mon passé, qui puisse m'interdire d'entrer à la Maison-Blanche.

Je suis le cadet d'une famille grecque installée à Fall River dans le Massachusetts. On me donna le nom de mon grand-père, un prêtre missionnaire parti en 1938 de Neohorio, son village du Péloponnèse, pour le Montana où il prêcha la bonne parole aux immigrants grecs éparpillés dans l'ouest des États-Unis. Son travail consistait à s'assurer que ses ouailles gardaient la foi tout en cherchant à faire fortune, et à leur rappeler qui ils étaient et d'où ils venaient. Plus encore qu'un lieu de culte, l'église de ces immigrés était une parcelle de sol natal. Un an après son arrivée, juste avant la guerre, mon grand-père fit venir sa famille. L'aîné de ses enfants était mon père, Lamby, alors âgé de cinq ans, qu'on destinait aussi à la carrière ecclésiastique.

Mon grand-père maternel était encore gamin quand il quitta Patras en 1912. Il fut employé à la construction du chemin de fer reliant Ellis Island à Salt Lake City avant de s'installer à Rochester, Minnesota, où il ouvrit une cordonnerie. Ce n'est qu'après avoir acquis une certaine aisance matérielle qu'il fit un aller-retour en Grèce, d'où il ramena la jeune fiancée choisie pour lui. Quand il mourut, en 1974, sa boutique était la plus ancienne de la ville et tous les commerçants de Rochester se formèrent en cortège derrière son cercueil. Mais ce dont il était le plus fier, c'est que ses cinq enfants, dont Nikolitsa, ma mère, avaient tous suivi des études supérieures.

Mes parents se sont rencontrés au cours d'un rassemblement religieux à Minneapolis. Ma mère était étudiante en relations publiques. Mon père était un jeune séminariste en voyage d'études et c'était sans doute le meilleur endroit possible pour rencontrer une femme désireuse de devenir *presbytera*, littéralement « épouse de prêtre ». Cette expression indique clairement que tous les membres de la famille du prêtre ont une responsabilité à l'égard de la communauté des fidèles. La presbytera est une sorte de « première dame ». Elle a un rôle officiel d'hôtesse et de bras droit, mais elle doit toujours rester à sa place – la seconde. Les filles, comme mes sœurs Stacy et Marguarite, chantaient dans la chorale et enseignaient le catéchisme. Les garçons, comme mon frère André et moi, devenaient enfants de chœur.

Je n'avais que quatre ans quand je servis la messe pour la première fois. Et je pris vite l'habitude d'accompagner mon père le matin. Il me tapotait les joues avec de la lotion après rasage et il m'emmenait à l'église. Nous entrions dans le saint des saints, derrière l'autel, un lieu séparé du reste de l'église par un paravent d'icônes et où seuls les hommes sont admis. Souvent nous y étions seuls, tous les deux. Je l'observais murmurer ses prières tandis qu'il enfilait son surplis de satin. Puis je lui tendais le mien pour qu'il le bénisse et le service pouvait commencer.

Mon premier travail a consisté à porter un cierge, en faisant attention à le tenir droit sans regarder la flamme. De temps à autre l'enfant de chœur qui servait la messe oubliait, s'hypnotisait en regardant la flamme et finissait par s'évanouir. Mes responsabilités s'accrurent avec le temps ; je fus bientôt chargé de porter les lanternes, puis un jour, la croix. Mon travail préféré était d'agiter l'encensoir. On déposait un morceau d'encens sur des braises dans la boule dorée et je devais marcher derrière mon père en faisant onduler le panache de fumée odorante, tandis qu'il portait le pain et le vin autour de l'autel.

Je fus très tôt admis à lire les textes sacrés. Quand j'avais six ans, l'évêque rendit visite à mon père dans sa nouvelle paroisse de Rye (État de New York) et me couvrit la tête de son étole avant de me couper une mèche de cheveux pour symboliser ma servitude religieuse. « Axios », proclama l'évêque. « Il est digne », un mot lourd de sens, que j'entendrais à nouveau un jour, si j'étais ordonné prêtre. Le dimanche, je lisais *Les Épîtres* ou bien je récitais le credo, en n'oubliant pas de parler « lentement et à voix haute », comme mon père me le chuchotait toujours avant que j'affronte l'assemblée des fidèles. À neuf ans, je fus choisi pour assister l'archevêque lors de la convention de notre Église au Lincoln Center. Le journal du lendemain montrait la photo du prélat barbu coiffé d'une tiare d'or, accompagné d'un petit garçon à frange qui regarde sagement la foule les mains croisées. Star d'un jour sur une vraie scène.

La plupart du temps j'étais plutôt relégué à l'arrière-plan. C'est peut-être une des raisons pour lesquelles je n'ai jamais dédaigné les arrière-cuisines et leurs tâches ingrates, pas toujours reluisantes, dans ma carrière politique : j'avais passé tant de temps dans les coulisses, derrière le paravent de l'autel, là où le mystère s'enracine dans le profane, où la foi ne fait qu'un avec le service, et où les prières de mon père étaient mes seuls repères...

Derrière l'écran d'icônes, j'appris à arborer une expression posée, à faire bonne figure dans l'ombre du pouvoir et je devins de plus en plus sûr d'être indispensable. Après tout, le miracle de la transsubstantiation ne pouvait pas se produire, le dimanche, si j'oubliais de faire bouillir l'eau dans la petite pièce qui jouxtait l'autel. Dans la religion orthodoxe, les enfants de chœur sont à la fois des petits moines et des assistants zélés. Ils servent le prêtre afin qu'il puisse sauver toutes les âmes, le déchargeant de toutes les tâches humbles pour qu'il puisse se consacrer à l'essentiel. Parfois, je m'égarais dans les détails et perdais de vue l'essence spirituelle du service que nous assurions, mais j'espérais toujours que j'avais fait le geste juste au bon moment et que j'allais aider à sauver quelques âmes, y compris la mienne.

Tout cela m'a préparé à l'exercice de mon futur métier, bien que celui-ci soit finalement tout autre que ce que je m'imaginais enfant. Je savais que je deviendrais prêtre avant même d'avoir compris ce que signifiait ce mot. Comme mon père, mon grand-père, mon parrain, mon oncle et tous leurs amis. Quand je me rappelle les barbecues estivaux, je les revois tous, assis dans des fauteuils de jardin en plastique blanc, leur verre de whisky à la main, en chemisette noire et col montant déboutonné qui battait sur le côté. Ces soirs-là, quand mon père et ses amis sirotaient de l'eau-de-vie du pays en chantant des hymnes byzantins, notre petit jardin devenait une église : les briquettes rougeoyantes et les mégots de cigares qui se consumaient rappelaient les cierges et l'encens.

Dès que je sus parler, je pus répondre à ceux qui me pressaient de dire ce que je ferais « quand je serais grand ». Une serviette drapée sur l'épaule, je jouais à servir la messe dans ma chambre ou je furetais dans le bureau de mon père, feuilletant des livres et suçotant la tige métallique de sa pipe tout en faisant semblant de taper un sermon sur sa machine à écrire. Quand mon père acheva son doctorat en théologie, je rectifiai la formule habituelle pour certifier aux invités que je voulais devenir « prêtre et théologien », savourant la solennité de ce mot incompréhensible du haut de mes sept ans. Cette déclaration faisait invariablement la joie des amis de mon père qui récompensaient par leurs encouragements ma volonté de poursuivre la tradition familiale.

Il suffit parfois d'un instant pour anéantir une vocation caressée durant toute l'enfance. En 1974, à l'âge de treize ans, j'entrai au lycée, à Cleveland où nous venions d'emménager, et j'eus la révélation. J'étais à la maison, un matin, je ne pensais à rien de particulier quand soudain l'idée que je n'étais pas fait pour devenir prêtre, que je ne reprendrai pas le flambeau familial, me frappa avec une intensité que d'autres doivent ressentir quand ils se convertissent. Je n'avais pas perdu la foi – seulement la vocation –, mais je savais ma décision irrévocable. En grandissant, je m'éloignais de plus en plus du seul futur que je m'étais imaginé. Si seulement j'avais pu en parler à mon père et à mon grand-père... Quand on me parlait de mon avenir, je tournais autour du pot jusqu'à ce que les questions cessent. Je ne savais plus ce que je voulais devenir, je savais seulement ce que je ne voulais pas être et que je choisirais un métier qui en vaudrait la peine.

J'éprouvais aussi le besoin d'honorer la grande famille des Grecs américains. Ceux qui étaient venus de toute la Grèce, de dizaines d'îles et de villages, mais qui, ici, ne formaient qu'un seul clan. Ceux de la seconde génération comprenaient que pour honorer les sacrifices consentis par leurs parents et grands-parents – cultivateurs, cordonniers, serveurs et cuisiniers –, il fallait faire de bonnes études et épouser une carrière digne de ce nom : médecin, avocat, professeur ou homme politique. L'assimilation ne consistait pas à s'identifier à la masse mais à s'en détacher résolument. Si un Grec comme Ike Pappas passait à la télévision, nous le regardions tous. Si un autre Grec écrivait un livre, nous le lisions tous. Quand le député John Brademas rata l'occasion de se faire élire Speaker[4], nous ressentîmes tous cet échec personnellement. Quand le vice-président Spiro Agnew démissionna, nous éprouvâmes tous de la honte. Un déshonneur à peine atténué par la remarque acerbe qu'il n'avait eu que ce qu'il méritait pour avoir changé de nom et renié sa religion. Les règles étaient si claires qu'elles n'avaient pas besoin d'être exprimées : se faire un nom et ne pas en changer. Être la fierté de ses compatriotes et ne pas oublier d'où l'on vient. C'est ainsi que je fus marqué du sceau d'une double ambition peut-être contradictoire : le service public et le succès professionnel. Les prêtres doivent servir, les immigrants réussir. Je devais concilier service et réussite sociale.

Mais je voulais d'abord me fondre dans la masse. C'est en cela que je suis le fils de ma mère. Je voulais être un type comme les autres. Et, le dimanche, je me faufilais sur le terrain de golf voisin où je m'improvisais caddy. L'argent de poche que je gagnais en portant les clubs, comme serveur, en faisant la plonge, s'évaporait dans les parties de poker du vendredi soir. Je commençais à regarder les filles mais elles ne s'intéressaient pas à moi.

La politique me laissait froid. C'était le sport qui me passionnait pendant mon adolescence. J'étais un gamin râblé, leste, passable joueur de foot et de base-ball, mais avec des dons athlétiques limités. Je voulus m'essayer à la lutte. Sans grand succès. Après une douloureuse défaite, j'annonçai à ma mère que je laissais tomber. Et là, surprise : en général,

4. NdT. Aux États-Unis, le président de la Chambre des représentants (ou Parlement) est le « Speaker of the House ». Leader et porte-parole du parti majoritaire, troisième personnage de l'État, c'est lui qui remplace, après le vice-président, le président en cas de nécessité.

ma mère me laissait faire ce que je voulais du moment que je ne m'attirais pas d'ennuis. Ce jour-là, elle me dit simplement : « Non. Tu continues. »

Je lui en suis encore reconnaissant aujourd'hui. Je ne devins pourtant pas un champion, loin de là. Je perdis mon premier match 19 à 2. Je n'ai jamais rattrapé mon handicap. Ni jamais su développer en moi l'instinct du tueur. À peine le combat commencé, je jetais un coup d'œil sur l'horloge murale et je tenais bon en me disant que, gagné ou perdu, le combat et mon calvaire seraient bientôt finis. Un écho dans la presse locale de l'époque résume assez bien mes exploits de lutteur, à la fin de mes années de lycée : « L'angoisse de la défaite se lit sur les traits creusés de George Stephanoupolos, de l'équipe du lycée d'Orange », constatait la légende qui accompagnait une photo de moi, plaqué au sol par un redoutable adversaire.

La lutte importait plus par ce qu'elle m'apprenait sur moi que par ce qu'elle m'apprenait sur elle. La perte de poids en particulier était un irremplaçable exercice de self-control. Je me levais aux aurores pour courir deux ou trois kilomètres avant l'école. Le soir, en regardant la télé, je m'infligeais des séries d'abdos et de pompes. Je faisais des régimes à base d'oranges et je courais dans les couloirs du lycée emmitouflé dans une bâche plastique pour transpirer mon dernier kilo de trop. Je rationnais même l'eau les heures précédant la pesée. Aujourd'hui encore, quand je bois à une fontaine, je compte machinalement les gorgées. Le 1er mai de ma première année de fac, je pesais soixante kilos. En novembre, je luttais dans la catégorie des moins de cinquante kilos. Mon corps me montrait ce dont il était capable, ce qui aidait mon esprit à inverser la situation et à lui ordonner d'en faire encore un peu plus. Je n'étais sûrement pas un champion mais j'étais accro à l'exercice et je croyais dans le pouvoir de la discipline.

Malgré mon désir acharné d'être un type comme les autres, je voulais exceller dans un domaine et je compris rapidement que ce ne serait pas le sport. L'université Columbia, avec son cursus basé sur la culture classique, la musique et l'art occidentaux, toucha une autre fibre en moi. De plus, aucun élève de mon lycée n'y avait été admis depuis des décennies.

Je me plus à Columbia. En troisième année, j'eus un avant-goût de la vie politique à Washington en tant que stagiaire de Mary Rose Oakar, notre député d'alors. Cet été-là, le grand débat législatif concernait le vote du budget Reagan. J'aidais à rédiger des discours expliquant comment ce budget menaçait les intérêts des électeurs des quartiers ethniques ouvriers de Cleveland. Avant cette expérience, j'avais failli m'engager comme volontaire dans la campagne de George Bush de 1979 et, en 1980, j'avais voté pour John Anderson[5]. Mais ce travail d'analyse critique du budget Reagan fit de moi un démocrate. Je ne pensais pas que sa théorie économique fondée sur la loi de l'offre allait marcher et j'étais convaincu que ce n'était pas une politique juste. Qui sait ce qui serait arrivé si j'avais eu un autre job d'été cette année-là ? À la différence des millions de démocrates que Reagan avait séduit, j'étais un républicain qu'il avait poussé dans leurs bras.

En 1982, en terminale, je ne savais toujours pas ce que je voulais faire de ma vie. La fac de droit me semblait le bon choix, idéal pour un étudiant ambitieux qui ne savait pas exactement dans quelle direction s'orienter. Seul problème : quand j'aurais fini l'école, je serais en grand danger de devenir avocat.

Je faillis bien prendre une voie tout à fait différente. Mon cursus principal était la politique internationale et je m'étais inscrit un beau jour, sur un coup de tête, comme coopérant du Peace Corps[6]. Le lendemain matin, à 8 h, le correspondant de l'organisation à l'université me téléphona : « George, c'est votre tour. Nous avons une place, mais vous devez dire oui tout de suite. » Je dis oui et me rendormis derechef. Une heure plus tard, je me demandai devant mon café si tout cela avait beaucoup de sens. Certes, enseigner l'anglais en Tunisie n'était pas, a priori, déplaisant, mais cette perspective n'enthousiasmait pas cette part de moi-même qui voulait jouer un rôle en politique, où un seul acte peut affecter la vie de millions de gens. La coopération ne satisfaisait pas ce besoin de réussite profane. Après ma deuxième tasse de café, je rappelai pour décliner l'offre.

---

5. NdT. Leader républicain.
6. NdT. Organisation de coopération américaine pour l'aide aux pays en voie de développement subventionnée par le gouvernement.

Je voulais faire le bien mais je voulais aussi bien faire. C'était Washington qui offrait le plus de possibilités de concilier altruisme et réussite sociale. Au bureau de placement de Columbia, je vis une annonce pour des stages à la Fondation Carnegie pour la paix dans le monde et j'y décrochai un emploi qui consistait à écrire des comptes rendus de bouquins et à rédiger des brouillons de discours sur la limitation des armements nucléaires, le sujet de ma thèse de troisième cycle. Seul problème, la bourse n'était que de six mois. À moins de trouver un autre travail, j'avais promis à mes parents que je passerais les six mois suivants dans un cabinet juridique à Cleveland avant de commencer la fac de droit à l'automne.

Ce qui arriva ensuite ne faisait pas partie de mon programme. Nous avons tous besoin un jour ou l'autre d'une ouverture inattendue, d'une brèche où nous engouffrer. La mienne se produisit le soir où Norman Mayer fut abattu.

Norman Mayer était un homme d'âge mûr au visage buriné qui se promenait dans les rues de Washington en coupe-vent de nylon, lunettes de soleil et casquette de base-ball : il ressemblait au chef caddie monté en graine d'un club de golf. Lui aussi travaillait au désarmement, mais à sa façon, très particulière. S'il parvenait à attirer votre attention dans la rue, il vous tendait un opuscule qui promettait 10 000 dollars à celui ou celle qui arriverait à prouver que les armes nucléaires empêchent la guerre nucléaire – un raisonnement très lucide pour un homme dérangé. De temps à autre, Mayer passait à la Fondation et venait faire un peu de lobbying pour ses propositions. Comme j'étais le dernier arrivé dans la boîte, c'était à moi de le « gérer ». Je lui offrais un sandwich et nous parlions, assez mal à l'aise, jusqu'à ce que je finisse par trouver une excuse pour m'éclipser et le raccompagner à la porte. Pas exactement ce que j'avais en tête quand je m'imaginais des déjeuners de travail entre avocats, mais Norman avait l'air assez inoffensif. Jusqu'au 8 décembre 1982.

En rentrant de déjeuner, ce jour-là, je tombai sur mon patron qui m'annonça avec un sourire crispé : « Ton ami retient le Monument de Washington en otage, tu ferais bien d'appeler la police. »

Norman Mayer avait revêtu une combinaison spatiale de sa confection et s'était rendu au Monument dans une camionnette prétendument bourrée de dynamite qu'il menaçait de faire exploser à moins qu'on ne diffuse son plan pour faire échec à la guerre nucléaire. Washington était paralysé et l'Amérique vissée devant la télévision qui filmait l'événement en direct. J'appelai la police et les reporters commencèrent à me téléphoner.

Ce fut ma première expérience de la frénésie médiatique que déclenchent les événements qui focalisent sur eux l'attention du pays tout entier. Les producteurs téléphonent tous azimuts pour rameuter sur les plateaux tous ceux qui ont un lien, même très ténu, avec l'événement. Ce jour-là, le quelqu'un en question, c'était moi : j'étais le type qui connaissait le type qui retenait tout Washington en otage. Une chaîne de télé nationale m'envoya une limousine et j'y allai de mon mince boniment sur Norman, en direct, devant des millions de téléspectateurs. Mes parents enregistrèrent les nouvelles et appelèrent leurs amis dans tout le pays.

Pour couronner le tout, Ed Feighan, un député de Cleveland récemment élu, était devant son poste. Je lui avais envoyé la veille un CV pour un emploi dans son cabinet. Feighan me téléphona le lendemain : « Si vous arrivez à passer aux infos du soir en direct, vous pouvez sûrement m'être utile. » Il me proposa un poste d'assistant parlementaire, ce qui signifiait que je devais rédiger des lettres, des mémos et des discours sur tous les dossiers auxquels il travaillait. Le salaire était le double de ma bourse de stagiaire.

J'étais ravi d'avoir décroché ce nouvel emploi, mais effrayé par la façon dont je l'avais obtenu. Norman Mayer avait bluffé. Il n'y avait pas de dynamite dans sa camionnette. Mais la police ne pouvait pas le savoir et, quand il avait fait mine de repartir avec son véhicule, ils l'avaient abattu. *Ce n'est pas ma faute si Norman a été abattu. Ce n'est pas moi qui conduisais la camionnette, ni qui ai appuyé sur la détente. Pourquoi ne s'est-il pas rendu après avoir dit ce qu'il avait à dire ? D'ailleurs j'aurais obtenu le boulot de toute façon. J'ai les compétences, je suis de Cleveland, je vais bosser dur. Pourtant...* Non, ce n'était pas de ma faute si Norman avait été abattu, mais je ne pouvais rien changer au fait que son sort tragique avait scellé ma bonne fortune.

À peu près à cette époque, un de mes nouveaux amis, Eric Alterman, me présenta à son mentor, le célèbre journaliste I. F. Stone. Âgé de près de quatre-vingts ans, Stone couvrait en franc-tireur l'actualité politique de la capitale depuis cinquante ans, démasquant les hypocrisies, défiant les régimes successifs, les côtoyant tous sans se compromettre avec aucun. Eric m'organisa un rendez-vous avec lui dans un salon de thé de Connecticut Avenue. Je revois encore Stone assis à une petite table, devant une tasse de thé dans laquelle il trempait un bagel toasté tout en picorant des raisins secs. Avec ses fins cheveux bouclés et ses yeux pâles, il ressemblait à une réincarnation de Yoda en complet élimé de flanelle grise.

« Vous qui couvrez l'actualité politique depuis si longtemps, n'avez-vous jamais été tenté d'entrer vous-même en politique ?

– Une fois », répondit-il.

Il y a soixante-cinq ans, quand Stone était encore lycéen, le « leader » politique de sa classe lui avait offert une place dans la rédaction de la gazette du lycée – le boulot dont il rêvait – pour le récompenser de l'avoir aidé à se faire élire. Mais la nausée que Stone avait vite ressentie avait dissipé sa tentation, et il s'était promis de ne plus jamais frayer avec la politique militante.

Je respectais ce sentiment, je l'enviais, il me rendait même un peu honteux, mais je ne le partageais pas. Mon nouveau travail était trop excitant pour que j'y renonce et j'étais un nouveau venu dans l'arène. Trouver ceux qui détenaient les informations dont j'avais besoin, arpenter les couloirs du Congrès au rythme de l'élaboration et du vote des lois, préparer les questions que mon patron allait poser en commission et qui seraient reprises par la presse, apprendre à anticiper ses besoins politiques et à utiliser sa position pour faire progresser la mienne, participer aux discussions au sommet et entendre avec jubilation répéter ici et là des phrases que j'avais écrites… J'adorais tous les aspects de ce travail.

Une démocratie a sans aucun doute besoin d'êtres comme Stone qui restent au-dessus de la mêlée, mais elle a aussi besoin de gens qui la fassent fonctionner de l'intérieur, qui jouent le jeu et essaient de faire passer leurs idées. Mais attention. Votre première mission ressemble à votre premier scotch. Ça brûle et ça vous soulève le cœur. Si vous êtes comme Stone, une fois sera une fois de trop. Si vous êtes comme moi, vous allez vous prendre au jeu. Devenir accro.

En octobre 1983, deux jours après l'attentat terroriste contre les marines à Beyrouth, le président ordonna l'invasion de la Grenade. Pour moi la diversion était transparente : envahir une île minuscule des Caraïbes pour que le public oublie la terrible tragédie qui venait d'avoir lieu au Proche-Orient. Ce matin-là, je me précipitai au bureau et remis à Feighan un virulent discours contre le président. « Tout le pays va voir clair dans son jeu, l'assurai-je, et c'est à vous de mener la charge. »

Feighan resta presque complètement isolé dans sa charge anti-Reagan et ne me le pardonna jamais. Le public aimait trop les photos de ces étudiants en médecine délivrés par les marines et embrassant le sol américain à leur arrivée. J'avais commis une erreur tactique en laissant mes opinions personnelles altérer mon jugement politique. Même si j'avais raison sur la malhonnêteté du procédé, en termes d'opportunité politique je me trompais. J'aurais dû prévenir mon patron, tout en lui conseillant de critiquer l'intervention, qu'elle allait remporter un grand succès dans l'opinion. Ce jour-là, j'appris à distinguer ce qui est juste de ce qui peut réussir, une aptitude qui devait m'être fort utile par la suite. La prévoyance est essentielle en politique : si vous en manquez totalement, vous ne ferez pas de vieux os dans un cabinet ministériel. Et si vous êtes viré, vous ne ferez jamais s'imposer les idées auxquelles vous tenez. Le risque c'est de ne plus vous soucier de la différence entre ce qui est juste et votre propre survie, ou de ne plus être capable de la voir.

Le même mois, je postulai pour une bourse d'études Rhodes à Oxford. Je pensais que ce séjour me permettrait d'approfondir ma réflexion sur cette différence et qu'il rassurerait mes parents sur mon avenir. Ne plaisantant qu'à moitié, mon père me demanda : « Quand vas-tu cesser de t'amuser à Washington, et trouver un vrai travail ? » Je passai alors un marché avec lui : si j'étais refusé encore une fois par la commission d'attribution, je ferais vraiment ma fac de droit.

Le comité de sélection m'épargna cela et la bourse m'offrit la sécurité professionnelle d'une fac de droit sans le bachotage fastidieux qu'elle implique. La bourse Rhodes est un passeport pour l'élite. Elle ne garantit pas le succès, mais elle permet d'obtenir des entretiens pour des boulots géniaux. Et quand vous êtes à Oxford, vous pouvez lire ce que vous voulez, absorber la sagesse de tuteurs brillants, discuter à perte de vue et voyager autour du monde. Bref, un séjour romantique, idyllique même, avec au bout du compte la promesse d'un avancement rapide.

C'est à Oxford que j'eus pour la première fois l'occasion d'apprendre et d'explorer par moi-même sans l'obligation d'obtenir de bonnes notes ou d'impressionner mon patron. Cet automne-là, une famine s'était déclarée au Soudan. Je me portai volontaire dans une organisation d'assistance humanitaire et vis la famine par moi-même ; je compris ses causes, ses effets sur les gens. J'aidais à nourrir quelques gosses ou à nettoyer les camps. Je voulais écrire des articles sur la situation au Soudan. Favoriser la prise de conscience des Occidentaux. Mais le billet de retour, dans mon sac à dos, me rappelait opportunément que je n'étais pas Albert Schweitzer. C'était au moins autant par goût de l'aventure que pour soulager des êtres humains que j'avais fait ce voyage, et je le savais.

À l'époque où je me trouvais au Soudan, le général qui avait longtemps dirigé le pays avec l'appui de la CIA fut renversé. Le jour du coup d'État, j'assistai à une émeute silencieuse. Les foules déferlaient dans la ville, mais le seul bruit qu'on entendait était celui de leurs semelles crissant sur les trottoirs. La radio annonça que le général s'était enfui et les gens se mirent à courir dans les rues en poussant des cris de joie.

Je me promenai à Khartoum tout le reste de la journée en me demandant si j'étais en train d'assister à une véritable révolution. L'air était chargé de bonheur et d'espoir ; tout le monde semblait galvanisé par la croyance que tout allait aller mieux maintenant que le méchant avait été flanqué dehors et que des hommes nouveaux l'avaient remplacé. Mais je fus frappé par la vision d'une vieille femme hébétée qui observait la liesse populaire depuis son abri en carton, sur le bord de la route. *Que pense-t-elle de tout cela ? Sa vie sera-t-elle meilleure demain qu'elle ne l'est aujourd'hui ? Ou bien la misère indicible qui est la sienne la rend-elle indifférente à toute révolution ? Craint-elle que la situation s'aggrave ?*

Ce souvenir me poursuit encore aujourd'hui, non comme une incitation à désespérer ou une excuse pour un cynisme désabusé, mais comme un rappel à une certaine humilité sur les promesses de la politique et le potentiel d'un gouvernement. Parce que je crois au péché originel, parce que je sais que je suis capable d'être obsédé par la pensée d'une bière bien fraîche dans un village où les enfants agonisent, parce que je n'oublie pas que l'égoïsme rivalise sans cesse avec la compassion dans notre cœur, je crois que nous avons besoin d'un gouvernement. Un gouvernement qui nous contraigne à nous soucier du bien commun même quand nous n'en avons pas envie, une autorité publique qui nous force à canaliser nos meilleurs instincts et à tenir les mauvais en échec. Mais je crois aussi nécessaire de contrôler les gouvernements et de modérer notre passion d'être gouvernés. Je ne crois pas que les gouvernements soient bons, ils sont seulement nécessaires. Je suis un libéral qui accepte certaines contraintes.

Lors de ma seconde année à Oxford, je tentai de consolider mes réflexes intellectuels en étudiant systématiquement la morale chrétienne. Retour au B-A BA. Je voulais refondre mes opinions politiques et mes croyances personnelles dans la philosophie et la théologie, une autre façon de réconcilier la vie que je menais avec la vie que j'avais imaginée enfant. J'en savais long sur la réalité de la politique au jour le jour. Désormais, je voulais réfléchir sérieusement à la question du « pourquoi ». Je lus donc saint Augustin, Thomas d'Aquin, Luther, Martin Niebuhr et leurs analyses des questions fondamentales de la politique – la guerre et la paix, la vie et la liberté – du point de vue du juste plutôt que du point de vue de ce qui a le plus de chances de réussir. Ces lectures me permettaient de ne pas oublier les enjeux essentiels de la politique ni les règles d'un jeu qui tendent à s'estomper quand celui-ci devient trop captivant.

Et j'aimais toujours le jeu. En rentrant à Washington après mon séjour à Oxford, Feighan me proposa de diriger son équipe. L'année suivante je m'engageai dans la campagne présidentielle Dukakis. Pas question d'hésiter : un Grec américain libéral candidat à la présidence. Comment aurais-je pu ne pas le soutenir ? Après avoir participé aux primaires[7], je déménageai à Boston pour ce que je croyais un bref séjour avant le retour triomphal à Washington avec un nouveau président.

---

7. NdT. Aux États-Unis, l'élection primaire est une procédure de sélection des candidats de chaque parti. Les candidats des deux principaux partis doivent obligatoirement passer par ces primaires.

À mon arrivée, nous avions une avance de dix-sept points dans les sondages. Puis les républicains déclenchèrent leur contre-offensive. La campagne Bush, menée par Lee Atwater, lança une série d'attaques concertées, impitoyables et incessantes, contre le gouverneur Dukakis, son passé et son caractère. Le président Reagan affirma en plaisantant que Dukakis était un « infirme ». Cette « plaisanterie » relevait en fait d'une tentative concertée pour amplifier la fausse rumeur répandue par les responsables de la campagne républicaine, selon laquelle Dukakis aurait été soigné pour une dépression. C'était une fausse allégation, mais Dukakis fut forcé de convoquer une conférence de presse en présence de son médecin. Au moment de la Convention républicaine d'août, notre avance s'était évaporée, notre candidat était devenu une caricature et notre campagne était dans l'impasse.

Quelques mois après l'élection, je quittai la politique pour devenir l'assistant du Père Tim Healy, le nouveau président de la bibliothèque publique de New York. Le Père Healy voulait relancer les bibliothèques de quartier qui avaient eu tellement d'importance pour lui quand il était un gamin du Bronx. Je voulais apprendre à diriger une grande institution et contribuer à son effort éducatif. De plus, comme les républicains contrôlaient encore Washington, vivre à New York me semblait un excellent choix.

Mais juste après que j'eus trouvé un appartement, la campagne de Newt Gingrich pour renverser le Speaker Jim Wright réussit, et le bouleversement qui s'ensuivit au Parti démocrate entraîna la désignation de Tom Foley comme Speaker, et de Richard Gephardt comme chef de la majorité. Je reçus pour ma part un appel de Kirk O'Donnell. Kirk avait été mon patron dans la campagne Dukakis et, outre ses activités d'avocat à Washington, il cherchait des talents pour Dick Gephardt.

Kirk appela mon bureau qui surplombait la Cinquième Avenue et entra dans le vif du sujet : « Je sais que vous venez de commencer avec le Père Healy, George, mais voudriez-vous revenir à Washington pour devenir l'assistant parlementaire de Dick Gephardt ? »

« Vous plaisantez ? » Kirk m'offrait un poste dans le saint des saints du Parti démocrate, collaborateur du chef de la majorité au Congrès. Celui-ci travaillait main dans la main avec le Speaker qui travaillait main dans la main avec le président. Comme assistant parlementaire de Gephardt, j'allais être son ombre, son alter ego, ses yeux et ses oreilles. Dans mon travail pour Feighan, j'avais enregistré quelques succès notables mais modestes comme de pétitionner et obtenir la libération d'un prisonnier politique ou de glisser un amendement dans une loi d'aide au tiers monde pour subventionner des paysans de pays en voie de développement. Avec Gephardt, j'allais aider à mettre sur pied l'ordre du jour national du Parti démocrate, chercher à contrer les initiatives de Bush et à passer outre ses veto. Quand je travaillais avec Feighan, l'assistant parlementaire du chef de la majorité démocrate ne me rappelait jamais. Avec Gephardt, c'était moi qu'on allait appeler. Je ne l'avais jamais rencontré mais je savais que Gephardt était un bon démocrate et il y avait un bonus : il voulait se présenter aux présidentielles de 1992. Ce n'était pas le moment de quitter la politique.

Mon nouveau boulot s'avéra aussi palpitant que je l'avais prévu, même si je ne pouvais expliquer exactement en quoi il consistait. Quelqu'un l'a un jour comparé au travail de contrôleur aérien dans un aéroport encombré une nuit de brouillard. Et les soirs de fin de session parlementaire où j'étais debout à côté du fauteuil du Speaker essayant d'expliquer à des députés frustrés pourquoi ils devaient être présents au dernier vote même s'ils avaient pris des billets non remboursables pour la Floride avec leur famille, cette comparaison me semblait parfaitement exacte. Mais, la plupart du temps, mon travail d'assistant consistait surtout à doser judicieusement grands principes et tactique politicienne. Je devais me tenir au courant de l'actualité parlementaire et veiller à la bonne marche des choses.

Je passais mes journées dans un mouvement perpétuel, arpentant les couloirs de réunion en réunion, de député en député, essayant d'obtenir les informations et de les répercuter. Les députés me harponnaient sans vergogne quand ils avaient besoin de faire passer un message au chef de la majorité ou voulaient savoir ce qui se passait. Les reporters en quête d'informations me harcelaient. Toutes mes informations devaient se trouver dans ma tête, dans ma poche, ou réclamer, au pire, un coup de fil.

Mais il n'était pas suffisant de connaître les règles et les arcanes de la stratégie du parti. À la Chambre, il n'y a pas de distinction entre le personnel et le politique. Pour connaître le Parlement vous devez connaître ses membres, leurs circonscriptions, les projets qui leur tiennent à cœur, les personnages qui financent leurs campagnes. Vous devez savoir quels votes ils concèderont sans discuter et quelle limite ils ne franchiront jamais. Vous devez être capable de détecter le message caché dans une phrase en apparence insignifiante et de rire à la plaisanterie que vous avez déjà entendu mille fois. Faute de quoi, vous perdez en une fraction de seconde des alliés et vous vous faites des ennemis impitoyables. L'aspect le plus fascinant de ce travail consistait à observer ces schémas de fonctionnement, et à découvrir qui détenait les votes clés ou quel amendement allait permettre de verrouiller une majorité ; à regarder les coalitions se former, se défaire et se ressouder à nouveau.

Je me sentais justifié dans mon travail et j'avais l'impression de servir à quelque chose. La bataille budgétaire de 1990 fut la meilleure. Nous autres, démocrates, luttions alors pour inverser les priorités de l'ère Reagan, pour augmenter les impôts pour les catégories aisées et pour le maintien des programmes sociaux en faveur des classes modestes. Nos efforts renforcèrent le budget et affaiblirent Bush politiquement, mais, comme à l'époque de mon arrivée à Washington, dix ans plus tôt, c'était toujours un président républicain qui tenait le gouvernail et décidait des grands axes de la politique américaine. Les démocrates étaient contraints de jouer en défense, ils se définissaient plus par les projets qu'ils pouvaient empêcher que par ceux qu'ils étaient capables d'impulser. Nous pouvions bloquer un projet de réduction d'impôts sur les plus-values financières mais pas faire voter une loi instituant un crédit d'impôts pour les plus pauvres. Nous pouvions bloquer les projets de coupes sombres dans les programmes d'aide sociale ou dans le système de santé publique mais pas développer ces programmes ni imposer un système fédéral d'assurance maladie. Nous pouvions nous opposer bruyamment à la désignation d'un juge à la Cour suprême – voire bloquer le candidat numéro un du président lui-même –, mais pas empêcher que des juges conservateurs contrôlent les cours fédérales pendant vingt années supplémentaires. Nous pouvions remporter des victoires morales sur la colline du Capitole, mais ce n'était pas nous qui faisions l'histoire.

Et le vent ne semblait pas prêt de tourner. À l'été 1991, l'Amérique avait gagné la guerre du Golfe et le président Bush était crédité de

90 pour cent d'opinions positives. Une autre élection approchait et personne dans mon entourage ne pensait que Bush pouvait être battu.

Gephardt, qui songeait toujours à la présidentielle, commanda des sondages et prit la température de l'Iowa et du New Hampshire. Il me demanda aussi mon avis sur ses chances de candidat : devait-il solliciter la nomination du Parti démocrate en 1992 ?

« Absolument, lui répondis-je. Vous êtes populaire et vous avez déjà été candidat. Vous pouvez battre tous vos concurrents à l'élection. (Seul Paul Tsongas, l'ancien sénateur du Massachusetts et Tom Harkin, le sénateur de l'Iowa, avaient fait acte de candidature.) Même si Bush est populaire, quelqu'un doit mener cette bataille. Ce sera bon pour le parti et pour le pays. »

Joli petit discours. Sincère d'ailleurs, sauf l'omission d'une motivation inavouable : *j'espère que vous allez vous présenter, ne serait-ce que pour moi. J'ai toujours voulu être au cœur d'une campagne, le bras droit du candidat. Si vous êtes désigné par le parti, qui sait ? Bush trébuche et je deviens l'adjoint du président des États-Unis.*

Mais Gephardt avait voté pour l'augmentation d'impôts impopulaire de Bush et contre sa guerre populaire, et il appartenait à un congrès qui avait augmenté le salaire des représentants et s'était enlisé dans un scandale financier. En 1991, les seuls électeurs à ne pas en vouloir au Congrès étaient apparemment les éternels abstentionnistes, ceux qui ne s'intéressaient pas à la politique. Le chef de la majorité démocrate n'avait pas le pedigree idéal et il le comprit rapidement. Il décida sagement de ne pas bouger.

Mais moi, j'avais envie de bouger. L'idéalisme tempéré et l'ambition brute qui sont les ressorts de mon caractère recommençaient à me pousser en avant, ils exigeaient un nouveau tremplin.

2 DEVENIR UN VRAI CROYANT

J'étais prêt à lier mon sort à celui de Mario Cuomo, le gouverneur de New York. J'avais lu son journal de campagne à l'époque où je débutais en politique, et j'y avais trouvé la meilleure histoire possible – celle d'un candidat brillant qui pensait en moraliste.

Son discours de la Convention démocrate de 1984 était encore meilleur. Voilà un politicien qui pouvait utiliser des mots comme « amour » et « compassion » sans avoir l'air mièvre, qui parlait de la « mosaïque américaine » et appelait le pays à remplacer le « social-darwinisme » de Reagan par « l'idée de la famille ». Cuomo disait tout ce que je pensais et il donnait aux gens l'envie de se battre pour lui. En visionnant la cassette de son discours, j'arpentais ma chambre à grands pas et je criais devant la télé en espérant que la Convention serait transportée et le désignerait comme candidat. Mais à l'été 1991, Cuomo n'était toujours pas descendu dans l'arène, pas encore.

Bob Kerrey, autre candidat à l'investiture, était un séducteur. Ce sénateur médaillé de guerre représentait bien l'Amérique profonde. C'était l'ironie personnifiée, son caractère fantaisiste et ses convictions intellectuelles lui attiraient la sympathie des habitués des cocktails du parti de New York à Hollywood et les donateurs se pressaient à ses soirées. Il avait l'art de concilier une sagesse très conventionnelle et des opinions à la mode.

En outre, Kerrey mettait les républicains mal à l'aise : ils ne pouvaient lui réserver le même sort qu'à Dukakis, cloué au pilori comme patriote mou, « démocrate d'abord et américain ensuite ». Un héros de guerre est un patriote par définition et Kerrey pouvait mener à bien des combats que peu d'autres démocrates auraient osé entreprendre. Il avait notamment transformé la lutte contre un amendement constitutionnel interdisant de brûler le drapeau américain en une victoire politique. Kerrey avait le charisme de Kennedy sans en avoir les ressources et il était moins ambigu que Cuomo. Le jour où je sus qu'il se lançait dans la course, je fis savoir aux membres de son équipe que j'étais prêt à me joindre à eux.

Paul Tsongas, encore un Grec américain, était un bon sénateur et je lui avais un jour envoyé une lettre de fan après avoir lu le livre où il parlait de sa victoire contre le cancer. Mes origines me destinaient certes à rallier sa campagne, mais cette union aurait un peu trop ressemblé à un mariage arrangé. Et surtout, Tsongas n'avait aucun charisme, son plan économique ressemblait plus à un rapport financier annuel qu'à un manifeste populaire. Il avait soutenu la réduction de l'impôt sur les plus-values et les coupes dans le programme de santé publique, précisément les mesures contre lesquelles je m'étais battu. De plus, après 1988, il ne fallait plus espérer voir les démocrates se ranger à nouveau derrière un Grec cérébral du Massachusetts.

On me demanda des comptes. S'il n'avait pas été grec, je n'aurais même pas songé à travailler pour Tsongas. Mais parce qu'il était grec, je devais expliquer à la tribu pourquoi je ne voulais pas... Dans ma communauté, l'appartenance ethnique prime toujours sur l'idéologie. Bien que les Gréco-américains votent en général républicain, ils soutiennent les démocrates d'origine grecque. Ils se seraient rangés derrière Tsongas exactement comme ils l'avaient fait pour Dukakis et ils attendaient de moi que j'en fasse autant.

Bill Clinton n'était pas mon genre. C'était un conservateur du Sud ; j'étais un libéral du Nord. Il était gouverneur ; j'étais une créature du Congrès. Je ne l'avais jamais rencontré et ne l'avais entendu parler en public qu'une fois : à la Convention de 1988 du Parti démocrate où son discours monotone en faveur de Dukakis n'avait obtenu d'applaudissements qu'au moment où il avait annoncé : « Pour conclure... »

Mais des amis qui le connaissaient bien m'avaient certifié que je l'apprécierais. Mark Gearan, le porte-parole de Dukakis qui dirigeait alors l'association des gouverneurs démocrates, m'affirma que Clinton était plus libéral et moins ennuyeux que je pouvais le croire. Un collaborateur de Gephardt, David Dreyer, m'expliqua que la philosophie de la responsabilité personnelle de Clinton me plairait et il me présenta à John Holum, un ancien collaborateur de McGovern qui collectait des CV pour Clinton. S'ils aimaient tous ce type, c'est qu'il devait être meilleur que je ne le pensais. Et n'importe quel démocrate valait mieux que quatre années supplémentaires de Bush. Peut-être le côté conservateur de Clinton allait-il le rendre plus attractif ? Peut-être était-il temps que le parti sacrifie sa pureté idéologique à son potentiel électoral ?

Certains de mes amis m'incitèrent à ne pas m'engager dans la campagne. Kirk O'Donnell m'invita à déjeuner dans la salle à manger du Congrès pour me mettre en garde. Autour de nous, pas un visage qui ne me fût familier. Les serveurs en tablier blanc m'avaient réservé ma table habituelle. Les députés venaient me saluer, me confiaient un message pour le chef de la majorité, me priaient de lui demander une faveur. J'étais un type important, ou du moins je croyais l'être.

« Sois malin, fit Kirk. Tu as un des plus gros postes du Congrès. Pourquoi le quitter ? Reste avec Dick. Si tu veux vraiment travailler dans la campagne, attends les résultats de la Convention[1]. »

C'était un conseil plein de sagesse et de prudence mais je rongeais mon frein au Congrès et je voulais parier. Évidemment, attendre la désignation officielle du candidat du parti aurait été plus sûr, mais en revanche plus vite je m'engageais auprès d'un candidat, plus je serais au cœur de l'action. Et pour quelqu'un comme moi, avec plus d'ambition que d'expérience des campagnes électorales, c'était le moment idéal pour chercher du travail. Comme les candidats les plus en vue (Gephardt, Bill Bradley, Jay Rockefeller et Al Gore) avaient déjà annoncé qu'ils n'entreraient pas en lice contre Bush, la plupart des chefs d'état-major pressentis avaient décidé de faire l'impasse sur cette élection. Ils avaient

---

1. NdT. Le Congrès national du parti qui décide, l'été qui précède les élections présidentielles, qui sera candidat.

chamboulé leur vie pour deux campagnes perdantes d'affilée et ils refusaient pour la plupart de repartir à l'assaut pour une élection qui semblait perdue d'avance. Les meilleurs postes étaient donc à prendre.

Je rencontrai Kerrey et Clinton le même jour de septembre 1991. C'était un vendredi matin, une belle journée ensoleillée, et en marchant vers le Sénat, je pressentais que les événements de cette journée avaient de grandes chances de bouleverser ma vie.

Kerrey devait annoncer sa candidature le lundi suivant. J'avais été invité à me joindre à une petite répétition de la conférence de presse au cours de laquelle les membres de son équipe jouaient les journalistes déchaînés et le bombardaient de questions, en choisissant évidemment les plus dérangeantes. Je me joignis à l'équipe de Kerrey, assise sur le canapé en face de son bureau. Le sénateur m'adressa un petit bonjour de la main et l'interrogatoire commença. Je choisis des questions assez pugnaces pour être utiles mais pas trop dures pour ne pas avoir l'air hostile. Après tout, je ne connaissais même pas le bonhomme. Mais j'aimai ce que je vis.

Après une vague de questions, Kerrey se mit à lire une première version de son discours qui se terminait par une citation de Dietrich Bonhoeffer, le théologien allemand qui avait été exécuté pour avoir fait partie des conjurés qui projetaient d'assassiner Hitler. *Très bien : Bonhoeffer, un noble martyr qui avait décidé de se salir les mains et de sacrifier sa vie à une cause juste.* J'avais étudié l'*Éthique* de Bonhoeffer et j'admirais son héroïsme moral, j'étais donc captivé. Mais mon sens politique me fit sourciller : citer un pasteur allemand sur le sujet du sacrifice n'était peut-être pas la meilleure manière d'ouvrir une campagne qui s'adressait aux cœurs et aux esprits de la classe moyenne américaine qui se sentaient déjà méprisés par la classe politique. Ça allait apparaître au mieux obscur et, au pire, condescendant.

L'atmosphère du bureau de Kerrey me mettait aussi mal à l'aise. Les assistants parlementaires sont toujours respectueux envers les sénateurs, mais quand Kerrey s'adressa à nous depuis son énorme bureau, je remarquai de lents hochements de tête qui suggéraient que les paroles de Kerrey étaient plus profondes que nos bavardages politiques habituels – que les répliques laconiques du sénateur devaient être méditées comme des aphorismes politiques. La campagne du sénateur était empreinte d'une atmosphère bon enfant mais indiscutablement messianique.

Je n'étais pas immunisé contre ce type d'ambiance et si j'avais rejoint son équipe, j'aurais probablement succombé moi-même. Mais après la réunion, la directrice de campagne de Kerrey se montra distraite et légèrement dédaigneuse, doutant visiblement que je puisse m'intégrer dans leur équipe. Plus l'entretien avançait, plus j'avais l'impression d'être le fils d'un riche donateur quémandant une place de stagiaire, et non un professionnel de la politique postulant pour un job de haut niveau. Quand je lui dis que j'apprécierais une décision rapide pour prévenir Gephardt assez tôt, elle me regarda et dit : « Vous devez comprendre quelque chose. Il s'agit d'une cause, pas d'une carrière. »

J'avais compris, en effet.

La réunion des partisans de Clinton avait lieu à la mairie dans le bureau de Stan Greenberg, un ancien professeur de Yale, devenu analyste de sondages, qui avait rejoint la campagne Clinton. Je ne savais pas ce qui m'attendait mais j'eus tout le temps d'y penser : Clinton était en retard. Quand il entra dans la pièce avec Stan et Mark Gearan, j'eus droit au grand numéro.

Bien en chair, le teint fleuri, Clinton avait l'air d'un gamin grandi trop vite dans son costume léger d'été. Mais il avait l'allure d'un homme habitué à être obéi, admiré, courtisé, aimé. Lent mais pas solennel, presque nonchalant mais bourré de confiance en lui. Gearan me présenta en me tendant un petit piège : « Vous connaissez le travail de George. Il écrivait des bons mots pour Dukakis. »

« Pas vraiment, objectai-je. Il avait juste besoin d'un petit Grec dénué de sens de l'humour pour tester ses répliques. »

Clinton me lança un coup d'œil aigu et me gratifia d'un sourire en me serrant la main. Sa poignée de main était étonnamment douce pour un homme politique. « J'ai l'impression que vous n'êtes pas dénué de sens de l'humour. Et que savez-vous faire d'autre ? »

Mark et Stan nous laissèrent seuls et Clinton commença à fureter dans le bureau, feuilletant des livres, des questionnaires de sondage, des photos, tout ce qui accrochait son œil. Avant que nous ayons vraiment commencé à parler, le téléphone sonna. C'était Pamela Harriman, une des principales donatrices du parti, qui voulait connaître la position de Clinton sur les contributions des comités d'action politique à la campagne. Tout en lui parlant, Clinton examinait un rapport de sondage, me regardant de temps à autre comme pour s'excuser d'avoir interrompu notre conversation. Quand il raccrocha, il me demanda conseil. Tsongas refusait l'argent des comités. Devait-il en faire autant ?

« L'argent des comités d'action politique n'est pas pire que les autres contributions. Mais les comités sont mal vus en ce moment, donc à moins que vous ne puissiez lever des fonds vraiment énormes par ce biais, il vaut probablement mieux ne pas y toucher en ce moment. De toute façon, Harkin rafle déjà tout l'argent des syndicats. Le gain que vous ferez en publicité va compenser le peu que vous perdez en refusant cet argent. À votre place, je prendrais l'engagement de ne pas l'accepter. »

« Ça me paraît juste », répondit Clinton. La demi-heure qui suivit fut le premier échange d'une longue série, pendant lequel il passa en revue avec moi tous les problèmes politiques qui l'agitaient. Il semblait avoir des opinions sur tout, qu'il s'agisse des règles de désignation des super délégués à la Convention ou des taux de participation électorale dans les quartiers noirs le Super Tuesday[2], des restrictions de crédit qui mettaient en faillite de petites entreprises du New Hampshire ou des prêts aux micro-entreprises et de l'aide qu'ils apporteraient aux fermiers du delta du Mississipi. Il passait d'un sujet à l'autre sans jamais perdre le fil, ponctuant son monologue de questions à mon intention. Il m'annonça finalement que la désignation serait bouclée le jour de la primaire en Illinois. J'étais époustouflé.

Avant d'aller déjeuner il me posa des questions sur le budget de 1990, un de mes domaines de compétence. Quels étaient ses points forts ? Ses points faibles ? La façon dont Kerrey et Harkin avaient voté à l'époque pouvait-elle leur nuire ? Il ne me testait pas mais recherchait seulement un conseil et j'eus l'impression qu'il enregistrait soigneusement ce que je lui disais, le fixant dans sa mémoire pour le réutiliser le

---

2. NdT. Le premier mardi de novembre consacré à l'élection des grands électeurs au suffrage universel direct.

moment venu. Nous avons commencé à travailler ensemble dès le moment où nous nous sommes rencontrés.

Il se dirigea vers la porte en me faisant un signe de la main et en promettant de téléphoner.

Ce soir-là, je me sentais tiraillé : Kerrey était une option toujours séduisante et je croyais qu'il avait les meilleures chances de l'emporter. Mais en comparaison de Clinton, cet homme me semblait distant et son discours flou. Il ne paraissait pas très sûr de ce qu'il ferait une fois élu et son équipe me semblait peu enthousiaste à mon égard.

Vu de près, Clinton était plus impressionnant. Il était intelligent, et il était prêt. Certes, il était plus conservateur que moi. Il militait en faveur de la peine de mort. J'étais contre. Il avait soutenu la guerre du Golfe, j'avais soutenu une aggravation des sanctions. Il avait soutenu la révolution de droite au Nicaragua dans les années quatre-vingts. Je pensais que cette politique était à la fois erronée et illégale. Mais à la fin de 1991, Bush avait gagné la guerre du Golfe, le Nicaragua avait organisé des élections libres et la guerre froide était terminée.

Plus important, Clinton et moi étions en phase sur les problèmes qui m'importaient le plus. Sa conception du rôle du gouvernement, auquel il appartenait, selon lui, de favoriser « les gens qui travaillent dur et jouent le jeu », séduisait mon éthique de fils d'immigrant grec. J'étais également séduit par l'importance qu'il attachait à l'éducation, qu'il s'agisse des programmes d'aide à l'enfance défavorisée, des bourses étudiantes ou de la formation permanente, comme il l'avait montré dans l'Arkansas. Il voulait accroître les impôts pour les riches et les réduire pour les travailleurs les plus pauvres. Il voulait aussi imposer un système fédéral d'assurance médicale et relancer la coopération avec les pays en voie de développement. À la différence de la plupart des hommes politiques du Sud, il ne se prosternait pas devant la National Rifle Association[3]. Sur les problèmes raciaux, il voulait se battre pour le droit

3. NdT. La Constitution américaine garantit à tout citoyen le droit de « détenir et porter des armes ». Forte de cette caution suprême, la NRA, un des plus puissants groupes de pression américains, marqué à droite, s'est toujours vigoureusement opposée aux tentatives de Clinton visant à restreindre la vente, l'usage et la propagation des armes à feu.

dans un État où il avait autrefois fallu appeler les troupes fédérales pour faire cesser la ségrégation dans les écoles. Il était bien décidé à ne pas laisser les républicains rejouer la carte raciale.

Mais ce n'étaient pas seulement ses positions ou la somme de ses connaissances qui m'impressionnaient. C'était la façon dont il m'écoutait. J'avais l'impression que mes idées étaient originales, que je pouvais lui apporter ce dont il avait besoin. Clinton avait su flatter le Stephanopoulos en mal de distinction pour son travail exceptionnel, le petit garçon qui agitait l'encensoir sur les pas de son père et que l'archevêque avait remarqué.

La veille du jour où Clinton annonça sa candidature, on m'offrit un travail : directeur adjoint de la campagne, responsable de la Communication ; un poste assez mal défini. Je devais donner le maximum d'écho aux idées de Clinton dans les médias et le monde politique. Mes tâches étaient assez vagues mais je n'ai pas insisté pour qu'on les clarifie. Je voulais pouvoir prendre des initiatives et j'étais trop excité et reconnaissant pour soulever une question délicate que mes amis me pressaient de poser avant de m'engager.

Ma petite amie, Joan, était particulièrement circonspecte. Elle pensait que Clinton était beaucoup trop conservateur, et Little Rock beaucoup trop loin. Nous nous étions rencontrés lors de la campagne Dukakis. Nous savions tous deux que les campagnes ont le même effet sur une liaison qu'une première année de fac de droit. Parfois cette épreuve consolide une relation, le plus souvent elle la détruit. Mais ce n'était pas son seul souci. Il y avait un hic avec Clinton. Les histoires. Tous ceux que nous rencontrions avaient une anecdote à raconter sur Clinton et les femmes.

Ce soir-là, je fêtai mon nouveau job dans un restaurant grec avec mes amis Richard Mintz et Helene Greenfeld. Au moment de la baklava, ils abordèrent enfin le sujet qui les préoccupait tous. Ils se mirent à me parler sur le ton confidentiel et plein de compassion qu'on adopte avec un ami dont on pressent qu'il va faire un mariage catastrophique. « Et son passé ? Sais-tu vraiment dans quoi tu t'engages ? » Je jouai avec l'idée d'en parler directement à Clinton, mais je ne me voyais pas aborder cette question. J'étais trop jeune et trop neuf pour interroger mon futur patron sur sa vie privée. Son mariage était son affaire et celle d'Hillary.

De plus, si l'adultère était un délit rédhibitoire, la moitié des politiciens de Washington seraient bel et bien chômeurs.

Le passé de Clinton ne m'intéressait pas. Ce qui me préoccupait, c'était le présent – et le futur proche. Avait-il des aventures *en ce moment* ? Après la déconfiture de Gary Hart, en 1988, tout le monde savait que l'adultère n'était pas toléré. Être pris sur le fait pouvait signifier la fin immédiate de la campagne. J'étais certain que Clinton était trop intelligent et trop ambitieux pour être aussi suicidaire.

Les propos qu'il avait tenus publiquement contribuaient aussi à me rassurer. Peu de temps avant d'annoncer sa candidature, Clinton avait participé à un rituel washingtonien connu sous le nom de petit déjeuner Sperling. Godfrey Sperling, qui avait longtemps été l'éditorialiste du *Christian Science Monitor*, invitait deux fois par mois une vingtaine de journalistes autour d'une tasse de café pour donner à un homme politique l'occasion de s'exprimer à loisir sur un problème, sans la pression ni les caméras d'une conférence de presse traditionnelle. Conscient que les rumeurs de donjuanisme constituaient l'écueil le plus dangereux pour sa campagne, Clinton tenta de s'immuniser contre les futures questions en amenant Hillary au petit déjeuner. À la fin de la réunion, il reconnut que son mariage n'avait pas été « parfait ni dénué de difficultés » mais assura l'auditoire que la question avait été réglée entre eux et qu'ils espéraient passer le reste de leur vie ensemble. Le message était clair : son passé était enterré.

On n'entendit plus parler de rien dans la presse mais les rumeurs ne cessèrent pas pour autant. D'aucuns avaient intérêt à les amplifier. David McCurdy par exemple. Le représentant démocrate conservateur de l'Oklahoma menait à la Chambre une campagne de diffamation contre Clinton. McCurdy voulait prendre part à la présidentielle et se présentait aux militants et collecteurs de fonds centristes comme l'alternative « propre » à Clinton – un Clinton avec du « caractère ». En vain. Après les excès indignes de 1988, les élites politiques cherchaient à imposer un certain respect de la vie privée et la dénonciation de leurs éventuelles turpitudes n'était plus à l'ordre du jour.

Si bien que malgré les avertissements bien intentionnés de mes amis, je m'abstins de tout commentaire déplacé à ce sujet. Je sous-louai mon appartement et fis mes valises pour Little Rock. Mais un autre contretemps surgit. Le vendredi précédant mon départ, une nouvelle rumeur se répandit sur la côte Est : Cuomo allait entrer dans la course. Lors d'un déjeuner de collecte de fonds à Manhattan, il avait laissé entendre qu'il pourrait se présenter. Cette nouvelle me fit l'effet d'un coup de poing dans l'estomac. *Pourquoi maintenant ? Où étiez-vous il y a un mois ?* Mais le malaise s'estompa plus rapidement que je ne l'escomptais. Je n'étais plus le même qu'un mois auparavant.

L'atmosphère messianique du clan Kerrey m'avait laissé froid. En revanche, j'étais en train de céder à une tentation similaire avec Clinton. Je le connaissais à peine : une réunion, un ou deux coups de fil. Mais le sentiment que j'avais éprouvé lors de notre première rencontre n'avait fait que se renforcer : j'étais déjà gagné à Clinton et à sa cause. Peut-être ne pouvais-je pas m'en empêcher. Peut-être devais-je sublimer ma mission pour supporter les horaires infernaux, les compromis inévitables et les intenses pressions personnelles auxquelles je savais que j'allais être soumis. Peut-être devais-je transformer cette campagne en croisade ? Je ne sais pas comment, c'est encore un mystère pour moi, mais j'étais en train de devenir un vrai croyant et de développer un amour d'apôtre pour Clinton et l'aventure que nous allions vivre ensemble.

Bruce Lindsey, vieil ami et bras droit de Clinton, vint me chercher à l'aéroport de Little Rock. Il était plus petit que sa voix ne le suggérait, avec des cheveux courts et un beau visage partiellement masqué par de grosses lunettes noires. Il portait un blazer bleu classique, un pantalon gris et une chemise blanche. Sa voix était amicale mais neutre. Tout son comportement semblait parfaitement adapté à son rôle, celui d'ombre de Clinton. Où que Clinton aille, Bruce suivait en coulisses, notant les noms, gardant les secrets, veillant sur le bien-être de son patron.

Nous gagnâmes la demeure du gouverneur, où Clinton lui-même me fit entrer par la porte de la cuisine et visiter les lieux. Allergique à l'épaisse brume automnale, il avait le nez rouge et le visage bouffi. « J'ai du mal à réfléchir quand vient la saison des allergies, je suis toujours endormi », m'expliqua-t-il. Mais cela ne l'empêcha pas de reprendre notre conversation exactement au point où nous l'avions laissée à Washington. « Nous sommes en retard… j'ai beaucoup de travail… des voyages dans le New Hampshire et à Chicago… Il faut que je me constitue un réseau pour recueillir les idées de mes amis… décider ce que je dois faire à propos des sondages d'opinion en Floride. » Il continua à parler alors que je le suivais dans sa chambre, où il changea de pantalon pour un déjeuner en ville, puis s'interrompit pour me tendre un article qu'il prit dans une pile sur l'une des tables de chevet. La sienne comme celle d'Hillary était surchargée de livres, de magazines, de dossiers et de livres de spiritualité. Je n'avais pas encore rencontré Hillary mais en voyant ces tables de chevet, je me les représentais assis dans leur lit, tard le soir, passant articles et dossiers en revue, discutant, riant, s'éduquant l'un l'autre, partageant une même passion pour les idées.

Hillary apparut dans l'embrasure de la porte. Elle était plus jolie que sur les photos, avec un petit sourire à fossettes qui contredisait sa réputation de femme de pouvoir et un tailleur strict qui démentait son sourire. Enjambant ses dossiers, Clinton lui appliqua un baiser sentimental sur la joue et nous présenta. « J'ai beaucoup entendu parler de vous », dit-elle avec un accent du Middle West légèrement ralenti par les années passées dans le Sud.

Bon début. Une femme chaleureuse. Travailler avec le patron pendant qu'il se change, passe encore. Mais une fois sa femme dans la pièce, mieux vaut tirer sa révérence. Hillary insista pour que je reste et se mêla à la conversation, posa des questions, analysa les primaires imminentes et me rappela tout le travail que nous avions à abattre. Ma timidité fut balayée par l'excitation d'un rêve devenant réalité : j'étais en train de bâtir une campagne présidentielle au cœur de l'action, dans l'intimité de Clinton.

Le gouverneur Clinton partit déjeuner et je rendis ma première visite à son quartier général, un magasin réaménagé du centre ville. *C'est ça le quartier général ? Où est le brouhaha ? Les membres de l'équipe ? Pourquoi je n'entends pas sonner un seul téléphone ?* L'endroit rappelait plutôt le secrétariat d'un sénateur en exercice, sans le moindre adversaire politique. J'aperçus les réceptionnistes bénévoles, deux femmes sympathiques d'un certain âge qui consacraient quelques heures par semaine à leur gouverneur bien-aimé. À ma droite, la table nue qui allait me servir de bureau. Nancy Henreich, l'assistante du gouverneur, était assise au fond de la salle. C'était elle qui gérait l'agenda de toute l'opération, accompagnée de son éternel classeur noir qui ne la quittait jamais. Personne d'autre dans le bureau ne semblait faire quoi que ce soit. Je me faisais penser à Dustin Hoffman dans la dernière scène du *Lauréat*, quand il est assis au fond du car où Katharine Ross l'a finalement rejoint. Il ébauche un sourire qui veut dire : *« Je ne sais absolument pas ce que j'ai fait ni où je vais, mais maintenant il ne me reste qu'à en tirer le meilleur parti. »*

Pendant les deux premières semaines, je restai dans mon bureau, travaillant les journalistes par téléphone, aidant Nancy à gérer l'agenda, recrutant des amis pour venir nous aider, planchant sur les cinquante idées que Clinton me soumettait chaque jour au téléphone. Un ami de Hillary voulait que j'analyse son plan de réforme fiscale ; un supporter intelligent du New Hampshire avait de bonnes idées pour une réforme bancaire ; pouvais-je vérifier les résultats des sondages d'opinion à Dade County ?

Après avoir campé quelque temps chez des « amis de Bill », j'emménageai dans un appartement avec Richard Mintz, que j'avais persuadé de faire le plongeon avec moi et qui travaillait dans l'équipe de Hillary. Notre appartement était situé dans un quartier délabré que seule la proximité de la demeure des Clinton rendait attractif. Un soir, Richard trouva deux cambrioleurs confortablement installés sur le canapé en train de décortiquer un poulet devant la télé qu'ils avaient l'intention d'emporter – après leur pause. Nous déménageâmes quelques jours plus tard.

Mais je savais que ma vraie maison serait sur la route, avec Clinton. Le but de notre premier voyage ensemble fut un dîner démocrate à Chicago où Clinton et Kerrey devaient prendre la parole. Comme c'était le premier événement de la campagne où l'on allait voir ensemble les deux candidats, quelques journalistes de la presse nationale seraient présents. Pour moi, ce dîner avait un enjeu supplémentaire : *Et si Kerrey s'avère un meilleur candidat que Clinton ? Et si j'ai fait le mauvais choix ?*

Clinton, Bruce et moi prîmes un vol en classe économique pour Chicago. Clinton avait emporté une grande sacoche en cuir bourrée de livres et de papiers. Il fourragea dedans et me tendit des mémos à relire avant de retourner à ses mots croisés et de faire une sieste. Je remarquai que certains passagers ne cessaient de le dévisager et avaient l'air de se dire : « *Ce type est quelqu'un que je dois connaître.* » Quand j'accrochais un de leurs regards, je leur souriais avec une fierté non dissimulée et un regard qui signifiait : « *Si vous ne le connaissez pas encore, vous le connaîtrez. Attendez un peu.* »

Nous avons prîmes le métro pour le centre ville, pas seulement pour gagner du temps à l'heure des embouteillages mais aussi pour que Kevin O'Keefe, un politicien local et ami de lycée de Hillary, puisse appeler un journaliste de la *Tribune* et lui souffler un petit ragot sur le gouverneur de l'Arkansas qui se présentait à la présidentielle. C'était un bon point pour un candidat démocrate qui partait à la pêche aux voix ouvrières d'être vu dans le métro. Nous avons aussi fait la une des journaux locaux en annonçant que David Wilhelm, un vétéran de l'équipe du maire Daley, allait devenir le chef de campagne de Clinton. Il constituerait un atout décisif si, comme Clinton l'escomptait, la primaire du 17 mars dans l'Illinois s'avérait un tournant décisif.

Dans l'organisation des dîners de collecte de fonds, le truc c'est de distraire les gens, pas de les assommer. Ils doivent s'amuser et passer un bon moment. Le discours d'après dîner doit être facile et léger, avec juste assez d'inspiration pour que les gens aient tout de même l'impression d'accomplir un devoir civique.

Clinton commença son discours en adressant un salut amical et badin à tous les politiciens présents. *Excellent début. Les gens se souviennent de celui qui s'est souvenu d'eux.* Il enchaîna avec une ou deux boutades sur ce que l'Arkansas avait apporté à Chicago, dont Scottie Pippen, le joueur des Bulls, puis il aborda le plat de résistance, une version condensée de son discours de candidature, en expliquant que nous avions besoin d'un président qui se battrait pour la classe moyenne et réglerait nos problèmes intérieurs avant tout. Quand il testa un bon mot sur la nécessité pour le prochain président de s'occuper du Middle West plutôt que du Moyen-Orient[4], l'auditoire le gratifia d'éclats de rire et

4. NdT. Jeu de mots sur « Middle West », qui désigne les états ruraux du centre des États-Unis, et « Middle East », Moyen-Orient en anglais.

d'applaudissements. Je lui fis une note pour lui rappeler d'utiliser à nouveau cette plaisanterie – comme s'il avait besoin que je le lui rappelle…

Kerrey arriva juste avant le dîner et démarra son discours sans travailler son auditoire, se contentant de blagues en aparté avec son directeur de campagne. Son laïus sur le Vietnam fut émouvant, mais il ne parvenait pas à masquer l'amertume qui pointait derrière ses mots. Enfin, il ne fit pas le moindre effort pour adapter son discours à ce public particulier, à cette occasion particulière. Au cours d'une campagne, quels que soient le battage et les polémiques, le public se forge une image assez juste des candidats en lice. Le public de Chicago vit ce soir-là un Bill Clinton engagé et optimiste, un homme qui aimait son travail, cherchait à séduire son auditoire, nouait un contact direct avec lui et lui faisait l'hommage d'un discours qui ne semblait pas réchauffé. Kerrey, qui n'avait pas fait de grands efforts pour conquérir son auditoire, donna aux gens l'impression qu'il attendait qu'ils le soutiennent pour l'homme qu'il était plutôt que pour son programme.

Après les discours, Kerrey partit illico. Clinton participa à la réception organisée par les huiles locales, qu'il salua personnellement tandis que je recueillais les cartes de visite afin de construire notre réseau de soutien et collecter des fonds. Gonflé à bloc par son discours et l'accueil qu'on lui avait réservé, Clinton cherchait les compliments, tandis que nous traversions les couloirs pour rejoindre notre suite.

« Comment m'en suis-je sorti ? Pensez-vous que c'était bien ? Essayez de savoir ce qu'en pense Joe. » Joe, c'était Joe Klein, un petit journaliste barbu du *New York Magazine* chargé de suivre Clinton. Je le trouvai dehors sur le trottoir, attendant un taxi, et nous bavardâmes cinq minutes. Il avait aimé le discours de Clinton autant que moi et il me confirma que Clinton avait enfoncé Kerrey. Bonnes nouvelles pour le patron.

Notre campagne monta en régime durant l'automne. Nous changeâmes de quartier général, et Wilhelm élabora notre organisation de terrain de l'Illinois à la Floride, où les premiers votes blancs symboliques allaient avoir lieu en décembre. Emmanuel Rahm vint de Chicago pour faire fonction de trésorier. Tout ce que je savais de lui, c'est qu'il avait un jour envoyé un poisson mort à un consultant politique rival. Mais quand cet ancien danseur de ballet arriva à Little Rock et bondit sur une table pour haranguer et galvaniser son équipe, je compris que la collecte de fonds ne poserait pas de problèmes.

Une partie de mon temps était consacrée à « tenir la boutique » et l'autre à accompagner Clinton sur la route. Bruce s'occupait de « gérer » Clinton ; je me concentrais sur la presse et les sujets politiques, discutant avec Clinton des questions les plus probables avant les interviews, vérifiant les points les plus techniques avec certains de nos consultants à Washington, ingurgitant journaux, magazines d'actualité et revues spécialisées pour dénicher des idées et des faits nouveaux. Quand Clinton parlait, je prenais des notes pour pouvoir expliquer sa pensée aux journalistes, reprendre ses meilleures réparties et l'aider à se remémorer ses leitmotiv les plus efficaces. Mon travail consistait à capter ce qui passait et à aider à élaguer ce qui ne passait pas. Dans l'avion, j'essayais d'absorber les pensées qu'il laissait filtrer au cours de bribes de conversation entre les petites siestes et les innombrables réussites qu'il faisait. Chaque partie était l'occasion d'un exercice pratique : ou bien il me tendait le paquet pour me montrer comment distribuer les cartes, ou bien il se renversait dans son fauteuil et il méditait à voix haute sur la meilleure manière d'affronter un concurrent, comme l'évangéliste David Duke : « On ne peut remettre en question son rétablissement spectaculaire... Nous autres gens du Sud croyons aux conversions sur le lit de mort... Disons seulement qu'on ne peut pas revenir à l'époque où ce type de pensée nous intimidait tous. »

Un vendredi soir de novembre, Clinton exposa ses vues sur ce thème devant le plus vaste auditoire qu'il ait jamais affronté dans une grande église de Memphis. Il arrivait par avion du New Hampshire, mais j'avais passé la semaine au quartier général et la route me manquait. Memphis n'était qu'à deux heures de Little Rock et David Wilhelm et moi décidâmes de faire le trajet en voiture.

En entrant dans l'église, je fus frappé par l'ambiance de la salle, totalement différente de celles que j'avais connues. David et moi étions à peu près les seuls Blancs dans une foule d'hommes en costumes immaculés et de femmes coiffées de chapeaux élaborés. Un harmonium couvrait les murmures de l'assemblée. Le public était vibrant de convivialité, de spiritualité, d'espoir et de bonne humeur, à se demander s'il s'agissait d'un concert de rock ou d'une messe dominicale. Mais cette ambiance, si exotique pour moi, était très familière à Clinton. Il connaissait ce pays et ces gens, avait prié avec eux dans les minuscules églises du fin fond de l'Arkansas. Ici aussi, il savait exactement à qui il avait affaire, quelles étaient les préoccupations de ses interlocuteurs. Si Chicago avait été une expérience de la politique comme théâtre, Memphis était celle de la politique comme liturgie.

Il entra dans l'église, seul Blanc isolé au milieu d'un groupe de prêtres noirs, évoquant un peu un boxeur poids lourd avec ses entraîneurs. Il regardait droit devant lui, presque en transe, oubliant la foule. J'allais bientôt apprendre le sens de ce regard : Clinton se concentrait sur son discours.

Alors qu'il s'avançait vers le podium, je m'assis sur une marche en béton dans l'allée centrale, prêt à me laisser transporter. C'était mon candidat et je voulais qu'il réussisse, surtout ici, devant un auditoire afro-américain, où il pouvait faire passer son message d'union entre travailleurs blancs et noirs pour une cause commune. Exactement comme Bobby Kennedy avait essayé de le faire avant que la balle d'un assassin l'abatte. À contre-courant des discours républicains des années quatre-vingts sur la criminalité, la politique des quotas et les abus du système d'aide sociale. En 1991, le généreux discours de Kennedy n'était plus qu'un lointain souvenir.

Peut-être Clinton allait-il le ressusciter. C'était en tout cas son rêve et le mien. Je voulais qu'il soit le Robert Kennedy que j'avais entendu pour la première fois à l'école primaire, quand tous les élèves rassemblés dans l'auditorium priaient pour le grand homme atteint la veille d'une balle et qui luttait contre la mort dans une salle d'opération. Le Bobby Kennedy que je découvris en 1968, avec ces jeunes gens dont les noms sont restés gravés dans ma mémoire : Jeff Greenfield, Peter Edelman, et Adam Walinsky qui l'avaient suivi pour changer le monde. Ces hommes qui voulaient arrêter la guerre du Vietnam et faire la guerre à la pauvreté en Amérique. Des hommes qui voulaient aider à faire avancer l'histoire.

Si Clinton pouvait être Kennedy, peut-être serais-je, moi, l'un de ceux-là, et peut-être cette révolution commencerait-elle ce soir. Peut-être ce discours allait-il devenir légendaire, comme le discours de John Kennedy sur l'Église et l'État, prononcé en Virginie en 1960, qui avait eu un tel retentissement. Ou comme le sermon de son frère cadet contre la violence, improvisé en Indiana, à l'annonce de l'assassinat de Martin Luther King. Ou peut-être, plus probablement, ce meeting électoral allait-il ressembler à toutes les autres soirées de cette campagne et ne me laisserait-il aucun souvenir.

Ce soir-là, Clinton tint ses promesses. Après avoir étreint l'évêque Ford, il commença lentement un discours dont il semblait chercher les mots. Accélérant un peu, il loua l'Église, « fondée par un homme de Dieu de mon État », fit état de sa foi baptiste et, la voix tremblante, expliqua à cette assemblée composée pour l'essentiel de Noirs du Sud qu'il avait volé dans la nuit vers Memphis, venant d'un endroit très différent, le New Hampshire, où les gens étaient « presque tous blancs, très républicains… ». Mais pour la première fois de leur vie, leur dit Clinton, les gens du New Hampshire avaient quelque chose en commun avec « des gens comme vous, qui ont vécu des temps difficiles ».

« Amen », répondit la foule.

« L'Amérique a mal partout ce soir, continua Clinton. Nos rues sont mal famées. »

Autres amens ; Clinton accéléra encore. Il passa d'une prière pour Magic Johnson à une condamnation de David Duke avant d'en venir au vif du sujet, « le nouvel engagement, un contrat solennel que nous ne devrons pas rompre. »

Le gouvernement doit fournir des opportunités, le peuple doit prendre ses responsabilités. « Si vous pouvez aller travailler, vous devez aller travailler. »

Clinton parlait franchement et la foule répondait. Si quelqu'un osait accuser Clinton d'avoir joué la carte raciale sur la réforme du système d'assistance, je saurais quoi rétorquer : « Vous ne savez pas de quoi vous parlez. Quand Clinton a dit à vingt mille Afro-américains à Memphis que les gens qui touchaient l'assurance chômage devaient travailler, il a obtenu les plus gros applaudissements de la campagne. »

Mais il ne s'arrêta pas là. Clinton cita Lincoln, fit l'éloge de l'union, et promit de porter ce même message de responsabilité non seulement au public noir de Memphis mais partout dans le pays, « des enclaves high tech de la Silicon Valley jusqu'aux puissants magnats de Wall

Street ». Il haranguait, il prêchait et rappelait au public que « nous sommes tous dans le même bateau ».

Dès la fin de son discours, je bondis dans les coulisses pour préparer la prochaine étape de la soirée, son interview avec Henri Balz, du *Washington Post.* J'avais parlé à Balz presque tous les jours et j'avais insisté pour qu'il soit là ce soir et qu'il voie Clinton au meilleur de sa forme.

Durant les premières semaines d'une campagne, longtemps avant les réunions des comités électoraux[5] ou la primaire du New Hampshire, les candidats s'échinent à obtenir échos et articles surtout dans de grands quotidiens nationaux comme le *Washington Post.* Si Balz, le meilleur journaliste d'investigation politique du plus grand quotidien politique du pays écrivait un papier sur le discours de Memphis, les gens y prêteraient attention. Même s'il n'y avait pas d'article, Balz allait en parler : au début d'une campagne, les journalistes importants génèrent une sorte d'ambiance de téléphone de brousse, envoyant des messages d'un village à l'autre. Balz allait échanger des informations avec des collègues qui en parleraient à leur patron, qui lui-même parlerait avec un gros donateur dans un cocktail. La rumeur Clinton allait enfler.

Mon boulot consistait à l'y aider. Dans sa loge, je pris Clinton à part pour le mettre au courant des questions que Balz allait lui poser et pour lui suggérer de parler du vote noir, un sujet qui pouvait s'intégrer dans la série d'articles en cours. J'avais un peu l'impression de présenter deux amis qui ne se connaissaient pas encore en espérant qu'ils allaient s'entendre. Il fallait absolument que cette réunion se passe bien ; il fallait que le public sache à quel point Clinton avait été émouvant ce soir-là. Avant d'aller chercher Balz, j'exhortai Clinton à ne pas oublier de parler de Bobby Kennedy. Il comprit l'intérêt du rapprochement et essaya de se plonger dans ses souvenirs de 1968.

Mais quand je revins le voir avec Balz, je fus le témoin consterné d'une scène inattendue : Clinton serrait des mains et se faisait photographier avec Gus Savage, un représentant de l'Illinois, célèbre pour ses opinions antisémites, qui avait été réprimandé par ses collègues pour avoir frappé

---

5. NdT. C'est au cours de ces réunions internes que sont choisis les délégués du parti à la Convention.

un volontaire du Peace Corps au cours d'un voyage à l'étranger. Ce qui rendait cette vision encore plus atterrante, c'est que je ne pouvais absolument rien faire. Si j'avais essayé d'empêcher la photo, je n'aurais fait qu'attirer l'attention sur ce problème. C'était affreux. Je fixais alternativement le photographe et Balz et je voyais son œil gourmand embrasser la scène. Il sentit mon malaise et se mit à me taquiner en faisant comme si la poignée de main de Clinton à Savage était le vrai sujet de sa soirée. *Il plaisante j'espère ! Il ne manquerait plus que ça, un article sur Clinton l'hypocrite. Il parle de « rassembler les gens » sur le podium et il quémande les faveurs d'un représentant sexiste et raciste en coulisses.*

Dan plaisantait. L'interview n'aurait pu mieux se passer. Clinton fut réellement inspiré et j'avais l'impression d'avoir fait mon boulot. Avant de rentrer à la maison, David et moi avons dîné dans un restaurant à proximité de l'église. Je voulais absolument être là quand les gens sortiraient pour manger et parler. Quand la foule remplit notre restaurant, j'aurais voulu passer de table en table pour interroger les gens d'un ton faussement candide : « *Qui c'est ce Clinton ? J'ai bien aimé ce qu'il a dit...* » Mais je savais, pour avoir assisté à ce genre de réunions électorales dans des églises, que les délégués étaient bien trop occupés à parler à leur famille, à leurs amis et aux responsables de l'église pour prêter beaucoup d'attention à un jeune politicien dont ils n'entendraient peut-être plus jamais parler. J'ai donc mangé mon jambon en espérant que l'article du *Post* serait bon.

Avant le New Hampshire, la campagne connaît des périodes où rien ne se passe pendant des semaines, et des jours où on a l'impression que tout arrive en même temps. Le lundi 18 novembre fut l'un de ces jours. Le vendredi précédent, tous les candidats s'étaient rendus dans le New Hampshire pour soutenir Dick Swett, un démocrate qui se présentait au Congrès. Clinton et Kerrey échangeaient des plaisanteries en coulisses avant la soirée. Kerrey lança à Clinton une plaisanterie stupide et graveleuse sur Jerry Brown[6] et les lesbiennes. Clinton rit.

---

6. NdT. Ex-gouverneur, rival malheureux de Clinton dans la course à l'investiture démocrate en 1992.

Trois jours plus tard, dans l'avion pour Washington, nous reçûmes un appel de Richard Mintz à Little Rock pour nous prévenir qu'une chaîne de télé avait tourné une bande vidéo de Kerrey débitant sa plaisanterie. Chris Matthews, du *San Francisco Examiner* était aussi présent et essayait de nous joindre à Washington pour avoir la réaction de Clinton.

Ça ne sent pas bon. Guère de nouvelles importantes aujourd'hui. Deux candidats en tête de la course. Sexe, féminisme et entorse au « politiquement correct », tous les ingrédients sont réunis pour que ce pseudo-scoop de Matthews vire au cauchemar pour nous. Quand je me suis penché au-dessus de la tablette pour expliquer à Clinton ce qui arrivait et lui demander de me répéter la blague, il m'a souri par-dessus ses lunettes demi-lune et affirmé qu'il ne se rappelait pas exactement de la chute. En un sens cela valait mieux : moins on se rappelait les détails, moins il y avait de risques de faux pas.

Mais la suite de l'affaire allait être délicate. Comment dédouaner Clinton de cette bévue sans cautionner Kerrey ? Cette histoire était à la fois une chance et une menace. Une menace parce que toute phrase contenant les mots Clinton et sexe serait toujours malvenue. Une chance parce que Kerrey était notre principal rival et que cette grosse blague sexiste risquait fort de ternir son image d'orateur inspiré. Il était temps d'appliquer la règle napoléonienne qui prescrit de ne jamais se mettre en travers du chemin de son ennemi quand celui-ci fonce vers une falaise, et que rien n'empêche de le pousser un peu si l'on peut s'en tirer à bon compte.

Impossible de prétendre que Clinton avait été offensé par une blague qu'il avait visiblement appréciée. Expliquer qu'il ne riait que par politesse aurait été déloyal, et il aurait été maladroit d'attirer l'attention sur le fait que Clinton riait au lieu de concentrer les tirs sur Kerrey. Nous essayâmes donc de tenir Clinton à l'écart de cette histoire. Notre réaction officielle consista en un bref texte que j'ai rédigé :

« Ce que le gouverneur Clinton a dit, c'est que lui et Kerrey sont de bons amis… » Cette phrase d'introduction envoie un double message : non seulement cette histoire sent déjà le réchauffé mais elle n'est même pas assez importante pour que Clinton lui-même fasse une déclaration. « Bons amis » est un signal à l'entourage de Kerrey pour leur dire que nous ne lui voulons pas de mal, mais que nous n'assumerons pas la responsabilité de ses gaffes.

« Le sénateur Kerrey pensait de toute évidence que cette conversation était privée et le gouverneur Clinton respecte ce point de vue… » Le problème est celui du sénateur Kerrey. En l'occurrence, Clinton n'est qu'un observateur indulgent. Notre candidat a seulement écouté l'histoire, contrairement au pauvre type qui l'a proférée. Mais nous « respectons » le droit du sénateur Kerrey à perdre de vue le fait qu'il se trouve au beau milieu d'une campagne présidentielle, dans laquelle tout le monde sait qu'il n'existe pas de conversation privée.

« Beaucoup de mauvaises plaisanteries ont été échangées dans cette assemblée, certaines plus douteuses que d'autres. » Nous ne disons pas que Clinton n'a jamais proféré de mauvaise plaisanterie ; tous les journalistes en ont probablement enregistré une sur cassette. Mais oui, si vous insistez, la plaisanterie de Kerrey était encore pire. Elle était, et c'est le mot clé, le mot le plus fort de la phrase, celui qui retourne le couteau dans la plaie, « douteuse ».

J'étais très content de la tonalité de la déclaration. Élément très favorable pour nous, Kerrey se trouvait à San Francisco quand l'affaire éclata. Il s'enferra un peu plus en faisant une déclaration en forme de mea culpa. Après avoir raconté cette histoire, disait-il, il avait été amené à se confronter à « un aspect déplaisant » de lui-même. Il était temps pour lui, continuait-il « d'évaluer son propre comportement ».

S'il est nécessaire de s'excuser, il ne faut pas en rajouter dans les excuses : la réaction de Kerrey fit rebondir l'histoire et le fit paraître veule. À une étape de la campagne où l'incident le plus trivial est disséqué par les experts pour faire le tri entre les candidats, Kerrey envoyait le message qu'il n'était pas encore prêt pour l'heure de grande écoute. Alors que sa bourde était purement anecdotique, elle fit l'objet de quatre articles dans le *Washington Post* !

L'histoire de cette plaisanterie éclipsa le plaidoyer de Clinton en faveur de l'obtention du statut d'État pour le district de Columbia. Mais le véritable enjeu de notre visite à Washington était une rencontre privée, plus tard ce soir-là, avec Jesse Jackson. Jackson venait d'annoncer qu'il ne solliciterait pas l'investiture démocrate, le vote noir était donc à vendre au plus offrant, et la relation de Clinton avec Jackson pouvait jouer un rôle décisif dans l'élection. Quelques-uns d'entre nous accompagnèrent donc Clinton à un dîner avec Jackson sur son « territoire », au deuxième étage d'un restaurant situé au nord-est de Washington. On aurait cru la rencontre de deux parrains, chacun accompagné de son état-major, qui se réunissent pour décider s'ils vont conclure une nouvelle alliance ou se déclarer la guerre. C'était la première fois que je voyais Clinton et Jackson ensemble et je fus frappé par leur grande taille, leurs mains immenses et leur grandes têtes.

Clinton et Jackson avaient besoin l'un de l'autre. Clinton voulait le soutien de Jackson et les voix qu'il pouvait lui apporter, mais sans avoir l'air de les demander. En tant que chef de file des démocrates afro-américains et vétéran des primaires, Jackson s'attendait à être courtisé, et il entendait faire la pluie et le beau temps. Il avait sans doute aussi compris que Clinton était le seul candidat à l'investiture qui pouvait nuire à la campagne du seul autre Afro-américain en course, Doug Wilder, le gouverneur de Virginie. Wilder et Jackson étaient plus rivaux qu'amis. De bons résultats de Wilder aux primaires pouvaient menacer la prééminence de Jackson dans la communauté noire.

Passer un marché avec Jackson n'était pas chose aisée ; Dukakis n'y était pas parvenu. La seule stratégie qui pouvait marcher en 1992 était celle de « l'amour vache ». Clinton devait traiter Jackson avec le respect que Jackson méritait et exigeait, mais pas question de se prosterner devant lui ni d'entamer une négociation publique qui aurait pour seul effet d'accroître l'influence de Jackson et de faire perdre à Clinton quelques votes blancs. La position de Clinton était renforcée par les rapports indépendants qu'il avait su nouer avec une nouvelle génération de leaders noirs comme les représentants Bill Jefferson, John Lewis, Mike Espy et Bobby Rush.

Clinton joua parfaitement sa carte ce soir-là. Tout en grignotant un plat de poulet aux patates douces, il parla stratégie électorale et politique : l'obtention du statut d'État par le district de Columbia, les droits civiques, la justice et l'emploi, à la fois dans le pays et pendant la campagne électorale. D'abord, Jackson ne dit pas grand-chose ; il se contenta d'écouter. Puis il émit quelques souhaits, des « opinions personnelles ». J'étais impressionné, pas tant par ce qu'ils disaient que par la façon dont ils le disaient, se cernant l'un l'autre par des mots, se découvrant par instants, se masquant à d'autres. Le moment des promesses ou des menaces n'était pas encore venu, bien que l'air fut empli des unes comme des autres de façon très tangible.

Alors c'est comme ça. C'est comme ça que les grands se parlent entre eux ! Je n'étais pas précisément un nouveau venu dans les hautes sphères politiques à Washington, mais, là, c'était différent, plus solennel, presque cinématographique, comme si chacun était conscient de jouer un rôle dans un drame qui s'écrivait à mesure qu'ils parlaient. Je regardais, j'écoutais, essayant d'avoir l'air détendu, trop pétrifié pour dire une parole sensée et craignant vaguement que quelqu'un s'aperçoive de ma présence et me lance : « Hé, mais qu'est-ce que vous faites ici ? »

Clinton et Jackson auraient pu parler toute la nuit, mais nous avions encore un rendez-vous, le dernier de cette longue soirée, avec James Carville et Paul Begala au Grand Hôtel dans M Street.

Dans son livre *Comment fabriquer un président*, Théodore H. White affirme que les meilleurs conseillers politiques de l'époque se recrutaient dans les grands cabinets d'avocats de Washington. « Dans leurs hauts bureaux lambrissés, ils nourrissent un amour d'amateurs pour la politique dans laquelle ils barbotent dès que leur emploi du temps le leur permet. » En 1991, cette déclaration avait l'allure vieillotte d'une photo sépia et renvoyait à une époque où les conseillers politiques, comme ces joueurs de tennis en pantalons longs, n'étaient pas payés pour leur travail. En 1991, c'étaient encore des amateurs qui adoraient jouer, mais les campagnes étaient désormais dirigées par des professionnels.

Les professionnels les plus courus cet automne-là étaient Carville et Begala. Plus tôt, ce même mois, ils avaient conduit Harris Wofford, l'ancien adjoint de J.F. Kennedy qui se présentait au Sénat, à une victoire écrasante contre l'ancien attorney général de Bush, Richard Thornburgh. Tous les démocrates du pays espéraient que cette élection préfigurait la présidentielle et la plupart des candidats voulaient se payer les deux hommes qui avaient rendue possible cette victoire.

Paul Begala et moi étions amis depuis que nous avions travaillé ensemble pour Gephardt. Je passais le plus clair de mon temps au

Congrès mais quand je rentrais au bureau, il était là, occupant le bureau en face du mien, prenant plus de plaisir à pianoter sur son ordinateur que je ne l'aurais cru humainement possible. Le regarder taper un discours revenait à peu près à voir Ray Charles jouer du piano. Il se balançait d'avant en arrière sur son fauteuil et parlait à l'écran, en poussant des grognements de satisfaction qui alternaient avec des éclats de rire.

Les discours qu'ils rédigeaient étaient des perles dans le genre populiste, nerveux, drôle, ciblant parfaitement les ménagères nonchalantes des classes moyennes qui passent leur vie dans leur cuisine. Avec ses regards de lézard et sa verve légendaire, Carville était l'associé le plus célèbre des deux, mais James n'aurait jamais été James sans Paul.

James avait son propre talent, une sorte de sixième sens politique, un génie péquenaud sudiste qui ne s'apprend pas. Il fut le premier que j'entendis dire qu'on pouvait battre Bush. C'était en mai 1991, à l'occasion d'une fête organisée pour le trentième anniversaire de Paul, où il m'assura que Bush pourrait bien perdre si nous dégottions le bon candidat. Je me suis souvenu de sa prédiction parce que j'aurais bien voulu qu'elle soit vraie, quoique je fus alors sûr qu'elle était fausse.

Nous sommes allés au bar où nous avons commandé des alcools et Clinton un décaféiné. Au bout de quelques minutes, Carville et Clinton se sont lancés dans un échange plein de vivacité : c'était à qui en savait le plus sur la politique, qui était le vrai sudiste, qui décryptait le mieux les enjeux et les dessous de la primaire démocrate. Tout le monde était d'accord pour dire que le vote noir pouvait faire la différence en faveur de Clinton et que la primaire du New Hampshire[7] allait se jouer sur un coup de dés. Après le départ de Carville et Begala, Clinton me confia : « Ces types-là sont intelligents. » Ce qui signifiait bien sûr : ils sont sur la même longueur d'onde que moi. Ils rejoignirent notre équipe deux semaines plus tard et le *Washington Post* écrivit que c'était presque aussi important pour nous que « d'avoir remporté la primaire du New Hampshire ».

C'était vrai et ce n'était pas la seule bonne nouvelle que nous réservait la fin 1991. Clinton montait dans les sondages. Même les libéraux qui

---

7. NdT. C'est dans le New Hampshire que se déroule la première primaire en février de l'année présidentielle : elle constitue donc un test décisif.

s'étaient méfiés de lui commençaient à l'apprécier. Dans les réunions électorales il lançait au public : « Je suis un démocrate par instinct, par héritage et par conviction. Quand il est mort, mon grand-père pensait qu'il allait rejoindre Roosevelt[8]. » Les militants du parti trépignaient et hurlaient, en négligeant le « mais », inévitable et sous-entendu qui concluait cet indispensable hommage aux anciens, rituel obligé de tout congrès. Cette déclaration d'allégeance l'autorisait d'autant mieux à mettre en garde les militants : « *Je viens de votre monde, mais si vous ne changez pas avec moi, si vous ne me laissez pas les coudées franches, nous ne ferons jamais rien parce que nous ne serons jamais élus.* »

La plupart des démocrates de gauche savaient que Clinton n'était pas réellement l'un des leurs. Mais ils étaient heureux de se perdre dans leur rêverie militante, de se voir ramenés loin en arrière, à une époque où les photos de Roosevelt trônaient sur les dessus de cheminée comme les icônes d'un saint patron, une époque où les frères Kennedy incarnaient le meilleur de l'Amérique, longtemps avant que les McGovern, Carter, Mondale et Dukakis symbolisent un parti sur la touche et condamné à un perpétuel échec. Ça faisait du bien de recommencer à penser à la victoire.

Seul un autre démocrate pouvait encore drainer autant de suffrages que Clinton dans le parti : Mario Cuomo, le gouverneur de New York. Tant que cet éternel et insaisissable jeune premier ne se déclarait pas, la campagne ne pouvait démarrer vraiment. Personne ne savait ce que Cuomo allait faire. Il faisait lanterner la presse, la hiérarchie du parti, ses adversaires potentiels et plus il prenait son temps pour décanter une décision dans les méandres alambiqués de son esprit, plus nous étions frustrés. Il avait figé la course.

Les journalistes espéraient farouchement que Cuomo se lance dans la compétition. On avait un peu l'impression que chaque fois que le gouverneur de New York se grattait le nez, il obtenait plus d'articles flatteurs que nous ne pouvions en récolter après une série de discours substantiels. Quoi de plus séduisant qu'un intellectuel énigmatique et éloquent qui citait saint François d'Assise et refusait de se salir les mains

8. NdT. Président démocrate des États-Unis de 1933 à 1945 et initiateur du New Deal (le Nouveau Pacte social). Il est, avec John Kennedy, l'une des références majeures de Clinton.

en entrant une bonne fois dans l'arène ? Peu de personnages sont aussi séduisants que l'homme d'État malgré lui, dédaignant l'ambition mais disposé à accepter le fardeau du service pour le bien commun. Le *Washington Post* l'avait éloquemment surnommé « Cuomo Sapiens ».

Quelle que fût ma sympathie pour le gouverneur de New York, j'étais décidé à rompre des lances. Mais Clinton résista à presque toutes nos tentatives de mettre les points sur les i avec Cuomo. Jusqu'au jour où celui-ci décida de s'en prendre à Clinton. Un journaliste du *New York Magazine* poussa Cuomo à critiquer les plans de Clinton concernant l'aide sociale et le service national. En bavardant au téléphone avec E.J. Dionne, du *Washington Post*, je compris que nous avions l'occasion tant attendue. Il suffisait de renvoyer la grenade à Cuomo et E.J. aurait assez de matériel pour écrire une histoire et cadrer le débat.

Je rédigeai une déclaration et sautai dans ma vieille Honda cabossée pour la soumettre à Clinton. Celui-ci la relut et resta à côté de moi pendant que je téléphonais à Dionne. Il bouillait d'envie de lui parler directement mais savait qu'il valait mieux l'éviter. Aux États-Unis, sauf circonstances bien précises, les candidats ne discutent pas avec les non candidats. En tout cas, en attaquant ces deux axes majeurs du programme de Clinton, Cuomo l'aidait à se définir lui-même comme un anti-Cuomo, comme un nouveau démocrate qui n'avait pas peur de défier les caciques du parti. Cette attaque de Cuomo signifiait aussi que nous comptions. Peut-être se sentait-il talonné ?

Dionne écrivit un bref article dans lequel il me citait : je défendais les idées de Clinton et mettais Cuomo au défi de laisser enfin « le débat s'engager ». Les éventuelles réticences que j'aurais pu éprouver à égratigner l'une de mes idoles politiques étaient atténuées par ma frustration face à la manière dont Cuomo jouait avec la compétition politique, par ma conviction qu'il caricaturait les propositions de Clinton pour mieux les critiquer au lieu de les prendre au sérieux et par la remarque de Dionne selon laquelle l'état-major de Clinton « avait su répliquer aussitôt ». E.J. envoyait un signal au monde politique : « *Si vous frappez Clinton, il répond. Sa campagne ne répétera pas les erreurs du passé.* » Mais je ne pouvais m'empêcher de me demander ce que Cuomo avait pensé en lisant ma déclaration, ou ce que j'aurais moi-même pensé et dit, si j'avais travaillé pour lui.

Cuomo expliqua aux journalistes qu'il ne pouvait prendre la moindre décision à propos de la campagne présidentielle avant d'avoir fini l'examen du budget de son État. Heureusement pour nous, un élément extérieur lui força la main : la date d'inscription ultime pour participer aux primaires du New Hampshire, fixée au 20 décembre.

Toute la semaine qui précédait le 20 ressembla à une interminable journée d'élection où nous avions l'impression d'attendre des résultats sur lesquels nous n'avions pas la moindre prise. Impossible de travailler : la seule chose qui nous préoccupait était d'obtenir des informations sur les intentions de Cuomo. Nous scrutions à la loupe chaque déclaration, chaque rumeur, et traquions les moindres indices. Si Cuomo entrait dans la course nous avions sans doute beaucoup à perdre. Cela explique sans doute pourquoi nous essayions désespérément de nous convaincre que nous ne souhaitions rien d'autre ; que sa candidature sans doute inévitable travaillerait en fait à notre avantage. La rengaine de notre méthode Coué était : « Le seul moyen de devenir un poids lourd est de battre un poids lourd. »

Ce vendredi-là, anticipant le pire – ou le meilleur –, nous avions préparé une déclaration souhaitant la bienvenue à Cuomo dans la course. Alors que la date limite de dépôt de candidature approchait, un présentateur télé annonça que Cuomo se désistait. La première grande percée de la campagne.

Clinton ne broncha pas en apprenant la nouvelle, mais je sus qu'il calcula aussitôt les avantages qu'il allait retirer de cette défection et je crois qu'elle lui ôta une grosse épine du pied. S'il avait tant renâclé à critiquer Cuomo, c'est bien sûr qu'il voulait éviter de l'inciter à relever le gant après une attaque personnelle.

La décision de Cuomo allait libérer un certain nombre d'importants donateurs de New York, il n'y avait donc pas de temps à perdre. Pas un seul délégué n'avait encore voté mais le processus alchimique compliqué qui décide de la majorité d'un congrès avait fait de Clinton son favori.

Un processus similaire consolidait ma position dans le cercle des proches de Clinton. Les coups de téléphone quotidiens, les réunions interminables, les jeux de patience dans les avions du soir, et les revues de presse matinales renforçaient notre relation. Clinton semblait avoir confiance en moi et il m'enseignait ce que j'avais besoin de savoir – au point, un jour, de me délivrer un message important dans les toilettes d'un aéroport.

Ce message concernait une grande amie des Clinton. La veille, j'avais raccompagné chez elle Susan Thomases, une flamboyante avocate new yorkaise qui était aussi l'une des meilleures amies d'Hillary. Épuisé par une réunion électorale qui avait duré une soirée entière, et par une journée trépidante, je ne lui avais pas fait bonne impression. Elle avait apparemment dit à Hillary, qui l'avait répété à Clinton, que j'étais mal élevé. Je me rappelle encore du conseil de Clinton au-dessus d'un urinoir : « George, vous savez que Hillary et moi avons beaucoup d'amies proches de notre âge. Vous leur devez certains égards. N'oubliez pas de leur demander leur opinion si vous voulez qu'elles ne vous trouvent pas antipathique. Prenez sur vous pour vous montrer aimable. »

Dès la fin de l'année, j'avais fait quelques progrès dans ce domaine. Chaque mardi, avant son « déjeuner féminin hebdomadaire » de Little Rock, Virginia Kelley, la mère de Clinton, s'arrêtait à mon bureau pour bavarder quelques instants et m'étreignait fortement avant de partir en me remerciant de « prendre soin de son Bill ». Hillary aussi savait qu'elle pouvait compter sur moi pour prendre soin de son Bill et elle me montra à quel point elle appréciait mon travail en m'invitant à la fête familiale de Noël avec une dizaine de vieux amis des Clinton. Jeux de société et chants de Noël, un vrai Noël à l'ancienne mode sudiste. L'immigré en moi trouvait toute cette scène exotique mais chaleureuse. J'étais devenu un membre de la famille.

3 LE BRUIT DES SABOTS

Après quelques jours de vacances avec Joan à Eureka Springs, dans les Ozarks, je retrouvai Clinton à Charleston, en Caroline du Sud, pour le Nouvel An.

La campagne prenait bonne tournure. Non seulement Clinton montait dans les sondages mais ses adversaires connaissaient en plus de sérieuses difficultés. Cuomo était hors jeu et Wilder allait bientôt se retirer. Personne ne prenait encore Tsongas au sérieux et Harkin, en prenant deux semaines de vacances dans les Caraïbes, fit involontairement savoir qu'il ne constituait pas une menace bien sérieuse. Jerry Brown était encore un sujet de plaisanterie et Kerrey avait été gêné par les défaillances de son équipe, une récolte de fonds insuffisante et une révélation : les employés des salles de gym qu'il possédait ne bénéficiaient d'aucune couverture médicale, information désastreuse pour le sénateur qui avait fait d'une couverture maladie universelle la promesse phare de sa campagne.

Notre équipe commençait à être rodée. Dee Dee Myers nous rejoignit pour s'occuper des relations presse et Bruce Reed pour superviser la réflexion sur tous les thèmes essentiels de la campagne. Je repartis sur les routes, cette fois pour de bon. La position de Clinton et mon intégration dans la campagne me rendaient totalement heureux. Si tout se passait bien, nous allions obtenir la nomination. Si la baraka ne nous abandonnait pas…

L'événement majeur du lendemain fut une réunion dans une maison du milieu du XIXe siècle qui aurait pu figurer dans *Autant en emporte le vent.* Comme le soir tombait, environ une centaine de supporters se massèrent sur les escaliers pour regarder et écouter Clinton. C'était ses compatriotes, les démocrates du Sud. Et c'était son décor, une salle assez grande pour qu'il puisse donner toute sa mesure, mais pas trop pour qu'il puisse tisser des liens personnels avec son auditoire. Décontracté par ses courtes vacances et plein d'espoir pour la nouvelle année, Clinton parla d'une voix douce et légèrement traînante pour flatter l'oreille du public. La foule ne cachait pas sa fierté devant l'enfant du pays, ni l'espoir que cette soirée allait marquer son ascension vers le pouvoir – qu'elle commençait l'année avec le futur président.

Clinton ne se contenta pas de parler à ces gens, il les entraîna, il les inspira. Quand il évoquait les luttes quotidiennes des femmes célibataires qui s'efforçaient de survivre sans recourir à l'aide sociale, le public acquiesçait avec gravité. Quand il lançait des questions rhétoriques pour faire participer son public, celui-ci réagissait comme un seul homme, par des murmures et des cris étouffés. Quand il condensa l'ambition de sa vie en une seule conclusion : « Mon souhait le plus cher est de devenir votre président, mais vous devez redevenir des Américains », le tumulte d'applaudissements qui s'éleva l'enveloppa comme l'étreinte de toute une communauté.

Joe Klein, le journaliste du *New York Magazine*, et moi avions du mal à retenir nos larmes au fond de la salle. Les reporters sont payés pour être impartiaux, mais soit Joe s'était entiché de Clinton, soit il jouait l'émotion à la perfection. Nous parlions franchement, et souvent, des problèmes de cette campagne. Ce soir-là, tandis que les invités payants allaient prendre leur place au dîner, nous regagnâmes notre bureau. La campagne se déroulait si bien que nous succombâmes à ce que Joe appelait « nos sombres ruminations », marmonnant nos appréhensions de désastres futurs comme deux vieilles femmes superstitieuses qui crachent dans le vent pour éloigner les mauvais esprits. *Nous démarrons trop fort et trop tôt. Ça ne peut pas continuer comme ça. Nous faisons une cible trop tentante. L'ascension appelle la chute.*

« Mes ancêtres sont des Juifs russes », expliqua Joe. Quand les choses vont trop bien, nous commençons à entendre le bruit des sabots – les Cosaques.

– Oui, je sais ce que tu veux dire.

– Pas si simple, George, c'est dans mes gènes.

– Dans les miens aussi, ai-je répondu. Les Turcs. »

Les sabots que nous avons entendus cette nuit-là n'étaient pas ceux des Cosaques fondant sur un Shtetl ou des Ottomans partant à l'assaut d'un village du Péloponnèse. C'étaient les fantômes du passé de Clinton, ressuscités par le succès de sa campagne. Venus de Hot Springs, de Little Rock, de Fayetteville et d'Oxford, ils se rassemblaient et galopaient vers le Nord, vers le New Hampshire.

La primaire du New Hampshire n'est pas seulement la première primaire présidentielle, c'est aussi celle où vous êtes le plus proche des gens. Vous les rencontrez chez eux et sur leur lieu de travail, vous leur parlez le matin en buvant un café, en dégustant une pizza, dans les pubs à clientèle exclusivement masculine le vendredi soir, ou dans les bowlings familiaux le samedi après-midi. Le New Hampshire est le seul État où les futurs présidents font encore du porte-à-porte.

Clinton était passé maître dans l'art de « serrer les mains », il était fait pour ce type de campagne. Personne ne pouvait l'égaler dans une fête de quartier. Il saluait chaque invité individuellement pendant que je le regardais faire, installé en haut de l'escalier, mon gobelet de café à la main.

Clinton exposait son plan économique et les gens le bombardaient de questions. Rudes et économes, les habitants du pays voulaient savoir exactement comment il comptait financer son programme. Mais cette année-là, ils avaient aussi besoin d'aide. Le New Hampshire s'enlisait dans la récession. Les nouvelles idées de Clinton sur les services médicaux, sur l'emploi et sur les bourses universitaires leur semblaient raisonnables et il répondait à chaque question en détail. Il était incollable et les gens semblaient toujours impressionnés par la qualité de ses réponses. Voilà un homme politique qui se souciait vraiment des difficultés des familles et qui avait des idées arrêtées sur les moyens à mettre en œuvre pour améliorer leur situation.

Je résumai cet état d'esprit dans une citation pour un article de Joe Klein dans le *New York Magazine.* « La précision est un enjeu décisif, cette année. » Comme toujours en communication politique, c'était un espoir déguisé en affirmation. Nous voulions que Clinton soit considéré comme le candidat réfléchi, l'homme qui avait un plan et savait comment s'y prendre, et nous voulions que cette caractéristique devienne le critère de la présidentielle de 1992. La communication politique exige le même type de savoir-faire que celui de l'avocat : il faut mettre en valeur les éléments favorables à votre client et minimiser les autres. Quand les faits lui sont défavorables, vous les contestez. C'est ce que j'essayais de faire : décourager les questions portant sur le comportement privé de Clinton en soulignant ses vertus publiques et expliquer que c'était ce qui comptait le plus pour les électeurs. C'était vrai, mais j'étais sans illusion : nous n'allions pas être jugés seulement sur la « précision » de notre programme.

Revenons à la question implicite : celle de Clinton et des femmes. Rien à signaler sur ce front durant tout l'automne, à l'exception toutefois de Connie Hamzy. Connie était une admiratrice un peu encombrante qui avait acquis une réputation sulfureuse sur le circuit des tournées de rock par ses aventures scabreuses en coulisses. Mais, en novembre 1991, elle se mit à prétendre qu'elle avait aussi dispensé ses faveurs au gouverneur de l'Arkansas.

Mon assistant, Steve « Scoop » Cohen, en entendit parler sur une petite radio locale. Des photos de Connie allaient paraître dans un numéro de *Penthouse* et elle déclarait que Clinton lui avait fait des propositions sans équivoque huit ans auparavant dans un hall d'hôtel. L'accusation de Hamzy recelant une menace terrible contre notre début de campagne, nous avons proclamé le branle-bas de combat.

Je contactai Clinton qui allait voir un collecteur de fonds texan, mais il n'avait pas l'air très concerné. Bien sûr, il se souvenait d'Hamzy, qu'il avait rencontré des années auparavant, mais ça ne s'était pas passé comme elle le prétendait. Ils s'étaient rencontrés au North Hilton de Little Rock. Le gouverneur venait de prononcer un discours et quittait la salle avec quelques amis quand Hamzy, qui venait de la piscine de l'hôtel, l'avait harponné, avait dégrafé son haut de bikini et lancé : « Qu'est-ce que vous pensez de ceux-là ? » Clinton semblait prendre un grand plaisir à se remémorer cette scène.

Hillary semblait moins amusée. Je l'entendis dire, du siège voisin : « Nous devons la neutraliser. » C'était elle qui avait raison. Moi non plus, je ne trouvais pas l'histoire d'Hamzy très drôle. Elle n'était pas très solide mais elle pouvait quand même faire des dégâts si nous ne l'étouffions pas dans l'œuf. Heureusement, les faits semblaient devoir nous donner raison. Il ne s'agissait pas d'un cas où c'était la parole de la fille contre celle du gouverneur. Je pus retrouver trois des membres de l'équipe de Clinton qui l'accompagnaient ce soir-là et recueillir leurs témoignages sous serment. Ils concordaient avec la version de mon patron.

Cette histoire fut reprise le lendemain matin par CNN. J'appelai aussitôt le siège de CNN à Atlanta. Quand, après un certain temps, je finis par joindre un rédacteur en chef, je me mis à crier : « Vous ne pouvez rapporter ce genre de propos sans la moindre preuve. Vous devez vérifier une accusation avant de la diffuser ! »

Stopper CNN était crucial. S'ils diffusaient l'information toute la journée, d'autres médias allaient la reprendre en citant CNN pour se dédouaner. Nos démentis seraient aussi repris mais le dégât serait fait. Tous les détails sordides de l'affaire – *Penthouse*, groupie de rock, bikini – seraient déballés et feraient mouche. Si une mauvaise blague méritait quatre articles dans le *Washington Post*, qui sait ce que celle-ci allait nous valoir ?

Quand d'autres journalistes commencèrent à appeler, je refusai de commenter officiellement l'information pour ne pas alimenter l'inflation journalistique. Je la démentis officieusement et proposai de faxer les dépositions des témoins de la scène qui réduisaient à néant cette accusation. Ma stratégie consistait à convaincre les médias les plus dignes de foi que l'accusation de Hamzy n'était pas crédible et ne devait donc pas être diffusée. J'y parvins. CNN cessa de la passer dans ses bulletins et aucun des autres grands réseaux ne la reprit.

Nous avions survécu à notre premier scandale féminin. L'épisode Hamzy était un test. Du caractère de Clinton, de la compétence de notre gestion de la campagne et de la résistance des médias aux ragots de la presse de caniveau. Clinton disait la vérité, nous le défendions agressivement en nous arc-boutant sur les faits et les médias ignorèrent l'histoire malgré ses détails croustillants. Malheureusement, ce n'était qu'un ballon d'essai.

Ma récompense, ce soir-là, prit la forme d'un coup de fil d'Hillary et du gouverneur qui me remercièrent depuis le restaurant de l'hôtel Menger à San Antonio, où ils dînaient. Je savais – et ils savaient – que la situation aurait pu devenir incontrôlable si je n'avais pas été là. Le souffle du boulet n'était pas passé loin et nous étions tous soulagés. J'ai éprouvé ce jour-là une indignation et une exaspération profonde à l'égard des détracteurs de Clinton et de leurs complices potentiels dans la presse. J'ai intériorisé la réaction des Clinton, leur peur et leur colère, et j'en ai fait ma motivation : nous n'allions pas « les » laisser nous voler la campagne. Je ne savais pas d'où viendrait la prochaine attaque mais j'étais prêt à lutter.

Les semaines suivantes, la lecture des sondages et l'absence de problème notable renforçèrent ma confiance, jusqu'au 16 janvier, qui marqua le début de nos vrais ennuis avec la presse à scandales. Le *Star* répandait une information selon laquelle Clinton aurait eu des liaisons extra-conjugales avec cinq femmes de l'Arkansas, dont Gennifer Flowers, une ancienne chanteuse de bar, et Elizabeth Ward, une ex Miss America. C'était du réchauffé puisque ces rumeurs avaient déjà couru pendant la campagne pour l'élection au poste de gouverneur, époque à laquelle un employé de l'administration du nom de Larry Nichols avait fait circuler un pamphlet contre Clinton. Mais les femmes en question avaient nié l'information, l'histoire avait fait long feu et Clinton avait été réélu.

Après l'atterrissage à Boston, cet après-midi-là, je lus à Clinton l'article du *Star*. Il le démentit mais avec moins d'aisance que le ragot d'Hamzy ; il se fit plus nerveux, plus insistant. Mais tous mes doutes s'évaporèrent quand Clinton m'expliqua que Nichols et ses alliés de droite se vengeaient parce qu'il avait licencié Nichols qui se servait de son téléphone pour récolter des fonds en faveur des « contras » nicaraguayens. Il m'assura aussi que les cinq femmes en question avaient toutes signé des témoignages sous serment et réfuté toute liaison avec lui. Les faits semblaient encore en faveur du gouverneur et son détracteur avait un mobile évident. Je me trouvais en face d'une classique campagne de diffamation.

Le schéma de notre intervention auprès de la presse ce jour-là était une variante de notre défense contre Hamzy. Nous voulions si possible éviter un démenti officiel, non seulement parce qu'il risquait d'ajouter de l'eau au moulin des journalistes, mais aussi parce que si Clinton démentait certaines allégations, son silence au sujet des autres pourrait être interprété comme une confirmation. Comme il avait admis avoir rencontré des « problèmes » dans son mariage, nous savions qu'il y avait au moins une de ces femmes qu'il ne pourrait nier avoir fréquentée. Sans doute plus d'une. Nous essayâmes donc d'éviter ce piège en attaquant le *Star* lui-même. Paul rédigea un court texte sur les prétendues révélations du *Star*, souvent sujettes à caution, et je rédigeai un démenti de type « no comment » : « Je refuse de commenter les révélations de la presse de caniveau. »

Quand nous arrivâmes chez notre collecteur de fonds[1] texan, un journaliste de Fox TV attendait dans le hall. Sa présence constituait une preuve certaine du complot dont Clinton était victime : le *Star* et la Fox étaient tous deux la propriété de l'ultra-conservateur Rupert Murdoch. *C'est un montage. Clinton est une cible. C'est on ne peut plus clair.* La colère que je ressentis à cet instant balaya mes doutes antérieurs. Je bouillonnai en voyant Clinton répondre au reporter de la Fox et j'éclatai quand Connelly, le reporter de l'Associated Press, demanda à Clinton si l'article du *Star* était véridique.

« Vous ne pouvez pas faire ça, aboyai-je à Connelly. Vous essayez d'utiliser notre réaction pour alimenter cette histoire. » Nous pouvions gérer la Fox, mais la perspective de voir une institution crédible comme l'AP propager ces rumeurs dans le monde entier risquait de nous mettre dans de sales draps – et ça me rendit malade. Je me précipitai sur le premier téléphone pour appeler John King, le responsable des informations

1. NdT. Les deux grands partis américains recueillent des fonds pour leurs campagnes électorales par l'intermédiaire de ces responsables régionaux.

politiques de l'agence. « Vous ne pouvez propager ces ragots sordides, lui dis-je. Le fait que la presse de caniveau s'en fasse l'écho ne leur confère aucune crédibilité. Avant de répandre des accusations aussi graves, votre devoir est de les vérifier par vous-même. » Pendant que je parlais à King, Clinton avait une conversation à voix basse dans un box téléphonique situé de l'autre côté du hall.

L'Associated Press renonça à diffuser cette nouvelle mais le *New York Post* publia le vendredi suivant un compte rendu complet des révélations du *Star* sous le titre « Bill le frénétique ». Encore un canard de Murdoch, une preuve de plus de la conspiration de la droite. La grande presse résistait encore, mais elle suivait évidemment cette histoire de près. Notre candidat était en tête à présent et un tenace parfum de scandale l'enveloppait. Le lendemain, quand notre camionnette s'arrêta devant le Sheraton de Nashua, où Clinton devait participer à un forum sur l'assurance maladie, nous fûmes accueillis par une forêt de reporters, de caméras et de micros. Nous n'en avions jamais vu autant.

C'était à la fois effrayant et excitant de voir tous ces reporters patienter dans la neige. Ils n'étaient pas là pour entendre ce que Clinton avait à dire sur le système de santé, mais le fait qu'ils soient présents en si grand nombre démontrait que Clinton devenait un personnage clé de la campagne. « Souriez quoi qu'il arrive », dis-je à Clinton alors que nous nous préparions à sortir de la camionnette. « Nous ne devons pas les laisser croire qu'ils vont nous avoir. » Je me souvins d'une image du sénateur Edmund Muskie. Le candidat des démocrates contre Nixon en 1972 avait été photographié essuyant une larme – ou était-ce un flocon de neige ? – alors que les républicains avait monté une sombre affaire contre sa femme. Ce fut le début de la fin de sa campagne.

Clinton ne risquait pas de répéter l'erreur de Muskie. Alors que nous nous dirigions vers l'hôtel, un essaim de reporters fondit sur nous. Arborant un sourire inoxydable et appliquant notre stratégie à la lettre, Clinton expliqua calmement que l'histoire sortie par le *Star* était un coup monté à partir d'informations bidon et anciennes de surcroît. Quels qu'aient été ses sentiments, son éventuel malaise intérieur, Clinton les fit taire au moment d'affronter les caméras.

À l'intérieur de l'hôtel, se poursuivaient deux campagnes différentes séparées par une mince cloison. Au forum sur le système de santé américain, Clinton défendait vaillamment ses positions. Et moi je piétinais dans le hall de l'hôtel, m'efforçant de désamorcer le scandale qui menaçait d'anéantir notre campagne. J'essayai de parler en particulier à chacun des journalistes pour leur expliquer pourquoi la campagne du *Star* était non seulement fausse mais se ramenait en définitive à un complot politique.

Mon travail principal consistait maintenant à limiter les dégâts. Le chargé de communication était en première ligne. Non seulement j'étais devenu une sorte d'avocat de substitution, mais je devais aussi apprendre à décrypter les textes et les histoires colportés par la presse à scandale, comme une sorte de détective littéraire à l'affût des incohérences logiques, des supputations oiseuses, des insinuations entre les lignes. Plus important encore, mais plus difficile, je devais faire le tri entre les accusations qui pouvaient être réfutées et celles qui restaient indéniables. En parvenant à démontrer qu'une seule accusation était fausse, je jetais l'ombre du doute sur tout un article et je détournais le soupçon vers les détracteurs.

Il fut relativement facile de démolir l'article du *Star*. En fait, les témoignages enregistrés sous serment suffirent à convaincre la presse. De plus, je croyais Clinton, et je croyais encore plus à ce qu'il essayait de faire en politique. Mais je me trouvais placé devant un autre problème difficile : la gestion des crises consommait l'essentiel de mon temps et limitait mon rôle. La meilleure part de moi-même se préoccupait du contenu politique de cette campagne, mais le combattant agressif en moi l'envisageait de plus en plus comme un combat de rue. L'attrait de la bagarre l'emportait sur l'élaboration de nos propositions politiques. Dans la panique du moment, cette pugnacité était aisée à justifier. Je me disais que si cette allégation ou la prochaine dégénérait en un scandale majeur, la campagne serait terminée et que personne n'entendrait jamais parler de nos propositions sur le système de santé, sur l'éducation ou sur l'économie. De plus, je me retrouverais au chômage.

Et ce qui m'avait paru au départ une manière étrange et même sordide de passer mon temps me parut bientôt naturel. Si on m'avait réveillé au milieu de la nuit, j'aurais pu énumérer les mensonges de

Nichols avant même d'avoir ouvert les yeux. Je commençais à penser que faire le sale boulot n'était pas seulement indispensable, mais noble, un mal nécessaire justifié par une noble cause. J'étais en train de devenir accro à la lutte contre les scandales.

Mais tout le plaisir que j'y prenais s'estompa une semaine plus tard quand Gennifer Flowers recommença à s'agiter. Un autre jeudi, encore un article du *Star*, une autre journée sordide. Mais l'affaire se présentait moins bien. Gennifer, un témoin clé de la défense, rejoignait nos détracteurs – et elle affirmait détenir des bandes. Tôt ce matin-là, d'un téléphone public de l'aéroport, j'appelai Carville.

« Venez tout de suite à l'aéroport. Vous devez nous accompagner dans le New Hampshire.

– Que se passe-t-il ?

– Une femme de l'Arkansas prétend qu'elle a couché avec...

– Allons, George, et c'est tout ?

– James, ça va mal, il faut que vous veniez. »

Il résista mais il était hors de question qu'il ne vienne pas. Il n'avait pas eu grand-chose à faire quand tout allait si bien en décembre. Maintenant, nous avions besoin de son cran. J'avais besoin de le savoir dans les parages. Le Cajun en lui parlait au Grec en moi. J'adorais l'écouter parler.

Après avoir atterri à Manchester sous une averse glaciale, nous filâmes tout droit à l'Holliday Inn, où nous attendait un groupe de reporters, plus restreint que celui de la semaine précédente, mais aussi plus pointu : des grosses pointures comme Al Hunt du *Wall Street Journal*, Jules Witcover du *Baltimore Sun*, Curtis Wilkie du *Boston Globe* et James Wooten d'ABC News. En les voyant, je compris douloureusement que l'heure était grave. Tous ces journalistes étaient des vieux routiers des campagnes électorales. Ils avaient tout vu, du mouvement de la paix de McCarthy à la déconfiture de Muskie, de la surprise Carter à la vague Gary Hart, du micro volé de Reagan à la victoire de Bush sur Dole.

La primaire du New Hampshire avait été le tremplin de quelques candidats chanceux et le tombeau des espoirs de beaucoup d'autres. Soit nous survivions aujourd'hui, et repartions vers de nouvelles batailles, soit ces grosses pointures allaient signer notre arrêt de mort, et la campagne Clinton ne serait qu'une anecdote de plus dans la longue tradition du New Hampshire.

J'imaginais la discussion des journalistes entre eux : « *On lui demande ou pas ? N'est-ce pas notre devoir ? Je n'en ai vraiment pas envie… Tu te souviens de Paul ?* » En 1987, Paul Taylor du *Post* avait brisé un tabou en demandant froidement à Gary Hart s'il avait déjà commis l'adultère. Après ce moment difficile dans une pièce bondée de journalistes, beaucoup dans la profession avaient décidé de ne plus évoquer la vie sexuelle des candidats dans leurs articles. Mais le travail de journaliste est une compétition permanente, et même si les reporters les plus établis rechignaient à violer la vie privée des hommes politiques, ils ne voulaient pas non plus que leurs confrères publient les premiers d'éventuelles révélations. De plus, se disaient-ils aussi, la façon dont un candidat est capable de gérer une controverse de ce genre, augure sans doute assez bien de sa capacité à résister au stress dans le cadre de sa future fonction.

Nous avons entraîné rapidement Clinton jusqu'à notre suite, où Bruce, James, le gouverneur et moi avons lu et relu l'article. « Ils ont fait l'amour partout dans l'appartement » clamait un des sous-titres. Je gémis en le lisant, mais, de notre point de vue, un article outrancier valait mieux. Plus la tonalité d'ensemble était sensationnelle, moins il avait de chances d'être pris au sérieux.

Clinton lut l'article et le commenta en accélérant au fur et à mesure. Chaque fois qu'il repérait un détail qu'il savait faux, il lui faisait un sort, laissant même échapper un éclat de rire nerveux quand il trouvait des allégations qu'il savait pouvoir réduire à néant. Comme ce rendez-vous imaginaire à Dallas avec Gennifer. Sa réaction mêlait nervosité et soulagement. Je ne savais pas encore ce qui s'était exactement produit entre lui et Gennifer, mais il pouvait prouver que certains éléments de cette histoire étaient faux.

J'étais content de recenser la liste des détails inventés, mais je n'insistai pas pour savoir lesquels étaient vrais. Le fait de les ignorer allait rendre mes rapports avec la presse plus aisés. « Je ne sais pas » est souvent la meilleure ligne de défense contre les questions d'un journaliste pressé de rendre son article. Mais ma répugnance à questionner Clinton allait au-delà. En lisant le deuxième article du *Star*, je ne pus m'empêcher de penser qu'il n'y avait pas de fumée sans feu. Profitant d'instants d'inattention de Clinton, James et moi spéculions sur ce qui s'était exactement passé : une fellation dans une voiture il y a dix ans ? Une ou deux nuits ensemble ? Mais je ne pouvais supporter l'idée qu'une vieille fredaine exhumée par un journal à sensation allait abréger l'expérience professionnelle de ma vie, ni les promesses dont Clinton était porteur. Je voulais croire que cet article n'était qu'une histoire forgée de toutes pièces dans l'intention de nuire et que Clinton était la cible d'ennemis politiques sans scrupules qui essayaient de le détruire personnellement. Et je voulais que Clinton voie en moi son défenseur, pas son interrogateur.

OK, disons qu'il ment sur une petite coucherie d'une nuit. Ce n'est tout de même pas juste pour lui de voir son passé épluché comme ça. Il a déjà dit que son mariage avait connu quelques ratés. Que veulent-ils de plus ? Et surtout, quelle importance, quel rapport avec le fait de devenir président ? La presse de caniveau le prend pour cible uniquement pour faire de l'argent. Les politiciens de droite l'attaquent parce qu'ils redoutent sa victoire et les mesures qu'il prendrait. Si nous laissons faire, cette campagne de dénigrement ne cessera jamais.

Quand nous redescendîmes dans le hall de l'hôtel, j'étais en nage. Nous ne disposions plus de la parade absolue que constituait le témoignage sous serment de Gennifer, mais l'histoire qu'elle racontait était pleine de contrevérités et elle avait un sérieux mobile pour mentir : le *Star* l'avait payée pour raconter son histoire. L'année précédente, elle avait menacé de poursuivre une station de radio pour avoir mentionné son nom en citant les allégations de Larry Nichols. Bruce s'était procuré des copies de son démenti et des menaces de son avocat, et les avait distribuées aux journalistes pour étayer notre thèse : son revirement était évidemment imputable aux largesses du journal à son égard.

Et surtout nous ne voulions pas paraître désarçonnés par cette histoire. Le cœur de notre stratégie consistait à nous attacher aux problèmes des gens quels que soient les obstacles que nos adversaires dresseraient sur notre route.

Il fallait d'abord que Clinton parle à Hillary. Elle se trouvait à Atlanta, mais il finit par la joindre d'un téléphone public de l'aéroport. Après une brève conversation, Clinton revint, l'air plus calme que dans la suite de l'hôtel. Cela me parut de bon augure. Quelles conséquences tous ces événements allaient-ils avoir sur son mariage ? Ou sur Chelsea ? Je me demandais ce que Hillary lui avait dit, mais il n'ébruita rien de cette conversation. Tout ce que je savais, c'est que si elle se sentait mieux, il se sentait mieux, et que s'il se sentait mieux, je me sentais mieux.

Une tempête de neige bloqua les avions au sol et nous fûmes donc obligés de nous entasser dans les camionnettes pour nous rendre à Claremont, où nous devions visiter une usine. En chemin, je ferraillais avec tous les journalistes possibles, déjouais les tentatives d'attirer Clinton à la télévision pour le questionner sur l'affaire Flowers. Nous ne voulions prendre ce risque que si nous n'avions pas le choix. Quand j'appris que deux des trois grands réseaux de télévision n'avait pas mentionné l'affaire Flowers dans leur bulletin d'information, je rejetai toutes les demandes d'interviews et nous rentrâmes à Little Rock.

Notre sursis fut de courte durée. Les journaux du lendemain faisaient leurs choux gras de l'affaire, et Gennifer avait convoqué une conférence de presse pour le lundi suivant. Nous avions soixante-douze heures devant nous. Clinton se retira dans sa résidence pendant que toute l'équipe se réunissait pour décider de la marche à suivre. Le producteur de « 60 Minutes » nous offrit de passer dans son émission, le soir du Super Bowl[2] – la meilleure audience de l'année. Si nous acceptions, la première chose que les Américains apprendraient de Bill Clinton, c'était ses rapports avec une chanteuse de bastringue. Notre situation était si compromise que le seul espoir de la rétablir passait par l'équivalent médiatique d'une chimiothérapie draconienne. « 60 Minutes » était ce remède de cheval, assez puissant pour nous sauver – s'il ne nous tuait pas. L'interview devait être enregistrée le dimanche matin.

Quelque part en Arkansas, Ricky Ray Rector allait être fixé sur son sort mais ne le savait pas. Reconnu coupable du meurtre d'un policier, Rector s'était lobotomisé lui-même en se tirant une balle dans le cer-

2. NdT. Finale du championnat de football américain.

veau. À moins d'une intervention de Clinton, Rector devait être exécuté cette nuit par injection létale.

Je passai la soirée avec Clinton à attendre l'exécution – un moment hors du temps. Nous avons feuilleté les dossiers accumulés pendant son voyage dans le New Hampshire. Mais nous étions distraits par le combiné téléphonique posé sur une petite table de l'office, la ligne directe avec la salle où devait avoir lieu l'exécution. Au cas où. Un fait nouveau. Un sursis de dernière minute de la Cour suprême.

Mais cela n'arrive que dans les films. Le seul suspense ce soir-là était de savoir si les médecins allaient trouver une veine dans le bras de Rector. Je passai une bonne partie de la soirée à discuter avec Clinton de sa conversion à la peine de mort, qu'il avait voulu supprimer au début de sa carrière. Il m'avait parlé de ses rencontres poignantes avec les familles des victimes et m'avait confié que ses longues discussions avec son pasteur et mentor W.O. Vaught avaient achevé de l'ébranler : Vaught lui avait expliqué que la peine de mort ne violait pas la doctrine chrétienne parce que la traduction originale des Dix Commandements interdisait le « meurtre » mais pas toute mise à mort.

Mais les histoires que nous nous racontons à nous-même collent rarement avec ce que voient les autres. Pour les critiques de Clinton, son intransigeance était purement opportuniste, surtout dans le cas de Rector. Quel meilleur moyen de distraire l'attention du public d'un scandale personnel, que de faire savoir que vous n'êtes pas un démocrate stéréotypé, que d'exécuter un homme, un Noir qui plus est, et si déboussolé qu'il avait mis de côté la tourte de son dernier repas pour « plus tard ».

Mais ce soir-là, je fus témoin de quelque chose d'autre : un engagement honnête face à un difficile dilemme. Je dis à Clinton que je m'opposais à la peine de mort parce que je croyais que l'État ne devait prendre la vie que quand la défense immédiate de la vie l'exigeait. Nous avons discuté du caractère dissuasif de la peine. Mais je ne saurais reprocher à Clinton d'avoir persisté dans sa décision. Le verdict concernant Rector avait déjà été révisé par un juge, un jury et deux auditions séparées de la Commission de réduction des peines de l'État. Durant ses quatre mandats de gouverneur, Clinton n'avait jamais passé outre les décisions de la commission. S'il avait créé un précédent et épargné Rector, j'aurais été fier de lui, mais le diable m'aurait chuchoté que nous offrions aux républicains un argument massue. L'attitude de Clinton me parut digne, ce soir-là. Celui qui détenait le pouvoir de vie et de mort était triste, le juste sentiment, je crois, pour un homme politique qui applique la peine de mort.

L'émission « 60 Minutes » devait être enregistrée le dimanche à l'hôtel Ritz-Carlton de Boston. Après des retrouvailles pleines d'entrain le samedi soir à Manchester, nous nous retrouvâmes tous à l'hôtel. Don Hewitt, le producteur de l'émission, et le correspondant Steve Kroft nous montrèrent la chambre ornée d'une cheminée où l'interview devait avoir lieu. Les Clinton ne disaient pas grand-chose, se contentant de tout examiner d'un œil clinique.

En haut, dans la suite, notre équipe était sur les dents. Tous les permanents étaient là : Carville, Lindsey, Begala, Dee Dee Myers, Stan Greenberg et nos consultants en communication, Mandy Grunwald et Frank Greer. Susan Thomases s'était jointe à nous, ainsi que Tommy Caplan, un ex-condisciple de Clinton, un intellectuel brillant qui le secondait dans la campagne.

La parfaite cohésion de notre petit groupe commençait à s'altérer. Qui allait préparer Clinton à l'émission ? Quels conseils devait-il suivre ? Qui était le plus compétent et défendait le mieux les intérêts de Clinton, les amis ou l'équipe ? Mandy supplanta Franck grâce à sa prestation exceptionnelle dans une émission récente. Je m'improvisai cerbère et coordinateur de la préparation. James tournait comme un lion en cage et attendait l'occasion de prendre le pouvoir. C'est pour sa compétence dans la gestion de ce genre de crises qu'il avait été engagé. Susan nous regardait tous, y compris Clinton, d'un œil méfiant. Sa cliente à elle, c'était Hillary.

Nous appelâmes la réception pour commander un repas et la tension chuta d'un cran. Hillary évoqua son enfance et le sentiment de luxe suprême qu'elle éprouvait quand elle se faisait monter des consommations dans sa chambre d'hôtel. Nous parlâmes de ce que nous allions commander comme s'il s'agissait du sujet le plus intéressant du monde. Hillary laissa même son époux, qui avait pris du poids depuis le début de la campagne, commander un cheeseburger, mais en ne lui concédant qu'une petite portion de frites. Nous ne faisions que repousser l'ordre du jour : qu'allaient dire les Clinton et comment allaient-ils le dire ?

Clinton affirmait avec vigueur que Gennifer Flowers mentait ; il n'était donc pas question de discuter d'une éventuelle liaison sexuelle avec elle. Mais nous nous demandâmes s'il devait reconnaître avoir trompé sa femme de façon explicite, sans équivoque, en utilisant le mot d'adultère plutôt qu'un euphémisme comme « problèmes dans notre mariage ». Au début, certains d'entre nous, dont moi, pensaient qu'il aurait dû. « Il vaut mieux jouer franc jeu, expliquai-je, votre sincérité vous attirera la sympathie du public. » Je croyais aussi qu'une concession comme celle-là donnerait de la crédibilité au démenti de l'histoire de Gennifer Flowers. Mais je battis vite en retraite. Clinton et Hillary étaient inflexibles : pas question de prononcer le mot « adultère », trop gênant, trop brutal pour le public. Et toute admission explicite d'adultère – aussi bien tournée soit-elle – risquait de sonner comme une confirmation de l'histoire de Gennifer Flowers qui donnait sa conférence de presse le lendemain.

Une fois ces deux questions préliminaires écartées avec nos assiettes vides, Mandy et James prirent le contrôle de la réunion et nous concentrèrent sur nos buts : évoquer les difficultés conjugales passées avec sincérité, définir l'existence comme une lutte constante pour progresser et demander au pays si une campagne présidentielle devait porter sur le passé du candidat ou sur le futur de tout le pays. Je résumai cette stratégie sous forme de notes manuscrites que je remis à Clinton avant que Hillary ajourne la réunion, à 1 h du matin :

- Vous vous sentez chanceux, pas malheureux. Vous réalisez que c'est un privilège pour le fils d'une pauvre mère célibataire de l'Arkansas d'être candidat aux élections présidentielles.
- L'affaire Flowers vous inspire de la tristesse, pas de la colère. Vous ignorez les raisons qui l'ont

poussée à changer sa version des faits, mais vous ne vous laisserez pas détourner de votre but.

- Utilisez votre vie conjugale comme métaphore de votre caractère. Vous avez rencontré des problèmes dans votre mariage, vous les avez affrontés, vous les avez surmontés et vous vous sentez plus fort qu'avant.

Après le départ des Clinton, les membres de l'équipe allèrent prendre un verre dans la chambre de Stan. De toute façon, personne ne pouvait dormir. Tous évoquèrent la journée du lendemain avec l'humour macabre qu'inspire le fait de se trouver au milieu de l'action sans participer vraiment à la bagarre. Chacun se demanda si nous serions encore ensemble dans une semaine. Pour nous, quelle que soit l'issue, ce jour allait rester une anecdote d'anciens combattants – le jour où nous avons parié toute une campagne sur une seule interview.

Et les Clinton ? Seuls dans leur chambre, à présent, de quoi parlent-ils ? Est-ce à cela qu'ils s'attendaient ? Quel pacte ont-ils conclu ensemble ? Je retournais ces questions dans ma tête et elles hantaient notre conversation. J'admirais leur aptitude à sacrifier leur vie privée et leur orgueil à leur volonté politique, mais je ne pouvais m'empêcher de trouver tout cela navrant. *Est-il vraiment question de ce que le pouvoir permet de réaliser ou simplement du pouvoir en lui-même ? À quel moment le prix à payer devient-il trop élevé ?* Mais je me sentais surtout désolé pour eux. Ça n'avait pas été facile de parler de ma petite amie à mes parents. Demain, tout le pays allait discuter de leur mariage.

À 8 h, le lendemain, j'entrai dans la chambre de Carville qui se frottait énergiquement les yeux avec les mains pour essuyer des larmes de nervosité. Mandy était là aussi, fumant et parlant pour surmonter son anxiété. Nous savions tous que la réunion de la veille n'avait pas été assez pointue, que nous avions passé trop de temps en à-côtés et perdu de vue l'essentiel à force de conseils contradictoires. Nous savions que les derniers instants précédant l'interview devaient être différents, plus centrés, plus rigoureux.

Je traversai le couloir pour obtenir l'avis des Clinton. Hillary ouvrit la porte avec un regard triste et, tandis que je me glissai dans la chambre, elle laissa sa main posée sur mon épaule une seconde de trop. Le visage de Clinton était fermé et blême.

« Comment voulez-vous que nous procédions, ce matin ?, leur demandai-je. Préférez-vous travailler avec toute l'équipe ou juste avec une ou deux personnes ? » Une question pleine de sous-entendus, mais je m'efforçais de les amener à la solution que je croyais la plus efficace et la plus agréable pour eux compte tenu de leur état. Ils ne voulaient pas heurter leurs amis ni choisir parmi leurs conseillers. Mais Hillary savait aussi qu'une autre réunion comme celle d'hier ne ferait qu'accroître la tension. Ils traversèrent donc le couloir jusqu'à la chambre de James où nous passâmes quelques minutes à revoir notre stratégie. Mais il n'y avait pas grand-chose à dire. C'était à eux de jouer maintenant.

Les autres membres de l'équipe étaient réunis dans une autre chambre au fond du couloir. Ils montrèrent un certain agacement à me voir agir dans leur dos, mais je croyais faire ce que les Clinton voulaient et ce dont ils avaient besoin, une conviction renforcée par mon désir de faire partie du premier cercle. La jalousie que j'avais suscitée ne fit que s'exacerber quand je suivis les Clinton sur le plateau télé. Les règles de l'émission prévoyaient qu'il ne devait y avoir qu'un seul membre de l'équipe sur le plateau et James et Mandy décidèrent que ce serait moi. Ils savaient que je n'improviserais pas si Clinton avait un doute ou une hésitation de dernière minute et il avait l'habitude que je l'accompagne dans des moments comme celui-ci. Quels que soient mes sentiments, il savait qu'il pouvait me faire confiance pour rester calme et anticiper ses besoins. Depuis mon fauteuil situé derrière la caméra, je lui servirais aussi de téléprompteur, je serais le rappel vivant de notre discussion. Clinton me verrait et se rappellerait de mes notes de la veille.

À deux reprises durant l'interview, Don Hewitt réclama une pause et sortit de la régie. Il expliqua aux Clinton que c'était grâce aux débats qu'il avait produits en 1960 que Kennedy était devenu président et qu'il pouvait faire la même chose pour eux. Comme un metteur en scène dirigeant un couple de jeunes premiers, il s'accroupit devant le canapé où ils étaient assis et murmura sur un ton de connivence : « Contentez-vous de répondre par oui ou par non. Oui ou non et nous passons au sujet suivant. » Je hochai lentement la tête. Nous devions coller à notre stratégie, pas à celle de Hewitt.

L'interviewer insista mais Clinton démentit l'histoire de Gennifer et refusa de reconnaître qu'il avait commis l'adultère. Il admit que son épouse avait « souffert » à cause de lui et ajouta que la plupart des Américains le comprendraient. Et c'est bien ce qui se produisit. Les téléspectateurs comprirent que Clinton n'avait pas toujours été fidèle, mais ils virent aussi un couple talentueux et idéaliste qui se dévouait à son mariage et à l'avenir du pays. Les Clinton faisaient passer le même message qu'au cours du petit déjeuner Sperling, quelques mois auparavant : ce qui est passé est passé. Dans l'avion qui nous ramenait à Little Rock, ce soir-là, nous pensions tous que l'interview s'était passée aussi bien que possible. Nous avions donné le meilleur de nous-mêmes et les dés étaient jetés.

Le lendemain après-midi, trois cent cinquante journalistes assistaient à la conférence de presse de Gennifer retransmise en direct par CNN. Je leur demandai de vérifier l'histoire de Gennifer avant de la diffuser mais ils m'ignorèrent, sans doute par mesure de représailles pour avoir préféré « 60 Minutes », émission d'une chaîne concurrente, à celle qu'ils m'avaient proposée. Je regardai l'émission dans mon bureau avec de jeunes militants.

Elle ne commença pas trop mal. Le tailleur rouge de Gennifer et ses cheveux décolorées aux racines sombres envoyaient exactement le bon message. Une question sur les préservatifs d'un des journalistes renforça l'impression de cirque qui se dégageait de l'ensemble. Gennifer précisa même qu'elle avait été approchée par les républicains pour raconter son histoire. *Elle s'est trahie. On va pouvoir montrer que ce pseudo-scandale politique n'est qu'une misérable campagne de diffamation. Ce n'est pas la moralité de Clinton qui est en cause mais celle de ses adversaires.*

Puis on passa les bandes. Des enregistrements médiocres mais apparemment authentiques de conversations entre Clinton et Gennifer qui parlaient sur un ton intime de leur relation personnelle et de la course à la présidence. En entendant la voix éraillée si reconnaissable de Clinton, j'avais l'impression de décrocher le téléphone et d'entendre ma petite amie parler à un autre homme. Je fus submergé par une vague de nausée, de doute, de honte et de colère. Surtout de colère.

Il a menti. Et s'il n'a pas menti, pourquoi lui a-t-il téléphoné au beau milieu de la campagne ? Ce doit être elle que Clinton et Lindsey ont appelé de cette cabine publique à Boston. Comment a-t-il pu être si stupide ? Si arrogant ? Est-ce qu'il veut se faire prendre à tout prix ? Comment peut-il me placer dans cette situation ? Il n'a pas dit un mot pendant tout ce voyage à Claremont. Alors que je jurais aux journalistes que cette histoire était bidon, lui, assis en silence, faisant semblant de lire son livre sur Lincoln.

En bon militant, je ravalai ma colère pour éviter de démoraliser les stagiaires et les bénévoles. C'était une nouvelle épreuve : j'avais l'habitude de garder mon calme pour convaincre mes patrons qu'ils pouvaient compter sur moi, maintenant il fallait que je reste imperturbable devant ces gosses qui me regardaient interdits. Je cherchai des indices rassurants. *La conversation est hachée. Peut-être les bandes ont-elles été trafiquées ?* Une enquête ultérieure montra que les bandes avaient été « sélectivement montées ». Restait un fait incontournable : en décidant de téléphoner à Gennifer, Clinton avait mis en péril tous nos efforts.

Après la conférence, Rahm Emmanuel, David Wilhelm et moi nous enfermâmes dans un bureau. Nous ne savions plus ce qui était vrai ni ce qui allait arriver. Nous ne pouvions plus faire confiance à personne qu'à nous-mêmes. Il y a toujours un moment dans une campagne électorale où le candidat que vous admirez devient votre pire ennemi. Chacun de nous exprimait son dégoût à tour de rôle tandis que les deux autres lui remontaient le moral.

Le lendemain matin, nous étions décidés à nous battre encore plus férocement pour Clinton. Nous avions déclenché une dynamique qui allait se répéter maintes fois les années suivantes, et que Reinhold Niebuhr explique très bien : « L'orthodoxie frénétique, explique-t-il, ne s'enracine jamais dans la foi mais dans le doute. C'est quand nous ne sommes pas sûrs que nous sommes doublement sûrs. » J'avais désormais des doutes sur Clinton. J'avais vu ses failles de près, ce qui me poussait à me concentrer d'autant plus exclusivement sur ses forces et à croire avec d'autant plus de ferveur en ses idées. Je ne voulais pas que sa politique – tout ce qu'il allait faire et que je l'aiderais à faire – passe à la trappe, et je ne voulais surtout pas que nos ennemis l'emportent. Ils ne reculaient devant rien pour le battre ? Eh bien, je ne reculerais devant rien pour le défendre ! J'étais devenu un vrai croyant.

Hillary, qui se trouvait à Minneapolis, nous rassembla tous ce soir-là pour une conférence téléphonique, inaugurant un schéma qui allait se reproduire à d'autres reprises, et à une autre échelle. Si elle se montrait solidaire de son mari, comment ne pas l'imiter ? Un sondage télé d'une chaîne de Boston montra que Clinton était toujours en tête dans le New Hampshire et une enquête nationale diffusée dans « Nightline » fit apparaître que pour 80 pour cent des électeurs Clinton avait toujours sa place dans la course à la présidence. Nous avions survécu, mais la guerre ne faisait que commencer.

Après le scandale sexuel vint le scandale militaire. En 1969, après un an à Oxford, Clinton était rentré à Fayetteville, s'était inscrit en fac de droit et avait demandé son incorporation dans l'unité du colonel Holmes, le commandant du corps des officiers de réserve de l'université de l'Arkansas, pour s'acquitter de ses obligations militaires. Plus tard ce même été, il avait changé d'avis et était retourné à Oxford. Puis il avait évité l'incorporation immédiate en tirant un bon numéro à la loterie qui déterminait l'ordre de conscription[3]. C'est du moins ce que je savais de Clinton et de son service militaire quand j'avais rejoint son équipe. Ce que je ne savais pas, c'est ce qu'on avait omis de me dire : que Clinton avait changé d'avis *après* avoir reçu son ordre d'incorporation.

Clinton et le service militaire : voilà une histoire pleine d'angoisse, de manœuvres et de mensonges, semblable à des milliers d'autres dans les années soixante. Mais en tant qu'aspirant politicien en Arkansas dans les années soixante-dix, Clinton ne voulait pas être défini par la peu flatteuse histoire de ses rapports avec l'armée. Au lieu de tout raconter, il renvoyait tous ceux qui lui posaient des questions sur son service militaire au colonel Holmes qui, jusqu'en octobre 1991, assurait les jour-

3. NdT. Système américain d'incorporation des recrues du contingent par tirage au sort.

nalistes qu'il avait traité Clinton « exactement comme il aurait traité n'importe quel autre jeune homme ».

Cette citation de Holmes me semblait résumer tout ce que j'avais besoin de savoir quand j'avais rejoint la campagne Clinton. Le fait que Clinton n'ait pas fait la guerre du Vietnam allait probablement resurgir au cours de la campagne. Mais comme pour l'adultère et la marijuana, le service militaire était un problème sur lequel l'establishment commençait à accepter de nouvelles règles. Un homme politique pouvait survivre à l'adultère pourvu que ce fût un événement discret et passé. Vous pouviez avoir fumé de l'herbe à condition de prétendre que vous aviez arrêté en terminale et que l'expérience ne vous avait pas emballé. Il n'était pas infamant d'avoir échappé au service militaire à condition de ne pas avoir fait « jouer le piston ». Pas besoin d'être un héros militaire mais à condition de ne pas apparaître comme un insoumis.

Bien sûr, la campagne de Kerrey ne pouvait que profiter de cette polémique : nous ne pouvions rien y faire. Nous ne pouvions pas gagner sur la question du Vietnam. Tout au plus éviter de trop perdre et changer de sujet. Telle était notre stratégie début décembre 1991, quand Dan Balz commença à travailler sur un portrait comparatif de Clinton et Bob Kerrey : « Deux hommes de la génération Vietnam » était le titre de Balz, allusion transparente au contraste saisissant entre le héros de la guerre et le civil.

Faute de temps, nous avions calé l'interview de Balz dans les quelques minutes du trajet vers l'aéroport, ce qui n'était pas malin compte tenu de la sensibilité du sujet. Juste au moment où nous atteignions l'aéroport, Clinton déclara à Balz qu'il avait échappé à la conscription à l'été 1969 grâce à un extraordinaire « coup de pot ».

Oh là là, qu'est-ce que je viens d'entendre ? Quand on discute d'un sujet aussi glissant, il vaut mieux jouer l'ennui. Clinton le savait bien. « Coup de pot » était une expression bien trop provocante, presque caustique. Je ne connaissais pas tous les détails de l'histoire du service militaire de Clinton, mais je doutais qu'elle cadre avec l'expression « coup de pot ». Balz aussi était sceptique. « Clinton a eu plus que de la chance de couper à l'armée avec un classement 1A[4] ». Balz insinuait que l'expli-

---

4. NdT. C'est-à-dire un excellent niveau d'aptitudes physiques et psychologiques.

cation de Clinton n'était pas plausible et envoyait à ses collègues journalistes un signal : creusez plus profondément !

Malgré tous nos efforts pour botter en touche, l'affaire du service ne cessait d'enfler. Deux jours après Noël, dans la résidence du gouverneur, grignotant sandwichs et chips, une vingtaine de membres de l'équipe Clinton étaient réunis dans son sous-sol à discuter des mois écoulés. « Nous avons besoin de réponses plus précises sur la question du service militaire. Elle va refaire surface », lançai-je.

Hillary n'aurait pas plus mal réagi si j'avais traité Clinton de planqué. C'est elle qui répliqua, elle était outrée. « Billy ne va pas s'excuser d'avoir été contre la guerre du Vietnam ! » Encouragé par la véhémence de son épouse, le visage écarlate, Clinton se lança dans une violente tirade contre la guerre et expliqua qu'il préférait perdre la présidentielle plutôt que de dire que cette guerre était juste.

Ce n'était pas le sujet que je voulais soulever, bien sûr. Mais en essayant de paraître incisif et direct devant mes collègues, j'avais acculé les Clinton. Leur éclat était disproportionné mais j'avais commis une erreur de débutant : les professionnels n'évoquent pas les sujets sensibles dans les grandes réunions. Plus tard, Wilhelm, Carville et moi avons été voir Clinton. « Nous ne disons pas que vous devez vous excuser, lui ai-je dit. Mais nous avons besoin de disposer des mêmes informations que vos opposants. » Clinton acquiesça et nous louâmes les services d'une société spécialisée dans ce genre de recherche pour obtenir ses dossiers militaires, mais il était déjà trop tard.

Six semaines plus tard, le mercredi 5 février, nous étions toujours en tête malgré l'histoire Gennifer mais Clinton avait attrapé une mauvaise grippe. Nous avons donc annulé ses rendez-vous de la journée et l'avons laissé au lit dans un motel du New Hampshire. Alors qu'il se reposait dans la chambre voisine, je rappelai à Jeff Birnbaum du *Wall Street Journal* qui m'avait téléphoné pour me parler des rapports de Clinton avec l'armée.

Au moment où Jeff décrocha le téléphone, je compris que nous avions des ennuis. Jeff ne voulait pas d'une conversation sur le déroulement de la campagne et la polémique avec nos adversaires ; il avait des questions précises à poser. Il voulait savoir comment Clinton avait intégré le corps des officiers de réserve et s'il s'était inscrit en fac de droit à l'été 1969. Les objections émises sur la pertinence de cette question pour les électeurs de 1992 le laissaient complètement froid. Pas question de changer de sujet ni d'essayer de gagner du temps. J'avais presque l'impression d'entendre son chef de service qui le pressait à l'autre bout du fil : *Rien que les faits, George, je ne suis pas d'humeur à me faire balader !*

La manière de procéder de Jeff était un avertissement sans frais. Les journalistes sont souvent muets comme des tombes quand ils pensent qu'ils ont ferré un gros poisson. Une de leurs tactiques favorites consiste à le faire parler le plus possible pour qu'il ne puisse pas deviner leur point de vue ni mettre en question la crédibilité de leurs sources. Ils craignent souvent que celui qui saisira leurs arrière-pensées essaie d'atténuer la portée de leur article en leur fournissant de nouvelles informations destinées en fait à noyer le poisson. Ou qu'il communique la même information à leurs concurrents, ce qui les priverait d'une révélation tandis qu'ils s'efforcent de paraître de bonne foi.

Je n'en veux pas à Jeff de s'être montré prudent. Si j'avais été à sa place, j'aurais agi comme lui sans hésiter. Mais je n'avais pas grand-chose à lui dire. Quand je suis entré dans la chambre de Clinton, celui-ci était étendu sur son lit, trop sonné pour que je puisse le questionner vraiment. Mais il me convainquit assez facilement qu'il n'avait rien à cacher, en partie parce que je ne demandais qu'à me laisser convaincre, et aussi pour une autre raison : il avait réussi à se convaincre lui-même, avec le temps, que ses agissements de l'époque étaient, compte tenu du contexte traumatisant que vivait sa génération, parfaitement anodins. De plus, l'enquête que nous avions commandée n'avait rien révélé d'embarrassant, outre ce que nous savions déjà. « Je n'ai pas la moindre idée de ce qu'il peut chercher. Dites-lui d'appeler Gene Holmes. »

Or Birnbaum avait déjà téléphoné à Holmes. Lequel, à l'instar de Gennifer Flowers, avait fait volte-face. Il expliquait à présent que la promesse de Clinton de rejoindre le corps des officiers de réserve n'était qu'une ruse pour éviter la conscription, insinuant que Clinton l'avait manipulé, qu'il avait profité des failles du système. Quand je lus l'article de Birnbaum, j'essayai de combattre mon pessimisme naturel. *Holmes est vieux. Peut-être ne sait-il plus très bien ce qu'il dit. Peut-être ses propos ont-ils été déformés. Peut-être est-il tombé dans un traquenard tendu par Birnbaum. Pourquoi change-t-il son fusil d'épaule maintenant ? Qui a bien pu le circonvenir ?*

Le lendemain matin à 6 h 20 précises, je me rendis au club de gym de l'hôtel et j'essayai de me convaincre que l'article n'était pas si mauvais quand Larry Barrett, de *Time*, passa me dire un petit bonjour. Barrett est un type plutôt bourru, et aucun journaliste n'a de raison d'être particulièrement chaleureux après une nuit d'hiver passée dans un motel de second ordre d'un bled du New Hampshire. « Salut, fit-il en secouant la tête, on dirait que vous allez avoir une rude journée ! » Toutes mes illusions s'évanouirent d'un coup. Si Larry Barrett adoptait ce ton d'oncle compatissant, c'est que nous avions de sérieux ennuis.

Comment sortir de ce mauvais pas ? Clinton niait formellement avoir manipulé qui que ce soit et semblait sincèrement surpris de la nouvelle version de Holmes. Aucun d'entre nous ne connaissait les dessous de son incorporation, ou ceux qui étaient au courant se taisaient. Nous pouvions bien sûr souligner le fait que Holmes avait changé sa version des événements. Mais quel était son mobile ? Certainement pas l'argent, comme Gennifer. Nous ne pouvions attaquer un ancien combattant qui, pour ce que j'en savais, était aussi un héros de la guerre. Nous n'avions d'autre option que de rectifier des erreurs de détail dans le récit de Birnbaum. Mais en dehors du fait qu'il omettait de préciser que Holmes avait changé de point de vue, l'article de Birnbaum était plus solide que nous n'étions prêts à l'admettre.

Mon âge aussi était un handicap. Plus tard, le même jour, Paul Begala et moi dûmes affronter une autre foule de reporters à l'hôtel Sheraton. Les hésitations de ces journalistes à questionner un candidat au sujet de sa vie sexuelle étaient balayées. Pour des hommes de l'âge de Clinton, le service militaire et le comportement qu'on avait eu à l'égard de l'armée en disait long sur votre personnalité. Certains avaient honorablement fait leur devoir tandis que d'autres étaient des experts auto-proclamés dans l'art de se faire réformer ou bien racontaient encore toutes sortes d'histoires sur les commissions d'incorporation locales. Ils étaient persuadés que ce n'était sûrement pas l'effet d'un « coup de pot » si Clinton s'en était si bien tiré.

Mais ceux d'entre nous qui étaient nés en 1961 avaient grandi dans une autre Amérique. Ma classe d'âge fut la première à faire son service militaire en temps de paix. La guerre du Vietnam était finie et il n'y en avait pas d'autre à l'horizon. Pour un gosse de banlieue à la conscience politique encore indécise, le recensement était un acte si anodin que je me souviens l'avoir effectué au bureau de poste avec quelques amis sur le chemin du golf. La tension émotionnelle que je lisais sur le visage de ces journalistes était donc insolite pour moi et je voyais bien qu'ils accordaient peu de poids à tout ce que je pouvais leur dire. Pour une bonne raison : non seulement je ne connaissais pas vraiment les faits, mais de plus je ne comprenais pas leur signification.

La frustration croissait des deux côtés. Après quinze minutes de harcèlement agressif dans le hall de l'hôtel, je dus renoncer. « Vous ne comprenez pas, éclatai-je finalement, en 1969, la seule chose qui m'intéressait, c'était les Mets[5]. »

Cette affaire du service militaire fit beaucoup plus de dégâts que l'affaire Gennifer. Comme devait le dire Clinton plus tard en plaisantant : Nous étions dans la m… » Nous rétrogradâmes à la troisième place en trois jours. Mais ce dimanche-là son humeur était plutôt maussade. Arpentant le living familial, en jeans, pendant que Hillary, en chandail, l'observait du coin de l'œil, Clinton se lança dans une tirade : « Ce sont ces réductions d'impôts en faveur des classes moyennes, c'est ça qui nous tue. » *Pas d'enfantillages. Sans cette réforme fiscale, nous serions déjà morts. C'est ce que les gens apprécient dans votre programme. C'est tout le reste qui les rebute.*

Mais je gardai mes réflexions pour moi et Hillary resta concentrée. Elle savait que l'heure n'était pas aux lamentations mais qu'il fallait concocter un plan. Nous passâmes le reste de la nuit à imaginer de nouveaux slogans et à mettre au point une stratégie « du feu de Dieu » pour les dix derniers jours. Le lendemain nous prîmes l'avion pour Manchester, épuisés par le manque de sommeil mais libérés par la perspective de n'avoir plus grand-chose à perdre. C'était le 10 février, le jour de mes trente et un ans, et Mark Halperin d'ABC News avait un cadeau pour moi.

---

5. Équipe de base-ball de New York.

Quand nous atterrîmes à Manchester, il attendait sur le tarmac. Mark avait suivi notre campagne presque depuis le début et nous étions aussi proches que peuvent l'être un journaliste et un directeur de la Communication. L'expression de son visage en disait long sur le contenu du papier qu'il tenait à la main. « Personne d'autre ne l'a, me confia-t-il en me tendant les deux pages photocopiées. Lis-le tout de suite, il va me falloir une réaction. »

Avant même de m'emparer du document, trois détails me sautèrent aux yeux : le blason de l'université d'Oxford en haut de la première page, les premiers mots de la lettre : « Cher Colonel Holmes... », et une ligne qu'aujourd'hui encore je ne peux citer sans en avoir l'estomac serré : « Je veux vous remercier, non seulement pour m'avoir évité l'incorporation... »

Je chancelai imperceptiblement – le manque de sommeil et la tension des scandales récents. *Ça y est, nous sommes fichus.* Je répondis à Mark que nous le contacterions très vite. Je n'avais pas la moindre idée de ce qu'on allait bien pouvoir dire. Mais mon instinct de survie reprit immédiatement le dessus. *Cette lettre est un faux,* décidai-je en l'apportant à Clinton. *Les républicains sont derrière toute l'affaire, encore une fois. Ils nous font ce qu'ils ont fait à Muskie.*

C'était la seule explication. L'alternative était trop triste.

Dans l'aéroport, Paul, James, Bruce, Clinton et moi nous réunîmes dans des toilettes pour hommes et Hillary nous emboîta le pas sans hésiter. Pendant une minute ou deux, nous nous passâmes silencieusement ces pages. Hillary prit la parole la première. « Bill, c'est de toi ! Je t'entends encore dire ce genre de choses. »

Non seulement Hillary authentifiait la lettre, mais elle semblait candidement émue en la lisant, envahie par le souvenir nostalgique du Bill Clinton dont elle était tombée amoureuse à la bibliothèque de la fac de droit de Yale. Paul et moi étions convaincus que la presse n'allait pas hésiter à utiliser cette lettre pour démontrer que Clinton avait cherché à se dérober à ses obligations militaires. James avait un autre point de vue. « Cette lettre va nous rendre service. Si on lit toute la lettre on se dit à la fin : ça ne me déplairait pas d'avoir un président qui pouvait écrire une lettre comme celle-là à l'âge de vingt et un ans. »

Nous avions tous deux raison. Mais, sur le moment, j'étais convaincu que cette lettre signait notre mort politique. C'était certes une lettre réfléchie qui exprimait du respect pour l'armée et fondait son opposition à la guerre du Vietnam sur des principes estimables, mais Clinton ne l'avait postée qu'après avoir tiré un bon numéro à la loterie. Cela suggérait, au minimum, que Clinton faisait marcher Holmes et ne lui fit miroiter son objectif d'entrer dans le corps des officiers de réserve que jusqu'au moment où il fut certain qu'il ne serait pas appelé. De plus, je n'arrivais pas à comprendre qu'il nous ait caché cette lettre et je voulais simplement que ce calvaire se termine. *Combien de temps les électeurs vont-ils nous octroyer le bénéfice du doute ? Combien de scandales sont-ils prêts à digérer ? Et moi, combien de couleuvres pourrai-je encore avaler ?*

C'est finalement Jim Wooten, un collègue de Halperin, qui se chargea de l'interview. Il enregistra un bref entretien avant d'arrêter la caméra et de parler cinq minutes en tête-à-tête avec Clinton. Je me dis qu'il faisait de son mieux pour atténuer le choc d'un scoop inévitablement dévastateur. Mais, une demi-heure plus tard, Halperin me téléphona. L'interview ne passerait pas. Nous avions encore un sursis. Bref.

Le lendemain, les producteurs de « Nightline » avaient obtenu la lettre. Je demandai à Ted Koppel comment ils se l'étaient procurée. « J'ai bien l'impression qu'elle vient du Pentagone », répondit-il. *Le Pentagone ? Alors les républicains y sont sans doute pour quelque chose, en fin de compte. N'est-il pas illégal de compulser le dossier militaire d'un citoyen ? Disposons-nous d'assez de preuves pour tenter de les coincer ? Ou bien est-ce que Koppel essaie de nous pousser à les défier ?* Après cette conversation, Begala, Carville et moi étions regonflés par l'idée que Clinton était bien victime d'un complot visant à le neutraliser.

Nous attaquâmes le Pentagone, mais notre accusation fit long feu. Et Clinton dut se justifier dans « Nightline ». Notre seul espoir était qu'il se tire bien de l'interview. Koppel demanda d'abord à Clinton s'il voulait lire la lettre lui-même, mais nous n'étions pas si stupides. Ses ennemis ne se seraient pas privés de sortir les pires phrases de leur contexte et de les repasser en boucle. Koppel lut la lettre et laissa ensuite à Clinton tout le loisir de s'expliquer lui-même. Clinton fut impressionnant de maîtrise : calme sur son passé, passionné en parlant de l'avenir, avec juste le degré d'indignation qu'il fallait pour stigmatiser la confusion entre l'insignifiant et l'essentiel dans une élection présidentielle. Il attendit la fin de l'entretien pour lancer une pique qui fit mouche : « Ted, les seules fois où vous m'avez invité à votre émission, c'était pour parler d'une femme avec laquelle je n'ai jamais couché et du service militaire que je n'ai jamais cherché à éviter. »

J'avais beau savoir que cette dernière allégation de Clinton était pour le moins inexacte, je refusais de me l'avouer à moi-même. Toutes griffes dehors, je croyais que presque tout ce que nous faisions était justifié par les agissements de nos adversaires à notre encontre. Les reporters des journaux à sensation sillonnaient les rues de Little Rock en offrant des espèces à ceux qui leur fourniraient des ragots croustillants sur Clinton. Presque toutes les rumeurs qui couraient sur notre campagne de plus en plus baroque – que Clinton était de mèche avec des trafiquants de drogue qui opéraient à l'aéroport de Mena, Arkansas, qu'il était accro à la cocaïne, que Hillary était une lesbienne honteuse – étaient à la fois fausses et destinées à nuire. Et le vendredi qui précédait le vote, un autre personnage surgit avec une nouvelle histoire qui pouvait nous couler.

Je l'entendis pour la première fois un jour que Clinton visitait une maison de retraite de Nashua. Tout l'après-midi, il écouta les témoignages de gens qui jouaient des coudes pour lui parler. Soudain, une femme menue et fragile, une certaine Mary Annie Davis, confessa en pleurant qu'elle devait choisir chaque mois entre acheter des médicaments ou de la nourriture. Il s'agenouilla, lui prit la main et l'embrassa pour la réconforter. Même les journalistes les plus coriaces avaient les larmes aux yeux.

Mais je ratai ce moment car un journaliste du *Nashua Telegraph* me demanda au même instant de l'accompagner dehors. Sur le trottoir, il lança sa bombe : « Il faut que nous parlions. J'ai un témoin qui prétend vous avoir entendus, vous, Bruce Lindsey et le gouverneur Clinton, évoquer la possibilité de trouver un travail à Gennifer Flowers dans l'administration. Il affirme que vous vouliez acheter son silence. »

« Je ne comprends pas de quoi vous parlez, fis-je, mais vous ne pouvez propager une telle histoire sans nous donner la moindre chance de réagir. » Nous prîmes rendez-vous pour le soir même à 18 h au *Telegraph* avec les responsables de la rédaction – notre seul espoir d'étouffer dans l'œuf ce nouveau scandale.

J'étais confronté à un nouvel aspect des « affaires » Clinton : on faisait de moi le complice de ses agissements, on essayait de ternir ma réputation. Depuis le temps, j'ai appris à m'endurcir contre les attaques personnelles qui visent tous les acteurs de la vie politique ; c'est le prix à payer pour un grand privilège. Mais, ce jour-là, j'étais accablé. Je savais que je n'étais pas coupable, mais si ces accusations étaient rendues publiques lors de la primaire du New Hampshire, tous mes collègues allaient les gober, quels que soient mes démentis. Nous allions prendre une veste et de surcroît j'allais passer pour le type qui avait essayé de trouver un boulot de fonctionnaire à la petite amie de Clinton !

Je commençais à espérer que nous allions nous faire étendre à cette primaire. Comme ça, au moins, je n'aurais pas à affronter un autre journaliste qui allait me demander pour la énième fois de réagir sur une histoire que je découvrirais avec effarement. Le bruit de sabots des Cosaques n'était plus seulement dans ma tête, il était partout. Je me sentais sali, épuisé et déprimé. On était bien loin de l'équipée héroïque de Kennedy que j'avais rêvé de rééditer. Notre campagne ressemblait de plus en plus à celle de Gary Hart !

Bruce et moi étions attendus par la rédaction du *Telegraph* rassemblée au grand complet dans le bureau directorial, toutes portes closes. Je vis un homme sortir de la salle de conférence avec une jeune fille et je compris toute la situation en un instant. Cet homme avait été notre chauffeur un après-midi du mois de janvier. Tout l'après-midi, il avait parlé d'une œuvre de bienfaisance à laquelle il participait et qui expédiait des appareils ménagers en Russie. Une cause parfaitement estimable dont il parlait avec une certaine exaltation. Nous lui avions vaguement promis de venir faire un tour à son stand lors d'une foire prochaine mais dans le tumulte qui avait suivi, nous avions oublié notre promesse.

Et voilà le salaire de notre négligence. Quand Bruce et moi niâmes l'accusation et expliquâmes la situation au conseil de rédaction, ils décidèrent de ne rien publier. Je me dis que nous avons été très persuasifs ce jour-là. En fait, ils réalisèrent sans doute par eux-mêmes que cette accusation ne reposait sur rien de très solide. Peut-être cette nouvelle affaire n'aurait-elle rencontré aucun écho dans le public, mais à ce moment j'étais sûr que ce serait la goutte d'eau, le scoop de trop, l'article qui aurait fait apparaître Clinton comme un personnage décidément peu fiable.

Le dernier week-end fut passablement confus, mais Clinton démontra à nouveau ce que pouvait une volonté farouche. Il avait décidé d'émouvoir les électeurs du New Hampshire en s'adressant personnellement à chacun. Les membres de son équipe l'accompagnaient mais, à ce stade, leur présence était superflue. Nous étions face à un concentré de Clinton en action : fierté, ambition, colère, besoin d'être aimé et volonté de faire le bien. En le regardant, je me demandais s'il ne fallait pas être un peu fou pour être président. Quelles conséquences pouvait avoir sur un homme un désir aussi forcené ?

Je ne comprenais pas, à cette époque, que ce violent coup de projecteur sur les problèmes de Clinton l'aidait, paradoxalement. Et que cette primaire du New Hampshire se transformait en un débat sur les véritables enjeux de la politique. Clinton avait su transformer le dégoût du public pour les « affaires » en une raison supplémentaire de voter pour lui : le meilleur moyen de couper court à l'obsession sensationnaliste du scandale consistait à voter pour le candidat le plus harcelé par les feuilles à scandale. Peu importait que Clinton ait fourni les verges pour le battre, il était surtout celui qui ouvrait de nouveaux horizons... et quel ressort ! Chaque fois qu'il encaissait un coup, il se relevait avec le sourire.

Le jour de l'élection, j'avais un tel cafard que je n'ai pas pu sortir de mon lit. Le rapport que Clinton avait su nouer avec les électeurs du New Hampshire n'apparaissait pas dans les sondages, ce qui laissait augurer d'une troisième place ou pire encore. Clinton tint sa promesse de continuer à essayer d'arracher des votes jusqu'au bout, coûte que coûte, mais ses collaborateurs n'avaient plus grand-chose à faire. James et moi avons hésité à aller au cinéma, mais nous voulions rester à portée d'un téléphone quand les premiers résultats tomberaient.

Quand ils commencèrent à arriver, nous commandâmes des cheeseburgers et nous lançâmes dans la rédaction d'un communiqué de victoire sur l'ordinateur portable de Bob.

Bien sûr, arriver à la deuxième place derrière Tsongas n'était pas exactement une victoire, mais ça en avait diablement le goût après tout ce que nous venions de vivre. Même Clinton, cet éternel optimiste, parut surpris par cette nouvelle. Je passai la fin de l'après-midi avec lui alors qu'il donnait une série d'interviews par satellite à des chaînes d'États où nous devions nous rendre par la suite. Entre chaque entretien, je lui montrais les dernières estimations. Il se méfiait des sondages depuis qu'ils avaient à tort prédit sa réélection au poste de gouverneur en 1980, mais il trahit silencieusement son excitation en donnant des coups de poing sur la table. « Si ces sondages se confirment, je me ferais l'effet de Lazare ! », me lança-t-il alors que nous nous dirigions vers l'ascenseur, dont il martela du plat de la main les portes qui se refermaient.

Notre demi-victoire dissipa mes doutes récents sur Clinton. Telle est la vertu du succès. Mon engouement de départ mûrissait et se muait en un rapport plus complexe. Clinton n'était pas un demi-dieu mais seulement un homme avec des défauts aussi criants que ses dons. Mais c'était de loin l'homme politique le plus doué que j'aie rencontré. Il avait plus d'idées que tous ses concurrents, le cœur bien accroché, et il n'abandonnait jamais la partie. J'avais envie de l'aider à réaliser ses projets et il était mon meilleur tremplin vers le sommet.

Ce soir-là, l'équipe de Clinton se retrouva au bar du Sheraton pour fêter sa « victoire » et nous reçûmes les félicitations des journalistes présents, à quelques mètres du hall où ils nous avaient tant malmenés sur l'affaire Gennifer et celle du service militaire. De l'autre côté du bar, j'aperçus Pat Buchanan qui nous souriait de toutes ses dents. Le populiste républicain venait de donner un coup de semonce au président Bush en raflant 37 pour cent des voix républicaines. Avec un Bush en mauvaise posture, la perspective de la Maison-Blanche devenait de plus en plus plausible.

À condition de ne pas trop prêter l'oreille au bruit de sabots qui redoublait.

4 LES VRAIS PROBLÈMES COMMENCENT

Le lendemain de la primaire du New Hampshire, quand j'ouvris ma porte pour aller chercher les journaux, les agents des Services secrets étaient là, en faction devant la suite du gouverneur, au bout du couloir. Oreillettes, micros dans la manche, gros calibre sous l'aisselle, ils nous rappelaient que Clinton était devenu une cible potentielle, plus seulement celle des journaux. Les mois écoulés, je m'étais souvent imaginé plaquant au sol un meurtrier qui visait Clinton. Désormais, je partageais ce phantasme avec le gouvernement des États-Unis.

Nous nous envolâmes pour le Sud, dans un jet plus gros, avec notre nouvelle équipe de sécurité. Notre sérénité toute neuve nous aida à soigner notre gueule de bois. Du jour au lendemain, nous étions passés de la déconfiture annoncée à l'invulnérabilité. Lazare, exactement comme l'avait dit Clinton. Kerrey et Harkin n'avaient pas remporté le succès escompté et n'allaient pas tarder à abandonner. Cuomo avait raté l'occasion d'entrer dans la campagne. Notre principal concurrent était désormais Paul Tsongas, ce dont nous nous accommodions tous très bien à l'exception du patron. Sur le vol de Manchester, Clinton nous appela, Paul Begala et moi, et nous agita l'*Atlanta Journal* sous le nez. La lecture d'un article l'avait rendu furieux. Le journaliste fustigeait les mesures fiscales de Clinton en faveur des classes moyennes et chantait les louanges de l'austérité fiscale préconisée par Tsongas. Notre approche plus populiste nous avait permis de remporter les primaires, mais Clinton enrageait qu'on ose le traiter de démagogue. Les semaines passant, ce phénomène de rejet s'amplifia. Il ne se passait pas de semaine sans que nous étouffions dans l'œuf un scandale naissant, que nous soyions sur le point de perdre une majorité péniblement acquise et que nous constations une dégradation constante de l'image de Clinton dans le pays. Même Ross Perot, cet étrange petit bonhomme, porte-parole auto-proclamé de tous les mécontents, battait Clinton dans les sondages. Les caciques du parti commençaient à se demander s'il n'était pas temps de faire appel à l'un des leurs, Bradley, Bentsen ou Gephardt, pour sauver les espoirs du parti compromis par un héraut en mauvais posture.

Quand le 2 juin nous consolidâmes notre position en gagnant les primaires californiennes, le *New York Times* publia en première page un article qui prenait ouvertement position en faveur de l'éviction de Clinton lors de la Convention démocrate au profit d'un candidat « nouveau ». Une Convention « arrangée », le rêve d'un certain nombre de politiciens et notre pire cauchemar.

Ce soir-là, nous avons touché le fond. Clinton était épuisé, irrité, empâté, et en danger de perdre sa voix, un capital sans lequel aucun homme politique ne peut réussir. Nous étions en faillite, à tous égards : nous n'avions pas été payés depuis des mois et notre équipe divisée en clans se déchirait : les consultants de Washington, le quartier général à Little Rock et Clinton perpétuellement en voyage. Les sondages des élections de novembre nous donnaient bons perdants, derrière Bush et Perot.

C'est cette catastrophe annoncée qui relança la machine. À la fin du printemps, la stagnation de l'économie accrut l'impatience du public à l'égard de Bush, mais Clinton n'était toujours pas une alternative crédible. Pour le grand public, c'était un jeune bourgeois du Sud né avec une cuiller en argent dans la bouche, qui avait fait Yale et Oxford, avait évité le service militaire, fumé de l'herbe et trompé sa femme. Mais une étude sur son image conduite par le politologue Stan Greenberg fit apparaître qu'une simple refonte du profil de Clinton pourrait lui rendre sa crédibilité. Il fallait répéter aux électeurs que Clinton était le fils d'une mère célibataire de la classe moyenne qui était parvenu au poste de gouverneur à la sueur de son front et avait fait progresser son État, une région défavorisée du Sud, en menant une politique éducative ambitieuse et en lançant des programmes d'aide à la création d'emplois. Ce nouvel éclairage sur son caractère permettrait aux gens de s'intéresser vraiment aux idées de Clinton. Comme nous n'avions pas assez d'argent pour lancer une campagne publicitaire, nous proposâmes Clinton à toutes les émissions intéressées afin qu'il puisse s'expliquer à loisir sur son passé et ses projets d'avenir. Il montra son indépendance par rapport aux éléments les plus radicaux du parti, comme Jesse Jackson, tout en lui redonnant une cohésion politique avec un nouveau programme économique. Celui-ci promettait à la fois de réduire les déficits et d'accroître les investissements du gouvernement en faveur de l'emploi, de l'éducation et de la santé publique. La meilleure décision de toute la campagne fut le choix de son colistier : Clinton rompit avec une tradition bien établie en choisissant un autre jeune sudiste comme lui : Al Gore. Au moment où la première Convention démocrate s'ouvrit à New York, nous étions les premiers, et cette fois pour de bon.

Ce n'était que ma deuxième Convention. Quatre ans plus tôt, à Atlanta, quand j'essayais de me faire une place dans la campagne Dukakis, j'avais passé toute la semaine dans un sous-sol à collationner bénévolement les interviews parues dans la presse. J'y avais vécu le moment fort de ma semaine quand j'étais entré dans la grande salle, grâce à une carte magnétique empruntée, et que, me frayant un chemin dans la foule de ses admirateurs, j'avais pu serrer la main de mon idole et lui dire trois mots, juste avant que la foule ne l'emporte.

Cette fois-ci, à New York, c'était Mario Cuomo qui me cherchait. Mais quand le téléphone sonna dans ma chambre du quatorzième étage de l'hôtel Intercontinental, je me trouvais dans la suite présidentielle en train d'aider Clinton à réviser son discours d'investiture. L'ami qui répondit à ma place au téléphone crut que c'était une blague et il raccrocha. Quand Mario Cuomo rappela, Eric comprit qu'il avait intérêt à me trouver rapidement.

Depuis un an, la situation avait totalement changé : Clinton était devenu le meilleur atout des démocrates, Cuomo le soutenait et j'étais le collaborateur de Clinton, l'intermédiaire obligé pour qui avait un message à transmettre ou un problème à résoudre. Le fait que Cuomo m'appelle était le signe que mon influence grandissait et qu'elle n'avait pas encore atteint son apogée. En m'excusant auprès de Clinton, je ne manquai pas de lui faire savoir où j'allais et pourquoi !

Cuomo voulait me donner un avant-goût de son discours. Les relations entre Clinton et Cuomo avaient été tendues, ces derniers temps, surtout après la diffusion des « bandes Gennifer », dans lesquelles on entendait Clinton traiter Cuomo de « crapule ». Cuomo m'avait choisi parce que je n'étais pas de l'Arkansas et que je n'appartenais pas à l'aile conservatrice du parti. J'avais rencontré son ancien conseiller, Gene Sperling, au cours de la campagne Dukakis, et je lui avais demandé de diriger notre équipe d'économistes de Little Rock. Gene lui avait dit que j'étais son plus grand admirateur dans l'entourage de Clinton. Au moment du choix du colistier, j'avais envoyé un mémo à Clinton pour lui recommander de faire appel à Cuomo. On imagine donc quelle était mon excitation à entendre le gouverneur de New York me lire son discours en avant-première. Il avait montré de sérieuses réticences quand Ron Brown, le président du Parti démocrate, l'avait adjuré de ratifier la nomination de Clinton. Ces réticences étaient loin à présent. Cuomo était fier de son discours et plus il parlait, plus il semblait se convaincre lui-même que Clinton était vraiment « notre nouveau capitaine pour un nouveau siècle ». Sa voix de basse chantante s'écoulait dans le combiné à un débit rapide, interrompu de temps à autre par des blagues et par des questions auxquelles il ne me laissait pas le temps de répondre. « Vous aimez ça ? Vous aimez ça ! »

Plus tard, ce même soir, j'écoutai ce même discours dans la suite du gouverneur. Observer les Clinton enlacés l'un contre l'autre regarder Cuomo, avec Chelsea assise par terre entre eux, fut une petite révélation. Ils hochaient doucement la tête de gauche à droite, incrédules. Et pourtant c'était vrai, et ils commençaient déjà à se projeter dans le futur. Clinton suggéra que Cuomo ferait un parfait secrétaire à la Justice. Hillary acquiesça.

Quand ses amis vinrent féliciter Cuomo, je descendis dans la salle. Il y a des moments dans la vie politique où vous devez vivre en public des moments privés. Cuomo était debout à côté du podium où il venait de faire vibrer tous les délégués du parti. Il était écarlate, entouré par ses admirateurs, et l'aura qui émanait de lui ressemblait à un champ magnétique. Comme je m'approchais, le groupe qui l'entourait s'écarta pour me laisser passer. « Le gouverneur m'a demandé de vous adresser ses remerciements personnels », lui lançai-je dans un cri qui avait l'intimité d'un chuchotement. La suite mettait aussi en valeur mon importance dans la constellation Clinton : « J'ai suivi le discours là-haut avec lui. Gouverneur, il pleurait. »

Le regard des gens qui nous entouraient, Cuomo et moi, me donnait l'impression de jouer dans un film muet. D'une certaine manière, c'est ce que nous faisions, avec Cuomo dans le rôle de l'homme d'État chevronné et moi dans celui du petit nouveau. Non seulement les mois passés avec Clinton m'avaient apporté une certaine puissance politique, mais j'étais en train de me faire un nom dans le parti.

J'appréciais les égards tout récents dont je faisais l'objet, je les encourageais, je les adorais – même quand ils m'embarrassaient. Mais la Convention m'apporta aussi une satisfaction plus profonde. Peu avant le discours d'investiture de Clinton, je quittai notre salle de réunion et descendis parmi les militants, en me plaçant juste devant le podium. La foule des délégués chantait, criait, et ondulait en brandissant des pancartes jusqu'aux gradins les plus élevés, dans un tohu-bohu de sons et de couleurs incessant. Ce jour-là, j'étais au centre de la scène, hypnotisé par le tumulte et l'émotion de la foule, à la fois minuscule et géant. En général, je n'aime pas les foules ; elles m'effraient. Mais cette foule-là me remplit de fierté et de respect et m'insuffla un sentiment mêlé de responsabilité – j'étais un peu l'auteur de cet instant – et de vertige devant l'avenir. Je n'étais pas complètement fier de la façon dont je m'étais conduit durant la campagne. J'avais appris à calculer, à intriguer, à manœuvrer, à dire des choses que je ne pensais pas totalement et en faire d'autres, au nom d'un avenir meilleur, que j'aurais pu regretter plus tard. Ce soir-là, je ne doutais pas. J'avais foi dans mon candidat, dans les militants et en moi-même. Je pensais que nos compromis et nos tâtonnements formaient notre contribution au bien commun et que tout était possible si seulement nous parvenions à réaliser ce qui nous semblait bien improbable quelques mois plus tôt, à Little Rock. La victoire nous lançait un clin d'œil.

De retour dans la salle de réunion, Clinton s'exclama : « George, vous ne m'en croyiez pas capable, n'est-ce pas ?

– Non, monsieur. Mais je suis fou de joie que vous y soyez arrivé. »

Le lendemain matin, Clinton et Gore partirent avec un convoi d'autocars vers le New Jersey, La Pennsylvanie, l'Ohio et l'Illinois – le « plat de résistance » de la campagne. Clinton m'avait demandé de retourner au quartier général de Little Rock avec James Carville. La campagne souffrait d'une carence d'organisation chronique, d'un émiettement des équipes et tous nos consultants menaçaient de partir faute d'une sérieuse reprise en main.

James fut chargé de la réorganisation complète des équipes et des méthodes de travail du QG. Les républicains étaient des pros. Ils avaient gagné trois batailles présidentielles d'affilée et ils étaient sans pitié. Nous devions être parés pour l'empoignade si nous voulions avoir la moindre chance de faire jeu égal avec eux, ce qui supposait de court-circuiter la structure bureaucratique et de lui substituer un unique centre de décisions stratégiques pour les attaques et les contre-attaques. Hillary comprit immédiatement : « Ce que vous décrivez, c'est un QG militaire », résuma-t-elle justement.

L'objectif de ce quartier général n'était pas seulement de répondre aux attaques des républicains. C'était d'y réagir *rapidement*, avant même que celles-ci soient publiées ou diffusées, alors qu'elles n'existaient encore qu'à l'état embryonnaire dans la tête du journaliste ou du reporter. Il s'agissait de ne pas laisser diffuser dans le public la moindre bribe d'information tendancieuse sans la contredire aussitôt. James résuma notre méthode sur un T-shirt qui proclamait : « La vitesse tue... Bush ». Le symbole du QG était décisif : il signifiait que nous serions implacables, que nous jouions l'intimidation, que nous allions impulser une campagne agressive, différente, et assez imprévisible – méthodes plutôt inhabituelles pour des démocrates.

James serait le général en chef, mais il avait besoin d'un second. Paul était tout indiqué, mais sa femme attendait leur premier enfant pour l'été et il ne pouvait donc pas déménager à Little Rock. Il ne restait que moi. Clinton me savait peu disposé à travailler loin de lui et à abandonner l'influence qui découle de la proximité au pouvoir. Loin des yeux, loin du cœur. J'avais déjà observé ce phénomène. Il me laissa donc libre de choisir en insistant cependant sur l'importance qu'il attachait au fait que ce soit moi qui assume cette tâche. Conscient que ma réaction serait notée, je me forçai à paraître impatient de prendre mes nouvelles fonctions.

Le travail au QG de Little Rock me donna l'occasion de faire mes preuves loin de Clinton. De retour à Little Rock, nous déménageâmes à nouveau pour occuper les anciens locaux de la *Gazette démocrate de l'Arkansas.* Notre QG, situé au quatrième étage de ce bâtiment gris, était l'ancienne salle de conférence du journal. Nous nous y réunissions deux fois par jour. Quatre postes de télé suspendus au plafond nous procuraient un contact permanent avec CNN et les principales chaînes d'information. Je passais l'essentiel de mon temps à téléphoner, à animer des réunions, à parler avec les équipes sur le terrain et à lire discours, déclarations et revues de presse. Nous avions recruté une équipe de rédacteurs, dirigée par Bob Boorstin, mais j'étais responsable en dernier ressort de la justesse des termes et du ton à adopter, et les réponses aux attaques républicaines portaient ma signature.

Le QG ne fermait jamais. Jour et nuit, des équipes de jeunes volontaires s'y relayaient en permanence, suivant Bush à la trace sur les écrans de leurs ordinateurs. Sur le toit, une parabole nous assurait une couverture télé nationale et nous captions même de temps à autre un spot républicain encore non diffusé en cours d'acheminement vers une chaîne locale. Toute cette technologie était encore assez nouvelle. (Au quartier général de Dukakis à Boston, nous recevions les dépêches de l'Associated Press sur une vieille machine Teletype cliquetante.) Désormais, nos jeunes militants téléchargeaient toutes les informations sur leurs ordinateurs portables.

Nous étions aussi abonnés au service de nouvelles en ligne du *New York Times.* Au début, le *NYT* nous envoyait par erreur une synthèse interne des articles prévus pour la une du lendemain. Ce piratage involontaire d'informations confidentielles me faisait penser au film *L'Arnaque* où Paul Newman prend des paris sur des courses de chevaux après avoir reçu les véritables résultats sur un télex trafiqué. Savoir ce que mitonnait le *Times* nous permettait d'adapter notre réaction et de préparer notre défense. Quand Bruce Lindsay commit l'erreur de confier à un journaliste du *Times* que nous bénéficiions de ces tuyaux internes, cette manne s'interrompit aussitôt.

Mais malgré tous nos petits experts informaticiens, l'objet le plus utile du QG était un panneau en carton, planté au milieu de la pièce, sur lequel James Carville avait fait peindre en lettres blanches :

Le changement contre les vieilles rengaines
L'économie, pauvre cloche !
Ne pas oublier l'assurance maladie

C'était une sorte d'haiku de campagne, un manifeste électoral condensé en une vingtaine de syllabes. James l'enfonçait dans nos têtes et chaque discours, chaque événement, chaque attaque, chaque réaction devaient refléter l'un de ces trois commandements. On annonçait de nouveaux chiffres sur le chômage ? Publier aussitôt une déclaration : « L'économie, pauvre cloche ! » Bush reprenait les accusations ridicules selon lesquelles Clinton aurait été, dans sa jeunesse, un agent de Moscou ? Le président retombe dans sa vieille ornière, voir mot d'ordre n° 1 : assez des « vieilles rengaines » politiciennes ! Une nouvelle controverse surgissait sur le National Endowment for the Arts[1] ? Tentant mais pas question de bouger. Nous pourrons protéger le NEA quand nous serons à la Maison-Blanche, mais en parler maintenant ne nous aidera pas à y entrer. Dans notre monde, le seul péché mortel est d'être « hors sujet ».

J'étais le premier responsable à arriver le matin, vers 6 h 15, sauf quand je devais paraître dans une émission encore plus matinale. Quand j'étais sur la route avec Clinton, il savait qu'il pouvait compter sur moi pour avoir lu les articles, passé en revue les sondages éventuels, fait le point avec le quartier général sur l'état de nos adversaires et le reste du monde avant d'entrer dans son bureau. Au moment où il se détendait

1. NdT. Fonds national pour les arts.

après son jogging matinal, avant de déguster bagels et bananes, je voulais être sûr de lui apprendre tout ce qu'il ignorait encore. De me rendre indispensable.

Dans mon bureau du QG, je passais en revue une pile de photocopies pendant que notre documentaliste de nuit m'apprenait tout ce qui s'était produit depuis la dernière édition des journaux. Vers 6 h 45, James m'appelait de sa chambre de l'hôtel Capitol. J'étais son troisième appel de la matinée. Il téléphonait d'abord à Mary Matalin, sa future épouse, une des responsables de la campagne de Bush. Ensuite, il appelait Stan Greenberg pour faire le point sur les sondages avant de m'appeler. J'avais absolument besoin de connaître ces chiffres, c'était comme une seconde tasse de café pour moi ; je ne pouvais pas fonctionner sans eux. Après cela, nous passions une minute ou deux à spéculer sur l'état de la campagne de Bush, analyse rigoureuse entièrement basée sur l'humeur et les intonations de Mary au téléphone, le matin. « Elle était d'humeur très taquine ce matin, disait par exemple James, leurs résultats doivent être très mauvais. » Ou bien : « J'ai peur. Mary est un peu trop gentille. Tu crois qu'ils ont levé un lièvre sur nous ? »

James voulait encore plus que moi gagner cette élection. Il avait quarante-sept ans. Quelque temps auparavant, il était fauché et au chômage. Pour lui, cette campagne était la chance de sa vie. Beaucoup de stratèges talentueux ont l'occasion de diriger des campagnes électorales. Pour les plus chanceux, cette occasion survient à l'apogée de leurs talents, et l'ambition frustrée qui les galvanise alors est pleinement en phase avec le désir de changement de tout un pays. Tel était le cas de James en 1992. Il était assez intelligent pour savoir que sa chance ne se présenterait pas une deuxième fois. Il dirigeait notre QG avec un mélange de génie intuitif, d'intensité et d'excentricité : Machiavel et un sergent de marines dans la peau d'un Cajun pur sucre.

Après la réunion du matin, James et moi réunissions les principaux responsables dans mon bureau pour une conférence téléphonique avec nos collègues sur la route. Clinton intervenait ensuite pour s'assurer que nous ne prenions pas de décisions stratégiques sans lui. Il savait à quel point un candidat peut aisément perdre la maîtrise de sa propre campagne. Nous l'informions des derniers sondages, de nos nouveaux spots, et de ce que Bush faisait, avant de nous préparer au « savon » du matin concernant alternativement son emploi du temps infernal ou nos discours trop mous : « Des mots, des mots, des mots, vous ne savez écrire que des mots, ils ne veulent rien dire ! » Il pestait contre notre absence totale de réaction à l'intervention meurtrière de Bush sur les écrans de l'Arkansas la veille. La plupart du temps, il se contentait de nous remonter un peu les bretelles en nous faisant bien comprendre qu'aucun de nos faits et gestes ne lui échappait. S'il se mettait à hurler vraiment, je débranchais le haut-parleur. Pas de raison que les autres membres de l'équipe entendent le candidat péter un plomb. Pendant qu'il parlait, je faisais semblant de battre ma coulpe – être la cible des hurlements de son patron est déjà le signe d'un certain pouvoir.

Je passais le reste de la matinée à glaner des tuyaux, à les troquer avec les journalistes les plus au fait, ceux qui suivaient Bush, ou mes vieux contacts du Parlement, et j'essayais de mettre en forme ces informations. Je prenais mon déjeuner dans mon bureau, j'appelais les producteurs des grands réseaux télé nationaux. L'après-midi, je réunissais les consultants pour faire le point sur l'état de leurs réflexions, examiner les projets d'annonces et de spots, jeter un coup d'œil au planning des semaines suivantes et déblatérer sur la campagne. De temps à autre, je faisais une courte sieste sur le canapé de James. Puis nous commencions à attendre les nouvelles. Si les deux camps avaient encaissé des coups ce jour-là, je passais la fin de l'après-midi à bavarder avec les journalistes télé pour faire remonter notre cote, je téléphonais une dernière fois aux journalistes qui suivaient la campagne Bush et j'appelais notre équipe de campagne sur la route. Des mots, des mots et encore des mots, voilà ce qu'est une campagne électorale. Que disent-ils ? Que disons-nous ? Que disent-ils sur ce que nous disons en réponse à la question de tel journaliste… ? La journée officielle au QG se terminait par une réunion du soir au cours de laquelle nous suivions les comptes rendus de campagne aux nouvelles. James partait faire son jogging et je m'attardais encore une heure ou deux pour préparer la journée du lendemain avant mon empoignade du soir avec le Maître du jeu.

Aux environs de 21 h 30, nous dînions chez Doe's, un restaurant-grill banal avec un sol en lino et des tables en formica. C'est là que les reporters venaient manger quand ils étaient de passage en ville, et notre table en fond de salle était toujours le coin le plus animé de cette gargote. Nous invitions toujours les journalistes à manger avec nous, parce que c'était notre travail, parce que ça nous faisait plaisir et aussi parce que, la plupart du temps, ils nous invitaient. Rien n'exaspérait plus Paul ou Dee Dee que d'apprendre que James et moi étions chez Doe's. Nos journées de travail étaient longues et harassantes mais les leurs étaient encore pire. Pendant que nous dévorions nos côtes de bœuf arrosées de bière, ils appelaient d'une salle de réunion dans un hôtel anonyme, attendant que Clinton revienne d'un rendez-vous avec un collecteur de fonds. Après quoi ils reprenaient l'avion où ils allaient passer la moitié de la nuit avec un sandwich minable pour tout dîner. Et la journée suivante commençait trois heures plus tard. Il m'arrivait de leur envier leur place au cœur de l'action – sauf quand j'étais chez Doe's.

Ma journée se terminait vers 23 h. Je m'endormais quelques minutes après être rentré à la maison et six heures plus tard je me réveillais une minute avant que le réveil sonne. Et le marathon recommençait.

La Convention républicaine de Houston fournit ses meilleurs moments au QG. Nous avions réussi à infiltrer quelques « espions » à la Convention, ce qui nous permit de contrer toutes les attaques républicaines. Nous parvînmes même à rédiger et à faire circuler une réponse au discours d'investiture de Bush avant que celui-ci soit monté sur le podium ! Notre triomphe tactique, souligné par la presse, nous donna des ailes. Mais notre plus grand renfort nous vint des républicains eux-mêmes : en cautionnant Pat Buchanan, Pat Robertson et toute l'aile droite du parti, ils se coupèrent du reste du pays et me donnèrent l'occasion de défendre publiquement Hillary.

Quand la campagne avait commencé, personne ne pensait que Hillary aurait besoin d'être défendue. Elle constituait un atout politique formidable pour son mari : elle était son conseiller en chef et menait sa propre campagne parallèle. Clinton, faisant référence à ses recherches sur l'éducation et les enfants, les présentaient comme une raison supplémentaire de voter pour lui et la citait dans tous ses discours : « Ma femme, Hillary, m'a donné un livre qui dit ceci : « La définition de la folie c'est de répéter indéfiniment la même action en escomptant un résultat différent à chaque fois. » Nous jouions sur le thème « deux candidats pour le prix d'un » et les auditoires des primaires, essentiellement constitués de femmes, adoraient la touche moderniste du couple Clinton. Avoir épousé une femme si forte, si intelligente, affichant une réussite hors pair, renforçait encore la popularité de Clinton.

Moi aussi, la plupart du temps, j'aimais le couple qu'ils formaient. Des partenaires à part entière, très professionnels dans les réunions – et un couple aimant qui ne reculait pas devant les gamineries en privé. Hillary adorait Clinton malgré elle, elle le couvait des yeux quand il serrait sa cravate et parlait sans arrêt du discours qu'il allait prononcer, ou, plus tard, quand il la desserrait en posant son bras sur son épaule et riait en évoquant les événements de la soirée. Elle savait l'apaiser aussi. Un soir, après une réunion consacrée à préparer un débat au cours de laquelle Clinton s'était montré particulièrement enroué et revêche, je montai dans leur suite avec l'emploi du temps du lendemain. Je la trouvai sur le canapé, à côté de lui, les jambes étendues sur ses cuisses, en train de le nourrir de tranches de citron plongées dans du miel que Clinton réclamait en langage de bébé : « Arheu, arheu… »

Bien sûr, il leur arrivait aussi de se disputer, et ce n'était pas une partie de plaisir. Elle le tançait vertement quand elle estimait qu'il n'était pas assez exigeant avec lui-même ou avec son entourage, en particulier les « jeunots » comme Paul, Dee Dee ou moi. Un matin, pendant la primaire de New York, poussant la porte de leur chambre, je la vis, un doigt accusateur pointé sur le visage de son mari en train d'enfourner une cuillerée de céréales, la tête baissée vers son bol. Je fis demi-tour illico et refermai silencieusement la porte.

Le retour de manivelle, pour Hillary, commença avec l'émission « 60 Minutes ». Hillary défendit son mari avec talent et la plupart des téléspectateurs se contentèrent de ses arguments : après tout, la vie conjugale des Clinton ne regardait qu'eux. Mais ce style de défense incitait aussi les gens à croire que leur mariage était plus fondé sur une ambition partagée que sur une grande passion amoureuse. D'autre part, le rôle public que Hillary avait endossé en faisait une cible toute désignée pour nos adversaires. Si on promettait aux électeurs deux présidents pour le prix d'un, la presse et les républicains étaient fondés à passer au crible les deux candidats que nous leur proposions. Ils examinèrent attentivement l'activité professionnelle d'Hillary et se penchèrent sur ses éventuels contrats avec l'État, à l'époque où Clinton était gouverneur. Le *New York Times* commença à s'interroger sur les investissements communs des Clinton dans un projet immobilier, le projet Whitewater.

L'instinct d'avocat d'Hillary lui fit adopter un profil bas. Le problème Whitewater et les questions liées à ses activités professionnelles furent pris en charge par son amie avocate Susan Thomases. Celle-ci livra des informations au compte-gouttes sur les investissements d'Hillary et son comportement professionnel, ce qui était stupide, car si certaines de ces informations étaient embarrassantes, aucune n'était à proprement parler scandaleuse. Si bien que la controverse sur Hillary atteignit malencontreusement son apogée au moment des primaires de l'Illinois.

Au cours d'un débat, Jerry Brown, le rival démocrate de Clinton, sonna la charge en alléguant que Hillary avait tiré profit de l'activité de son cabinet avec l'État de l'Arkansas. En préparant le débat, nous poussâmes Clinton à répliquer vigoureusement. Une saine colère pour défendre son épouse serait perçue comme un élan chevaleresque – et c'était la moindre des choses après la solidarité sans failles dont Hillary avait fait preuve pendant l'affaire Gennifer et celle du service militaire. Je me laissai emporter : « À la minute où vous entendez le mot Hillary, arrachez-lui la tête. Ne le laissez pas finir sa phrase. » Et c'est ce que fit Clinton. Sa contre-attaque fut parfaite : Brown eut l'air mesquin et nébuleux sur les faits.

Mais cette confrontation du dimanche soir eut des conséquences malheureuses le lundi matin : Clinton répondait aux questions des journalistes lors d'une conférence de presse quand ils demandèrent à interroger Hillary.

« Bien sûr », fit-il, abaissant imprudemment sa garde. Une journaliste de NBC demanda à Hillary s'il était déontologique pour l'épouse d'un gouverneur d'être rémunérée par un cabinet juridique qui faisait des affaires avec l'État. Cette question toucha un point sensible. Hillary se cabra, insistant sur son intégrité, indignée qu'on puisse la mettre en doute, surtout dans la mesure où elle avait refusé de percevoir des bénéfices sur les dossiers de l'État traités au cabinet. « J'aurais sans doute pu rester tranquillement chez moi à cuisiner des petits gâteaux et à prendre le thé avec des amies, répliqua-t-elle. Mais j'ai fait le choix d'embrasser une carrière, d'ailleurs entreprise avant que mon mari n'entre dans la vie publique. »

En direct devant des millions de téléspectateurs. Il n'y a sans doute rien de plus énervant pour un conseiller en communication que ce moment : un journaliste qui a dû se contenter du même topo répété sagement des jours durant arrive finalement à enregistrer une gaffe spontanée et l'on sait instantanément que la presse et la télé vont en faire leurs choux gras. La phrase toute faite d'Hillary sur « le thé et les petits gâteaux » était si riche de sous-entendus, qu'elle aurait pu faire l'objet d'un cours de linguistique. Mais, surtout, elle trahissait ce que nombre d'électeurs soupçonnaient et redoutaient déjà à propos d'Hillary : au fond, elle n'incarnait pas la femme américaine traditionnelle. La plupart des journalistes appréciaient son côté moderniste et son sens de l'humour sarcastique. Mais les républicains allaient avoir une carte idéale à jouer si Hillary ne rattrapait pas le coup avant les infos du soir. Il fallait qu'elle revienne sur ses propos. Paul lui expliqua le problème et la convainquit d'apparaître à nouveau devant les caméras. Elle accepta et expliqua qu'elle avait le plus grand respect pour les femmes qui choisissaient de rester au foyer pour élever leurs enfants et qu'un des buts de la campagne de son mari était de donner au plus grand nombre de femmes possible la possibilité de choisir entre la vie au foyer et une carrière professionnelle. Mais c'était trop tard, le mal était fait. Il ne fut question que de « thé et petits gâteaux » aux nouvelles et cette expression figea l'image d'Hillary.

Un mois plus tard, dans un Holliday Inn de Virginie, nous faisions le point sur les études électorales avec Clinton. Nous visionnâmes une bande vidéo sur laquelle on voyait un échantillon d'électeurs réagir en direct à des nouvelles, à des spots télé et à des discours électoraux.

Quand on passa un extrait d'Hillary, la courbe qui traduisait le degré de satisfaction des spectateurs chuta instantanément.

« Oh, mon Dieu, ils n'aiment pas sa coiffure », lança Clinton dans un aveu spontané de tendresse qui trahissait surtout son aveuglement.

Personne n'ajouta un seul mot, mais James – qui était assis à côté de moi sur le canapé, en face de Clinton –, se mit à enfoncer son poing dans ma cuisse. Ce geste et le fou rire qui montait en moi me plièrent en deux jusqu'au moment où James marmonna quelque chose. Nous nous précipitâmes hors de la pièce et éclatâmes d'un rire hystérique, à peine la porte franchie. À partir de ce moment, quand je voulais faire rire James, je n'avais qu'à dire : « Ils n'aiment pas sa coiffure. » Pour lui, c'est resté la réplique de la campagne. Pour moi, c'est seulement le souvenir d'un très bon moment.

Mais les républicains avaient la ferme intention de nous resservir « le thé et les petits gâteaux » aussi souvent que possible. Frustrés par leur incapacité à rattraper leur retard avant le début de leur convention, ils essayèrent de faire d'Hillary un enjeu majeur. Le président du parti, Rich Bond, ouvrit le feu. Déformant grossièrement une interview de 1973 où Hillary prenait la défense des enfants maltraités, Bond affirma que si Clinton était élu président, il serait conseillé par Hillary Clinton, « ce champion de la famille qui croit que les enfants devraient avoir le droit de poursuivre leurs parents plutôt que de les aider dans les tâches ménagères quand on le leur demande. Elle compare le mariage et la vie de famille à un esclavage. »

Grosse erreur. L'expression « thé et petits gâteaux » avait altéré l'image d'Hillary parce qu'elle semblait trahir un côté caché et peu aimable de sa personnalité. Mais la foucade de Bond l'aida à passer d'une image de féministe radicale à celle de victime politique de la droite la plus réactionnaire. Cette attaque était une déformation délibérée des propos d'Hillary et nous a fourni l'occasion de riposter. Hillary était un personnage controversé mais les gens étaient sensibles au fait qu'elle prenne la défense des enfants et détestaient les attaques politiques qui prenaient un tour trop personnel. Qu'est-ce qui pouvait être plus personnel que d'attaquer l'épouse d'un candidat ?

Une chaîne télé consacra toute une émission à ce sujet et, après avoir étudié les articles et interviews d'Hillary, je me suis porté volontaire pour défendre notre camp. Nous aurions pris un trop grand risque en laissant Hillary se défendre seule. Cela aurait contribué à faire croire que nous prenions l'accusation au sérieux alors que c'était la bourde d'une équipe de campagne à court d'arguments. Sa présence aurait aussi donné du crédit aux insinuations républicaines selon lesquelles Hillary n'allait pas manquer de peser de tout son poids dans la politique de son mari pour la faire pencher à gauche. Hillary en était consciente, et je fus soulagé quand elle accepta que je la remplace. Nous préparâmes l'émission en échangeant les rôles : elle jouait mon rôle et moi le sien. Elle me bombarda des attaques les plus dures qu'elle puisse trouver et me demanda pourquoi un gentil garçon comme moi défendait une féministe radicale comme elle. Bien qu'elle ne le montre pas en public, elle est plus portée que son mari à un humour plein d'auto-dérision et une bonne empoignade politique ne lui fait pas peur.

De mon point de vue, l'émission n'aurait pu mieux se passer. L'équipe de Bush n'avait même pas envoyé de responsable de premier plan. Au lieu de ça, j'eus droit à Phyllis Schlafly, une caricature de vieille réactionnaire permanentée. Comme l'animateur du débat suggéra subtilement que les attaques contre Hillary étaient mensongères, je n'eus plus qu'à acquiescer candidement et à rappeler aux téléspectateurs que les républicains étaient coutumiers de ce genre de mensonges.

Après l'émission, Hillary m'appela pour me remercier « d'avoir défendu son honneur ». Un point pour moi. Sa meilleure amie, Susan Thomases, ne cessait d'intervenir pour que je sois remplacé par un conseiller sérieux et chevronné du genre de Jim Blair, le procureur de l'Arkansas, ou de Don Fowler, qui devait diriger plus tard le Comité national démocrate. Elle et Hillary se méfiaient de mon goût pour les feux de la rampe et s'inquiétaient à juste titre de ce que je paraissais trop jeune pour avoir l'air crédible. Je comprenais l'argument mais il m'indignait aussi : le fait que j'aie défendu les Clinton dans des situations difficiles tout au long de l'année écoulée ne comptait-il donc pour rien ? Ce soir-là et tout le reste de la campagne, la bénédiction d'Hillary m'apporta toute la sécurité professionnelle que je pouvais en attendre.

Quand Hillary était en colère, on ne le savait pas tout de suite – mais on sentait un froid calculé s'installer. Les colères de Clinton prenaient une forme plus impersonnelle, plus physique, comme une tornade. La rage montait d'un seul coup et éclatait violemment. Malheur à celui qui se trouvait sur son chemin à ce moment-là. Et bien souvent, la personne en question, c'était moi. Je crois que Clinton s'imaginait que je pouvais résoudre les problèmes qui engendraient ses frustrations et ses colères, et il sentait sans doute que je savais que ses accès de rage n'étaient pas dirigés contre moi. Se faire transparent, c'était la clé de ces situations, comprendre que Clinton ne hurlait pas vraiment sur vous mais à travers vous, comme il était lui-même traversé par cette rage. Mon boulot consistait à absorber cette colère et à en deviner la cause.

Une des fonctions de nos conversations téléphoniques journalières était de donner à Clinton l'occasion d'évacuer ses frustrations, afin d'éviter qu'elles ne s'expriment en public. Nous essayions aussi de le provoquer pendant les réunions préparatoires aux conférences de presse et aux débats, ce qui n'allait pas sans un certain plaisir pervers. Celui de mettre son patron sur la sellette en se disant que c'est pour son bien : « Gouverneur Clinton, l'élection d'un président repose avant tout sur la confiance et les sondages montrent que les Américains ne vous font pas confiance. Qu'avez-vous à répondre ? » Silence. Ses yeux devenaient des fentes et ses lèvres disparaissaient. « Et qu'est-ce que vous voulez que je réponde », lâchait-il finalement en un marmonnement méprisant. On entendait à peine l'insulte finale : « abruti ! »

Les colères de Clinton étaient d'ailleurs souvent justifiées. Un jour de la fin 1992, au cours d'une visite dans la Georgie profonde, nous avions besoin d'une bonne photo pour rehausser un discours sur l'assurance maladie, et nous avons fait attendre une centaine de personnes âgées, dehors, sous un soleil brûlant. En voyant ça, Clinton piqua un fard : comment pouvions-nous empiler ces gens comme de vulgaires outils de jardin dans la poussière et la chaleur ? Il avait raison.

Mais notre patience a des limites et je touchai les miennes un soir d'octobre à Little Rock. Je dormais, quand mon bip sonna me demandant de rappeler Clinton à Milwaukee. Mon téléphone ne fonctionnant pas – ou j'avais peut-être oublié de régler la facture – je décidai donc de le rappeler sur mon téléphone cellulaire. Clinton était hors de lui à cause d'un discours de politique étrangère qu'il devait prononcer le lendemain matin et qu'il voulait annuler.

J'appliquai ma méthode habituelle : le laisser parler un moment, faire une ou deux concessions et lui rappeler quelques faits incontournables :

nous avions invité des représentants de minorités ethniques de tout le pays, nous avions besoin de ce discours de politique étrangère pour établir sa crédibilité de chef d'État, la presse était au courant et le discours solide. Il ne voulait rien entendre, il était exténué et anxieux. Soudain, la batterie de mon portable rendit l'âme, me plaçant devant un véritable dilemme. Il était 1 h 30 du matin : devais-je m'habiller, sauter dans ma voiture et faire deux ou trois kilomètres pour trouver une cabine téléphonique, pour le privilège de l'entendre hurler à propos d'une situation à laquelle nous ne pouvions plus rien changer ?

La réponse était non.

Trois mois plus tôt, moins assuré dans mon nouveau rôle, je l'aurais fait. Trois mois plus tard, une fois Clinton élu, je n'aurais pas songé une seconde à ne pas rappeler. Mais ce soir-là, ce que j'avais de mieux à faire, c'était de retourner me coucher. *Tu n'as qu'à passer tes nerfs sur quelqu'un d'autre. Essaie la Californie où les gens ne dorment pas encore.*

Personne ne peut être un héros pour son valet de chambre, c'est bien clair. Mais Clinton, jour après jour, montrait aussi quel homme extraordinaire il était. Comme ce jour où il s'arrêta pour caresser la main d'une petite fille atteinte d'un cancer, chauve, le visage jaune, et qu'il regarda dans les yeux, longtemps. Ou encore, quand après une tournée électorale de seize heures, il trouvait encore le courage de répondre aux questions d'un journaliste, en fin de soirée, dans la limousine qui le ramenait à l'aéroport. Les yeux perdus dans le vague, les paupières tressautant de fatigue, Clinton répétait le topo que nous avions préparé mot pour mot en ajoutant au passage six points que nous avions oublié. Nous le surnommions « Secrétariat », le super pur-sang de la politique. La plupart du temps, je me satisfaisais de mon rôle de compagnon de stalle, le petit cheval qui avait de la répartie et savait le calmer quand il prenait le mords aux dents.

À l'automne, tout le pays commençait à sentir que Clinton était un homme hors du commun. Il rendait l'espoir aux gens du Middle West et du Sud que nous rencontrions et il incarnait le changement, exactement ce qu'attendaient les Américains après huit ans d'administration Reagan et quatre années supplémentaires de Bush. Fin septembre, Stan Greenberg organisa un sondage national pour tester l'efficacité des accusations portées contre Clinton par l'état-major de la campagne Bush et des démentis que nous leur avions opposés. Aucune des attaques républicaines n'avait vraiment porté. Sur le papier, au moins, l'élection était déjà gagnée.

Bien sûr, nous étions bien trop superstitieux pour le crier sur les toits. Mais le premier dimanche d'octobre, au Hilton de Washington, nous révisions un discours sur l'accord de libre échange nord-américain, l'ALENA, que Clinton devait prononcer dans l'après-midi. Il avait décidé de ratifier le traité à condition d'y inclure des clauses de protection du droit du travail et de l'environnement, mais nous avions du mal à trouver les mots justes. Comment éviter de mécontenter notre base ouvrière ? Ce n'était pas simple. Clinton coupa court et me demanda de venir le voir dans sa chambre.

Il était étendu sur son lit, en jeans et en T-shirt, adossé à ses oreillers, avec le brouillon de son discours et ses lunettes demi-lunes posés à côté de lui. Alors que j'entrai dans la pièce, il se lança dans sa complainte rituelle : personne, dans son équipe, n'était capable de rédiger un discours. Mais je sentis que le cœur n'y était pas. Il me fit signe de m'asseoir sur un fauteuil près du lit et me fixa. Puis vint la question :

« Vous pensez que nous allons gagner, n'est-ce pas ? »

Il me posait rarement des questions directes. Nous parlions généralement par formules débitées d'un ton familier. Son abord plus direct, ce matin-là, était aussi significatif que le fait qu'il cherchât à lire dans mes pensées. Je ne l'avais dit à personne et je ne me l'avouais qu'avec réticence, mais oui, moi, le prince des pessimistes, j'étais optimiste.

« Oui, monsieur, répondis-je avec une certaine solennité. Je crois que oui.

– Moi aussi. »

Ses paroles flottèrent un instant dans l'espace qui nous séparait. Je savais qu'il ne prononçait pas cette phrase au hasard. Nous nous connaissions depuis plus d'un an et chaque moment de cette année avait été consacré à faire du gouverneur de l'Arkansas qu'il était le président des États-Unis. Quand il me confia qu'il s'attendait à être élu, je sentis qu'il disait vrai.

Il me fallut longtemps pour comprendre que la colère sans conviction de ce matin-là était liée à la conscience croissante de ses responsabilités à venir, que son malaise était le fruit de l'espoir et de la peur qu'éprouve un homme qui commence à réaliser qu'il va sans doute atteindre le but de sa vie et devenir l'individu le plus puissant de la planète.

Durant leurs campagnes, les hommes politiques qui ont tendance à dire beaucoup de choses, espèrent plus ou moins qu'on ne les leur rappellera pas – ils font trop de promesses –, mais plus ils se rapprochent de la victoire plus ils pèsent le sens de chaque mot. Clinton le savait, et il commençait à penser plus en président qu'en candidat, plus à la façon dont il allait mettre en œuvre ses réformes qu'au meilleur moyen de gagner. Les dernières semaines de la campagne, il rappelait souvent une vérité élémentaire dans ses discours : « Nous ne sommes pas arrivés à cette pagaille du jour au lendemain et nous n'en sortirons pas du jour au lendemain. »

Quant à moi, la peur du succès n'était pas mon problème majeur ! Plus l'élection approchait, plus les membres de l'équipe pâlissaient d'angoisse. Comme la presse spéculait de plus en plus sur une victoire écrasante de Clinton, nous commençâmes à adopter des comportements aberrants en privé. James cessa de changer de sous-vêtements ; je perdis le sommeil. Nous étions tous deux convaincus que Betsey Wright, l'ancienne collaboratrice de Clinton qui avait rejoint la campagne pour le défendre contre les accusations sur son passé dans l'Arkansas, avait une relation si tordue avec Clinton qu'elle sabotait la campagne en donnant par inadvertance des informations compromettantes aux journalistes, sous prétexte de le défendre. J'étais tellement sur les nerfs que je quittai furieux un dîner avec des journalistes parce que l'un d'eux s'était permis un adjectif que j'avais jugé insupportable. Clinton, poussé par Hillary, était de plus en plus obsédé par Ross Perot : « Je vous le dis, ce type monte et c'est à moi qu'il prend des voix ! »

Notre anxiété atteignit des sommets le jeudi qui précéda l'élection. Bush avait passé le mercredi à sillonner en train les circonscriptions rurales, et nos sondages faisaient apparaître une chute de notre popularité : notre ex-avance de dix-sept points s'était transformé en un retard de trois points. Si les républicains appliquaient la même tactique dans le

Michigan, l'Iowa et le Wisconsin durant le week-end, la défaite était encore possible. CNN renforça nos craintes en annonçant les résultats d'un sondage national qui montrait que notre avance se réduisait à un seul point – un point d'interrogation compte tenu de la marge d'erreur… Même si nous soupçonnions CNN d'avoir falsifié les résultats pour injecter un peu de suspense dans la course, nous n'étions plus sûrs de rien.

Nos réunions stratégiques dans mon bureau tournaient rapidement au brouhaha : quinze personnes parlaient en même temps, et seul Stan Greenberg parvenait à garder son calme, avec les manières d'un psychothérapeute s'efforçant d'apaiser un groupe saisi d'hystérie collective. Il était encore temps de modifier nos spots avant l'élection et chacun avait son idée bien arrêtée sur la meilleure façon de procéder. Hillary voulait que nous prenions Perot pour cible ; Clinton voulait défendre l'Arkansas que les spots de Bush présentaient comme un désert survolé par quelques oiseaux de proie. Le reste d'entre nous était décidé à faire rendre gorge à Bush en exploitant les thèmes qui nous avaient si bien réussi jusqu'à maintenant.

Clinton arbitra finalement : « Très bien, dit-il. Je ne dis pas que je suis d'accord, mais faites ce que vous croyez juste. » C'était un quitus assorti d'une menace implicite : « Si je perds cette élection, ce sera votre faute à tous. »

Dans ma propre folie, c'était aussi ce que je commençais à penser. *Si nous perdons après avoir eu une telle avance, ce sera notre faute à tous. Les démocrates de tout le pays nous haïront.* Les derniers jours de la campagne, Carville et moi passions le plus clair de notre temps accroupis dans un coin de mon bureau à échanger de sinistres blagues sur notre exil en Europe après avoir permis à Bush la plus extraordinaire remontée de toute l'histoire des élections présidentielles américaines. Mais nos angoisses de ce week-end cessèrent au moment où le président Bush mit fin lui-même à sa remontée en traitant Clinton et Gore de « mariolles » au cours d'une soirée électorale dans une banlieue du Michigan.

Vendredi, après le déjeuner, James entra dans mon bureau avec un air de croque-mort réjoui en sautillant comme un boxeur un peu chétif ayant réussi à dégommer le champion. Il chantonnait sur un air de comptine enfantine. « Il va se prendre u-ne ga-me-lle, il va se prendre u-ne ga-me-lle. » « Il », c'était le président Bush. Le conseiller spécial Lawrence Walsh venait d'accuser l'ex-secrétaire d'État à la Défense, Caspar Weinberger, d'avoir trempé dans l'échange armes contre otages et il indiquait que le président Bush avait connu et soutenu ce marché – accusation que ce dernier avait nié à maintes reprises. Cette mise en cause de Weinberger portait un coup fatal à la campagne déjà moribonde de Bush.

Ce soir-là, je tirai sur l'ambulance : Michael Waldman, notre spécialiste pour la question Iran-Contra et autres ratés de Bush, me bipa pour m'apprendre que Bush passait dans l'émission de Larry King en direct et qu'il exhortait King à lui « demander ce qu'il voulait ». J'ai appelé Tammy Haddad, la productrice de l'émission. « Tammy, lui ai-je lancé, Larry ne cuisine pas assez Bush. Comment pouvait-il ignorer cette affaire de l'échange des armes contre les otages ? »

« Bonne question, répliqua-t-elle, pourquoi ne pas lui demander vous-même ? » Décidant qu'une petite confrontation ferait de la bonne télévision, elle me donna le numéro de la régie de l'émission.

De la bonne télévision, peut-être, mais de la fine politique ? Nous avions repris l'avantage, pourquoi prendre des risques ? Si je disais quelque chose de stupide, je risquais d'avoir à endosser la responsabilité intégrale de la défaite de mon camp. Mais si nous étions sur le point de gagner, c'était précisément parce que nous n'avions jamais relâché la pression, les républicains nous ayant trouvé sur leur chemin à chaque instant de la campagne. Ce n'était pas le moment de changer de tactique.

James était à fond pour, mais je voulais une autorisation qui vienne de plus haut. Je ne pouvais pas joindre Clinton, j'appelai donc Gore. S'il avait opposé son veto à cette idée, j'aurais renoncé. « Foncez ! », me dit-il. J'ai composé le numéro.

Pendant que j'attendais au bout du fil, je sentis ma bouche se dessécher et mes mains devenir moites. Soudain, j'entendis un souffle violent dans le combiné. J'étais en direct. King annonça un appel de Little Rock, Arkansas, et pour la première fois de ma vie j'ai adressé la parole à un président en exercice. « Monsieur le Président, vous nous avez demandé de vous mettre sur le grill », lançai-je avant de citer le dossier

Weinberger en guise de démonstration de l'impossible ignorance par Bush de la vente d'armes à l'Iran en échange de la libération d'otages américains au Liban.

« Puis-je répondre ? » demanda Bush, contenant une irritation perceptible. Il me surprit alors en récitant mon curriculum vitae. *Où veut-il en venir avec ça ?* Il expliqua aux téléspectateurs de tout le pays que j'étais un jeune homme très capable qui avait travaillé pour le député Richard Gephardt. *C'est ça, il essaie de me faire passer pour un apparatchik démocrate, mais c'est quand même élégant de me reconnaître « capable », alors que j'essaie de le déloger de son poste.* Il finit par répondre à ma question en expliquant que le président Reagan ne croyait pas à ce marché d'armes contre des otages et qu'il croyait le président Reagan. Rien de nouveau.

Larry King : « George, vous voulez répondre ? »

Bush : « Je ne suis pas venu ici pour débattre avec Stephanopoulos. »

Comment ça ? Il débat avec tous les péquenauds du pays mais il ne veut pas débattre avec moi ? King essaya encore de me faire répondre, mais Bush le coupa. Il gagna du temps en faisant à nouveau mon éloge, expliquant que j'étais un « garçon patient » et que « chaque fois que nous disions quelque chose, il avait quelque chose à... »

À répondre, à rétorquer, n'importe quoi. Finis juste la phrase !

« Et ils ont fait un excellent travail », conclut-il.

Dans cette rencontre improvisée, Bush trahit son état d'esprit et l'état de sa campagne. Il reconnut à demi-mot que notre équipe était meilleure que la sienne. Et en parlant au passé, il accrédita l'idée que l'élection était déjà jouée, idée qui devint encore plus explicite quelques instants plus tard, quand il m'offrit ce qui ressemblait fort à une bénédiction présidentielle : « J'en profite donc pour saisir l'occasion, parce que je ne le reverrai sans doute pas avant l'élection, de le féliciter. »

Bush était le premier candidat à la présidence pour lequel j'avais songé à travailler et le seul contre lequel j'avais œuvré. Sa défaite et celle de son programme était mon but depuis cinq ans et je savais, pour l'avoir entendu dire, que mes communiqués de presse lui avaient tapé sur les nerfs. Je savais qu'il s'était plaint d'un « type nommé Stenopoulos [sic] » qui lui mettait toujours des bâtons dans les jambes. Mais ce n'était rien comparé au fait d'entendre le président des États-Unis me féliciter en direct dans l'émission de Larry King. J'espérais que mes parents étaient devant leur poste.

Plus tard ce soir-là, Clinton m'appela pour me féliciter à son tour. Mais au ton de sa voix, je compris qu'il était un peu contrarié. Et je savais pourquoi. Appeler le producteur de Larry King, c'était mon boulot. Mais défier un président en exercice, c'était prendre un risque et jouer gros jeu. Heureusement, ça avait marché !

Le dernier week-end, je me répétais sans cesse la chanson de Tom Petty : « *Le plus dur c'est d'attendre…* » Les Américains avaient fait leur choix. Plus aucune accusation ne pouvait désormais nous atteindre et il ne servait à rien de lancer de nouvelles attaques contre Bush. Le pays avait misé sur Clinton. Mais le croire ne revenait pas au même que d'avoir les chiffres en main. James et moi passâmes les dernières heures dans mon bureau à nous demander comment nous supporterions une défaite. Toute la journée de lundi, calé dans le fauteuil club en face de mon bureau, il défoula son anxiété en improvisant de petits discours d'échec :

« Nous avons fait de notre mieux et il s'en est fallu de peu que nous gagnions. À ceux qui ont adhéré à notre combat, nous disons merci… Au cours de cette campagne, j'ai tenté de transmettre mon message de changement au peuple américain. Plus de 42 pour cent d'entre vous ont dit oui à ce message et je leur en suis reconnaissant. Hillary et moi n'oublierons jamais la manière dont vous nous avez accueillis dans vos villages et vos villes, dans vos foyers. La question n'est pas de savoir si nous avons perdu cette bataille, mais comment nous allons supporter la bataille plus rude qui nous attend. »

« Tais-toi », le suppliai-je, toujours à moitié convaincu que Clinton allait prononcer ces douloureuses paroles le soir même. Une part de moi n'arrivait tout simplement pas à croire que nous allions gagner, exactement comme le président Bush et son équipe n'ont jamais cru qu'ils pouvaient perdre. Mais le lundi en fin d'après-midi, je commençai à me détendre.

La dernière réunion du QG eut lieu le lundi soir – le moment où l'on se dit merci et au revoir, où l'on échange des vœux et où l'on croise les doigts. Des dizaines de gens étaient venus, certains avec leur famille, des sympathisants de tout le pays. Ils étaient partout, sur les tables, dans les couloirs, les escaliers... Je devais présenter James, mais je voulais surtout me montrer inspiré, leur dire quelque chose qui résume notre expérience collective, sachant que ceux qui étaient là ce soir se souviendraient toujours de ce moment. Avec une voix tremblante de fatigue, de gratitude et d'espoir, j'ai parlé de Clinton et de James et j'ai résumé mes attentes en quelques phrases simples : « Demain, pour la première fois depuis une génération, nous allons gagner. Et cela signifie qu'un plus grand nombre de gens auront des emplois plus qualifiés. Que les gens paieront moins pour les soins médicaux, et que ces soins seront meilleurs. Et que plus d'enfants fréquenteront de meilleures écoles. Alors, merci. »

Ce n'était pas de la rhétorique ronflante, mais j'étais un peu intimidé et mon scepticisme naturel me rappelait sans cesse les imperfections trop humaines qui sont à l'origine des promesses non tenues et des espoirs déçus. Cette campagne avait été tumultueuse, à la fois exaspérante et excitante. Elle m'avait tanné le cuir, endurci un peu plus que je ne l'aurais voulu, mais je croyais toujours que l'enjeu en valait la peine. Un passage de Camus me parlait ce soir-là, un passage noté dans un carnet qui ne me quittait pas depuis des années, dans lequel l'écrivain dit que nous ne pouvons empêcher ce monde d'être un monde dans lequel des enfants sont torturés. Mais nous pouvons réduire le nombre d'enfants torturés. « Et si vous ne nous aidez pas, qui d'autre en ce monde peut le faire ? »

Pour James, les obligations étaient terminées. Il avait fait son travail et son discours de ce soir était une version de l'ode à la fraternité, à l'honneur et aux batailles bien gagnées que l'Henry V de Shakespeare délivre à ses troupes la veille de la Saint Crispin. James parla de l'amour et du travail comme des deux biens les plus précieux qu'une personne pouvait donner. Il déclara que son travail était achevé et, les larmes aux yeux, tremblant de tous ses membres, il remercia les jeunes gens qu'il avait tourmentés depuis des mois et leur dit qu'il les aimait.

Nous restâmes silencieux quelques instants, subjugués par les sentiments intimes de cet homme et par le fardeau public de la tâche qui nous attendait. Puis les militants présents entonnèrent un chant – « Un jour de plus, un jour de plus... » – et quand on entendit la voix de Clinton dans le haut-parleur du téléphone posé au milieu de la table, le charivari qui suivit fut un instant de bonheur inoubliable.

Dehors, les rues étaient bloquées par des camions télé et des engins de retransmission par satellite et le centre ville grouillait de gens bien décidés à faire la fête. Plus tard ce même soir, notre célébration fut presque gâchée par une attaque finale, sordide : un député républicain convoqua la presse pour accuser Clinton d'avoir couché avec une journaliste dans l'avion de la campagne. *Cela, au moins, va finir demain.*

Les sondages de 11 h confirmèrent une modification importante de la composition des collèges électoraux et les militants commencèrent à manifester bruyamment leur joie. Mais Clinton ne croyait pas aux sondages de sortie des urnes. Il se repaissait avidement des résultats que je lui téléphonais toutes les heures mais en refusant de les prendre pour argent comptant. Ce n'est qu'avec l'annonce des premières estimations, le soir, que l'homme angoissé céda à nouveau la place au politicien hyper compétent. Comme je lui lisais au téléphone la liste des États où nous avions gagné, Clinton se fit presque nonchalant. « Pour celui-là, je m'en doutais... Oui, je pensais qu'on allait aussi remporter celui-là... » Je voulus le remercier d'avoir changé ma vie. L'aider était la meilleure action que j'aie jamais faite. Mais il voulait les derniers résultats du Nevada.

Notre relation de campagne se termina comme elle avait commencé. Deux hommes au travail, parlant boutique, un candidat et son collaborateur.

Le lendemain, je me rendis à la résidence du gouverneur pour ma première réunion avec le président nouvellement élu. Je l'ai appelé M. le président, bien sûr, pas moyen de faire autrement. Mais c'était une visite familiale. Clinton et Hillary étaient dans une grande pièce derrière l'office. Le sous-sol était maintenant le quartier général de la Maison-Blanche de Little Rock.

Comme j'entrai, Clinton m'appela « Maître de l'Univers » et tous deux me serrèrent dans leurs bras. Nous étions tous trois exténués, mais en sirotant une tasse de thé et en parlant de l'avenir, j'aperçus des étincelles sous leurs paupières lourdes de fatigue. Leur rêve ne faisait que commencer et ils voulaient que « je continue à faire ce que j'avais fait durant la campagne ». Ce que cela signifiait exactement serait explicité plus tard. Pour le moment, c'était très agréable à entendre.

Clinton me prodigua aussi un conseil personnel : « George, quand j'avais votre âge, j'étais le plus jeune gouverneur d'Amérique. Ne répétez pas mes erreurs. Vous vous laissez trop absorber par ce que vous faites ». Il avait raison, je prenais tout trop à cœur, j'étais écorché vif, beaucoup trop impatient. Plus tard, ce même jour, mon père accompagna ses félicitations d'un message d'avertissement : « Fais attention, me dit-il, après m'avoir rappelé le mythe d'Icare, garde ton équilibre. »

5 LE GRAND JOUR

M*erde. Je ne peux pas assurer la conférence de presse.* Je me regardais dans le miroir des toilettes de mon nouveau bureau de directeur de la Communication au premier étage de l'aile Ouest de la Maison-Blanche. Je devais me présenter devant les journalistes quelques minutes plus tard et j'avais un problème : ma barbe ! Dans la frénésie de l'investiture, je n'avais pas eu le temps de m'acheter des lames de rasoir, et, avec la poudre que je m'appliquais sur les joues, j'avais l'air d'un cadavre avec une barbe de vingt-quatre heures. J'allais affronter le monde depuis le podium de la Maison-Blanche avec le look d'un Richard Nixon adolescent.

Mon travail consistait cette fois-ci à mettre Zoe Baird sur la touche. La nomination de notre candidate au poste de secrétaire à la Justice était compromise par le tollé qu'avait entraîné la révélation tardive de son comportement peu civique : elle avait en effet employé des immigrants clandestins comme domestiques, omettant, en plus, de payer les charges sociales.

Au moment où je me préparais à affronter les journalistes accrédités à la Maison-Blanche, elle se faisait tailler en pièces par la Commission judiciaire du Sénat. Elle était grillée mais ne le savait pas encore.

Je venais juste de quitter une réunion dans le Bureau ovale avec le président, Hillary, Bernie Nussbaum, l'avocat conseil de la Maison-

Blanche, et Howard Paster, chargé des relations avec le Parlement. Clinton et Hillary étaient éreintés après les festivités de la soirée précédente et une matinée passée à serrer des mains. Clinton était assis derrière le grand bureau encore nu de John Kennedy qu'il avait fait remonter du garde-meubles. Hillary était debout à côté de lui dans un tailleur bleu pastel qui adoucissait ses traits creusés par la fatigue.

« Bon, où en est-on avec Zoe ? », demanda Clinton. Le ton de la question ne laissait guère de doute sur la réponse.

Howard lui expliqua que son témoignage compliquait sa nomination et je conseillai une éviction rapide et sans bavure. Bernie voulait que le président se batte pour Zoe. « Non, il ne peut pas faire ça, intervint Hillary, c'est le problème de Zoe, pas le sien. » Clinton devait expliquer qu'il n'était pas au courant des problèmes de garde d'enfants de Zoe quand Warren Christopher lui avait recommandé sa nomination et qu'il ne l'aurait jamais choisie s'il l'avait su. Mais il voulait aussi lui donner l'occasion de s'expliquer devant le Sénat et de prendre sa décision elle-même. Ce qui signifiait qu'elle et moi étions, provisoirement, en porte à faux. La consigne était de défendre Baird sans la soutenir, d'affirmer qu'elle ferait un excellent secrétaire à la Justice tout en faisant comprendre que le président la lâchait.

Un exercice périlleux, mais je ne me plaignais pas. Le grand moment était arrivé. Impatient de montrer de quoi j'étais capable, je me tenais derrière la porte de la salle de presse tandis que l'huissier annonçait mon intervention imminente. Quand la porte s'ouvrit, des dizaines d'appareils photo cliquetèrent. Je montai sur l'estrade, ajustai les lunettes que je portais vainement pour paraître plus vieux, et inspirai profondément.

Je lus une déclaration sur l'installation de Clinton dans ses nouvelles fonctions. Helen Thomas, une journaliste d'UPI qui couvrait la Maison-Blanche depuis l'époque de Kennedy, commença par une question « douce » : « Le président compte-t-il prendre d'autres décisions aujourd'hui ? »

Moi : « Je ne crois pas, Helen. »

Puis le véritable interrogatoire commença :

« Qu'en est-il de toutes ces histoires sur l'abrogation des mesures antihomosexuels dans l'armée ? »

Eh, les gars, si vous commentiez les décisions que nous avons réellement prises ? Je sais que c'est un sujet croustillant : la sexualité, une bagarre avec les militaires, les homos qui se sentent trahis, une crise dès l'entrée en fonction. Si vous autres journalistes ne mettiez pas une telle pression, peut-être que l'homme de la rue ne penserait pas que c'est la seule promesse que nous essayons de tenir.

Moi : « Je pense que le président a l'intention de mettre fin à la discrimination qui frappe les homosexuels dans l'armée… et c'est pour bientôt, sans doute la semaine prochaine, mais pas pour aujourd'hui. »

Question : « George, le président aimerait-il que Zoe Baird présente sa démission ? »

Bien sûr que oui, et toi aussi à sa place ! On déclenche une tempête dès le premier jour en nommant au poste de secrétaire à la Justice une candidate qui a violé la loi. Mais elle prétend qu'elle en avait parlé à Warren Christopher avant que Clinton la choisisse. C'est donc <u>notre</u> faute, et elle ne veut pas partir avant de s'être disculpée. Nous sommes coincés.

Moi : « Non, il pense qu'elle fera un excellente secrétaire à la Justice… »

Q : « Si Madame Baird décide de retirer sa candidature, le président acceptera-t-il ? »

Illico. J'aimerais tant pouvoir l'annoncer en ce moment même !

Moi : « À cet instant, Madame Baird est auditionnée par le comité judiciaire du Sénat et le président Clinton continue à croire qu'elle fera un excellent secrétaire à la Justice… »

Zut, ils ont capté « à cet instant » ; tout le monde le note. Ils reniflent le sang. J'espère que ça ne va pas pousser Zoe à se braquer encore plus.

Q : « M. Clinton savait-il, avant de la nommer à ce poste, qu'elle avait employé des immigrants clandestins pendant si longtemps ? »

C'est la question qui tue. Ah, si je connaissais la réponse… Il dit que non. Christopher affirme que oui. Christopher l'a probablement mentionné, mais qu'a-t-il dit exactement et Clinton a-t-il compris ? En tout cas, Zoe crie sur tous les toits qu'elle nous avait prévenus, donc on est de toute façon dans la mouise. Si nous ne savons pas, nous passons pour des zigotos incompétents, si nous savons et que nous l'avons engagée malgré tout, nous ne sommes pas très rigoureux sur l'éthique. On ne peut pas faire porter le cha-

peau à Zoe, le président ne va pas endosser la responsabilité de cette bévue et si je repasse le bébé à Christopher, sa crédibilité de secrétaire d'État va en prendre un coup.

Moi : « Encore une fois, je ne connais pas la nature exacte de ces discussions sur cette question… »

Bien essayé. Mais ils commencent à s'échauffer. On arrive au cœur du sujet, la vieille question du Watergate[1] : que savait le président et quand l'a-t-il appris ? J'étais bien incapable de le dire. Tout ce que je savais, c'est que j'étais en train de cuire à petit feu, comme en témoignait la sueur qui dégoulinait le long de mon dos. Quelques gouttes de sueur commencèrent aussi à glisser sur mes tempes, mais je me retins de m'essuyer le visage, de crainte d'être aussitôt mitraillé et que cette image ne symbolise la nouvelle administration aux abois. Le seul soulagement me vint d'une question, à mi-parcours de la réunion, lorsqu'on me demanda si j'appréciais ma première rencontre avec la presse à la Maison-Blanche.

Moi : « Plutôt. C'est un peu dur. » (Rires.)

Ils se moquent de moi. Pauvres types. Je passe pour un rigolo dès le premier jour.

Nous passâmes ensuite à ce qui leur posait vraiment problème : la fermeture de la porte. Nous avions décidé de fermer le couloir qui reliait la salle de presse au reste de l'aile Ouest, ce qui signifiait que les journalistes n'auraient plus le droit de venir jusqu'au bureau du directeur de la Communication, mon bureau, au premier étage. Ils étaient confinés au sous-sol et ça les rendait furieux.

Helen Thomas sonna la charge. Depuis plus de trente ans, elle commençait chaque journée un peu avant 7 h en attendant le directeur de la Communication devant son bureau de la Maison-Blanche et en lui posant une question au moment où il arrivait.

Q : « Allez-vous continuer à nous empêcher d'accéder au premier ? »

Vous réagissez d'une façon tellement infantile à ce sujet que ça me serait bien égal. Mais ce n'est pas moi votre problème. C'est Hillary. Elle et Susan

1. NdT. En 1974, le président Nixon fut contraint à la démission après qu'une commission d'enquête parlementaire eut prouvé son implication dans une opération d'espionnage d'un immeuble (le « Watergate ») qu'occupait le Parti démocrate à Washington.

Thomases ont mis au point ce petit plan pour vous faire déménager dans un autre bâtiment, afin de pouvoir rouvrir la piscine intérieure qui se trouvait juste sous vos pieds avant que Nixon décide d'y faire installer cette salle de presse.

Moi : « Eh bien, à l'heure actuelle, nous examinons d'éventuels réaménagements des bureaux du premier… après tout, il est fréquent d'observer quelques changements d'une administration à une autre… »

Q : « Pas de cet ordre. »

Q : « Allez-vous nous empêcher de monter cet escalier pour accéder à votre bureau ? »

Moi : « Nous allons examiner les différentes possibilités avant de prendre… »

Q : « Qu'est-ce que ça veut dire ? »

Moi : « Exactement ce que je dis. Nous sommes en train de régler ces questions. »

Et j'espère bien que nous allons changer d'avis dès demain, parce que je ne veux pas revivre ce genre de moment. Clinton est apparemment de mon côté. Il m'a encore demandé ce matin pourquoi nous fermions cette porte. Hmmm, avez-vous discuté de cette question avec votre épouse, M. le président ? Elle a dit que vous souhaitiez pouvoir vous promener sans journalistes furetant dans les coins.

Q : « Vous l'avez fait. Vous aviez dit que vous aborderiez cette question avec nous. »

Moi : « Pour le moment nous ne prenons aucune décision définitive. Nous en rediscuterons avec vous. »

Q : « Eh bien, je veux vous dire que je suis ici depuis l'époque du président Kennedy, que cet escalier ne nous a jamais été fermé et que le bureau du chargé de presse nous a toujours été ouvert. Toujours. »

Helen me faisait comprendre qui décidait vraiment. Je travaillais peut-être pour le nouveau président mais elle appartenait à l'institution présidentielle. Elle allait attendre son heure, bien décidée à avoir le dernier mot.

Mes difficultés concernant Zoe et l'affaire de la porte fermée étaient aggravées par le fait que je n'avais pas préparé d'anecdotes toutes simples pour aider les journalistes à nourrir leurs papiers. Une meilleure préparation ne m'aurait pas évité les questions délicates, mais elle aurait aidé à détendre l'atmosphère. J'aurais dû parler de ce qu'éprouvaient le président et Hillary en ce premier jour, demander à Tony Lake, le conseiller à la Sécurité nationale, de venir répondre aux questions sur la confrontation avec l'Irak. Mais non, au lieu de ça j'avais voulu faire tout seul et je n'étais pas prêt. Quand un journaliste sonna le coup de gong final après vingt-sept minutes de coups de boutoir, Helen cria : « Bienvenue dans la cour des grands », et je partis sans demander mon reste, la tête basse comme un bleu qui se fait dégommer dès la première minute de son premier combat.

Le lendemain, je rendis visite à mon prédécesseur et ex-adversaire, Marlin Fitzwater, le directeur de la Communication de Bush. La campagne avait été cinglante mais Marlin était devenu amical et il montrait, paisiblement renversé dans son fauteuil, la nonchalance d'un homme qui a accepté son départ. Je compris pour la première fois à quel point on pouvait être soulagé de quitter la Maison-Blanche et me promis de réfléchir aux moyens d'échapper à cet état d'esprit à l'heure de préparer la réélection de Clinton. Marlin me donna quelques conseils, dont celui de garder du recul et me rappela opportunément que les journalistes, contrairement aux apparences, n'étaient pas des ennemis. Mais il savait probablement que j'étais hors d'état de l'entendre et que c'est de ma propre expérience que je tirerais, le moment venu, cette leçon. Avant de partir, il ouvrit simplement le placard et me remit, selon la tradition, un gilet pare-balles. Dans la poche du gilet se trouvaient les messages de tous les anciens chargés de presse à leur successeur.

Au gala d'investiture du lundi soir, où venait d'être projeté un film de Robert Altmann, je croisai Elizabeth Taylor, enveloppée dans un boa alambiqué, Aretha Franklin, suivie d'un cortège de courtisans comme une reine africaine, et même Michael Jackson, en gants blancs, lunettes noires et uniforme militaire, avec un singe apprivoisé sur l'épaule. Mais je ne m'intéressais guère à ce spectacle, parce que je cherchais désespérément Zoe Baird. Sa nomination était déjà sous assistance respiratoire et j'avais besoin de réponses pour la presse.

Et ce n'était pas mon seul problème : le discours d'investiture était loin d'être achevé. Contrairement à celui de la Convention démocrate, où après s'être longuement présenté aux militants, Clinton avait évoqué en détail la convention précédente et l'investiture Dukakis, celui-là devait être dépouillé, concis, dans le style de Kennedy.

Selon la légende, ce dernier avait revu son discours inaugural seul dans son bain, en fumant un cigare. Mais notre équipe réunie au grand complet plancha toute la nuit. Clinton était galvanisé par l'angoisse et l'adrénaline mais nous commencions à flancher. Al Gore lui-même luttait sur son fauteuil pour rester éveillé, et toutes les cinq minutes son menton plongeait vers sa poitrine. Il sursautait avant de se rendormir, comme nous aurions tous dû le faire, à 4 h 30 du matin, le plus grand jour de notre vie.

À 7 h, le général Brent Scowcroft, ami de Bush et conseiller à la Sécurité nationale, arriva pour sa dernière démarche officielle. Nous y étions : la transmission de pouvoir, redoutable et banale. L'instant d'avant, Clinton grommelait contre le fait d'avoir dû se lever tôt et se tourmentait pour son discours. Scowcroft entra, mince, vêtu d'un imperméable et d'un chapeau de feutre. Il ressemblait plus à un comptable qu'à un général. Mais le contenu de sa mallette faisait toute la différence : les instructions dont le président aurait besoin en cas d'attaque nucléaire. Moins d'une heure plus tard, autre changement d'humeur spectaculaire. Scowcroft sortit de Blair House les yeux mouillés de larmes et l'homme qui allait bientôt commander à l'armée la plus puissante du monde apparut au bout de quelques minutes à la porte de son bureau, silencieux et plus sombre que je ne l'avais jamais vu.

Puis nous nous rendîmes à l'église où mon père eut l'honneur de dire une prière publique au service œcuménique en l'honneur du nouveau président. Regardant la scène du balcon au fond de l'église, je vis le président hocher la tête au rythme de la lecture de mon père et je me mis à pleurer, des larmes de gratitude, de joie et de fierté.

Après l'office, je retournai à Blair House pour mettre la dernière main au discours inaugural. Puis Clinton et Hillary partirent pour la Maison-Blanche, tandis que je partis moi-même pour le Capitole, avec Joan, ma fiancée, un exemplaire du discours inaugural de Clinton à la main.

Pennsylvania Avenue était fermée à la circulation, et notre voiture officielle s'élança entre les trottoirs bondés de gens, malgré le temps glacial, qui agitaient les mains. En levant la tête, j'aperçus le Capitole, le monument le plus impressionnant de Washington, la vision qui m'avait enthousiasmé quand je n'étais encore qu'un jeune stagiaire.

Quand nous arrivâmes au Capitole, Joan et moi attendîmes Clinton dans le bureau du Speaker, au deuxième étage. J'avais passé des centaines d'heures dans cette pièce, debout, à seconder Gephardt, à contempler les peintures impressionnistes, mais sans m'être assis jamais sur le canapé blanc contre le mur. Il était réservé aux VIP, pas aux collaborateurs comme moi. Quand j'arrivai, le discours de Clinton à la main, on nous invita à nous y asseoir. Mais les minutes passaient et tout en sirotant mon café, je m'inquiétai en me demandant pourquoi le président était si en retard. L'heure fatidique approchait dangereusement. J'appelai la Maison-Blanche pour m'entendre répondre que le président était parti depuis un bon moment. *Mais alors où sont-ils ? Mais bien sûr, dans l'autre bureau du Speaker, en bas !* Je me précipitai dans les couloirs avec l'enveloppe kraft contenant le discours, mes chaussures neuves glissant sur les parquets récemment vitrifiés.

Quand j'arrivai en dérapage contrôlé dans la loge où Clinton était en train de se faire maquiller pour la télévision, il m'accueillit par un éclat de rire. Je lui tendis son discours et nous évoquâmes quelques instants le souvenir du Père Tim Healy, mort soudainement un mois plus tôt. Mais ses notes pour le discours de Clinton avaient été enregistrées sur son ordinateur, puis transmises à Clinton par mon entremise et ses réflexions sur le thème « forcer le printemps » étaient au cœur de la version finale du discours. Je souhaitai bonne chance au président. Il me dit simplement « merci », mais en me regardant dans les yeux et en serrant ma main entre les siennes. Il savait que c'était un moment important pour moi, le dernier que nous partagions avant son investiture.

La cérémonie passa dans un éclair. J'étais fasciné par les fastes constitutionnels et je rêvais éveillé à ce que nous avions fait et à ce que nous allions faire : forcer le printemps.

Joan et moi remontâmes à pied Pennsylvania Avenue jusqu'à la Maison-Blanche, nous imprégnant de la liesse populaire. Jusqu'à ce jour, la Maison-Blanche avait toujours été un lieu un peu étranger pour moi. C'était l'endroit où travaillait le président et depuis que je vivais à Washington, le président était républicain. Avant ce jour, j'en avais franchi le massif portail une seule fois, durant les négociations budgétaires de 1990, mais je n'étais jamais allé au-delà du hall d'entrée.

Je faisais partie désormais des personnages admis dans les bureaux qui entourent le Bureau ovale. À part le mobilier et quatre postes de télévision, le gilet pare-balles était tout ce que Marlin m'avait laissé. Les étagères et les classeurs étaient vides. Quelques chemises en carton jonchaient le sol. Un ordinateur démonté gisait sur un coin de mon bureau. On nous expliqua plus tard que les ordinateurs devaient être examinés pour vérifier si quelqu'un à la Maison-Blanche avait été impliqué dans les recherches sur le dossier des passeports de Clinton pendant la campagne, mais, à ce moment, nous étions sûrs qu'il s'agissait de sabotage.

Même les séquelles de la paranoïa de la campagne ne parvenaient pas à gâcher ce moment. La pièce était vide mais avenante, avec une cheminée et une vue généreuse sur la pelouse Nord. Joan appuya légèrement la main sur le mur comme pour s'assurer qu'il n'était pas faux, que nous étions réellement là. Puis nous nous laissâmes choir de tout notre long sur le canapé et nous éclatâmes de rire.

Le lendemain, j'étais assis sur ce même canapé, les pieds sur la table basse, sirotant un Coca sans sucre, à me demander ce qui avait cloché. J'étais bien incapable de mesurer l'ampleur de la crise et le degré de notre impréparation devant les problèmes qui nous attendaient. Un de ces problèmes s'appelait Zoe Baird, mais il nous échappait déjà. Elle n'allait pas devenir secrétaire à la Justice et nous n'y pouvions plus rien. La seule question qui se posait était de savoir quelle était la raison d'une telle bévue et comment se dépêtrer de cette situation. La façon dont nous l'avions choisie, la polémique qui avait suivi et la façon dont nous y avions réagi sont emblématiques de nos premières difficultés.

Zoe Baird était une jeune femme de la haute bourgeoisie qui avait reçu la plus parfaite éducation dans les écoles les plus huppées et qui était passée par les meilleurs cabinets d'avocats avant de devenir directrice du service juridique d'une très grande compagnie d'assurances. Elle avait aussi su s'attirer l'estime de mentors puissants comme Warren Christopher. Elle aurait fait un excellent avocat de la Maison-Blanche, mais elle n'avait en revanche ni l'expérience des affaires gouvernementales ni de relations personnelles avec le président – deux conditions sine qua non pour obtenir le poste de secrétaire à la Justice.

Nous voulions que l'administration Clinton offre une « image fidèle » de l'Amérique, ce qui supposait de nommer une femme à l'un des quatre grands postes : Affaires étrangères, Économie, Défense et Justice. C'était un objectif estimable, mais en appliquant une règle de quota nous nous enfermions dans un piège. Après douze ans d'absence du pouvoir, les démocrates ayant une expérience gouvernementale de haut niveau étaient rares, et parmi ces démocrates, on comptait très peu de femmes. Mais les trois postes de ministres les plus importants étaient occupés par des hommes et la nouvelle équipe s'était donc efforcée de dénicher *la* meilleure secrétaire à la Justice. Des candidates plus expérimentées comme le juge fédéral Patricia Wald avaient décliné la proposition et Clinton n'allait quand même pas nommer une républicaine au poste, si bien que le nom de Baird était sorti du lot, sur la foi de ses solides références et de son amitié personnelle avec Christopher.

Si Baird n'avait pas eu un « problème de garde d'enfants », elle aurait probablement été confirmée et elle aurait certainement fait un secrétaire à la Justice compétent. Par contre, ce qui lui manquait, c'est la combativité et la stature nécessaires pour affronter le tollé provoqué par les révélations sur ses employées de maison non déclarées. Nous n'aurions donc pas dû pousser la nomination de Baird, mais notre flair politique a été pris en défaut à chaque étape de cette affaire.

Christopher s'est montré, comme on pouvait s'y attendre, extrêmement protecteur avec Baird... Ses réflexes de juriste l'avaient persuadé que ces problèmes étaient surmontables parce qu'elle s'était appuyée sur des conseils juridiques dans ses rapports avec ses employées de maison. Clinton avait voulu à toute force prendre une décision à la fois rapide et historique et il avait fait confiance à son avocat, Christopher, plutôt qu'à son instinct politique. Le reste de l'équipe s'était contenté de suivre. Après l'élection, nos antennes s'étaient émoussées et nous avions perdu notre discernement habituel. Cette affaire était d'abord passée inaperçue parce que de nombreux membres de l'establishment employaient des femmes de ménage, bien souvent sans papiers, sans les déclarer. Le premier article du *New York Times* était une notule perdue dans les profondeurs du journal et le sénateur Orrin Hatch, plus haut responsable républicain de la Commission judiciaire du Sénat, avait validé la candidature de Zoe Baird bien qu'elle ait reconnu les faits.

Mais nous n'avons pas vu venir l'offensive de la droite dure, celle de Rush Limbaugh et de Newt Gingrich. Ceux-ci s'étaient mis à nous éreinter : nous étions des sybarites, des yuppies hyper-privilégiés et persuadés d'avoir le droit d'enfreindre la loi quand on sortait de Yale. Ces attaques avaient porté, contrairement à beaucoup d'attaques ultérieures contre Clinton et son administration, elles n'étaient d'ailleurs pas tout à fait injustifiées. Sans la propagande active et efficace de l'extrême droite républicaine, nous serions passés à travers les mailles du filet, mais ce filet c'était la loi.

Dès le premier jour à la Maison-Blanche, avant même d'avoir branché les ordinateurs, nous avions donc une crise politique sur le dos. Nous ne savions même pas comment fonctionnait le téléphone. Clinton décrocha une ou deux fois pour composer un numéro et une opératrice décrocha en même temps que lui, ce qu'il sembla ne pas apprécier du tout. Nous avions certes affaire à de redoutables serpents mais nous étions aussi victimes de notre sottise et de notre arrogance. Nous avions gagné une campagne mais nous ne savions pas encore gouverner – et nous ne savions pas que nous ne le savions pas.

Zoe Baird n'accepta finalement de se retirer qu'à ses conditions : sa lettre au président soulignait qu'elle avait clairement expliqué la situation de ses employés de maison à son cabinet et la réponse que nous avons rédigée pour Clinton faisait l'éloge de Baird et endossait l'entière responsabilité de cette situation.

Le président vint signer la lettre en survêtement et casquette de baseball tard dans la soirée. Il mâchait bruyamment une banane enduite de beurre de cacahuètes. Il avait l'air d'aussi bonne humeur que possible compte tenu de la situation. Il expliqua aux collaborateurs réunis dans mon bureau qu'il était désolé de perdre Zoe mais ajouta qu'il était heureux que cette affaire se termine par une mesure de grâce. Après qu'il ait signé la lettre, je le présentai à l'homme qui l'avait écrite, David Dreyer, mon nouvel assistant. Renversé dans mon fauteuil en cuir, les pieds posés sur le bureau en bois, la visière de sa casquette au ras des yeux, Clinton fixa la longue barbe de Dreyer et lui demanda quand il avait commencé.

« Hier », répondit David.

Le président lui décocha un sourire : « Eh bien, ça ne vous a pas pris longtemps pour tout bousiller ! »

6 LE SAUT À L'ÉLASTIQUE SANS ÉLASTIQUE

Le président abattit son magazine sur le bureau assez violemment pour tuer une horde de cafards. Mais en ce premier lundi de notre deuxième semaine à la Maison-Blanche, il visait une autre espèce de vermine : les collaborateurs trop bavards.

« Ces fuites nous tuent », fulminait-il. Un article de *Time* évoquait le défi d'un haut responsable de l'administration au sénateur Daniel Patrick Moynihan, le président de la Commission des finances du Sénat. « Il n'est pas des nôtres, fanfaronnait son challenger anonyme, nous le pilerons sans hésiter s'il le faut. »

Comme la commission de Moynihan contrôlait la mise en œuvre de nos grandes réformes – le système de santé, l'aide sociale et le budget – le président devait montrer patte blanche : « Si je découvre le responsable, je vous jure qu'il ne fera pas long feu », lança-t-il à Moynihan au téléphone. « Eh bien, si cela vous exaspère, moi cela ne me fait ni chaud ni froid », répondit de bonne grâce Moynihan. Pourtant, il n'était pas près d'oublier l'offense et il allait savourer sa vengeance à maintes reprises les années suivantes. Et le président était effectivement exaspéré. Il était fou furieux de devoir s'excuser et de mettre en jeu sa crédibilité politique pour un acte dont il n'était pas responsable. Debout derrière son bureau, un index vengeur pointé sur l'article en question, il m'ordonna de trouver le responsable de cette bévue et de le virer.

Une telle mission était vaine car la fuite en question pouvait émaner d'une bonne centaine de personnes. Mais j'étais aussi furieux que Clinton. Pas seulement parce que je ne voulais pas être tenu pour responsable des rumeurs dévastatrices, mais aussi parce que je savais que j'allais devoir en répondre devant les journalistes dans les conférences de presse. Et certains d'entre eux ne manqueraient pas de prendre ces déclarations au pied de la lettre, faisant passer mes démentis pour des histoires tirées par les cheveux.

Tous les gouvernements ont une peur obsessionnelle des fuites. Mais l'attitude sous-jacente que trahissait le commentaire de *Time* était encore plus dévastatrice que notre paranoïa concernant son auteur. Cet officiel donnait l'impression d'une administration à la fois auto-satisfaite et auto-destructrice :

« Il n'est pas des nôtres, nous le pilerons s'il le faut. »

La plupart d'entre nous étaient assez malins pour ne pas dire des choses aussi stupides, mais ça ne nous empêchait pas toujours d'agir comme si nous les croyions. Nous nous considérions comme intelligents, coriaces et compétents. Et surtout nous avions gagné, nous avions sorti le président en exercice. Maintenant, nous avions du travail, beaucoup de travail. Certes, ça n'allait pas être facile, mais nous avions attendu assez longtemps, *le pays* avait attendu assez longtemps cette occasion de changer l'Amérique et nous allions tout faire en cent jours, exactement comme Franklin Roosevelt. Rien ne nous arrêterait.

Du moins c'est ce que nous pensions.

À vrai dire, l'insulte à Moynihan ne fut qu'une peccadille comparée à nos autres problèmes de cette même semaine. Nous n'avions pas de candidat de remplacement pour le poste de secrétaire à la Justice. Nous n'avions pas encore de plan économique, mais nous étions déjà attaqués et soupçonnés de renoncer aux allègements fiscaux en faveur des classes moyennes et un journal annonça (à juste titre) que nous envisagions aussi une hausse des taxes sur l'énergie – qui reviendrait à une hausse des prélèvements sur la classe moyenne. Trois personnes avaient été tuées dans une fusillade au siège de la CIA et nous avions une épreuve de force en perspective avec les chefs d'état-major à propos de la place des homosexuels dans l'armée.

« Vous êtes commandant en chef. Ordonnez-leur d'obéir exactement comme Truman l'a fait quand il a décrêté la désagrégation des forces armées en 1948. » Voilà ce que nos sympathisants homosexuels, hommes et femmes, attendaient de nous. David Mixner, vieil ami du président et chef de file des collecteurs de fonds homosexuels de la campagne démocrate, expliqua que Clinton devait décréter unilatéralement l'abrogation des mesures anti-homosexuels dans l'armée et annoncer aux chefs d'état-major qu'il attendait d'eux que cette décision soit appliquée avec enthousiasme.

J'aurais aimé que Mixner soit présent dans le salon Roosevelt, l'après-midi du 25 janvier, quand les quatre chefs d'état-major sont entrés en grand uniforme derrière leur supérieur, le général Colin Powell. Clinton et Powell s'étaient déjà rencontrés après l'élection pour discuter de ce sujet et de quelques autres. Mais aujourd'hui, c'était différent ; il ne s'agissait plus d'une visite de courtoisie mais bien d'une discussion au sommet.

Le président fit le tour de la table de conférence ovale et salua les chefs d'état-major un par un. Puis les délégations prirent place. Les militaires d'un côté, les collaborateurs du président de l'autre, Powell et Clinton se faisant face au centre de la table. Des portraits de Franklin et Eleanor Roosevelt nous surveillaient. J'étais assis derrière Clinton, dans un fauteuil contre le mur – présent mais muet.

La réunion commença de manière assez plaisante. Les stewards de la marine du président servirent le café et firent circuler des assiettes de petits fours. Les chefs militaires félicitèrent Clinton de son élection. Mais Clinton avait beau être leur hôte et leur patron, le rapport de force n'était pas en sa faveur. Les pouvoirs formels du commandant en chef étaient limités par le fait qu'il était nouveau dans sa fonction, élu avec seulement 43 pour cent des voix, qu'il n'avait jamais servi dans l'armée et qu'il était accusé de s'être dérobé à ses obligations militaires. Le pouvoir présidentiel, selon la formulation de Neustadt, se ramène au « pouvoir de convaincre », mais les chefs de l'armée n'étaient pas là pour être convaincus, et, soutenue par une armée de parlementaires, leur position en était encore renforcée. Leur message était clair : appliquez cette promesse et vous perdrez la confiance des militaires. Si vous nous affrontez, vous perdrez.

Notre accrochage initial avec les militaires était une bataille perdue d'avance. L'un après l'autre, les chefs militaires passèrent le message à Clinton sur un ton pondéré mais intransigeant. C'est le chef d'état-major de la marine, Carl Mundy, avec sa coupe en brosse, qui fut le plus véhément. Il s'agissait pour lui d'une lutte entre le bien et le mal, entre la discipline militaire et la dépravation morale. Mais Colin Powell fut le plus efficace. Il posa ses avant-bras musclés sur la table, ses mains serrées pointées droit vers le président, et posa le problème succinctement : les forces armées placées sous le commandement de Clinton étaient dans une forme « parfaite ». Il ne fallait surtout rien faire qui compromette cette excellente santé. Les soldats n'avaient jamais bénéficié des droits civiques dont disposent les autres citoyens et il serait impossible de garantir le moral des troupes si on mêlait homosexuels et hétérosexuels.

Le président défendit sa position d'une voix encore éraillée par les cérémonies d'inauguration. Il déclara qu'il avait l'intention de tenir sa promesse, soulignant que les homosexuels et les lesbiennes avaient servi et servaient dans l'armée de manière honorable et efficace. Pour lui, la question était de savoir s'ils devaient vivre dans le mensonge. « C'est sur ce point que je veux travailler avec vous », expliqua-t-il aux chefs de l'armée.

J'étais fier de cet argument mais je savais aussi que nous n'avions aucun atout à jouer. Si nous ne trouvions pas un compromis avec les chefs d'état-major, ils allaient nous nuire au Parlement. Ils étaient certes obligés d'obéir à leur commandant en chef, mais ils avaient aussi le droit d'exposer leur opinion lors des auditions publiques des commissions parlementaires. C'était tout ce qu'il nous manquait : une brochette de généraux emmenés par Colin Powell, opposés à un nouveau président qui sacrifiait la sécurité nationale à ses promesses de campagne pour les intérêts d'une minorité – le tout en direct sur CNN !

Le témoignage impartial d'un homme noir, occupant la position officielle la plus éminente du pays, niant nos parallèles entre la ségrégation raciale et celle visant les préférences sexuelles, ruinerait nos meilleurs arguments en faveur des droits civiques et de la fin de toute discrimination dans l'armée. Le Congrès ne tarderait pas à voter une loi pour faire capoter la directive présidentielle. Et le président, incapable de protéger les homosexuels servant dans l'armée, devrait faire face à un nouvel échec dès la première semaine de son mandat. Quant au reste du pays, il se demanderait ce qui arrivait au nouveau démocrate modéré qu'il avait élu pour remettre de l'ordre dans l'économie. Personne n'avait expliqué aux électeurs que la première bataille de cette législature allait concerner les homosexuels dans l'armée. Personne ne nous l'avait dit non plus. En fait, c'était la dernière chose dont nous avions envie. Nous avions apparemment perdu la maîtrise de cette situation comme de tant d'autres, ces premiers mois.

J'avais commencé à réfléchir au problème quand le candidat Clinton en avait parlé à Harvard le 30 octobre 1991. Durant la séance de questions qui avait suivi, un étudiant avait interrogé Clinton sur la discrimination contre les homosexuels hommes et femmes dans l'armée. S'ils veulent servir leur pays, avait répliqué Clinton, ils doivent pouvoir le faire ouvertement. La presse n'avait pas mentionné cet échange anecdotique. Mais Clinton avait réitéré cette position devant des auditoires homosexuels et dans sa réponse à un questionnaire sur les droits de l'homme. En revanche, cette position n'avait été exposée ni dans le discours à la Convention, ni lors de la campagne. Craignant d'avoir l'air intolérant s'ils abordaient le sujet, Perot et Bush l'avaient laissé de côté, à l'exception d'une déclaration de Perot qui s'était prononcé contre l'abrogation un jour, avant de revenir sur sa déclaration dès le lendemain. Les homosexuels et l'armée : le sujet tabou de la campagne présidentielle de 1992.

Une semaine après l'élection, à l'occasion de l'armistice du 11 novembre, Clinton prononça un discours dans lequel il tenta de rassurer les sceptiques en expliquant qu'il respectait l'armée et qu'en tant que commandant en chef, il veillerait à renforcer son efficacité. Il ne mentionna pas le problème des homosexuels dans l'armée parce que ce n'était pas l'une de nos priorités immédiates. Mais une Cour fédérale venait de rendre une sentence ordonnant la réintégration dans la marine de Keith Meinhold, un marin réformé à cause de son homosexualité. Prenant acte de ce jugement, un journaliste de NBC demanda à Clinton s'il allait tenir sa promesse de campagne concernant la discrimination des homosexuels dans l'armée. « Je le veux, répondit Clinton d'un ton légèrement ironique. Comment y parvenir, les moyens à mettre en œuvre, tout cela sera débattu avec les militaires. Nous avons tout le temps. »

Clinton essaya de minimiser le conflit potentiel en soulignant que son désir était de collaborer avec les militaires, pas de leur imposer un changement. Ses remarques auraient aisément pu être interprétées comme une esquive, mais ce n'est pas ainsi que les journalistes les comprirent. La déclaration de Clinton fit les gros titres des journaux télévisés et le *New York Times* publia deux articles à la une qui donnèrent l'impression que Clinton défiait les militaires. Comment résister à une affaire qui mêlait Clinton, la sexualité et les militaires ?

Nous dûmes éteindre rapidement l'incendie. Clinton expliqua qu'il ne prendrait aucune décision définitive avant d'avoir consulté les militaires. J'expliquai longuement aux journalistes que nous voulions tenir nos promesses, mais pas au prix d'un conflit ouvert avec l'armée. Mais nous nous retrouvâmes vite pris en tenaille entre les chefs militaires qui refusaient tout changement, les leaders de la communauté homosexuelle qui avaient adopté une attitude jusqu'au-boutiste, des républicains ravis et impatients de nous infliger un vote de désaveu de la Chambre... et des démocrates consternés qui n'arrivaient pas à croire que les premières mesures sur lesquelles le nouveau président allait leur demander de voter concernaient la place des homosexuels dans l'armée.

Durant la transition, John Holum, un vieil ami de Clinton qui avait été pressenti pour diriger l'Agence pour le désarmement, et le député Les Aspin, notre candidat au poste de secrétaire d'État à la Défense, s'efforcèrent de trouver un compromis acceptable qui nous permettrait de gagner du temps. Mais nous dûmes attendre la réunion du 25 janvier dans le salon Roosevelt, jour où Colin Powell proposa un arrangement négocié avec Les Aspin, qu'il résuma en une formule éloquente : « Plus de questions et plus de poursuites. » Les homosexuels ne seraient toujours pas autorisés à servir en tant que tels, mais les recrues ne seraient plus interrogées sur leurs préférences sexuelles, et la hiérarchie cesserait d'ordonner des enquêtes sur les soldats soupçonnés d'homosexualité. Le général Gordon Sullivan appuya la proposition de Colin Powell en déclarant sur un ton conciliant : « Permettez-nous de participer avec vous au changement. » Il voulait dire : « Permettez-nous de vous concéder une capitulation honorable. »

Le sénateur Sam Nunn, le président de la Commission de la Défense du Sénat, fut appelé à la rescousse pour négocier les termes de l'accord, parce que les nouvelles dispositions envisagées devaient être examinées au Parlement. Nunn avait dirigé la campagne de Clinton en Géorgie, mais avec des amis comme lui, nous n'avions pas besoin d'ennemis. Non seulement il soutenait l'exclusion des homosexuels de l'armée, mais en outre il avait été irrité que Clinton lui préfère Les Aspin comme secrétaire d'État à la Défense, et il était ravi de pouvoir jeter quelques pierres dans le jardin de son ancien collègue. Toute la première semaine, Nunn retint notre projet de loi sur la famille et le congé maladie en otage jusqu'à ce qu'il ait eu le dernier mot sur la question des homosexuels dans l'armée.

La communauté homosexuelle était convaincue que Nunn était homophobe, opinion que Clinton et moi finîmes par partager après une interminable séance de négociation avec lui et ses collègues démocrates de la Commission de la Défense. Mais Nunn ne fut pas ce jour-là l'orateur le plus coriace ; le numéro sidérant du sénateur Robert Byrd l'éclipsa complètement.

Byrd était un homme râblé, avec des yeux bleu clair, un long nez droit, des cheveux blancs coiffés en pointe sur le front et un costume trois pièces ajusté – un homme d'âge mûr élégant et fat. Il était déjà sénateur avant ma naissance et son hobby consistait à écrire l'histoire de cette institution. Personne n'aimait plus le Sénat que lui. Quand des députés ignorants ou des présidents trop autoritaires menaçaient les prérogatives du Sénat, il dégainait son arme préférée, l'obstruction parlementaire, et occupait la tribune pendant des jours, récitant l'histoire du Sénat par cœur, rappelant les jours glorieux de l'Angleterre, de Rome et de l'histoire du Parlement américain.

La salle du conseil des ministres était une scène plus modeste. Nous n'étions qu'une douzaine, y compris le président et le vice-président, tous assis autour de la table. Byrd se leva quand même pour parler, la paume de la main gauche délicatement posée sur la table, les doigts de la main droite glissée entre deux boutons de son gilet – une pose classique d'orateur. Il commença par Rome.

« Suétone écrit que Tibère, sous les ordres duquel César avait servi, avait à son service de jeunes prostitués mâles », commença Byrd, avant de débiter toutes sortes d'histoires d'empereurs, de généraux et d'hommes à leur service. « Nous parlons d'une pratique qui dure depuis des siècles », constata-t-il simplement, reprenant un des principaux arguments du président. *Pas possible ! Est-ce qu'on va rallier Byrd à notre cause ?* Non. Après une pause emphatique, il ouvrit le feu : « Mais Rome est tombée quand la discipline a cédé la place à la luxure et à la facilité. » Puis il voyagea dans le temps, du déclin de l'Empire romain jusqu'à la pente glissante des temps modernes. « Ne bouleversons pas les principes institués par nos pères. Je suis opposé à votre politique parce qu'elle a valeur d'approbation : elle conduira à des mariages entre personnes de même sexe et à l'acceptation des homosexuels chez les scouts. » Tels étaient les soucis immédiats de ses électeurs de Virginie de l'Ouest, auxquels il allait devoir rendre compte le week-end suivant. La péroraison du sénateur se termina sur une note de défi courtois : « Oh, mon Dieu, ramène-moi dans mon foyer en sûreté ! », s'exclama-t-il avant de conclure : « Ne comptez pas sur mon aide pour les questions de procédure. »

Dans une envolée d'empathie rhétorique, Clinton opposa à l'histoire romaine l'Ancien Testament. « Quand le Seigneur a notifié ses Dix Commandements, Sénateur Byrd, il n'y a pas inclus une interdiction de l'homosexualité. Le fait d'être homosexuel est une question de conscience et, en tant que tel, ne devrait pas vous empêcher de servir si vous le devez. » Le vice-président Gore prit la relève en mêlant arguments scientifiques pointus et théologie maison. Il essaya de changer la position de Byrd, ce qui était évidemment peine perdue.

Toute notre première semaine fut accaparée par le problème des homosexuels dans l'armée. Nous ne parvînmes à un accord avec Nunn que le jeudi en fin de soirée, quand il accepta un examen de six mois du compromis proposé, à condition que la proscription soit maintenue durant ces six mois. Six mois plus tard, le président reformula le pacte initial : « Ne dites rien et on ne vous posera pas de questions. » Sa tournure rappelait la proposition initiale de Powell et n'était pas très éloignée de l'esprit de la discrimination. Ce compromis ne satisfit personne, sauf les stratèges républicains qui avaient maintenant une excellente carte à jouer pour les élections législatives de 1994. Les militaires supportèrent mal cette intrusion dans leurs affaires, le public ne comprit pas grand-chose à ce débat, les démocrates étaient furieux et la communauté homosexuelle se sentait trahie.

Mais ce dossier était un échec, pas une trahison. On peut accuser le gouvernement d'avoir éveillé des espoirs qu'il a été incapable de satisfaire, mais pas d'avoir abandonné une cause perdue d'avance, ni d'avoir manqué de courage. Les militaires et le Congrès avaient refusé l'abrogation de l'interdiction tout simplement parce que le pays n'était pas prêt pour ce changement-là. Edicter un décret qui aurait capoté dans les vingt-quatre heures n'aurait en rien fait progresser les droits des homosexuels. Cela aurait simplement donné l'impression que Clinton menait une bataille perdue d'avance. Le président devait choisir entre une de ses nombreuses promesses de campagne d'une part et, d'autre part, l'ensemble des réformes projetées, sans parler de ses responsabilités constitutionnelles. Il fit une ultime tentative en demandant : « Quelle est la meilleure politique applicable pour les homosexuels qui travaillent dans l'armée, sont obligés de dissimuler leurs penchants et sont l'objet de brimades ? »

La colère de ceux qui ont milité pour l'abrogation de l'exclusion des homosexuels de l'armée est parfaitement compréhensible. Le surcroît d'attention suscitée par ce débat a contribué à accroître le harcèlement des homosexuels hommes et femmes servant dans l'armée, au mépris des ordres du président. Au vu de ce résultat, je considère aujourd'hui que notre grand tort a été de promettre une abrogation de l'interdiction. Il aurait été beaucoup plus sage de nous concentrer sur la promesse de Clinton de supprimer les discriminations anti-homosexuels sur le lieu de travail. Ce projet avait des partisans dans les deux camps mais le débat cinglant sur la question des homosexuels dans l'armée a sans doute retardé son examen de plusieurs années. Affronter les militaires avant même d'avoir légiféré sur les droits des homosexuels dans la société civile était une bataille perdue d'avance.

À la fin de cette semaine, nous avions besoin d'un week-end de repos. Mais le gouvernement décida d'organiser un week-end de travail à Camp David. Une quarantaine d'entre nous, les Clinton, les Gore, les membres du gouvernement, leurs conseillers et quelques collaborateurs étaient invités à passer une journée à « fixer des objectifs » et « apprendre à mieux se connaître ».

Quand je grimpai dans ma voiture, le samedi matin à 6 h 30, j'étais d'humeur assez maussade. J'éprouvais la même appréhension qu'autrefois, lorsque je devais passer mes vacances dans des camps d'ados. La perspective des jeux organisés et de la camaraderie forcée me donnait irrésistiblement envie de me faire porter pâle, ce dont je me sentais évidemment un peu honteux. *Tu te rends à Camp David avec le président des États-Unis et son gouvernement. Tu devrais t'estimer heureux !*

Je fis de mon mieux. Tout en grimpant les routes sinueuses et verglacées qui menaient vers la résidence présidentielle, située au sommet d'une colline, j'essayais de me regonfler à bloc. En arrivant, j'en étais presque à croire que construire un esprit d'équipe de cette manière était le meilleur moyen d'inaugurer notre présidence. Camp David, un manoir rustique au sommet d'une colline boisée, entourée de maisons à deux étages à portes grillagées, me faisait penser à un village de vacances.

Le président était déjà arrivé avec l'hélicoptère présidentiel et il se baladait avec Gore dans une voiture de golf, le seul véhicule qu'il était autorisé à conduire. Les autres fouillaient la résidence à la recherche de gobelets à café et de boîtes d'allumettes.

Mais quand nous nous retrouvâmes pour la réunion, je fus repris d'une violente envie de rentrer chez moi. Notamment à cause des chevalets en aluminium. Ils se dressaient de part et d'autre de la pièce, avec leurs énormes liasses de feuilles blanches, attendant qu'on y note nos objectifs, nos envies et nos sentiments. Deux dames d'un certain âge arborant des sourires de commande, l'air raisonnable, et équipées d'énormes marqueurs, complétaient le tableau. C'étaient les « faciliteuses » que le vice-président avait amenées pour encourager les contacts. Ce week-end était le bébé de Gore : un mélange de science du management et d'atmosphère New Age qu'il avait déjà testé sur son équipe au Sénat.

Mais ce qui fonctionne pour un sénateur n'est pas toujours adapté au travail d'un président. La journée passant, les murs se couvrirent de feuilles de papier où étaient exposés nos « buts personnels » pour les quatre ans à venir. Hillary parla de la nécessité d'écrire un « récit » pour le pays et les « faciliteuses » nous répartirent en groupes « d'attaque » pour des sessions de « remue-méninges ». Je dissimulai ma défiance sans pouvoir m'empêcher de me demander : *Mais après tout, nos « buts personnels », qui cela intéresse-t-il ? La campagne n'a-t-elle pas servi à les formuler ? Nous avons fait des promesses, et maintenant il s'agit de faire en sorte de les tenir. Pourquoi ne rentrons-nous pas à la Maison-Blanche travailler sur les mesures économiques et sur le choix d'un nouveau secrétaire à la Justice ? Ou nous reposer à la maison – au lieu de rester ici à parler de nos « sentiments » ?*

Après le dîner, un groupe restreint de membres du gouvernement et de proches du président s'installèrent autour de la cheminée pour partager un moment de convivialité chaleureuse avec les Clinton, les Gore et nos sympathiques faciliteuses. Je n'étais pas très à l'aise mais j'aurais été encore plus malheureux de ne pas être invité. Parmi les invités, seul Lloyd Bentsen, le doucereux et distingué secrétaire au Trésor, était assez sûr de lui pour se tenir sur la réserve. Les autres personnes présentes firent quelques révélations sur leur personnalité comme si nous étions un groupe de pré-adolescents qui finissent la soirée en jouant à « Quel est l'acte le plus embarrassant que vous ayez jamais commis ? »

Clinton raconta que les taquineries sur son embonpoint dans son enfance l'avaient endurci, et évoqua le jour où, à l'âge de cinq ou six ans, ayant été renversé par un sanglier, il se releva immédiatement. Warren Christopher confessa qu'il avait tendance à passer des soirées à siroter du Chardonnay dans des bars de jazz enfumés. Je leur parlai d'une émission de télé que j'adorais regarder étant enfant et de l'argent de poche que je gagnais comme enfant de chœur rétribué pour les mariages et les baptêmes. Peu avant la fin de notre séminaire, je prononçai un discours obligatoire de directeur de la Communication sur les fuites indésirables, ce qui revenait à distribuer le numéro de téléphone d'Ann Devroy. Tout le monde parlait à Devroy. Elle faisait partie de la rédaction du *Washington Post*, mais son titre traduisait mal l'étendue de son influence dans le petit monde politique de Washington.

Le compte rendu que fit Ann de cette retraite fut un signal pour l'establishment de la capitale : décidément, l'ambiance de la nouvelle Maison-Blanche était un peu tordue. Devroy soulignait le fait que des expériences de ce type étaient plus courantes dans le monde de l'entreprise que dans celui des équipes gouvernementales. Elle écrivait que ce week-end montrait à quel point « cette présidence allait être différente » et ajoutait, assez malencontreusement, que la dernière fois qu'un président avait réuni tant de collaborateurs à Camp David pour une session de travail, c'était sous la cafouilleuse présidence Carter.

Ce type de scoop était du Devroy typique. Cette grande fumeuse à l'accent râpeux du Wisconsin était la reine incontestée de la Maison-Blanche. De son bureau de la salle de presse, elle téléphonait toute la journée, discutant avec tout le monde, des opératrices aux plus hauts fonctionnaires. Je ne la connaissais pas, au début, et l'intense travail de propagande qu'elle m'avait vu faire pendant la campagne me valut quelques préventions de sa part. Mais James Carville et sa femme lui parlèrent de moi en termes sympathiques, et bientôt le rythme de nos conversations grimpa à près de dix quotidiennement.

La plupart de ces conversations étaient courtes et portaient sur un point précis. Elle voulait vérifier un renseignement et recueillir nos commentaires. Très souvent, elle anticipait nos décisions avant même que nous les ayons prises. Ses sources étaient solides et son horloge biologique était réglée sur le rythme de la Maison-Blanche. « Ann, nous n'avons pas encore pris de décision, je vous le jure ! », criai-je au téléphone. « Je sais, je sais, George, répondait-elle sur un ton protecteur, Mais vous allez en prendre une… » Elle avait généralement raison, mais je respectais son intégrité encore plus que son intelligence. Ann n'hésitait pas à sortir une histoire dévastatrice si elle était sûre des faits, mais elle mettait la même énergie à enterrer une affaire qui sentait le montage calomnieux quand ses sources étaient douteuses. Elle racontait toutes sortes de ragots, mais jamais dans ses articles.

Quoi qu'il en soit, elle était attachée à l'aura particulière et aux traditions de la Maison-Blanche, et convaincue que lui appliquer des méthodes de gestion importées de l'entreprise revenait à détruire cette aura et à dévaluer le service public.

Nous mîmes un certain temps à reconnaître que notre esprit et nos méthodes étaient inadaptés : le style décontracté de la campagne, l'air simple et sans affectation de Clinton, ses shorts de jogging, tout cela ne convenait pas au caractère solennel de l'endroit. Les Américains veulent que leur président soit au-dessus du quotidien.

Notre méthode ne marchait pas, mais nous ne voulions pas avoir l'air de capituler. Au début, nous ne nous levions pas systématiquement quand le président entrait – une réminiscence du style naturel et rebelle de la campagne. Clinton s'empressait d'arrêter ceux qui le faisaient avec un geste impatient de la main. Or, si cette simplicité était originale dans sa fraîcheur, c'était aussi une erreur. De même pour le short, que seule une série de photos de ses jambes nues a décidé Clinton à abandonner au profit d'un costume de jogging. Nous avons fini par comprendre qu'une ambiance relativement majestueuse à la Maison-Blanche serait aussi efficace que la touche populiste adoptée pour la campagne. Les Américains veulent un président plus grand que nature. Nous fîmes jouer l'hymne *Hail to the Chief (Le Salut au chef)* dans toutes les cérémonies publiques.

Nous mîmes plus de temps à régler le salut militaire du président. Les premiers temps, chaque fois qu'il portait la main à la tête, il prenait un air penaud et avait l'air de se gratter le crâne en cherchant à résoudre ses conflits intérieurs. Il baissait légèrement le front pour le toucher du bout des doigts, comme s'il venait d'être surpris en train de faire quelque chose de mal. C'était devenu tellement gênant que Tony Lake, le conseiller à la Sécurité nationale, débarqua un jour dans mon bureau pour mettre au point une stratégie adaptée au problème. Il fallait en parler à Clinton en privé, mais qui serait le messager ? Pas moi : j'étais trop jeune et je n'avais pas fait la guerre. Le vice-président était hors-jeu : concurrence trop vive sur un sujet aussi personnel. Restait Tony Lake : il n'avait pas fait l'armée, mais était allé au Vietnam en tant que représentant des Affaires étrangères. De plus, le problème du salut militaire relevait de la Sécurité nationale. Après leur entretien, le geste s'est fait plus martial.

Nous tentions parallèlement de faire avancer notre ordre du jour. Le président signa des décrets concernant l'éthique et le droit à l'avortement. Hillary se vit nommer responsable du groupe de travail sur la réforme du système de santé ; ce qui, à nos yeux, montrait l'importance que Clinton attachait au sujet. Maintenant que le problème des homosexuels dans l'armée était réglé, le *Family and Medical Leave Act* (Loi sur le congé d'assistance à enfant ou parent malade) passa sans problème au Congrès le jeudi 4 février. La lutte pour ce genre de réforme, après six années de tentatives déjouées par le droit de veto des présidences républicaines, était la raison principale de notre présence à la Maison-Blanche. La signature de cette loi par Clinton allait permettre à des millions de gens de prendre un congé pour soigner leurs enfants ou parents malades, sans risquer de perdre leur emploi. *Vous voyez bien l'importance des élections et d'un changement de président.* La cérémonie à la Roseraie de la Maison-Blanche eut lieu le lendemain matin.

Je rentrai chez moi vers 22 h ce soir-là, sans avoir dîné. Je me fis livrer un repas chinois, décapsulai une bière et jetai un coup d'œil à mes paperasses. La journée avait été bonne. Non seulement notre premier gros projet de loi venait de passer, mais les efforts quotidiens de Clinton en matière d'économie faisaient enfin le journal télé du soir. *Nous voilà remis sur nos rails.*

Un soir, tard, mon téléphone sonna. C'était Ricki Seidman, un vétéran du QG et de la Commission judiciaire du Sénat, qui guidait à présent Kimba Wood, notre nouvelle candidate au poste de secrétaire à la Justice, à travers la procédure de confirmation. Si Ricki appelait à cette heure, c'est que les nouvelles étaient mauvaises : Kimba avait un « problème à la Zoe ». Les faits étaient plus compliqués et un peu moins compromettants cette fois, mais le résultat serait le même. Encore une prétendante ayant employé une nourrice au noir qui allait trébucher sur ses indélicatesses – et nous entraîner avec elle. Le président n'avait encore pris aucune décision formelle mais – ce n'était un secret pour personne – Kimba était l'une de nos candidates préférées. Son retrait peu enthousiaste allait embarrasser le gouvernement et empêcher une véritable couverture médiatique de la loi sur la famille et le congé maladie.

Mon boulot, ce vendredi-là, consistait à empêcher ce cafouillage et à persuader Kimba d'attendre la fin des nouvelles de la soirée pour annoncer son retrait. Je devais aussi convaincre les chaînes télé que les projets de loi affectant la vie de millions de familles étaient plus importants que la question de savoir si une magistrate inconnue du grand public était toujours dans la course pour le poste de secrétaire à la Justice. Mais les négociations avec le mari de Kimba, Michael Kramer, l'éditorialiste politique de *Time*, dégénérèrent en dispute véhémente, et quand je discutai de l'affaire avec les correspondants des chaînes télé, ceux-ci se contentèrent de rire. En termes d'audimat, un projet de loi estimable était infiniment moins payant qu'une gaffe politique supplémentaire. Je comprenais bien sûr leur argument, mais je n'en étais pas moins excédé – par l'incapacité de Kimba à avouer franchement ses défaillances et par notre incapacité à mieux nous renseigner sur elle, comme devant l'appétit insatiable des médias pour les mauvaises nouvelles et notre étrange aptitude à les alimenter.

J'étais aussi excédé d'avoir perdu un nouveau week-end. Je n'avais pu prendre le moindre repos et j'en avais besoin. Joan, qui venait de faire un stage juridique à Philadelphie, devait venir à Washington pour « parler », et j'allais être bien incapable de répondre à son attente si je passais le week-end à régler les suites de la débâcle Wood. Joan essaya d'être compréhensive mais se montra de plus en plus contrariée à mesure que passait la journée de dimanche. Je passais mon temps en réunions, entre lesquelles je lui jurais mes grands dieux que je serais libre dans moins d'une heure.

À 19 h, nous discutions toujours des différentes options quand Clinton invita quelques collaborateurs à dîner à la résidence afin de poursuivre cette discussion avec Hillary. Maintenant, il fallait vraiment que je choisisse : ma petite amie ou mon travail prestigieux. Je refusai cette alternative et, prenant mon courage à deux mains, demandai à Clinton : « Monsieur, je ne veux pas m'imposer, mais cela vous ennuierait-il que Joan se joigne à nous ? Ce serait un immense plaisir pour elle. » Une demande totalement inopportune, aussi bien sur un plan professionnel que personnel.

« Bien sûr, qu'elle vienne, répondit gentiment Clinton. Hillary veilla à ce que Joan se sente comme chez elle et nous passâmes la soirée à évoquer les noms d'éventuels secrétaires à la Justice, allant jusqu'à compulser l'annuaire du Congrès à la recherche du profil idéal. Le président téléphona à d'autres candidats pressentis et en fin de soirée il arrêta son choix sur le juge Richard Arnold, un vieil ami originaire de l'Arkansas. Mais Arnold déclina l'offre pour raisons de santé et nous nous retrouvâmes à la case départ.

Moi aussi, puisque je n'allais pas tarder à redevenir célibataire : Joan avait compris que mon travail passerait toujours avant elle. Elle me laissa tomber une semaine plus tard. Je l'avais bien mérité.

Mon travail passait avant tout le reste, pour le meilleur et pour le pire. Je n'avais pas une minute à moi, mes journées duraient de douze à seize heures, six jours par semaine, sans compter les heures supplémentaires le dimanche. Avec chaque jour une douzaine de réunions, une centaine de coups de fil, une nouvelle crise à gérer.

Quelque temps après, Janet Reno fut nommée secrétaire à la Justice. Mais l'essentiel de notre temps était désormais absorbé par la mise au point de notre programme économique, conformément à notre déclaration de campagne : « remettre le pays en marche ». Depuis le jour de l'élection, nous avions consacré d'interminables réunions à chercher le meilleur moyen de concilier nos inconciliables promesses de campagne : réduire les déficits, alléger la fiscalité des classes moyennes et accroître les investissements dans la recherche, l'éducation et la formation en général. Le gouvernement était divisé. D'une part, les champions de la rigueur budgétaire : Bob Rubin, Lloyd Bentsen et Leon Panetta, le directeur du Budget, emmenés par Gore qui défendait l'idée d'une nouvelle taxe sur l'énergie. De l'autre, Bob Reich, le secrétaire du Travail, soutenu par Gene Sperling et moi, qui plaidions pour que l'État consente d'importants efforts d'investissement dans de nouveaux domaines. Mais Gene et moi insistions surtout pour que les promesses de la campagne soient respectées. Notre travail consistait à vérifier que nous faisions ce que nous avions annoncé. Malheureusement, ce n'était pas possible. Tous les calculs qui avaient étayé ces promesses étaient dépassés : le déficit s'était aggravé, nos investissements allaient être plus coûteux et nos coupes budgétaires moins rentables que prévu.

Le président dirigeait ces réunions dans le salon Roosevelt en manches de chemise, ses lunettes demi-lune glissant sans cesse sur le bout de son nez. Parfois, ces discussions collectives ressemblaient plus à des débats de jeunes universitaires qu'à des réunions de stratèges gouvernementaux. Clinton laissait chacun dire ce qu'il avait à dire, nous opposait les uns aux autres, posait des questions embarrassantes et prenait des notes indéchiffrables. Mais malgré cette atmosphère bon enfant, d'autres se chargeaient de nous rappeler régulièrement qui nous étions, et ce que nous étions censés faire. Ces rappels à l'ordre pouvaient prendre différentes formes. Un soir, nous fîmes livrer des pizzas. Le président en attrapa une tranche et l'éleva jusqu'à sa bouche. Mais juste avant qu'il morde dedans, un agent s'approcha et lui posa une main sur l'épaule en lui demandant de la reposer. La pizza n'avait pas été contrôlée, et le froncement de sourcils de Clinton au moment où l'huissier de service posa devant lui des biscuits plus très frais à la place de sa pizza fumante me rappela irrésistiblement l'air déconfit de Charlie Brown quand on lui tend juste le bonbon qu'il n'aime pas.

Le plan économique que nous élaborâmes finalement était décevant pour un démocrate de gauche comme moi. Nous laissions tomber les allègements fiscaux pour les classes moyennes et réduisions de manière draconienne les investissements évoqués pendant la campagne. Si nous n'abaissions pas le déficit, la Réserve fédérale et le marché allaient s'opposer à une réduction des taux d'intérêt. Si les taux d'intérêt restaient élevés, l'économie ne créerait pas de nouveaux emplois ni de croissance. Je ne le comprenais pas encore à l'époque, mais pour atteindre nos buts économiques globaux, nous devions sacrifier quelques promesses particulières. Nous faisions toutefois des progrès.

Nous étions toujours aux prises avec les chiffres, ce lundi 15 février, jour où Clinton devait s'adresser à la nation depuis le Bureau ovale pour annoncer des hausses d'impôts impopulaires. Deux jours plus tard, dans son discours sur l'état de l'Union, ces mauvaises nouvelles allaient être compensées par l'annonce de réformes attendues. Toute la journée, Clinton annota son texte au feutre noir sans regarder sa montre. À 20 h 48, le texte fut enregistré dans le téléprompteur et Clinton le relut une seule fois avant l'allocution en direct prévue pour 21 h.

Plus tard, ce même soir, je devais donner une conférence à la Judson Welliver Society. Ce club rassemble les anciens rédacteurs de discours officiels républicains et démocrates qui se rencontraient régulièrement chez William Safire, le collaborateur de Nixon et éditorialiste du *New York Times*. Ce soir-là, ils étaient réunis pour écouter et critiquer le discours du nouveau président, et pour me poser quelques questions officieuses sur la nouvelle équipe.

En arrivant vers 22 h, j'étais encore agité par les événements de la journée, mais avec l'impression que le discours s'était bien passé et que le président était content. Le verdict du jury rassemblé chez Safire n'était pas aussi favorable. Ses membres avaient trouvé l'argumentation sur le fossé entre riches et pauvres trop militant et le débit trop rapide. Tous les rédacteurs de discours présidentiels, de Eisenhower à nos jours, étaient là – Stephen Hess, Ted Sorensen, Jack Valenti, Pat Buchanan, Jim Fallows, David Gergen, Peggy Noonan, et quelques autres. Quoique un peu affecté par leurs réserves, je me sentais protégé dans cette pièce : je n'étais plus seulement l'adjoint de Clinton, mais j'appartenais au club très fermé de ceux qui écrivaient ou avaient écrit pour un président. Safire me servit une boisson et me demanda quelques explications sur notre façon de procéder. En racontant cette journée quelque peu chaotique, je vis mes compagnons me fixer avec stupéfaction. Ils restèrent quelques instants bouche bée avant que Pat Buchanan rompe enfin le silence : « Vous voulez dire, vous voulez dire, demanda-t-il d'une voix hésitante, qu'il s'est entraîné pour la première fois dix minutes avant de passer à l'antenne ? » Murmures incrédules autour de la table. Je me suis justifié comme j'ai pu jusqu'à ce que Tony Snow, qui rédigeait les discours de Bush, s'exclame finalement : « George, vous autres pratiquez le saut à l'élastique sans élastique ! » Il avait bien sûr raison. Je ne m'en rendais pas compte à l'époque. J'étais bombardé sans relâche par une foule d'informations, de conseils et de critiques qui m'interdisaient de prendre le recul nécessaire. On me demandait des décisions instantanées et les réflexions approfondies étaient toujours repoussées à plus tard. À la fin de la soirée, Safire me prit à part dans son bureau-bibliothèque et me pressa de ne pas trop me perdre dans les détails, de « prendre le temps d'aller respirer dans la Roseraie ». Il ne pouvait me donner conseil plus simple, plus précieux et plus difficile à suivre.

Je fis pourtant de mon mieux. Le meilleur moment était le samedi matin, avant l'allocution hebdomadaire du président à la radio. J'arrivais au bureau un peu plus tard que d'habitude, vers 8 h. Quand il faisait beau, j'emportais mes dossiers et ma tasse de café sur les marches qui mènent du Bureau ovale vers la Roseraie, savourant le sentiment d'être le premier dans cette demeure encore silencieuse qui se voulait le centre du monde. Un jour, je me suis aventuré sur la pelouse Sud et me suis adossé contre un arbre. Absorbé dans ma lecture, je ne vis pas approcher trois agents en uniforme qui me cernèrent : les arbres étaient truffés de détecteurs et toutes les alarmes de la Maison-Blanche s'étaient déclenchées !

Notre première crise importante se produisit le samedi 20 mars, quand Boris Eltsine annonça qu'il dissolvait la Douma – le Parlement russe –, et qu'il instaurait l'état d'urgence. Le président convoqua Tony Lake et son assistant, Sandy Berger. Warren Christopher et Strobe Talbott quittèrent le ministère des Affaires étrangères pour nous rejoindre, et ils s'installèrent autour du petit poste de télévision installé dans le bureau privé de Clinton pour écouter le discours d'Eltsine sur CNN.

Le président devait réagir officiellement. Eltsine agissait peut-être en dehors du cadre de la nouvelle constitution, mais il le faisait apparemment au nom des réformes démocratiques. Talbott, ancien journaliste et expert de la Russie et ayant traduit les mémoires de Krouchtchev, souligna que Eltsine était le seul cheval sur lequel pouvait miser le mouvement réformateur. Clinton acquiesça. Mais si Eltsine se transformait en tyran et que nos relations avec la Russie étaient brutalement remises en question ?

Pour éviter de dramatiser la situation, c'est moi, plutôt que Clinton, Christopher ou même Lake, qui fut chargé de lire la déclaration officielle aux journalistes. J'étais évidemment nerveux, bien conscient que mes propos seraient disséqués dans les capitales du monde entier. Après avoir lu ma déclaration, je répondis à quelques questions en collant au scénario sur lequel nous nous étions mis d'accord : « Nous soutenons la démocratie et les réformes, et Eltsine est le chef de file des réformateurs. » Cette formulation nous laissait une marge de manœuvre si Eltsine abandonnait les réformes, mais bien étroite.

Le lundi matin, je trouvai une enveloppe de couleur beige sur mon bureau. Dans la lettre, une seule phrase, écrite à la main : « Vous ne pouviez mieux vous sortir d'une situation délicate. Bien à vous, Richard Nixon. » *Ouaoh, Richard Nixon pense que j'ai fait un bon boulot. Attends, Nixon, le président que les démocrates de gauche comme moi sont censés haïr ! La honte ! Oh, voyons George, relax, ce n'est qu'une gentille note. Prends-la pour ce qu'elle est.*

C'est ce que je fis, et j'espérai secrètement que l'ex-président regardait la télé lors de notre premier sommet avec Boris Eltsine, quelques semaines plus tard, dans une résidence surplombant Vancouver. La guerre froide était finie et au cours de ce sommet, il fut question de commerce, d'investissements, du marché financier russe et de lutte contre le crime organisé. Mais des deux côtés nous étions un peu nostalgiques de la périlleuse stratégie du bluff des sommets passés, à l'époque où les superpuissances semblaient tenir le sort du monde entre leurs mains. À Vancouver, j'eus pour la première fois l'occasion de m'adresser à plusieurs centaines de journalistes de la presse internationale, moins en tant que haut responsable politique qu'en tant que patriote : le porte-parole de l'Amérique.

Comme toujours cependant, cet événement mêla haute et basse politique. Il y eut une sourde lutte sur le point de savoir qui accompagnerait le président à sa réunion privée avec Eltsine. Warren Christopher et Tony Lake étaient des anciens de l'administration Carter, dans laquelle la rivalité entre le secrétaire d'État aux Affaires étrangères Cyrus Vance et Zbigniew Brzezinski, le conseiller à la Sécurité nationale, avait dégénéré en une bataille quotidienne. Tout en voulant éviter de répéter cette expérience, ils essayaient de manœuvrer pour obtenir le fauteuil qui signalait la prééminence dans l'univers du nouveau président. Finalement, ce fut Strobe Talbott qui seconda Clinton à cette réunion. Comme il parlait russe et était d'un rang inférieur à Christopher et Lake, aucun des deux ne perdait la face.

Celui qui perdit vraiment la face ce jour-là, ce fut Eltsine. Il attaqua bille en tête son entretien avec Clinton. « Je l'ai beaucoup aimé, c'est un teigneux qui ne lâche pas le morceau, un vrai lutteur », me confia Clinton après la rencontre. C'était une formule-cliché que je devais répercuter auprès des journalistes. « Ce type ne se laisse pas intimider par son handicap, et en ce moment il est au meilleur de sa forme. »

Mais la forme de Eltsine déclina avec le jour. Cet après-midi-là, je croisai Martin Walker, le chef du bureau de Washington du *Guardian*, le quotidien britannique. Il me raconta qu'Eltsine avait bu trois scotches lors d'une promenade en bateau vers Vancouver Island, après avoir bu du vin pendant le déjeuner. Au dîner, Eltsine ne mangea rien et engloutit des verres de vin cul-sec. Christopher me fit passer une note au milieu du repas : « Ne mange rien, mauvais signe. Assoiffé pendant la promenade en bateau. » À la fin de la soirée, Eltsine tendait ses bras au-dessus de la table vers « mon ami Biiiill » et je compris enfin pourquoi on appelait l'ivresse une « cuite ». Le visage d'Eltsine était si bouffi qu'on distinguait mal ses traits. Avec ses cheveux blancs tirés en arrière, il ressemblait à une pomme de terre bouillie nappée de crème.

Heureusement, cette soirée arrosée n'altéra apparemment pas ses capacités le lendemain. Ce sommet fut un succès terni par une seule erreur de notre côté : Richard Gere, Cindy Crawford, Sharon Stone et Richard Dreyfus étaient présents à Vancouver pour le tournage d'un film. Dreyfus avait été un supporter de Clinton durant la campagne et il invita le président à prendre un verre dans sa suite, ce qui entraîna des échos perfides dans la presse, inévitables et justifiés, sur l'inopportunité de ces mondanités hollywoodiennes au beau milieu d'un tel sommet.

Mais, en ce mois d'avril 1993, nous avions bien d'autres problèmes en tête : obsédés par l'idée que nous devions tenir toutes nos promesses, nous en faisions trop et trop vite. Mon agenda de l'époque illustre l'activité frénétique du gouvernement. Voici mon résumé des événements d'une journée, le 14 avril 1993 :

> Quelle journée, bien remplie, trop de réunions, trop peu de temps. Débordé dès mon arrivée. J'ai vu P [le président] à 9 h avant son départ pour la réunion sur les emplois Jeunes. Il a tonné pendant quelques minutes, il a l'impression de perdre le contrôle de sa présidence. A le sentiment que nous naviguons à vue et que nous prenons des décisions au jour le jour parce qu'il nous manque une vision d'ensemble. Craint que son administration ne soit pas assez tendue vers ses objectifs. Craint aussi que l'ordre du jour gouvernemental et le sien ne soient pas organisés pour atteindre les objectifs qu'il s'est fixé. Pas assez de temps consacré à la réforme de l'aide sociale.
> Notre campagne a été dispersée, hétéroclite. On peut trouver une justification pour la moindre de nos actions quelque part dans cette campagne.

Notre dilemme principal est que le déficit nous a coupé les jarrets. Nous ne pouvons réaliser tout ce que nous avions annoncé. Comme nous sommes bloqués sur les investissements et l'élan à insuffler, nous sentons une pression plus grande pour agir sur l'avortement, les homosexuels et les autres problèmes de société. C'est une réaction irréfléchie. Le gouvernement en général plus à gauche que la vision de fond du président.

Jesse Jackson est venu me voir. Même quand vous êtes seul avec lui, il est un peu en représentation. Se plaint que le président n'en fait pas assez pour l'emploi et que l'administration démocrate l'ignore, lui, JJ. Il veut aussi que P soit présent à son émission sur CNN. Mais ce qui l'inquiète le plus, c'est l'anniversaire des émeutes de Los Angeles (le 30 avril) qui approche. Pense que L.A. est sur le point d'exploser.

Tom Brokaw est venu me proposer une émission en début de soirée avec Hillary et Katie Couric.

Réunion avec le groupe de travail de Mack sur la stratégie de relance.

Discussion avec Tony Lake sur différents sujets, dont la Bosnie.

Discussion avec Howard Paster sur la TVA et la Bosnie.

Rencontre avec la presse.

Déjeuner avec Susan Zirinski, la productrice de Dan Rather. Parlé des rêves des gens concernant Clinton.

Rencontre avec Johnny Apple et Andrew Rosenthal sur l'usage que font les journalistes du *New York Times* des discussions informelles. Interrompue par une brochette de stars : Billy Crystal, Christopher Reeve, Lindsay Wagner, Sam Waterston et d'autres, qui sont venus parler de protection de l'environnement. Mon bureau faisait partie de la visite organisée.

Beaucoup de coups de fil.

Réunion avec P sur le financement de la campagne.

Réunion avec P sur la stratégie de relance.

Echangé des blagues avec Susan Spencer [la correspondante de CBS à la Maison-Blanche].

Fausse alerte sur le verdict King à L.A. Seulement un juré malade.

> Parlé à Walter Kirn de son projet de portrait de moi pour le supplément magazine du *New York Times.*
> Réunion sur le système de santé. Ira Magaziner présente des éléments du plan. Je fais une liste des événements de la journée pendant la réunion parce que j'ai les neurones trop grillés pour écouter.
> Une journée à peu près normale.

Quand vous avez les neurones qui flanchent, vous commettez des erreurs. Je commis personnellement la pire le jour du raid du FBI sur le domaine de la secte dirigée par David Koresh. Le 19 avril, alors que j'étais en salle de presse pour ma réunion quotidienne avec les journalistes, CNN commença à diffuser des images des bâtiments de la secte en flammes. Informé par le siège de la chaîne, le correspondant de CNN, Wolf Blitzer, me posa des questions sur l'incendie auxquelles je fus bien incapable de répondre. Quelqu'un me tendit une dépêche et je quittai le podium pour essayer de comprendre ce qui se passait.

Je passai le reste de la journée en contact permanent avec le général Webb Hubbell, le numéro deux du ministère de la Justice qui gérait la situation. On n'avait pas beaucoup d'informations sur ce qui se passait dans les bâtiments de la secte, sur l'endroit où se trouvait Koresh, et on ignorait si les enfants étaient toujours vivants. Plus tard dans l'après-midi, je diffusai une déclaration disant que le président supervisait la situation et assumait toute la responsabilité de ses conséquences, mais la presse réclamait le président en personne. C'est là que je faillis : Dee Dee Myers et Bruce Lindsey insistèrent pour que le président s'adresse aux journalistes et, d'abord, il accepta. Mais je le convainquis de ne pas le faire, craignant que s'il disait quoi que ce soit qui incitât Koresh à tuer les enfants peut-être encore en vie, nous serions coupables.

Mes motivations étaient irréprochables, mais mon jugement était totalement erroné. Il y avait de fortes chances pour que tous les membres de la secte aient péri et la déclaration du président ne pouvait plus aggraver le cours des choses. De plus, la première règle quand survient une crise qui implique le président, c'est qu'il assume l'entière responsabilité de sa gestion ouvertement, entièrement. Ne pas faire le gros dos. C'est la leçon de la Baie des Cochons[1] et j'étais payé pour l'avoir retenue. Quand le secrétaire à la Justice Janet Reno apparut devant les caméras, elle s'attira les éloges, et le président, les critiques de la presse, mais c'était ma faute. Une erreur causée par l'inexpérience et une sentimentalité mal placée.

Il y en eut de pires. L'échec de la relance économique est le prix que nous payâmes pour notre arrogance législative. Pensant que nous pouvions ignorer les républicains au Sénat, nous rejetâmes un compromis modéré proposé par les sénateurs Breaux et Boren et nous perdîmes tout. Ce fut au tour de Bob Dole, le chef du groupe républicain au Sénat, de nous montrer qui était le chef.

Voilà pour nos débuts à la Roosevelt ou à la Kennedy. Nos cent premiers jours ne furent pas une partie de plaisir… et le président ne s'était pas encore fait couper les cheveux !

C'est le genre de choses qu'on ne peut pas prévoir : Clinton venait de passer une longue journée à Los Angeles ; en retournant à l'aéroport, son coiffeur n'étant pas bien loin, il décida de se faire couper les cheveux. Quiconque cède à ce genre de caprice sait qu'il peut manquer son avion. Un homme ou une femme ordinaire souhaiterait sans doute aussi que son coiffeur préféré intervienne, mais ne pourrait certainement pas convaincre Christophe, le coiffeur des stars d'Hollywood, de se déplacer à domicile. Pour le confort personnel du président, presque tout est possible. Le monde est à sa disposition pour lui fournir ce qu'il demande, et le public accepte ce fait sans poser de question et sans animosité. Jusqu'au jour ou une invisible frontière est franchie : pour Nixon, ce furent les gardes à plumets, pour Nancy Reagan, sa dernière porcelaine, et pour Clinton, ce fut cette coupe de cheveux à 200 dollars à bord de l'Air Force One, l'avion du président.

J'appris ce qui se passait quand mon assistant Jeff Eller m'appela depuis l'appareil pour me dire que les journalistes présents à bord récriminaient contre le retard que leur occasionnait la coupe de cheveux du

1. NdT. En avril 1961, Kennedy ordonne l'envoi de contre-révolutionnaires cubains à Cuba pour renverser le régime castriste. Ces soldats armés et entraînés par la CIA seront mis en déroute par l'armée cubaine au cours du calamiteux débarquement de la Baie des Cochons.

président. « Quelle coupe de cheveux ? » demandai-je. Jeff me fit un bref compte rendu, et bien que nous ayons vu tous deux les problèmes se profiler, nous n'avons rien dit en espérant que cette histoire se perdrait dans les brumes du décalage horaire entre la côte Est et la côte Ouest. Nous aurions dû commencer à rédiger des excuses anticipées. Même s'il ne le pensait pas, Clinton aurait dû se rendre à l'arrière de l'appareil et dire : « Désolé pour le retard, les gars, j'ai un peu exagéré. »

Mais nous ratâmes cette occasion. Le lendemain matin, nous étions sur le pied de guerre. Aidée par quelques fuites déloyales de la FAA (administration fédérale des transports aériens), la presse a expliqué que des milliers de passagers avaient été retardés parce que tel était le bon plaisir du président. Clinton et Hillary réclamèrent une réponse vigoureuse. « Ils mentent », siffla Clinton sur le ton méprisant qu'il réservait en général à ses déboires avec la presse. « J'ai demandé aux agents de vérifier et on m'a dit que personne ne serait retardé. »

« Je sais, monsieur le Président, et c'est exactement ce que je leur ai dit, mais la FAA ne nous soutient pas vraiment sur cette affaire. »

La vérité est que si les journalistes qui voyageaient avec le président avaient subi un retard, le trafic de l'aéroport n'avait pas souffert le moins du monde du retard de l'Air Force One. Ce qui n'avait pas empêché la légende de l'aéroport paralysé de devenir un fait établi. La rumeur avait fini par avoir raison de la réalité et l'insinuation qu'elle recelait – que Clinton, tout occupé de sa personne et de son coiffeur hollywoodien, n'avait nullement pensé aux désagréments que pouvait entraîner son caprice, et que personne n'avait eu l'intelligence de le lui souffler – était dévastatrice. La polémique rebondit sur le thème : le président se paie-t-il lui-même ses coupes de cheveux ? C'était Hillary qui s'occupait des finances de la Maison-Blanche et son équipe me fit savoir que j'étais censé expliquer aux journalistes que les Clinton avaient passé un contrat de « services personnels » avec Christophe. *Lumineuse trouvaille, ça va aider.* Évidemment, lesdits journalistes voulurent voir le contrat que personne ne voulut me montrer – parce qu'il n'existait sans doute pas.

L'affaire de la coupe de cheveux n'aurait été qu'un ennui supplémentaire si nous n'avions pas, au même moment, déclaré la guerre aux journalistes accrédités à la Maison-Blanche. Cette déclaration prit la forme d'une annonce formelle de Dee Dee qui leur annonça le 19 mai que sept membres du bureau des voyages de la Maison-Blanche avaient été licenciés ; leur travail consistait à s'occuper des journalistes pendant les voyages officiels.

Ce jour-là, je recevais une distinction honorifique à Columbia, mon ancienne université. Assis sur les marches de la bibliothèque, devant des milliers de jeunes diplômés et leurs familles, je sentais mon bip vibrer sans interruption sous ma toge. Toute la Maison-Blanche était sens dessus dessous et il fallait que je rentre dare-dare. J'expédiai mon discours et je pris un taxi pour l'aéroport. En chemin, je rappelai ceux qui m'avaient bipé. La première était Andrea Mitchell de NBC : « George, à quoi rime cette histoire de licenciement du bureau des voyages ? » demanda-t-elle incrédule, me faisant savoir sans le dire ouvertement que nous commettions une grosse erreur.

« Andrea, croyez-moi, ne défendez pas le bureau des voyages, il n'en vaut pas la peine. »

Mais c'est encore une fois nous qui nous couvrîmes de ridicule. Tout ce que je savais à cette époque, c'était que nous avions découvert des irrégularités de gestion au bureau des voyages et que nous avions décidé d'agir rapidement. Rétrospectivement, il est évident que nous aurions dû nous débarrasser en douceur de Billy Dale, le directeur du bureau, et de ses collègues. Leur licenciement brutal suscita une « affaire » qui concernait plus notre style de management que les méthodes comptables de Billy Dale. Plus la presse creusait, plus cette histoire prenait une mauvaise tournure : Catherine Cornelius, une cousine éloignée de Clinton, manœuvrait pour remplacer Dale, et une société dirigée par Harry Thomason, un de ses amis, s'efforçait d'obtenir une partie du contrat de l'organisation des voyages de la Maison-Blanche. Toute cette histoire rappelait les petites affaires entre amis, au bon temps de l'Arkansas.

J'aurais dû être assez vigilant pour empêcher ce licenciement. Après tout, le bureau qui organisait entre autres les voyages des journalistes était à ce titre sous ma responsabilité. Mais ce secteur coiffait deux domaines que j'essayais de mon mieux d'éviter : l'administration et l'Arkansas. Je savais que David Watkins et Harry Thomason, deux vieux amis des Clinton, examinaient le fonctionnement du bureau des voyages, mais c'était du ressort de Jeff Eller, mon assistant. Quand cette affaire éclata, j'aggravai nos problèmes en demandant à l'inspecteur du FBI chargé des affaires publiques d'assister à une réunion dans mon bureau de la Maison-Blanche afin de coordonner nos déclarations publiques. Trois avocats de la Maison-Blanche assistaient aussi à cette réunion et je voulais seulement être sûr que ce que je disais du haut de mon podium était vrai. Mais, avec toutes mes bonnes intentions, je ne comprenais pas l'effet déplorable que ce type de réunion allait inévitablement avoir sur la presse. *Comment peuvent-ils s'imaginer que nous agissons comme Nixon ?*

En quelques jours, je devins à leurs yeux la copie conforme du chargé de presse de Nixon, l'infâme, le fourbe Ron Ziegler. Dans la salle de presse, je me comportais en défenseur intraitable des Clinton, ne cédant pas un pouce de terrain, repoussant agressivement les questions, éprouvant une fierté perverse à me faire quotidiennement étriller, par loyauté envers Clinton et notre cause. Mais la plupart des explications que je donnais à propos du bureau des voyages depuis mon podium s'avérèrent, selon une expression chère à Ziegler, « inopérantes ».

Dans le Bureau ovale, j'appliquais une autre tactique : je demandais au président de faire plus de concessions, des excuses sur tel point, de montrer plus de transparence sur tel autre. Avec pour seul résultat que les Clinton pensèrent que je me pliais aux exigences de la presse aux dépens de la protection du président. Je n'étais pas assez intraitable. Et finalement, je n'étais pas assez fort pour convaincre les Clinton que nous commettions une erreur, ni assez habile pour donner à la presse les tuyaux dont les journalistes avaient besoin, en écornant un peu au besoin les consignes des Clinton. J'étais pris entre le marteau et l'enclume : d'un côté, l'intransigeance du couple présidentiel, et de l'autre, l'égocentrisme des journalistes. Mais tout le monde était d'accord sur un point : la performance de George laissait à désirer. Et ils avaient raison.

Tant et si bien que fin mai, j'étais à peu prêt dans l'état de Zoe Baird le lendemain de l'investiture. Tout ce printemps, les tensions s'étaient accumulées entre les Clinton et la presse. L'affaire de la coupe de cheveux et la débâcle du bureau des voyages les avaient portées à ébullition, et c'est moi qui, sans m'en rendre compte, était cuit.

J'aurais pourtant dû voir venir le coup. Quelques semaines plus tôt, par un après-midi ensoleillé de début mai, Betty Currie, la secrétaire de Clinton, m'avait appelé sur la ligne intérieure pour m'annoncer que le président m'attendait sur le green de golf. Elle ne m'expliqua pas ce qu'il voulait, mais c'était l'endroit où Clinton se rendait pour calmer ses nerfs ou résoudre un problème qu'il ne savait pas comment aborder.

Je gagnai à grands pas la pelouse en pente douce où Clinton, en manches de chemise, était penché sur son club, visant le minuscule drapeau le plus éloigné de lui. Sans se redresser, le président me demanda ce que je pensais de David Gergen, l'ancien assistant de Reagan, devenu conseiller. « Il m'a l'air de quelqu'un de bien, répondis-je sans comprendre où Clinton voulait en venir. « Je ne le connais pas très bien, mais nous avons dîné ensemble chez Doe's. »

« Eh bien, je lui ai parlé, poursuivit Clinton tout en répétant son coup. Il pense que vous en faites peut-être trop et que vous devriez songer à laisser tomber les réunions avec la presse. »

Clinton n'aime ni les conflits personnels ni les conflits de personnel. Mais ce jour-là, il se conduisit de façon particulièrement gentille. Il me fit comprendre ce qu'il voulait de façon élégante, mais j'étais trop fier pour saisir l'insinuation. Nous avions convenu que je laisserais tomber les réunions avec la presse au bout d'environ six mois. Mais je résistais par peur d'avoir l'air rétrogradé. Je n'étais certes pas un très bon directeur de la Communication mais j'aimais ce travail. Un travail relationnel, concret, et j'avais mes entrées dans presque toutes les réunions présidentielles. Je n'avais pas à me battre pour voir Clinton ou à m'inquiéter de savoir où en était ma cote au jour le jour. Ces réunions avec les journalistes constituaient aussi un excellent exercice intellectuel, mais je n'étais pas assez enjoué. Je ne savais pas contourner les questions difficiles par un trait d'esprit, ni par un clin d'œil à double sens, si utiles pour défendre le président tout en donnant aux journalistes l'impression qu'on est aussi de leur côté. Pour les Clinton, la presse était l'ennemie. Au lieu de l'apprivoiser, ils cherchaient la confrontation – et c'est moi qui devait l'assumer.

Après cet avertissement du président, j'aurais dû prévoir une sortie élégante de mon travail. Au lieu de cela, je me réfugiai dans une attitude à la fois passive et agressive, celle qui avait si bien marché pendant la campagne. Mais ma période de chance était passée. Mack McLarty, le directeur des Relations humaines de la Maison-Blanche, nourrissait quelques inquiétudes pour son propre travail, et savait que sauf intervention rapide de sa part, c'est lui qui paierait les pots cassés. Il a d'abord contacté Bill Moyers (invité par Clinton à Little Rock en décembre, il s'était vu proposer le poste de directeur des Relations humaines) mais celui-ci n'était pas intéressé par le poste. Mack commença alors à discuter sérieusement avec Gergen.

Le jeudi 27 mai au soir, au moment même de l'examen de passage de notre plan économique au Sénat, Mack fit une proposition tentante à Gergen : aux termes de celle-ci, j'abandonnais les réunions de presse de la Maison-Blanche pour devenir un conseiller au rôle indéfini. Juste après le vote du programme de mesures économiques, Mack me prit à part dans le Bureau ovale et m'annonça la nouvelle : « George, David Gergen va rejoindre notre équipe. Ne t'inquiète pas, nous ferons en sorte que les choses se passent bien pour toi. » Puis il partit en coup de vent pour discuter avec Gergen. Le président avait regagné son bureau privé et il ne me restait plus qu'à rentrer chez moi. Mon euphorie après le vote de notre train de réformes au Parlement était étouffée par l'arrivée de Gergen : elle donnait l'impression que j'avais été viré.

Le lendemain matin, Mack me confia qu'il comptait annoncer la nomination de Gergen après le long week-end du Memorial Day[2]. Puis il partit pour l'Arkansas. Je me mis à réfléchir aux moyens d'empêcher qu'on pense que Gergen était engagé pour me remplacer, par exemple en dissociant la nouvelle de son arrivée de l'annonce de mon changement d'affectation. Mais quand une décision comme celle-ci est prise, la rumeur se répand en général trop vite pour qu'on puisse maîtriser l'effet d'annonce. Vendredi midi, Wolf Blitzer de CNN était déjà au courant : « Est-il vrai que David Gergen est engagé chez vous ? » N'ayant rien à répondre, j'esquivai : « Je te rappellerai, Wolf. »

Ensuite, j'essayai de trouver quelqu'un qui puisse me renseigner, mais c'était peine perdue. Mack se trouvait dans l'Arkansas et Clinton était aussi en voyage. Gore me certifia que tout se passerait bien mais que je

---

2. NdT. Le jour des morts au champ d'honneur, le dernier lundi de mai.

devais parler à Mack ou au président pour les détails concrets. Dee Dee, qui accompagnait le président dans son voyage, et qui avait entendu des rumeurs, m'appela pour en savoir plus : « Qu'est-ce qui se passe, George ? Est-ce qu'on est dans le collimateur ? » D'après ce que m'avait dit Mack la veille, je savais qu'on ne projetait pas d'autres remaniements dans le service, et c'est ce que je lui dis. Et en ce qui me concernait, je ne savais toujours pas en quoi consisterait mon travail, où se trouverait mon bureau, ni qui allait prendre en charge les réunions quotidiennes avec la presse. Dee Dee put m'apprendre une autre nouvelle : le président aurait un entretien avec moi, le soir en rentrant.

Mes collaborateurs défilèrent dans mon bureau tout l'après-midi en essayant de me consoler, et d'obtenir, eux aussi, un certain réconfort. C'étaient pour beaucoup des amis qui avaient fait la campagne avec moi et avaient été récompensés de leurs bons et loyaux services par un engagement à la Maison-Blanche. Nous étions les « gosses » : naguère félicités et à présent boucs émissaires. J'étais furieux et blessé, mais je savais que je ne devais pas le montrer. Ma position était fragile. Selon la sagesse politique qui a cours à Washington, celui qui montre sa déception et agit en vaincu sera vaincu. « Ce sera une très bonne chose, expliquai-je à mon équipe avec plus d'espoir que de conviction. »

Clinton ne devant m'appeler que tard dans la soirée, je tuai le temps en dînant avec David Dreyer. Ce n'est qu'à ce moment que je pris conscience de mon ressentiment. *Alors tout est de la faute des « gosses ». Ce ne sont pas les « gosses » qui ont choisi Zoe, ni Kimba, ni Lani. Ce ne sont pas les gosses qui se sont fait couper les cheveux, ni eux qui ont licencié tout le bureau des voyages.* Non, ce n'était pas nous qui avions pris toutes ces décisions, nous – moi – n'étions qu'un des aspects du problème et nos attitudes impétueuses et maladroites détonnaient dans la culture politique de Washington, ce qui entravait la mise en œuvre des réformes du président. C'est à ce niveau-là que Gergen intervenait ; il était par excellence un homme de l'establishment de la capitale. *Mais pourquoi fallait-il que ce soit un reaganien ? Nous avions été élus pour mettre fin à la révolution reaganienne, pas pour la réhabiliter ! Pourquoi pas plutôt des démocrates comme Moyers ou Hodding Carter ?* Choisir Gergen pour me remplacer, c'était ajouter l'offense idéologique à l'insulte personnelle.

Ce n'était évidemment pas ainsi que le président voyait les choses. Il appréciait le caractère consensuel que la présence de Gergen allait apporter à son équipe. Pendant que je pleurais dans mon curry avec Dreyer, Clinton concluait un pacte avec Gergen qu'il avait invité à dîner à la Maison-Blanche. Je rentrai chez moi et téléphonai à mes parents pour leur raconter ce qui m'arrivait. « Il y aura peut-être des articles dans les journaux de demain qui auront l'air négatifs, mais je pense que tout va s'arranger. » C'était la conversation la plus dure de la journée. Il est pénible de penser que vos parents vont apprendre votre échec à la une du *New York Times.*

J'allai finalement me coucher et mon téléphone sonna vers 1 h 30 du matin. C'était le président.

« George, je suis désolé de vous réveiller », commença-t-il d'un ton apaisant. Je sais que vous avez déjà discuté avec Mack de l'arrivée de Gergen. Mais je voulais vous appeler maintenant parce que nous allons commencer avec lui demain. Je sais que c'est la meilleure solution et je veux que vous le compreniez. J'ai besoin de vous à mes côtés. »

« *J'ai besoin de vous à mes côtés.* » Exactement les mots que j'avais besoin d'entendre. Après cette conversation, je m'endormis rasséréné.

L'annonce était prévue pour le lendemain, dimanche, à l'heure aberrante de 7 h 30 du matin. (Gergen avait convaincu Clinton d'agir vite.) Je me rendis à mon bureau vers 6 h 30 et je réservai un vol pour la Californie où je devais retrouver ma nouvelle petite amie, l'actrice Jennifer Grey. En entrant dans le bureau bondé de Mack, j'aperçus Gergen qui sirotait son café. Il se leva aussitôt pour venir me dire quelques mots de sympathie. Le vice-président était assis devant un traitement de texte, vérifiant la déclaration de Clinton avec Dee Dee et Mark Gearan, le nouveau directeur de la Communication, qui veillait par-dessus l'épaule du vice-président à mes intérêts. Sachant que la presse disséquerait la déclaration pour évaluer mon nouveau statut comme les kremlinologues avaient coutume de scruter les photos des tribunes officielles à la loupe, je demandai à avoir le même titre que Gergen. Mais Gergen s'y opposa, si bien que je devins « conseiller à la politique et à la stratégie », une fonction bien nébuleuse. Seul le temps allait m'apprendre ce qu'un tel titre pouvait bien signifier…

Peu après 7 h 30, le président arriva dans le Bureau ovale, s'approcha de moi et me félicita pour mon nouveau travail. *Quel nouveau travail ? Personne ne m'a vraiment dit ce que j'allais faire.* Clinton fut d'un tact parfait. Il ne me restait plus qu'à convaincre le reste du monde de me féliciter.

Je n'avais pas préparé de déclaration, mais devant la presse, mes mots ne pèseraient de toute façon pas bien lourd. Ma mission consistait à ressembler à quelqu'un qui a obtenu une promotion. Au fond, sur le podium, je me faisais plutôt l'effet d'un petit garçon puni pour quelque chose qui n'était pas entièrement de sa faute. Être debout à côté de Clinton et de Gergen, qui mesuraient tous deux presque trente centimètres de plus que moi, ne m'aidait pas. J'arborai un grand sourire et regardai les caméras, bien décidé à ne pas avoir l'air d'un perdant. Mais quand Clinton commença à me congratuler, j'eus le réflexe de pencher modestement la tête un instant. Le bruit du mitraillage des appareils photo me la fit redresser instantanément, mais les photographes avaient le cliché qui allait résumer toute l'histoire : « *Le jeune adjoint effronté du président, la tête courbée sous l'humiliation, les traits creusés par la souffrance de la défaite...* »

Ma stratégie de comeback pouvait attendre jusqu'à lundi. Pour l'instant, je voulais simplement mon week-end de repos. Mais je n'avais pas perdu tout culot. Avant mon départ pour l'aéroport, Mack me demanda s'il pouvait faire quelque chose pour moi. « Merci de me poser la question. Pouvons-nous envisager une augmentation ? » Il rit mais j'obtins mon argent, gage apparent de mon hypothétique promotion. Puis je pris mon avion et je m'endormis pour me réveiller quelques heures plus tard à Malibu.

Le mardi matin, j'eus l'impression que tout le monde en ville s'arrêtait pour me dire un mot de condoléances ou me laissait un message de réconfort sur mon répondeur. Hillary, qui avait remarqué que je m'étais résigné à mon destin et ne m'étais pas répandu en commentaires officieux avec les journalistes, me téléphona : « Vous avez de la classe, M. Stephanopoulos. » Warren Christopher entra dans mon bureau les yeux embués : « Cette ville peut être cruelle. J'ai vécu la même expérience sous Carter. Pendant une semaine, après la démission de Vance, j'ai pensé que j'allais être secrétaire d'État et puis on m'a oublié et ça a été la curée ». Colin Powell me dit exactement ce que j'avais envie d'entendre : « Je me sens toujours mieux quand vous êtes présent aux réunions. » Un vétéran de l'establishment washingtonien, Bob Strauss, ajouta, lui, exactement ce que j'avais besoin d'entendre : « Vous êtes peut-être un jeune con, mais vous avez assez bourlingué pour savoir que ces péripéties n'ont rigoureusement aucune importance. Le temps et votre talent, voilà ce qui fera la différence. »

En écoutant ces compliments au passé, j'avais un peu l'impression d'entendre ma nécrologie, ce qui était justifié puisque l'après-midi même, j'allais devoir à nouveau retrouver les journalistes, ce qui revenait un peu à prendre la parole à mon propre enterrement. Gergen ne pouvait pas commencer avant une semaine et on n'avait pas encore choisi la personne qui serait chargée des réunions de presse. Il me fallut donc affronter les journalistes, mes persécuteurs, pendant quatre longs jours.

Personne ne se rappellera ce qui t'est arrivé. On se souviendra seulement de la façon dont tu t'en es sorti.

Toute mon équipe se réunit dans mon bureau pour m'aider à préparer ce dur moment. Je n'avais pas besoin d'aide pour le contenu, mais pour le style, qui allait compter le plus. Mon léger hâle californien ne serait pas inutile, et je me rasai de très près ce matin-là. Le plus important, c'était la première phrase : devais-je agir comme si rien ne s'était passé et éviter toute allusion personnelle ? Non, ça allait sonner faux, j'aurais l'air de nier la réalité. Tout le monde allait me poser la question de toute façon. Quelqu'un suggéra la citation bien connue de Mark Twain : « Les informations concernant ma mort sont très exagérées. » Non, trop évident et trop défensif. Il fallait quelque chose de plus léger, un rien ironique, avec juste la bonne touche d'auto-dérision. Je devais reconnaître que la presse avait gagné et montrer une dignité sans amertume dans ma défaite. C'est Gene Sperling qui trouva la meilleure formule :

« Bon… et comment s'est passé *votre* week-end ? »

J'entamais mon comeback.

7 COMBATS RAPPROCHÉS

Surgi de nulle part, le demi-frère de P se manifeste. P a parlé à sa mère. Est d'accord pour appeler le demi-frère avant midi : personne. On est en train de battre le rappel des voix au Sénat, de préparer l'ALENA[1], la réunion sur la réforme de la santé publique, le sommet du G7, et moi je passe une bonne partie de la matinée à me poser des questions sur ce nouveau demi-frère. Et que fait P ? Que faites-vous quand, à quarante-neuf ans, vous vous découvrez un frère dont vous n'avez jamais entendu parler ? Ni votre mère non plus…
On plaisante beaucoup dans les couloirs de la Maison-Blanche. Mais c'est un vrai problème humain ; sans précédent. P va l'appeler, l'inviter à la Maison-Blanche. Encore une drôle d'histoire. Et sans préavis cette fois. Juste une affaire à régler.

Note personnelle, 21 juin 1993

Encore un lundi de fou. La veille, un spécial Fête des Pères du *Washington Post* a révélé que Bill Clinton avait un deuxième demi-frère qu'il n'avait jamais rencontré : Henry Leon Ritzenthaler, de Paradise, Californie. Leur canaille de père, William J. Blythe II, un représentant de commerce charmeur, est mort dans un accident de voiture trois mois avant la naissance du futur président.

Comment pouvait-il ignorer qu'il avait un frère ? Voilà ce qu'on va dire. On va nous taxer de dissimulation. Pauvre gars ; jamais un instant de répit.

---

1. NdT. Accord de libre-échange nord-américain.

De quelque côté qu'il se tourne, il y a toujours une nouvelle surprise prête à surgir de son passé. Que va-t-il dire à sa mère ? Et elle, que va-t-elle lui dire ? Comment va-t-on expliquer ça – et faire en sorte que ça ne devienne pas un nouveau prétexte pour disséquer le « personnage » Clinton ?

Telles étaient mes réflexions tandis que j'accomplissais mon rituel matinal : lever à 6 h, descente de Connecticut Avenue jusqu'à la Porte Sud-ouest, quelques minutes de pause pendant que le berger allemand de la Protection rapprochée renifle ma Honda en quête d'explosifs cachés… un café noir à la cafétéria et je grimpe à pied l'unique étage qui la sépare de mon nouveau bureau.

La pièce ressemblait à une maison de poupée. Les meubles y étaient tous minuscules, depuis la télé miniature jusqu'au baladeur CD, aux enceintes hautes de dix centimètres, en passant par cette table maigrelette d'un mètre cinquante de large et le fauteuil club coincé près de la porte, derrière mon bureau. Ce qu'il y avait de mieux, c'était cette porte. Son œilleton donnait dans la salle à manger privée du président : ce qui signifiait que j'étais à la fois en contact permanent et protégé.

S'agissant des bureaux, à la Maison-Blanche, l'important n'est pas tant leur taille que leur situation géographique. C'est le point essentiel. Comme la célébrité, la proximité est une source et un signe de pouvoir. Plus vous êtes géographiquement proche du président, plus les gens croient qu'il vous écoute. Plus ils croient qu'il vous écoute, plus ils vous transmettent d'informations. Plus vous êtes informé, plus le président vous écoute. Et plus le président vous écoute, plus vous avez de pouvoir. Ce cabinet a même joué un petit rôle dans l'histoire : Alexander Butterfield, collaborateur de Nixon, rangeait les magnétophones du Bureau ovale dans le placard du fond.

Sous Clinton, ce fut Nancy Hernreich, longtemps son assistante, qui l'occupa tout d'abord. Mais après le Memorial Day, non seulement je convoitais ce bureau si bien placé, mais j'en avais besoin. Au rez-de-chaussée, il n'y en avait plus un seul de libre : le vice-président, le conseiller à la Défense, le secrétaire général de la Maison-Blanche, le Speaker n'avaient pas l'intention de déménager. J'aurais pu trouver de quoi me loger au sous-sol ou même obtenir une spacieuse suite en angle, avec cinq mètres cinquante sous plafond, dans l'ancien bâtiment de l'administration, de l'autre côté de la rue, mais autant posséder un palace en Sibérie. Fût-ce de quelques mètres, il fallait que mon nouveau bureau soit plus près du Bureau ovale que le précédent.

Après tout, la proximité était désormais ma raison d'être professionnelle. Officiellement, si j'avais changé de poste, c'était pour travailler « en connexion plus étroite » avec le président. « L'une des raisons qui ont motivé cette décision, avait déclaré Clinton lors d'une conférence de presse, c'est que je manquai terriblement, alors que j'en avais besoin, du contact et du soutien que George m'apportait pendant la campagne électorale. » M'installer près du Bureau ovale serait la preuve que le président pensait ce qu'il disait, le signe que ces paroles aimables n'étaient pas qu'une gentille caresse accompagnant mon éviction. Ce n'était pas vraiment Harry Hopkins invité par Roosevelt à résider dans ses appartements, mais, après ça, tout de même ce qu'il y avait de mieux : un coin dans la suite du Bureau ovale.

Toute l'astuce consistait à trouver un moyen d'obtenir cette récompense sans ramper. La demander directement au président était exclu. La démarche aurait paru mesquine, médiocre, et Clinton se serait imaginé que je ne me fiais pas à sa parole. Mack ne pouvait pas vraiment m'être utile : il avait assez de ses propres soucis et songeait lui-même à renforcer sa position en réquisitionnant la salle à manger présidentielle (où Michael Deaver avait travaillé sous Reagan). Gergen aussi était en pleines manœuvres territoriales. J'ai donc appelé les deux plus grosses pointures de ma connaissance : mon vieux copain James Carville et celui de Clinton, Vernon Jordan, qui m'avait pris en amitié dès mon arrivée à la Maison-Blanche. Sachant tous deux ce qu'est le pouvoir et la perception du pouvoir, ils étaient d'accord pour m'aider. Je ne sais encore pas comment, mais toujours est-il qu'un beau jour, au début du mois de juin, Vernon me téléphona pour m'apprendre que Nancy Hernreich déménageait : elle partait s'installer dans un cagibi de l'autre côté du Bureau ovale, ce qui la rapprochait encore davantage de Clinton, et j'allais pouvoir reprendre son bureau. Cinq minutes plus tard, Mack m'apprenait officiellement la nouvelle.

Soulagé du fardeau que représentait la gestion d'une équipe de cinquante personnes et de journalistes hystériques, je me retrouvais libre de faire ce pour quoi j'étais plutôt doué et qui avait été ma fonction auprès de Clinton dès le début de sa campagne.

C'est-à-dire ? Eh bien, il m'arrivait de prendre en charge un dossier particulier, comme la rédaction de l'accord final sur le statut des homosexuels dans l'armée. Mais, pour l'essentiel, mon travail consistait juste à être là, aux côtés de Clinton, pour traduire à la presse la pensée du président et lui traduire à lui ce que pensait la presse. Je devais aussi me tenir au courant, savoir suggérer ses réponses au président, l'aider à prendre les décisions, évaluer l'impact politique de certaines d'entre elles et contenir les éventuelles erreurs avant qu'elles ne tournent au scandale. Clinton avait tendance à accueillir avec bienveillance toute discussion et toute résolution. Mon rôle était d'y réfléchir, de m'assurer que l'expression de sa pensée restait cohérente et que les autres interlocuteurs du président ne prenaient pas son empathie pour une approbation. Officiellement, selon les termes de Clinton, j'étais là pour contribuer à « la prise de décision au jour le jour et pour l'aider à assimiler les données complexes auquel son bureau devait faire face ». À moi, il me disait qu'il aimait m'avoir dans son entourage parce que j'étais équipé d'un « bon détecteur à conneries ».

Après les émois prévisibles de la presse, le nouveau demi-frère du président réintégra le domaine de la vie privée. Mais durant tout l'été 1993, Clinton dut affronter des combats plus lourds de conséquences : péripéties d'une décision intime où certaines personnes de son passé tenaient un bout de sa présidence entre leurs mains.

« C'EST VOUS QUI ÉTIEZ VISÉ »

Crevettes géantes et canapés sur plateaux d'argent : un personnel qui n'en était pas à son premier président nous servait avec un mutisme serein. Nous étions le 23 juin, il était 20 h, et la lumière de l'été filtrait encore dans le salon jouxtant le salon Lincoln. On ne pouvait rêver meilleur décor à l'heure du cocktail. Mais les serveurs portaient des complets noirs au lieu des vestes blanches habituelles, et personne ne commandait ni gin tonic ni champagne : c'était sodas allégés et eau gazeuse pour tout le monde.

À la Maison-Blanche, l'heure n'était pas aux mondanités. Le président Clinton s'apprêtait à ordonner des frappes aériennes pour défendre George Bush, son prédécesseur dans les lieux.

Deux mois auparavant, les autorités koweïtiennes avaient arrêté quatorze hommes qui projetaient de placer une voiture bourrée de quatre-vingt-dix kilos d'explosifs sur la route de l'ancien président Bush, venu recevoir un prix à Koweït City. Tout de suite après leur arrestation, Clinton avait demandé au FBI et à la CIA de déterminer si cette tentative d'assassinat avait été commanditée par Saddam Hussein. Le rapport officiel devait tomber le 24 juin, mais nous connaissions déjà les résultats de l'enquête : les suspects étaient liés aux Services secrets irakiens.

Ce soir-là, nous avions pour mission d'aider le président à décider des représailles. Toutes les grandes figures étaient là : Colin Powell, Les Aspin, Warren Christopher, Tony Lake et Sandy Berger (adjoint au conseiller à la Défense), le vice-président et son conseiller à la Défense, Leon Feurth. Mack McLarty, David Gergen et moi-même étions venus en renfort, mais nous étions surtout là pour conseiller le président sur la meilleure façon de présenter sa décision au public. La réunion fut tenue secrète et eut lieu dans les appartements où, contrairement à l'aile Ouest, une petite porte permettait d'entrer sans attirer l'attention de la presse.

Alors que le président arrivait tranquillement de sa chambre, à l'autre bout du premier étage, nous nous dirigeâmes vers la table basse. Nous ne nous assîmes que lorsqu'il eut pris place lui-même ; toute notre simplicité informelle avait disparu, balayée par la gravité de la tâche : la première frappe militaire de Clinton, le chef des armées.

Jusqu'alors, notre politique étrangère s'était moins traduite en actes qu'en paroles. Au cours de la campagne électorale, elle avait fait l'objet d'à peine deux ou trois discours et quelques communiqués de presse. Mais notre accession à la Maison-Blanche nous faisait obligation d'assumer toutes nos promesses passées. Les malheureux Haïtiens, apprenant que le nouveau président américain avait promis de ne pas les renvoyer chez eux, fabriquaient des centaines et des centaines d'embarcations de fortune pour gagner la Terre promise. Les Bosniaques assiégés, apprenant qu'il avait promis de bombarder les Serbes, attendaient, dans un regain d'espoir, l'échine courbée, que surgisse la cavalerie américaine. Nous l'avions compris, ces promesses vite faites et à peine remarquées pendant une campagne présidentielle pouvaient ébranler le monde et donnaient à nouveau raison au poète : « C'est dans les rêves que naissent les engagements. »

Après les élections, cette leçon nous avait été martelée jour après jour. Nous avions dû faire machine arrière sur les réfugiés haïtiens, reculer sur le problème des homosexuels dans l'armée, atermoyer sur la Bosnie et faire volte-face sur l'Irak. Dans une interview accordée au *New York Times* peu avant son investiture, dans laquelle il s'étendait longuement sur son soutien à la politique de « contrôle » de l'Irak menée par le président Bush, Clinton n'avait pas voulu exclure l'éventualité de relations normalisées avec Saddam Hussein. « Je suis baptiste, je crois aux conversions de dernière heure, avait-il répondu dans le décor familier de son salon de Little Rock. S'il [Saddam] souhaite entretenir d'autres relations avec l'Amérique et les Nations Unies, tout ce qu'il a à faire, c'est changer d'attitude. »

Clinton n'essayait pas de faire passer un message indiquant un éventuel changement dans la politique étrangère des États-Unis. Pour lui, le vrai message était qu'il soutenait officiellement la démarche de son prédécesseur. Non, il était juste lui-même : le Bill Clinton détendu, réfléchi, homme de raison, qui aime enrober les conflits de paroles tempérées et façonner ses pensées en les écoutant résonner à son oreille. Par le passé, ça lui avait presque toujours réussi.

Ce ne fut pas le cas cette fois. Assis sur le canapé en face de lui, je tiquai quand il émit l'hypothèse d'une rédemption de Saddam et priai pour que la chose passe inaperçue. *Gagné.* Tom Friedman, correspondant diplomatique et lauréat du Prix Pulitzer, qui venait juste de se voir attribuer l'exclusivité de la Maison-Blanche, était le principal interviewer. Il était habitué à James Baker, secrétaire d'État aux Affaires étrangères de George Bush, homme à la discipline verbale notoire qui n'aurait pas prononcé en public une seule phrase provocante, sauf à vouloir faire passer un message. Soulignant le langage coloré de Clinton, Friedman écrivit dans sa une que le président était prêt à prendre un « nouveau départ » avec l'Irak.

Quelques heures avant que l'article ne tombe sous les yeux de ses lecteurs, le ministre irakien des Affaires étrangères était déjà sur « Nightline », où il se réjouissait de cette nouvelle initiative américaine. Au Moyen-Orient, les dirigeants se demandaient tout haut si Clinton, candidat au langage ferme, était vraiment devenu une colombe. Quant à moi, je cherchais désespérément le *New York Times*. Trop impatient pour attendre un fax de New York, j'appelai Friedman : « Le ciel nous tombe sur la tête, Tom. Qu'est-ce que vous avez donc écrit ? » Personne n'aime être réveillé au milieu de la nuit, mais l'irritation de Friedman fut de courte durée : mon coup de fil – il le comprit avec bonheur – signifiait que la concurrence courait après son scoop. J'espérais encore que nous pourrions arranger l'affaire avant l'édition définitive. Mais, si Friedman avait mal interprété Clinton, il l'avait correctement cité. Quand il eut fini de me lire l'article sur l'écran de son ordinateur, je ne pus que conclure : « Oui, c'est bien ce qu'il a dit. Bonne nuit. »

Le lendemain matin, Clinton apprit qu'il devait démentir catégoriquement toute normalisation des relations avec l'Irak, mais cette perspective ne le réjouissait guère. Lors d'une conférence de presse dans laquelle il annonçait la composition de son équipe à la Maison-Blanche, il réagit à l'inévitable question par un mouvement d'humeur : « Personne ne m'a jamais interrogé sur une normalisation des relations avec l'Irak », dit-il avant de réaffirmer son intention de poursuivre la politique menée par Bush. J'étais dans de sales draps : on avait rangé le rameau d'olivier tendu à Saddam, mais Clinton venait de déclarer la guerre au *New York Times*.

Mon bip vibrait déjà. C'était Tom Friedman, furieux contre Clinton : « George, ai-je rêvé ou avons-nous eu la nuit dernière une conversation au cours de laquelle vous m'avez dit que j'avais retranscris fidèlement ses propos ? Je n'ai pas eu un, mais deux Prix Pulitzer, et je ne me laisserai pas traiter de menteur par le futur président. » Mais Friedman, outre sa réputation, s'appuyait aussi sur la transcription de la bande. Et tous ceux qui lurent le *Times* le firent également. La question de la normalisation avait été posée, c'était incontestable, et Clinton y avait répondu.

Nous n'avions qu'une seule issue : présenter rapidement des excuses. Dans un avenir prévisible, Tom Friedman allait être un des rares interprètes des faits et gestes de Clinton pour le reste du monde ; nous ne pouvions nous permettre de nous fâcher avec lui. Ni avec le *New York*

Times. Persuadé que Friedman avait délibérément déformé ses propos, Clinton refusa de présenter personnellement des excuses. Mais il m'autorisa à le faire à sa place – pourvu que je le fasse bien. Ainsi donc, nommé directeur de la Communication à la Maison-Blanche, ma première mission fut de contredire publiquement le président, sans le faire passer pour un menteur ni pour un imbécile. Je ne pus faire mieux qu'une déclaration : le président Clinton avait, « par inadvertance, oublié qu'on l'avait interrogé sur ce point précis et regrettait avoir nié que la question lui avait été posée ».

Cinq mois plus tard, quand Clinton ouvrit notre réunion dans le salon Lincoln, nous étions tous bien décidés à expédier à Saddam un message sans ambiguïté ni excuses : avec des armes, et non avec des mots. Même les membres les plus récents de notre équipe ne connaissaient que trop la tendance de Clinton à noyer son propos dans un flot d'explications. En forme (le premier discours sur l'état de l'Union), il était éblouissant. Mais épuisé ou embarrassé (« Je n'avalais pas la fumée[2] »), il frôlait le désastre politique.

« Ni trop ni trop peu », conseilla Colin Powell, seul homme dans la pièce à avoir effectivement commandé un bataillon ou conseillé un président en temps de guerre. David Gergen rappela à Clinton que l'administration Reagan avait précipité la sentence en abattant le boeing 707 de la Korean Airlines. Warren Christopher, originaire du Dakota du Nord et aussi taciturne que son patron de l'Arkansas était loquace, conclut d'une seule phrase : « On vous jugera selon que vous aurez ou non atteint votre cible. »

Sage conseil. Mais ce soir-là, le président Clinton n'avait besoin d'aucun « coach ». Il ne manquait ni d'informations ni d'assurance et ne cherchait pas non plus la bagarre. Pendant que Tony Lake récapitulait les preuves et demandait à Aspin et Powell d'exposer les grandes lignes des différentes options militaires, Clinton prenait silencieusement des notes sur un calepin. Lorsqu'il intervint, ses questions furent celles d'un homme résolu à prendre les bonnes décisions pour de bonnes raisons :

---

2. NdT. Interrogé par des journalistes, Clinton avait avoué avoir fumé de la marijuana, mais « sans avaler la fumée ».

« Sommes-nous sûrs que les preuves sont irréfutables ? » « La réponse est-elle vraiment proportionnée ? » « Comment épargner au mieux les vies de civils innocents ? » Le président insista auprès de Powell pour savoir quel était le moment le plus approprié pour frapper. Un raid avant l'aube, calculait Clinton, ferait moins de victimes, mais celles qui couraient alors le plus de risques étaient aussi les moins coupables, à savoir les officiers en charge de la sécurité et les gardiens. Attaquer plus tard dans la journée provoquerait davantage de pertes, mais augmenterait aussi les chances de tuer les vrais coupables.

J'étais assis à droite du président, sur une chaise que j'avais reculée à quelques dizaines de centimètres du petit cercle. Je ne pouvais saisir tout ce qui s'y disait car j'avais une autre mission : garder un œil sur le budget, qui affrontait son premier vote devant le Sénat. Toutes les cinq minutes, on venait m'apporter un message d'un sénateur qui souhaitait parler au président. Je prenais l'appel dans la chambre de la Reine et tentais d'y répondre moi-même, mais deux ou trois sénateurs exigèrent de parler à Clinton. *Vous ne croyez pas qu'il a mieux à faire en ce moment que de vous supplier pour que vous votiez son budget ?*

Bien sûr, je ne disais pas tout ce que je pensais, ni au téléphone, ni dans le salon. J'étais impressionné par la prudence du président ce soir-là – et plus convaincu que jamais que, s'il ordonnait des représailles militaires, ce ne serait pas pour prouver sa virilité, ni améliorer sa situation politique –, mais je me demandais aussi si l'option la plus valable n'était pas celle dont, justement, nous n'avions pas le droit de parler : l'assassinat. *Bien sûr, Saddam est difficile à débusquer, mais pourquoi ne pas essayer ? Qu'y aurait-il de plus moral que de tuer le responsable en chef ?* Mais alors même que je trouvais l'hypothèse justifiable, je comprenais qu'elle était irréalisable : Saddam Hussein ne dormait jamais deux nuits dans le même lit et vivait cerné par sa garde républicaine. Et puis la loi américaine proscrit l'assassinat. Je n'avais pas encore été traîné devant mon premier grand jury, mais je savais qu'il vaut mieux taire ce qu'on sait ne pas pouvoir réaliser.

La réunion tirait à sa fin, et le président nous demanda de voter. L'un après l'autre, chacun des principaux participants se prononça pour un tir de missiles de croisière. J'étais le dernier de la rangée, et je m'attendais –

l'espérant même à moitié – à ce que le président fasse comme si je n'existais pas. J'étais honoré d'être là et très absorbé par le sérieux de ces débats, après des semaines passées à justifier des demi-frères et des coupes de cheveux, mais je ne tenais pas à ce qu'on attire l'attention sur ma présence. Du fait de mon âge et de mon ignorance des choses de la guerre, je me sentais un peu déplacé. Je savais que je ne savais pas tout ce que j'aurais dû savoir. Peut-être en est-il toujours ainsi, et pour tout le monde. Le président me demanda mon sentiment. *OK, George, ne te loupe pas. Prononce une phrase mémorable et pleine de maturité. Mais n'en fais pas trop. Fais simple. On n'a jamais d'ennuis pour un truc qu'on n'a pas dit.* « Je crois qu'il n'y a pas d'alternative, monsieur le Président. »

C'était unanime : les premiers missiles de la présidence Clinton seraient tirés dans la nuit de samedi.

Le secret fut gardé pendant tout le vendredi, tandis que nous rédigions le discours que le président prononcerait depuis le Bureau ovale, quand les missiles auraient touché Bagdad. Le samedi, Clinton alla courir et jouer au golf, maintenant l'illusion d'une journée ordinaire. À une échelle plus modeste, je fis de même et m'acquittai de courses que je n'avais jamais le temps de faire en semaine. Mais je retournai à la Maison-Blanche quand l'heure H approcha.

À 16 h 22 (heure d'été de la côte Est), des missiles de croisière furent tirés vers Bagdad depuis le contre-torpilleur Peterson, et le Chancellorsville, un croiseur AEGIS. Au même moment, dans le Bureau ovale, le président Clinton, installé à un bureau fabriqué avec le bois du Resolute[3], appelait ses homologues. J'étais assis à côté du téléphone du président, et prenais des notes pour les comptes rendus chronologiques détaillés que tous les grands quotidiens allaient réclamer de cette nuit.

Le président égyptien Hosni Mubarak fut le premier au bout du fil : « Bonjour, monsieur le Président, dit Clinton. M'entendez-vous ? Je vous remercie de prendre mon appel. J'aimerais que vous receviez tout de suite mon ambassadeur. Je sais l'heure qu'il est. Nous avons besoin de garder le secret. Mais j'aimerais avoir votre soutien. Pardonnez-moi de vous appeler si tard. » Je n'entendis que les réparties de Clinton dans

---

3. NdT. Navire de guerre britannique, cadeau de la reine Victoria aux États-Unis.

ces conversations, mais ses appels étaient brefs et précis. Eltsine était évidemment « indisposé » ; il resta introuvable. Ytzhak Rabin était déjà le dirigeant étranger que Clinton admirait le plus ; après avoir raccroché, il dit : « Bon sang ! Lui, il en a ! » Koweïtiens et Saoudiens se montrèrent enthousiastes ; quant au Premier ministre John Major, il offrit à Clinton son soutien total.

L'ironie de l'affaire, c'est que le président qui parut le plus réticent fut celui dont Clinton était en train de défendre la vie et l'honneur. Certes, comme Clinton le dirait plus tard publiquement, le complot contre Bush était « une attaque contre notre pays et une attaque contre tous les Américains ». Mais c'était aussi une attaque contre un homme. Je ne peux qu'imaginer les pensées du président Bush à 16 h 40 ce samedi-là, lorsque Clinton lui apprit la nouvelle : « Nous avons bouclé notre enquête. La CIA et le FBI ont fait du bon boulot. Il apparaît clairement que c'est vous qui étiez visé. J'ai ordonné un tir de missiles de croisière. »

« Il apparaît clairement que c'est vous qui étiez visé. J'ai ordonné un tir de missiles de croisière. » Tout le paradoxe du pouvoir présidentiel tient dans ces deux phrases. Peu de gens sont aussi vulnérables qu'un président américain. Chaque jour il y a quelqu'un, quelque part, qui trame un attentat – et la terrible vérité, c'est que même le plus efficace des Services secrets n'offre pas de garantie contre un tueur décidé à sacrifier sa vie. Mais cette vulnérabilité s'accompagne d'un pouvoir effrayant : celui d'orienter les marchés mondiaux d'une simple déclaration, de raser un pays entier en tournant deux clés et de venger une attaque contre son prédécesseur en ordonnant un tir de missiles.

Clinton conclut l'entretien en affirmant à Bush qu'il avait tout fait pour limiter les pertes en vies humaines. Peut-être était-ce ce que Bush souhaitait le plus entendre. Peut-être, avec sa modestie patricienne chevillée au corps, l'ancien président était-il un peu gêné d'être à l'origine de tant de problèmes. À moins qu'une petite voix ne lui ait murmuré alors que, s'il avait fait marcher notre armée sur Bagdad en 1991, Saddam serait parti, lui serait toujours président, et rien de tout cela n'arriverait aujourd'hui. Tout ce que je sais, c'est que, en raccrochant, Clinton semblait vouloir se convaincre que Bush était avec lui, et non contre lui. « À mon avis, il pense qu'on a bien fait, me dit-il. Rude coup de fil tout de même. »

Clinton souhaitait l'approbation de Bush, il en avait besoin, autant que Bush avait besoin – mais sans la souhaiter sans doute – de la protection de Clinton. Bush était peut-être le seul homme du pays, avec Colin Powell, capable d'arrêter l'attaque. Il aurait suffi d'une fuite bien placée dans la presse, ou d'un coup de fil mezza-voce de Brent Scowcroft à Tony Lake. Le message aurait pu suggérer que Bush critiquerait officiellement le geste vain et opportuniste de Clinton : des représailles irréfléchies, fondées sur des preuves incertaines, représailles visant davantage à assurer son avenir politique qu'à punir Saddam Hussein. Mais ce n'était pas le style de Bush. Quelles qu'aient pu être ses réticences à l'idée de voir une action militaire ordonnée pour sa défense, il les garda pour lui. Entre présidents, surtout entre gentlemen présidents, ce genre de choses ne se fait pas.

C'est une caste, un club très fermé, que celui des présidents des États-Unis encore vivants. Ce qui les unit, en fin de compte, balaie les différences partisanes ou même les amers souvenirs des batailles politiques passées. Eux seuls savent ce que signifie être président : envoyer des troupes au combat, haïr la presse, sacrifier sa vie privée au pouvoir, se présenter à la nation depuis les marches du Capitole et jurer solennellement de défendre la Constitution contre tous ses ennemis, extérieurs ou intérieurs, être assis seul dans le Bureau ovale, tard le soir, et contempler ces choix imparfaits qui font l'Histoire. La même semaine, j'avais vu Clinton appeler Nixon pour lui présenter ses condoléances après la mort de sa femme. « Nixon est tellement ombrageux » : ce fut l'unique commentaire de Clinton. On y sentait moins un jugement qu'un souhait : celui qu'un jour, peut-être, son confrère président trouve la paix intérieure.

Les présidents gardent également un œil les uns sur les autres à travers les âges. Les murs de la Maison-Blanche n'ont pas seulement des oreilles, ils sont aussi tapissés de regards présidentiels. De quelque côté que vous vous tourniez, un nouveau président vous toise et vous juge en silence. Thomas Jefferson veillant sur la table du conseil, les Roosevelt dans une pièce à eux, John Kennedy ruminant dans une grisaille brunâtre, près du salon Rouge. Un buste en marbre de George Washington gardait, sur son socle, l'entrée officielle du Bureau ovale et, dans celui-ci, c'était un minuscule bronze de Lincoln qui regardait Clinton travailler, depuis une petite niche creusée dans le mur.

Clinton les observait, lui aussi, en lisant leur histoire. Il y avait toujours une nouvelle biographie dans sa serviette en cuir ou sur la pile de livres derrière sa table de travail. Tout un mur de son bureau privé était consacré aux vies des présidents. On avait parfois l'impression que seuls ses prédécesseurs étaient capables de le comprendre. Il se répandait en injures contre les ragots colportés par la presse sur Jefferson, souffrait avec Wilson, dont la santé avait cédé sous le poids de sa charge, enviait à Lincoln ses ennemis, sachant que créer une présidence mémorable est un défi moral. JFK lui inspirait une profonde jalousie : « La presse l'a toujours couvert », disait-il. Les parties de golf quotidiennes de Ike l'amusaient : « George, me disait-il, si j'avais gagné la seconde guerre mondiale, moi aussi, je pourrais jouer au golf au milieu de la semaine. »

Plus tard, au cours de son mandat, Clinton apprit pourtant à se détendre comme Ike. Mais tout de suite après son coup de fil avec Bush, il était nerveux. Tony Lake pénétra dans le Bureau ovale et nous annonça que, sur les vingt-quatre tirs de missiles, vingt-trois avaient réussi. Mais il faudrait au moins une heure avant de savoir où ils avaient atterri. Le président monta prendre une douche et se changer. Il devait s'adresser à la nation vers 19 h.

À 18 h 20, il était de nouveau au téléphone, mais cette fois avec moi. « Que se passe-t-il ? me demanda-t-il. Je ne peux pas y aller sans confirmation. » Je fis part des inquiétudes du président à Tony Lake, qui contacta Powell au Pentagone. On le saura quand on le saura, répondit celui-ci. Lake lui rétorqua sèchement : « Le président ne se pose pas de questions existentielles. Il ne peut pas y aller sans confirmation. » Powell ne l'ignorait pas, mais il n'y pouvait rien. Alors Tony revint dans mon bureau et dit au président que nous devrions être souples quant à l'horaire de l'intervention. « C'est un signe : nous avons échoué », répliqua Clinton, superstitieux.

Même si nos services de renseignements ne confirmaient pas l'attaque, la nouvelle commençait à se répandre dans le monde entier.

CNN commentait l'événement en direct de Bagdad et de Bethesda[4], tandis que Wolf Blitzer faisait ses commentaires depuis son téléphone de voiture alors qu'il quittait sa maison du Maryland pour se rendre à la Maison-Blanche. Un point rouge clignotait sur l'écran, marquant la progression de Wolf sur le périphérique. « Pitoyables images », railla le vice-président, venu dans mon bureau suivre la couverture de l'événement et attendre Clinton avec Tony et moi. Bientôt, le point rouge clignotant fut remplacé par des têtes parlantes. Dans « Capitol Gang », sur CNN, les papes de l'expertise avant l'heure se livrèrent à une étude de cas, évaluant l'impact politique de la frappe militaire avant même que nous sachions où avaient atterri les missiles.

Leur glose nous fut cependant, dans une certaine mesure, utile. Cette nuit-là, CNN fit office de service de renseignements : David Gergen eut la parole du président de CNN, Tom Johnson, que plusieurs missiles avaient atteint leur cible, ce que le général Powell put alors confirmer officiellement. Le président prononça son discours, et sa première attaque militaire fut un demi-succès : petite victoire, isolée, à l'issue indécise, mais, à court terme, victoire tout de même. Soulagé par le résultat, le président discuta quelques instants avec Betty Currie, puis revint réconforté par la « formidable » conversation qu'il venait d'avoir avec Colin Powell : « Il a dit que notre méthode était excellente. Nous avons correctement envisagé toutes les hypothèses. »

Une conclusion bienvenue. Le grand Colin Powell nous avait gratifié de son approbation pleine et entière. Mais je décelai plus que de la gratitude et de la fierté dans l'œil de Clinton pendant qu'il me relatait cette conversation. Il regardait vers le futur : les éloges de Powell étaient une sorte d'assurance sur l'avenir. Quelques mois à peine après le début de notre premier mandat, la rumeur bruissait déjà dans ce qui restait des anciens salons de Georgetown : le chef d'état-major des armées pourrait faire un bon président « à cheval », comme Washington, Grant ou Eisenhower. Clinton et moi comprenions tacitement que chaque décision avalisée par Powell était une attaque potentielle de moins dans une campagne électorale. Le général entrerait peut-être un jour dans le club

4. NdT. Au nord de Washington.

des présidents. Si cela se produisait, et quand cela se produirait, Clinton l'accueillerait à bras ouverts. Mais pas encore, pas sans l'avoir combattu.

HAMLET SUR L'HUDSON

« Je n'arrive pas à croire que vous vous abaissiez à ce niveau de servilité. »

Les paroles de Mario Cuomo paraissent plus dures aujourd'hui qu'en ce matin du 30 mars 1993, où il les prononça. Gene Sperling et moi-même étions debout au-dessus du haut-parleur de mon téléphone, mais pour Cuomo, nous étions à genoux. Nous le suppliions tous deux de siéger à la Cour suprême, et il savourait chaque minute de cette conversation.

Plus tôt dans la matinée, j'avais dressé la liste de toutes les raisons à invoquer pour le convaincre :

- Ce sera le couronnement de votre carrière.
- Vous pourrez lire et écrire sur les grands sujets de notre temps.
- Aucune autre fonction ne laisse un plus long héritage.
- Regardez l'Histoire : Frankfurter, Holmes, Brandeis.
- Dans cent ans, les jugements que vous aurez rendus auront encore un impact sur la vie des gens et protégeront leurs droits.
- Vous avez passé votre vie à vous y préparer.

Gene et moi tentions de persuader Cuomo que siéger à la Cour suprême était autant son devoir que son destin, qu'il devait le faire pour lui, pour son président, pour son pays – et pour nous. Malgré son exaspérante manie de rejouer éternellement Hamlet, Cuomo était toujours notre héros. L'idée d'avoir Clinton à la Maison-Blanche et Cuomo à la Cour suprême était trop belle pour être vraie. Depuis le jour où le juge Byron White avait annoncé qu'il se retirait, deux semaines auparavant, Gene et moi avions tout mis en œuvre pour qu'elle se réalise.

Ce matin-là, Cuomo jouait encore au chat et à la souris avec le président. Clinton l'avait appelé la veille, mais le secrétariat de Cuomo avait filtré : le gouverneur était en pleine négociation budgétaire, on ne pouvait pas le déranger. *Mouais… Si Cuomo ne répond pas, c'est qu'il n'arrive pas à se décider – une fois de plus.*

Clinton était prêt à nommer Cuomo, certain (comme nous l'étions nous-mêmes) que l'enquête de la commission sénatoriale ne révélerait rien de rédhibitoire. Son nom était le seul qu'il eût cité officiellement et, quand il avait énuméré ses critères – « Un esprit subtil, un bon jugement, une large expérience de la loi, des problèmes humains, et un grand cœur » –, le président pensait à Cuomo.

Mais il détestait sa manie de tout compliquer. Malgré le discours vibrant laissant présager la nomination de Cuomo, malgré le fait que Clinton ait placé Andrew, le fils du gouverneur, dans la haute administration, les deux hommes formaient encore un couple difficile. Cuomo reprochait à Clinton de ne pas assez le consulter, de ne pas assez s'enthousiasmer pour lui ni pour les causes qu'il défendait. Quant à Clinton, il reprochait à Cuomo de ne pas lui être assez soumis ; après tout, il était le président. Leurs relations ressemblaient assez à l'accouplement de deux porcs-épics.

Andrew aussi souhaitait voir son père entrer à la Cour suprême – pour toutes les raisons précitées, plus une. En dur à cuire de la politique, ayant dirigé les précédentes campagnes de son père, il savait que la réélection de Cuomo à un quatrième mandat de gouverneur en novembre allait être un rude combat. Mieux valait laisser les électeurs sur leur faim, et quelle meilleure sortie stratégique qu'un siège à la Cour suprême ? Comme Earl Warren avant lui, Cuomo allait opérer cette mutation historique transformant le gouverneur d'un grand État en juge à la Cour suprême des États-Unis.

Mais le père ne partageait ni les ambitions ni la clairvoyance du fils. Le jeudi 1er avril, Clinton finit par le joindre depuis l'Air Force One et Cuomo lui dit qu'il était flatté qu'on ait pensé à lui mais qu'il devait réfléchir. Clinton commençait à perdre patience, mais il laissa reposer l'affaire pendant le sommet avec Eltsine. La semaine suivante, leur pas de deux menaçait de tourner court : l'échéance approchait. Le 7 avril, j'appelai Andrew : « Il faut faire pencher la balance d'un côté ou de l'autre. Ça ne peut pas durer. Ce n'est pas honnête envers le président. Il nous faut une réponse. »

Andrew appela son père et me raconta par la suite qu'ils avaient passé deux heures et demie au téléphone. Nous avions besoin d'une décision avant la fin de la journée. Mario finit par céder à son fils : « Si tu me le demandes, j'appelle Clinton et j'accepte. » Mais, une heure plus tard, le gouverneur faxait au président une lettre disant que ses devoirs envers l'État de New York l'emportaient sur son désir de siéger à la Cour suprême. Un nouveau chapitre de la saga Clinton-Cuomo venait de se clore.

Le président avait toujours un siège à pourvoir à la Cour suprême.

À la Maison-Blanche, nous dressions des listes semi-officielles de candidats crédibles, mais tout le monde avait le favori de ses rêves. Celui de Clinton était Richard Arnold, l'ami érudit qu'il n'avait pas nommé secrétaire à la Justice. Laurence Tribe, diplômé de Harvard, était la coqueluche des juristes démocrates de gauche qui voulaient une plume aussi aiguisée que celle du juge Scalia. Nous cherchâmes « hors du chapeau », agitant l'idée de nommer un philosophe politique brillant plutôt qu'un avocat en exercice. (La Constitution n'exige aucun diplôme de droit pour servir à la Cour suprême.) Le professeur Stephen Carter, de Yale, faisait l'affaire, tout comme Michael Sandel, de Harvard. Tous deux avaient l'avantage supplémentaire d'être plus jeunes que Clarence Thomas : ils pourraient promulguer des avis pendant quarante ans. Surgit même l'hypothèse la plus fantaisiste : *Hillary serait magnifique en robe noire, non ?*

Mais la Constitution comporte une clause consultative qui empêche le processus de sélection de tourner au pur exercice de voltige politique : le choix de Clinton devait être ratifié par le Sénat, où les républicains n'avaient pas oublié le rejet de Robert Bork, et où les démocrates vacillaient encore sous le choc des récentes affaires Zoe Baird, Kimba Wood et Lani Guinier. Un choix sympa, c'était bien, mais un choix sûr, c'était mieux. Nous ne pouvions nous permettre une nouvelle nomination ratée.

Avril et mai passèrent sans que rien soit décidé. Le président était soucieux, les candidatures qu'on lui proposait le laissaient insatisfaits. Il voulait un « grand choix, un choix audacieux » et réclamait sans cesse de nouveaux noms. En juin, nous avions le dos au mur. S'il ne nommait pas très vite quelqu'un, il ne resterait plus assez de temps pour les audiences de confirmation, ni pour un vote avant les vacances sénatoriales : nous courions le risque de voir la Cour entamer la session d'octobre avec un siège vacant. Une nouvelle date butoir fut fixée au 15 juin.

On pouvait classer les candidats encore en lice en trois catégories.

Les « politiques » : ceux qui sauraient utiliser les talents de quelques personnalités marquantes pour créer une coalition progressiste à la Cour suprême. Dans cette catégorie, Bruce Babbitt, le secrétaire à l'Intérieur, ancien gouverneur de l'Arizona et candidat à la présidence, était en tête.

Les « cerveaux » : ceux qui, doués d'une intelligence supérieure de la loi et de solides références littéraires, pouvaient égaler Scalia et Rehnquist, neurone pour neurone, dossier pour dossier. De ce point de vue, Stephen Breyer, juge dans une Cour d'appel fédérale et autrefois membre éminent de l'équipe du sénateur Edward Kennedy, était le favori.

Restait la catégorie des « premiers » : ceux dont l'histoire personnelle aurait une valeur d'affirmation, tel David Tatel, avocat à Washington, qui serait le premier aveugle à la Cour suprême, ou le juge Jose Cabranes, le premier Latino-américain. Mais la diversité était moins à la mode en juin qu'en décembre, et il n'y avait pas de favori évident. Le nom du juge Ruth Bader Ginsburg finit par s'imposer. Comme Breyer, elle serait le premier juge juif depuis Abe Fortas, et aussi la première femme nommée à la Cour suprême par un démocrate. Plus important encore, c'était une pionnière dans la bataille juridique pour les droits des femmes : une sorte de Thurgood Marshall au féminin.

Le vendredi 11 juin au soir, certains d'entre nous se retrouvèrent dans le Bureau ovale pour revoir les ultimes propositions. Babbitt et Breyer partaient favoris, mais tous deux avaient des handicaps. Les offensives de Bruce Babbitt pour réformer les droits de pacage et les droits miniers avaient irrité nombre de sénateurs républicains et plus d'un démocrate, qui l'avaient accusé d'engager une « guerre contre l'Ouest ». Même Dennis Deconcini, sénateur démocrate dans l'État de Babbitt, appela Clinton pour lui déconseiller ce choix. D'autre part, nommer le secrétaire à l'Intérieur à la Cour suprême, c'était créer une nouvelle vacance à un haut niveau de l'État, perspective malvenue vu la pesanteur des processus de désignation.

Babbitt aurait sans doute pu s'imposer devant le Sénat, mais la bataille pour sa confirmation aurait été sanglante. Quant à Breyer, en juin 1993, il était politiquement impossible de le nommer. Il avait certes les compétences requises, le soutien du sénateur Kennedy et de républicains clés, comme Orin Hatch, mais il traînait, lui aussi, un « problème de nounou ». Tout comme Baird, il n'avait pas payé les charges sociales de sa femme de ménage, et il allait être difficile d'expliquer à une commission sénatoriale sceptique qu'il n'avait fini de rembourser le fisc[5] qu'après l'annonce du départ en retraite du juge White.

D'aucuns inventèrent un argument tortueux pour soutenir Breyer : nous devions le choisir justement parce que c'était un Blanc avec un problème de nounou. C'était, disaient-ils, le candidat le plus qualifié ; en luttant pour lui, on envoyait balader du même coup la tradition de diversité au sein de la Cour suprême et les « bons sentiments » du bon gouvernement. *Mais oui, on va leur montrer, à cette bande de débiles. Fonçons droit dans le mur encore une fois, juste histoire de prouver au monde qu'on peut le supporter.* Mes réticences exposées dans le Bureau ovale, avec Howard Paster et Vince Foster, persuadèrent le président : « Je suis d'accord, dit Clinton. On n'a pas besoin d'un nouveau fusil-à-tirer-dans-les-coins. »

Restait Ruth Ginsburg, mais Clinton ne lui avait pas encore parlé. Il l'avait invitée à la Maison-Blanche pour le dimanche matin. Il ne tenait qu'à elle d'obtenir le siège.

Le samedi, je commençai ma journée de travail un peu démobilisé. *Après tout, ce n'est pas si mal. Ginsburg sera confirmée par le Sénat. Elle sera une voix progressiste digne de foi. Et, au moins, on évitera de nouvelles histoires de nounous.* Ruth Bader Ginsburg était un choix solide, mais elle n'allait pas révolutionner le monde comme mon Cuomo.

Ce fut alors que Cuomo appela. En réalité, c'était Andrew, mais au téléphone il n'était pas si facile de faire la différence : « Avez-vous conclu un accord avec Stephen Breyer ?

– Non. Pourquoi ? répliquai-je, espérant déjà connaître la réponse.

---

5. NdT. Aux USA, la Sécurité sociale est un impôt. L'employeur y contribue à même hauteur que l'employé.

– Parce que ça veut dire que c'est la dernière chance de Mario. Si vous prenez un Blanc de sexe masculin aujourd'hui, vous ne choisirez pas un Blanc de sexe masculin la prochaine fois. »

Je n'arrivais pas à y croire. Andrew essayait de remettre son père dans la course ! J'aurais dû lui dire que Ginsburg avait le siège, même si ce n'était pas encore vrai. Mais je rêvais toujours de voir Cuomo à la Cour suprême, et voilà que l'occasion s'en présentait à nouveau : si ce coup de fil d'Andrew pouvait conduire à la nomination de son père, je serais l'intermédiaire grâce auquel l'affaire avait abouti, un agent de l'Histoire. *Reste calme. Écoute-le jusqu'au bout. Sois sûr de bien le fixer.* Un instant plus tard, le débile fonçant droit dans le mur, c'était moi.

« Alors, où voulez-vous en venir ?

– Avez-vous vu Mario chez Evans et Novak ? poursuivit Andrew, encouragé par le fait que je n'aie pas raccroché. Ils lui ont demandé ce qu'il ferait si le président l'appelait, et il a répondu : « Je ne dirais pas non au président. « »

Je n'avais pas vu l'émission, j'ignorais donc que Cuomo s'était montré plus ambigu que ne me le laissait penser son fils. Mais j'étais tout de même assez échaudé pour ne pas agir à la légère.

« Êtes-vous absolument *certain* que votre père acceptera si le président l'appelle ? lui demandai-je. On ne peut pas recommencer ce petit jeu. Avant qu'il soit seulement question que le président décroche son téléphone, il faut avoir la certitude absolue que la réponse ne pourra être que oui.

– Je vais m'en assurer. » Andrew me mit en attente. Quelques instants plus tard, il reprit la ligne : « Je viens de lui poser la question. La réponse est oui. »

Eh bien, l'affaire n'est plus entre mes mains. Le gouverneur démocrate de l'État de New York a un message important à communiquer au président des États-Unis. Je ne peux pas ne pas le transmettre.

« Je vous rappelle. »

J'avais encore le message de Cuomo dans l'oreille quand je composai le numéro : « Monsieur le Président, pourrais-je passer vous voir un instant ? C'est important – je m'interrompis pour ménager le suspens –, mais je préfère ne pas en parler au téléphone.

– Bien sûr, dit Clinton. Venez. Vous vous sentez bien ? »

J'étais déjà parti. Je ne parlai ni à Mack, ni à qui que ce fût : si, comme on aurait pu le comprendre, le président se montrait réticent, mieux valait laisser l'idée mourir de sa belle mort. Dans le cas contraire, je ne voulais pas qu'un autre son de cloche risque de le faire changer d'avis. Lorsque j'atteignis le premier étage, Clinton avait quitté son costume pour passer un de ces polos fluo qu'il portait pour jouer au golf. Il était d'une humeur radieuse ; sa promotion de boursiers de Rhodes était venue à la Maison-Blanche ce matin-là et, plus tard dans la journée, il devait fêter le soixante-quinzième anniversaire de la bourse à l'Ambassade britannique. Peut-être cela influença-t-il la façon dont il accueillit la nouvelle. Au lieu de rejeter l'idée, il fit rouler sa langue sous sa lèvre inférieure comme un lanceur méditant son tir, signe pour moi qu'il écoutait, intrigué, réfléchissant déjà à sa prochaine action. Puis il me demanda ce que j'en pensais.

« Vous me connaissez, monsieur le Président, je ne suis pas objectif. Je crois toujours que Cuomo est le meilleur choix.

– Laissez-moi y réfléchir. »

Cela signifiait qu'il voulait en parler à Hillary. Je retournai dans mon bureau et attendis. Quelques minutes plus tard, Hillary appela. « George, il faut qu'on en discute, dit-elle. Pouvez-vous venir avec David Gergen et Mack ? »

J'occupais mes nouvelles fonctions depuis deux semaines, mes relations professionnelles avec Gergen et Mack étaient assez agréables, et je craignais que l'affaire ne compromette ce bel équilibre. Gergen était pour Breyer, Mack ne voulait pas que Clinton choisisse un démocrate de gauche, et tous deux percevraient sans doute comme un coup de force le fait que je vienne les chercher pour les convoquer à une réunion avec le président. Je me mis donc en quatre pour souligner que j'avais « reçu » un appel de Andrew et que, pour la réunion, je ne faisais que transmettre un message du président.

Clinton et Hillary avaient l'air d'être de mon côté. Progressiste comme moi, Hillary rêvait depuis la Convention de voir Cuomo à la Cour suprême. Quant à Clinton, cette perspective le rendait tout simplement lyrique : « Mario entonnera le chant de l'Amérique. Ce sera comme regarder Pavarotti à Noël. » Douce musique : Clinton voulait passer à l'étape suivante. Il me demanda de dire à Andrew que « le président était intéressé par sa proposition » et qu'on le recontacterait quand il serait rentré du golf.

Andrew n'en demandait pas davantage. Je lui téléphonai au mariage de sa sœur, ce qui ne l'empêcha pas d'alimenter la conversation. « Ne vous inquiétez pas pour l'enquête de la commission sénatoriale, me dit-il. Depuis 1974, chaque déclaration de revenus a été rendue publique. » Il tenta aussi de me tranquilliser sur le profil psychologique de son père : « Mario le fera parce que le président le veut… » Seulement, la phrase suivante aurait dû m'inciter à raccrocher : « Mais il faut vraiment que le président insiste. Sinon, il ne le fera pas. Il faut qu'il lui parle avec force, qu'il dise à Mario qu'il doit le faire. »

Et voilà, ça recommence. Andrew et moi étions pris dans le plus vieux rituel courtisan du monde : il disait à Cuomo que Clinton le voulait, tandis que j'affirmais à Clinton que Cuomo le voulait. Andrew travailla son père pendant tout le mariage, lui demandant à quatre reprises s'il était sûr d'être d'accord. Je n'eus pas tant de peine avec Clinton : installer Cuomo à la Cour suprême le séduisait même encore davantage après dix-huit trous. Avant de quitter l'Ambassade britannique, ce soir-là, il m'entraîna dans sa limousine. Question préséance, face à nos boursiers, cette consultation privée me distingua. Mais plus encore que l'effet produit, il y avait les paroles de Clinton : il avait réfléchi, il verrait quand même Ginsburg le lendemain, mais Cuomo avait sa préférence.

À 23 h 30 ce soir-là, Andrew me rappela encore une fois depuis une aire de stationnement sur l'autoroute. Mario était d'accord. Je transmis le message au président à 9 h 30 le lendemain matin, juste avant sa rencontre avec Ginsburg. Clinton me demanda de rappeler Andrew et de lui dire que Cuomo pouvait attendre un appel vers 18 h. À 17 h, le comité de sélection au grand complet devait se réunir dans le Bureau ovale. Le président, qui aime tirer les ficelles et ménager ses effets, dirait alors au groupe soutenant Ginsburg qu'il choisissait Cuomo.

En fait, il n'arriva dans le Bureau ovale qu'à 17 h 30. Avant de faire entrer les autres, il nous dit, à Mack, Gergen et moi-même, qu'il aimait bien Ginsburg, mais qu'il était prêt à proposer le poste à Cuomo. « C'est la bonne décision. » J'étais tellement excité que je tenais à peine en place quand Bernie Nussbaum et son équipe pénétrèrent dans le Bureau ovale et que Clinton commença à évoquer son entretien avec Ginsburg. Il l'appréciait, dit-il, mais craignait que ses prises de position sur le remboursement de l'avortement ne « la tire vers une culture de gauche. Comme nous sommes dans la mouise, voilà une excellente raison pour appeler Cuomo et revoir la question ». Cuomo à la Cour suprême, ajouta-t-il, « serait un signal clair et puissant. S'il refuse, demain on annoncera Ginsburg ».

Voilà, il l'avait dit. Le rêve se réalisait. Mais avant que quiconque ait même pu penser à un contre-argument, Nancy Hernreich entra dans le Bureau ovale avec un message pour moi : Mario Cuomo était au bout du fil.

Mon cœur chavira. Ce ne pouvait pas être une bonne nouvelle. Il était 17 h 45 ; Cuomo savait que Clinton devait l'appeler à 18 h. J'allai prendre l'appel dans la salle à manger. Cuomo commença son monologue : « George, Andrew se donne un mal fou pour me faire changer d'avis, mais je sens que ce serait rendre un mauvais service au président. Je sens que je ne serai pas capable de faire ce dont nous avons tous besoin, que je ne pourrai pas soutenir politiquement le président. En siégeant à la Cour suprême, j'abandonne tant d'occasions de me rendre utile. J'ai l'impression de délaisser mon devoir. Je ne veux pas que le président pense que je pourrais dire oui.

« Il est important de faire ce que l'on croit pouvoir faire. Les deux seules fois où j'ai manqué à cette règle, je m'en suis mordu les doigts. Et c'est ce que je redoute aujourd'hui. Je me trahirais moi-même. On n'entre pas dans un mariage qu'on ne sent pas. Je ne veux pas être mis en position de dire non. Le président ne devrait pas m'appeler. »

Pendant que j'écoutais Cuomo sans y croire, Andrew me téléphona. « Virage à cent quatre-vingts degrés depuis hier, me dit-il. Je suis désolé. »

Je l'étais aussi. Pour plus de certitudes, je repris le père : « Il faut que je voie le président. Permettez-moi de vous poser clairement la question : s'il vous appelle, vous refuserez, vous direz non au président ?

– Oui. »

La partie était finie. Maintenant, il me fallait retourner dans le Bureau ovale et avouer mon échec. En fait d'agent de l'Histoire, j'étais plutôt le maître d'œuvre d'un nouveau désastre : embarrassé, furieux, déçu et battu. Cuomo ne siégerait jamais à la Cour suprême, et je passais pour un imbécile. Mes collègues allaient en faire des gorges chaudes, et Clinton aurait du mal à se fier à nouveau à moi sur ce genre d'affaires. Pourtant, en cette fin d'après-midi dominicale, il prit la chose avec philosophie, secouant la tête avec un sourire légèrement étonné : il s'y attendait et c'était probablement mieux comme ça. J'imaginais qu'il devait se répéter cette phrase de son discours électoral : « La folie, c'est faire et refaire sans cesse la même chose en espérant obtenir un résultat différent. »

L'après-midi du lendemain, dans la Roseraie, le président présenta au pays son nouveau juge à la Cour suprême. Le soleil brillait et une larme roula sur la joue de Clinton lorsqu'il entendit le juge Ruth Bader Ginsburg accepter sa nomination en rendant hommage à sa mère : « (...) la personne la plus courageuse et la plus forte que j'aie connu, et elle m'a été enlevée beaucoup trop tôt. Je prie pour devenir tout ce qu'elle aurait pu être, si elle avait vécu à une époque où les femmes peuvent avoir des ambitions et les réaliser, et où les filles reçoivent autant d'amour que les garçons. »

Brit Hume, de ABC News, rompit le charme en posant à Clinton une question pleine de sous-entendus, mais formulée avec respect. Évoquant « certains zigzags dans le processus décisionnel », il dit : « Je me demande, monsieur, si vous pourriez nous guider à travers ces zigzags et, peut-être, nous dissuader de nous faire une idée fausse sur cette question. Merci. »

Le président Clinton : « J'ai renoncé depuis longtemps à dissuader certains d'entre vous de voir dans toute décision importante autre chose qu'une manœuvre politique. Que vous puissiez poser une question pareille après la déclaration qu'elle vient de faire me dépasse. » (Applaudissements.)

Ça ne dépassait pourtant pas la réalité. Brit ignorait simplement à quel point il avait raison.

« QU'EST-CE QUE L'AMOUR A À VOIR LÀ-DEDANS ? »

Quand le mois d'août transforme Washington en un hammam de quinze kilomètres carrés, l'endroit le plus agréable de la ville reste le Capitole. Le marbre des colonnes et la pierre polie du sol libèrent une fraîcheur comparable à celle des glaçons dans un vieux réfrigérateur, et la climatisation est poussée au maximum pour le confort des membres du Congrès accablés par les éternelles pressions qui précèdent les vacances parlementaires : des sessions qui durent toute la nuit, des votes à l'issue douteuse et les billets d'avion des vacances familiales qui ne sont pas remboursables.

Pourtant, ce 5 août 1993, pour le sénateur Bob Kerrey, le Capitole même ne paraissait pas dispenser assez de fraîcheur. Il s'y sentait plutôt comme dans une cocotte-minute. Des meutes de journalistes le poursuivaient dans les couloirs. Les républicains cherchaient à le contacter, les démocrates essayaient de le ramener à eux, la Maison-Blanche faisait pression. En bordée avec Clinton-gouverneur en 1991 et adversaire acharné de Clinton-candidat en 1992, le sénateur Kerrey détenait la dernière voix, décisive, sur le projet de loi économique de Clinton : celui qui allait faire ou défaire sa présidence[6]. Serait-il le cinquantième oui ou le cinquante et unième non ? Sauverait-il l'homme qui l'avait vaincu ? Ou le laisserait-il s'étouffer sur ce vote que Clinton appelait « l'arête dans ma gorge » ? La décision ne tenait qu'à lui.

Tout ce que Washington comptait d'officiels épiait chacun de ses mouvements, et « Cosmic Bob » était dans son rôle de prédilection. Il décida d'aller au cinéma : *Qu'est-ce que l'amour a à voir là-dedans ?* – un film sur la vie de Tina Turner.

De retour dans mon bureau, j'écoutai le récit de l'emploi du temps de Kerrey avec une moue dégoûtée. *Va comprendre. C'est le même cirque loufoque qu'il nous a fait dans le New Hampshire, quand il regardait des cassettes vidéos dans son camion pendant que Clinton serrait des mains. C'est comme ça qu'on l'a battu. Mais, maintenant, il nous tient.* En mai, Kerrey avait été avec nous lors du premier vote au Sénat, et voilà qu'il

6. NdT. Pour être adopté, un projet de loi doit obtenir la majorité à la Chambre des représentants et au Sénat, puis la signature du président.

virait de bord. Ce matin-là, le président l'appela depuis le Bureau ovale. Je n'avais pas besoin d'entendre ce que disait Kerrey. Les réponses de plus en plus vives de Clinton m'en disaient assez :

« Si vous voulez foutre en l'air cette présidence, alors continuez comme ça !..

« Peut-être que je devrais tout simplement ramasser mes affaires et rentrer à Little Rock…

« Ma présidence va s'écrouler…

« Allez vous faire foutre !..

« Très bien. D'accord ! Si c'est ce que vous voulez, alors faites-le. »

À l'époque, les humeurs de Clinton étaient mes compagnes quotidiennes. J'avais senti passer le souffle de multiples explosions, vu la stupéfaction des nouveaux devant ce spectacle, arrangé les choses avec des journalistes qui avaient eu le malheur de heurter les nerfs présidentiels. Mais jamais encore je ne l'avais entendu hurler après un sénateur, surtout un sénateur qui pouvait paralyser sa présidence par son seul et unique vote. *Bon sang, il est en train de péter les plombs. On ferait peut-être mieux de l'éloigner du téléphone.* Mais quand Clinton raccrocha, il n'était absolument pas rouge, sa voix était posée, neutre, comme sous le choc. « Ce sera non » : il n'en dit pas plus.

Je n'y croyais pas. D'autant que le vote du Sénat avait lieu le vendredi, autant dire à des années-lumière. Si nous perdions devant la Chambre des représentants le soir même, ce qui se produirait le lendemain n'aurait plus d'importance. Ainsi, pendant que Kerrey cherchait l'inspiration dans les chansons de Tina Turner – « J'ai pensé à une nouvelle direction… J'ai pensé à ma protection » –, Clinton et moi passions l'après-midi au téléphone dans le Bureau ovale.

Assis sur une chaise que j'avais poussée contre le bureau du président, j'étais le lien entre Clinton et les démocrates de la Chambre – entre ma vie d'avant et ma vie d'alors. Mais il y avait une énorme différence : cette fois, nous ne cherchions pas à récolter assez de « non » pour battre le programme d'un président ni assez de « oui » pour une démonstration de force symbolique avant l'inévitable veto. Faire passer ce plan économique, malgré tous ses compromis et ses imperfections, était ce pour quoi nous avions été élus. Il prenait le contre-pied de la politique économique de Reagan : il réduisait le déficit en augmentant les impôts des riches, en diminuant ceux des classes laborieuses défavorisées et en préservant les programmes sociaux pour les classes pauvres et moyennes. Si ce plan réussissait, les taux d'intérêts continueraient à baisser, la croissance économique se poursuivrait, l'Américain moyen serait plus riche, et Clinton réélu.

Compter les voix était une chose que je savais faire. Au début de la journée, les cinq colonnes (Oui / Oui peut-être / Indécis / Non peut-être / Non) de mon récapitulatif faisaient apparaître qu'il nous manquait 30 voix. Arriver à 218 supposait de prendre beaucoup de députés par la main et de négocier âprement avec les autres. Les leaders démocrates – le président de la Chambre Tom Foley, le leader de la majorité, Dick Gephardt, et le chef de la majorité parlementaire David Bonior – jouèrent leur rôle avec Howard Paster au Capitole. Bob Rubin, Lloyd Bentsen et Mack McLarty appelèrent, eux aussi, tous ceux qu'ils connaissaient. Mais Clinton devait obtenir lui-même les dernières voix. En fin de compte, c'était *son* projet de loi et *sa* présidence. Il était à la fois le commandant et l'équipage.

Moi, j'étais le barreur. Ma fonction officielle était d'avoir les bonnes personnes au téléphone, de noter les accords passés et de faire en sorte qu'ils soient honorés ; puis je répercutais l'information vers le Parlement et vers Clinton. Mais je faisais également office de coach et de compagnon, glissant mes notes manuscrites sous les yeux du président pendant qu'il téléphonait, insistant prudemment pour qu'il écoute un peu moins et exige un peu plus, l'aidant à décrypter les messages dissimulés dans certains propos : « Je serai là si vous avez besoin de moi… Ne vous inquiétez pas en ce qui me concerne… Je ne vous laisserai pas tomber… Je ne laisserai pas capoter ce projet. » Les attaques des républicains – « la plus forte hausse d'impôts de toute l'histoire de l'humanité » – résonnaient encore aux oreilles des derniers réfractaires qui répétaient des variations sur le thème de : « Je pense à ma protection. » Ils ne voulaient pas dire non au président, mais ne pouvaient se résoudre à dire oui ; alors ils essayaient de gagner du temps, espérant que Clinton obtiendrait assez de voix sans eux. Certains résolurent le dilemme en disparaissant, tout simplement : le député Bill Brewster passa l'après-midi à rouler dans Washington, téléphone éteint.

En début de soirée, nous étions au pied du mur. 208 « oui » fermes, il nous en manquait 10. Nous avions une décision à prendre : battions-nous le rappel des voix en comptant sur la loyauté du parti et le sens de l'honneur ? Ou devions-nous retirer le projet ? Il n'y avait pas lieu de convoquer une réunion, il n'y avait pas de vrai débat. Et si nous ajournions le vote, il faudrait des mois de négociations pour bâtir une nouvelle coalition basée sur de nouveaux compromis. Différer, c'était perdre. Tous les acteurs principaux – Gore, Bentsen, Rubin, Panetta – firent leur apparition dans le Bureau ovale, tout comme, dans les réunions familiales, on gravite autour de la cuisine : l'endroit où l'on se retrouve quand il n'y a plus rien à faire – sinon s'inquiéter. Ils faisaient les cent pas autour du bureau du président en se gavant de gâteaux secs. Le bout déchiqueté du cigare pas allumé et mâchonné tout l'après-midi trahissait la nervosité de Clinton. Quant à moi, je ne savais plus quel ongle ronger.

Pourtant, pour la première fois depuis que nous nous connaissions, j'étais plus optimiste que mon patron. D'ordinaire, c'était moi qui voyais tout en noir et lui qui jouait le rôle de Monsieur Chance. Ce jour-là, les rôles étaient inversés. Peut-être parce que je connaissais la Chambre et ses cycles, parce que je savais que les députés avaient besoin d'une victoire même s'ils ne voulaient pas la voter. Peut-être parce que Bonior, Foley et Gephardt s'attribuaient un mérite précoce en appelant le président avec le décompte des voix qu'ils espéraient. Etait-ce parce que je suis moins pessimiste que versatile ? Ou parce que je me racontais tout simplement des histoires ? En tout cas, plus Clinton se tourmentait, plus j'étais persuadé que nous allions gagner.

Nous suivîmes le vote à la télévision, dans le bureau privé de Clinton, à côté du Bureau ovale : une pièce encore plus petite que celle qui m'était dévolue et remplie d'un fatras d'objets. Sa collection de clubs de golf en bois posée contre un mur dans un coin. Les CD de Kenny G. et Barbra Streisand empilés sur une table sous la fenêtre, près du mur de livres. En noir et blanc, une photo au flou artistique d'Hillary et Chelsea, accrochée au-dessus du bureau. Et, à droite de celui-ci, le petit téléviseur qui accaparait toute notre attention.

J'étais assis dans le fauteuil en cuir du bureau. Clinton se tenait debout derrière moi, le cigare vissé entre les dents, faisant porter son poids d'une jambe sur l'autre, comme un capitaine sur le pont de son navire, la main gauche sur Mack et la droite sur moi. J'avais l'impression de sentir toute sa tension pénétrer en palpitant par ma clavicule gauche. Je concentrai mon énergie sur le petit écran, essayant de hisser les « oui » jusqu'à 218 par la seule force de ma volonté. Le temps était écoulé, et nous avions une voix de retard : 211 contre 212. Je pensais encore que nous allions gagner, mais la main sur mon épaule se faisait lourde. Le vote ne serait pas clos tant qu'il resterait encore un espoir, et j'avais une ligne directe avec mes vieux collègues, dans les vestiaires de la Chambre : ils disaient que nous avions encore deux voix sûres. L'une d'elles tomba : 212 contre 212.

Puis Dave McCurdy vota non. *Salaud. Il n'encaisse toujours pas le fait que Clinton soit président, alors que lui est un député comme un autre. Il essaie de nous abattre.* Nous arrivions dans la zone dangereuse : 212 contre 213. Soit nous allions gagner avec deux voix, soit perdre avec vingt. Au Parlement, les votes serrés suivent les lois de la physique politique. Vous avez tous ces gars qui hésitent et vous disent qu'ils « seront là si vous avez besoin d'eux ». Mais ils meurent d'envie qu'on n'ait pas besoin d'eux, et chacun épie tout le monde. En votant non, avec encore six votes à venir, McCurdy essayait d'amorcer le mouvement qui ferait tomber les dominos ; ainsi, un député pourrait raisonnablement affirmer : « J'étais prêt à voter oui, mais de toute façon vous n'auriez pas gagné. » McCurdy espérait que les derniers récalcitrants suivraient son exemple et lui permettraient de participer aux négociations qui suivraient. Pure traîtrise, j'en étais sûr.

Nos gars s'accrochaient : 213 contre 213, 216 contre 214. Deux voix d'avance et encore quatre votes à venir. Aucun de ces quatre ne voulait voter oui ; la colonne des « non » est presque toujours la plus sûre en cas de tempête politique. Ray Thornton de l'Arkansas aurait dû être le premier à s'engager. *Bon sang, il est le député du président. Même s'il déteste chaque ligne de ce projet, il devrait suivre son électeur en chef. Le lâche.* Lorsque nous vîmes un nouveau « non » s'afficher sur l'écran et que je dis à Clinton de qui il s'agissait, il fut plus incrédule que furieux :

« Je l'ai fait président de l'Arkansas. Je n'arrive pas à croire qu'il me joue un tour pareil. »

Pourtant il ne s'en priva pas, et ce furent deux petites figures courageuses qui sauvèrent la journée : Pat Williams, une fidèle démocrate du Montana, où la taxe sur le gaz ferait vraiment son effet, et Marjorie Margolies-Mezvinsky, une nouvelle recrue démocrate, transfuge des républicains de Philadelphie. Ses riches électeurs ne manqueraient pas de s'en souvenir quand leurs impôts augmenteraient. Toutes deux avaient beaucoup à perdre en votant oui ; aucune ne serait de la prochaine session du Congrès : elles venaient de voter lorsque le marteau du président de la Chambre s'abattit. Le vote final était 218 contre 216. Il n'y avait pas une voix de trop.

Des explosions de joie et d'embrassades accueillirent ce résultat pour se muer rapidement en un soulagement plus mesuré. Clinton n'était pas d'humeur à faire la fête. Nous allions pouvoir aborder les combats du lendemain, mais nous avions appris une nouvelle et douloureuse leçon sur les limites du pouvoir présidentiel. Après tant de menaces et de promesses, tant de compromis soigneusement ménagés, après tant de marchés dérisoires et absurdes (« J'aimerais vraiment beaucoup jouer au golf avec le président »), nous ne pouvions rien faire d'autre que regarder la télé avec les autres camés de C-Span[7]. En fin de compte, notre destin n'était pas entre nos mains.

Demain, il serait entre celles de Bob Kerrey.

Un peu après 8 h, Clinton pénétra dans le Bureau ovale, encore dégoulinant après un jogging matinal sous une pluie battante. D'ordinaire, c'était la partie de la journée que je préférais. Sur le moniteur, derrière mon bureau, les Services secrets affichaient le circuit suivi par le président ; l'appareil allait émettre un bip et annoncer « BUREAU OVALE » en minuscules lettres vertes, signal que je devais foncer dans le bureau de Betty. Je connaissais la routine matinale du président aussi bien que la mienne : après quelques étirements dans le patio, il allait chercher une bouteille d'eau et une tasse de café, puis se décontractait en

7. NdT. Chaîne de télévision câblée qui retransmet en direct les débats publics – notamment parlementaires – les plus importants.

flânant autour de son bureau ou en feuilletant les journaux sur celui de Betty. Ses collaborateurs les plus proches venaient le voir pour quelques broutilles à régler : Betty lui montrait la liste des appels de la veille au soir ; Nancy lui tendait parfois un document qui ne pouvait pas attendre, ou lui redemandait à côté de qui il voulait être assis au dîner officiel du jour ; je lui débitais mon boniment sur les journaux du matin, lui servais quelques ragots politiques et le préparais à la première réunion. Les choses difficiles pouvaient attendre qu'il ait pris sa douche.

Ce vendredi-là, Gergen et Mack se joignirent à notre petit comité. Après le coup de fil explosif de la veille, ils avaient pris un petit déjeuner très matinal avec Kerrey et s'étaient efforcés de l'amadouer. Ils voulaient mettre le président au courant avant son entrevue finale avec Kerrey. « Ne donnez pas à cette affaire un tour personnel, dit Gergen. Parlez plutôt des principes que vous partagez. » Je savais que c'était le bon conseil, mais je bouillais de rage pour Clinton. *Qu'on m'épargne un nouveau discours à la Kerrey sur le principe du sacrifice. Oui, c'est un héros de la guerre, et il le sera toujours. Mais une fois rentré au Nebraska, il va aussi se faire taper dessus à cause des impôts. C'est bien de cela qu'il s'agit : il veut se mettre les électeurs dans la poche en votant contre de nouveaux impôts et s'allier aussi les caciques du Congrès pour avoir eu le « courage » d'entuber encore davantage la classe moyenne. De l'air !*

Clinton se contenta de hocher la tête – « Je ferai ce qu'il faut. » – et il partit se changer. Je retournai dans mon bureau et trouvai Howard Paster au téléphone : il était en train d'essayer de convaincre Kerrey de ne pas poser un lapin au président. Howard et Kerrey savaient tous deux qu'il lui serait plus difficile de voter « non » après une visite à la Maison-Blanche. Kerrey vint, bien sûr, et passa quatre-vingt-dix minutes inconfortables mais calmes avec Clinton sur le balcon Truman. Mais, finalement, cette entrevue n'eut pas vraiment d'importance. Kerrey allait voter le projet de loi parce qu'il le devait, même s'il l'ignorait encore. Tout comme Clinton, il ne pouvait pas se permettre d'en faire une affaire personnelle.

Même s'il n'avait pas d'estime pour le président, même s'il avait envie de se venger pour 1992, ou s'il jugeait sincèrement que le projet n'était pas assez bon, il ne pouvait pas voter non. Il tenait peut-être le destin de

Clinton entre ses mains, mais ne contrôlait pas complètement le sien. C'était trop tard. Si sa conscience lui avait véritablement dicté de voter « non », il fallait qu'il le dise – clairement, sans équivoque, publiquement – avant que les démocrates de la Chambre ne nous fassent subir le supplice de la veille. *Kerrey est peut-être un peu loufoque, mais pas dingue. Il y aura foule pour le lyncher dans son bureau s'il vote « non ». En tant que démocrate, il sera fini.* En atteignant les 218 voix, la Chambre avait pris la décision pour lui. Voter « non » après ça, ne serait pas seulement un camouflet pour Clinton, mais aussi une trahison pour la majorité des démocrates de la Chambre. Ils auraient le pire des deux mondes : un vote sur les impôts dévastateur et rien de concret à produire en contrepartie.

Mais il restait toujours un risque, même minime, pour que Kerrey nous fasse un coup à la Khadafi et qu'il commette un acte absurde, irrationnel, suicidaire. Dieu merci, il y eut Liz Moynihan. Elle et son mari, le sénateur Pat, étaient des amis intimes de Kerrey et des piliers de campagne électorale. Ce vendredi-là, elle persuada Kerrey que, par loyauté, à la fois envers le Parti démocrate et envers sa propre ambition d'éventuel président démocrate, il devait voter « oui ».

Voilà comment l'affaire fut pliée. Mais il fallait boire le calice jusqu'à la lie, et l'évocation des grands principes céda bientôt la place à un marchandage serré. En échange de sa voix, Kerrey demandait que Clinton fasse de lui le président d'une nouvelle commission budgétaire. Si ce maquignonnage paraissait plus noble que les marchés conclus par d'autres sénateurs (Deconcini marchanda sa voix contre une mention de son nom dans le discours du Bureau ovale, une aide dans une collecte de fonds et un boulot pour un de ses assistants), il fit néanmoins l'objet d'une âpre négociation.

L'idée ne me plaisait guère : je craignais que cette commission ne nous enferme dans une stratégie à long terme, nous obligeant à restreindre toujours davantage les allocations de ceux qui en avaient besoin. Mais je savais aussi que Kerrey nous tenait à sa merci. Le vice-président était au bord de l'apoplexie à l'idée que celui-ci puisse piétiner ses plates-bandes. Il pensait que cette commission allait porter ombrage au programme « Réinventons l'État » qu'il devait lancer à l'automne. Aussi,

Jack Quinn, son secrétaire général, et moi-même avons-nous dû rédiger un avant-projet limitant tout conflit potentiel avec Gore. Pour finir, nous réussîmes à affaiblir le mandat de Kerrey en l'élargissant, rebaptisant le groupe « Commission de la Maison-Blanche sur les priorités économiques ». Une commission de cette ampleur deviendrait inévitablement un club de bavards, et rien de plus.

Comme Kerrey restait inébranlable, les négociations atterrirent au Capitole, dans les bureaux du leader de la majorité, George Mitchell. Nous suivîmes les faux débats sur C-Span (chaque sénateur savait déjà ce que les autres allaient voter) et attendîmes que Kerrey nous fasse part de sa décision. À 20 h 20, l'appel arriva enfin dans le Bureau ovale.

Clinton resta silencieux. Il se mordillait la lèvre et hochait la tête au même rythme que le poing, pouce dressé, qu'il levait et abaissait dans ma direction. C'était OK. À peine une minute plus tard, le téléphone sonnait à nouveau : l'échange qu'il eut avec « Cosmic Bob » le plongea dans la stupéfaction. Après quarante-huit heures de cris, de menaces, de promesses et d'exigences, Kerrey l'appelait pour lui dire : « Celle-là est gratuite. »

Gratuite, mon cul ! S'adressant aux sénateurs, Kerrey lança quelques piques contre Clinton, qu'il décrivit comme « jeunot et inexpérimenté ». Suivirent quelques tirs pharisaïques : « Mon cœur souffre à cette conclusion : je vais voter « oui » pour un projet de loi qui n'est pas à la hauteur des Américains. » Cinq minutes plus tard à peine, il était dans le bureau de Mitchell pour arracher un accord sur sa commission budgétaire mais, pour sauvegarder les apparences, il demanda un délai décent avant de l'annoncer officiellement.

Howard me téléphona du bureau du chef de la majorité pour me dire que Kerrey négociait toujours. Je transmis le message au président qui se trouvait dans ses appartements. Je lui parlai aussi du discours de Kerrey. Il en fut irrité, mais semblait bien décidé à ne pas laisser gâcher sa victoire. Hillary et lui s'amusaient comme des fous. « Savez-vous ce que ma femme vient de me dire, George ? glousse-t-il. – Toutes les femmes du Parlement ont voté pour toi. Elles en ont plus dans la culotte que les hommes. »

Il avait en effet gagné – et notre plan économique fut un succès. La phrase du Parti républicain disant que le plan de Clinton serait un « poison pour l'emploi », se révéla complètement fausse. À l'époque, nous n'imaginions même pas à quel point nous étions dans le vrai ; tout ce que nous savions, c'était que, si nous perdions, nous n'avions pas fini de souffrir. Perdre une voix, c'était perdre la présidence. Gagner, c'était la rédemption, et une deuxième chance. *Oublie Zoe, Kimba, Lani, Waco, la coupe de cheveux, les voyages présidentiels et les homos dans l'armée ; on a fait voter notre plan économique – on a fait ce pour quoi nous avons été élus. « L'économie, idiot ». Tu te souviens ?*

Nous n'avions pas seulement évité une gifle ; nous avions fait quelque chose de bien. Gene Sperling, une grosse tête dotée du cœur le plus pur que l'on puisse trouver en politique, s'adressa à l'équipe dans le salon Roosevelt et remit en perspective le supplice que nous venions d'endurer. « On me dit obsédé par les chiffres, fit-il en baissant les yeux sur un bout de papier maculé de sueur. Eh bien, laissez-moi vous en donner quelques-uns : cent mille mères dans le besoin et leurs bébés seront en meilleure santé grâce au programme de nutrition des enfants ; cent mille gosses plus pauvres encore pourront profiter du Head Start[8] ; quinze millions de familles ouvrières bénéficieront, grâce à notre programme, d'une réduction d'impôt, et vingt millions de jeunes obtiendront des prêts étudiants à de meilleurs taux. » Réduire les déficits était notre devoir, mais nous réalisions aussi certaines de nos envies : celles qui nous importaient quand nous avions commencé.

Après le discours de victoire du président, nous fûmes quelques-uns à nous rendre chez Bice, un restaurant italien non loin du Capitole, pour y fêter le dernier acte de la campagne de 1992. C'était le vieux clan du conseil de guerre : Carville, moi, Mandy Grunwald et Stan Greenberg – Sperling arriva plus tard, comme toujours. Nous en étions à la moitié de notre souper quand un plateau chargé de boissons arriva à notre table, de la part du monsieur là-bas dans le coin : c'était le sénateur Bob Kerrey.

Nous lui adressâmes quelques signes de tête de remerciements en nous interrogeant tout haut sur la signification de son geste. Comme

8. NdT. Programme gouvernemental d'aide à la scolarisation d'enfants issus de milieux défavorisés.

l'homme, il était à la fois élégant, embarrassant et paradoxal. Que disait-il ? *« Je vous pardonne de m'avoir harcelé » ? « C'est vous qui devriez m'offrir à boire » ? « Je suis content d'avoir voté oui » ? « Félicitations, les gars, vous avez gagné » ?* (Ça ne sentait pas vraiment le « nous avons gagné ».) Ou peut-être juste : *« Espérons que ça marchera. »* En sortant, nous fîmes un arrêt à sa table, mais personne ne sut quoi dire. Nous nous dandinions d'un pied sur l'autre en marmonnant nos mercis, puis nous poursuivîmes notre chemin.

Ce n'était pas le moment, mais j'aurais adoré attraper une chaise et avoir une vraie conversation avec notre ancien adversaire et nouvel allié malgré lui. Le détachement de Kerrey, son calme, sa curiosité intellectuelle, sa capacité de faire ce qui lui était utile tout en vous faisant comprendre qu'il savait bien que, en fin de compte, cela n'avait pas grand sens, tout cela séduisait cette partie de moi qui redoutait les convictions trop profondes. Il irritait et fascinait en même temps.

Mais j'étais soulagé que ce soit Clinton mon président. Peut-être n'avait-il pas le charme éthéré et glacé d'un Kerrey : il était trop « démonstratif » pour ça. Peut-être n'avait-il pas été un héros comme Kerrey : le Vietnam n'était pas sa meilleure période. Mais, simple, intelligente, profonde et profane, l'humanité de Clinton lui permettait d'éprouver vraiment la souffrance des autres, et il était décidé à y porter remède.

Grâce à l'obligeance de Bob Kerrey, cela lui était encore possible.

LE MYSTÈRE

« Webb, c'est George ; j'ai de mauvaises nouvelles.

– Que se passe-t-il ?

– Vince s'est tué.

– Quoi ?

– Vince s'est tué.

– Non. Quoooooi ?

– Vince, je suis navré, Vince…

– Quoi ? Je ne peux pas croire que… »

Il posa la question sept fois, et sept fois j'y répondis. C'était peu avant 21 h 30, le soir du 20 juillet 1993. J'appelai Webb depuis un téléphone près de la salle de la Carte, au rez-de-chaussée. Quelques minutes auparavant, un assistant de Mack McLarty avait fait irruption depuis la colonnade pour apporter la nouvelle : on avait retrouvé le corps de Vince Foster dans un parc près de la route panoramique George Washington. Les premiers indices faisaient penser à un suicide.

Mack eut l'air consterné, mais il passa rapidement en pilotage automatique. « J'appelle Hillary, dit-il. Toi, tu téléphones à Webb. » Nous ne pouvions pas parler au président ; il était à l'antenne, en train de bavarder avec Larry King dans la bibliothèque, de l'autre côté du vestibule. Lors de la pause publicitaire suivante, Mack fixa le président avec un regard éloquent : si nous ne voulions pas laisser l'émission s'éterniser, ce n'était pas uniquement parce que nous craignions, comme d'habitude, de voir un Clinton fatigué dire quelque chose que nous aurions tous à regretter par la suite. Dès que King eut dit bonsoir, Mack prit le président par le coude et le conduisit jusqu'à l'ascenseur. La tête de Clinton s'affaissa et il parut s'appuyer au bras de Mack alors qu'ils pénétraient dans l'appareil.

Quelques minutes plus tard, je montai dans les cuisines du premier demander à Clinton ses consignes pour la déclaration présidentielle que nous devions produire avant la fin de la soirée. Mais il n'avait pas la tête aux obligations officielles. En manches de chemise, les yeux rougis mais encore sans larmes, le président pensait à son copain d'enfance et à la famille qu'il laissait derrière lui, il pensait au chagrin privé, pas aux relations publiques. « Vous savez ce qu'il faut dire, fit-il, sans agressivité, juste soucieux. Il faut que j'aille voir Lisa » (la femme de Foster).

Lorsqu'il fut parti chez les Foster, je retournai dans mon bureau, relus la brève déclaration dont Dreyer avait rédigé le brouillon, la lus à Clinton au téléphone, puis quittai à mon tour la Maison-Blanche. Jennifer Grey était à Washington et j'avais besoin de parler à quelqu'un d'extérieur à notre petit monde clos. À certains moments, sans doute ceux où j'en aurais eu le plus besoin, mon instinct politique hyperactif fermait le guichet. Jennifer me servit un verre et me fit couler un bain pendant que je m'efforçais de trouver un sens à ce qui s'était passé. Je ne connaissais pas bien Vince ; ce n'était pas un ami. Mais c'était mon collègue et il s'était donné la mort. *Comment est-ce possible ? La pression est-elle plus forte qu'on ne l'imagine ?*

Dès le lendemain matin, le suicide du plus haut fonctionnaire de Washington, depuis celui du secrétaire d'État à la Défense James Forrestal en 1949, tournait au scandale politique. À la Maison-Blanche, nous étions pétrifiés de chagrin, perplexes face à l'inexplicable, et convaincus que notre devoir était de préserver autant que possible l'intimité des Foster et des Clinton. Repliés sur nous-mêmes, nous arpentions les couloirs avec des regards soucieux et, réfugiés dans les coins, nous nous consolions mutuellement d'une tape sur l'épaule ou d'une bourrade : « Ça va, toi ? Tu es sûr ? Tu veux parler ? » Si ça avait pu arriver à Vince – le « rocher de Gibraltar » de Clinton –, ça pouvait sans doute arriver à n'importe qui.

Essayant de réconforter son équipe, le président nous réunit dans la salle 450 de l'ancien bâtiment administratif. Il insista sur le fait que ce qui était arrivé à Vince était « un mystère, quelque chose qu'il avait en lui » et nous rappela que « nous sommes tous des êtres humains : peut-être nous faut-il porter un peu plus d'attention à nos amis, nos familles, nos compagnons de travail ». Mack lui fit écho dans sa conférence de presse : « Quels que soient nos efforts, notre rationalité, notre logique ne peuvent jamais répondre aux questions que soulève une telle mort. » Avec moins d'élégance, je déclarai au *Washington Post* : « La vérité fondamentale, c'est que personne ne peut savoir ce qui amène un individu à commettre un acte comme celui-ci. Et comme on ne peut jamais le savoir, on ne peut pas non plus s'interroger. Au bout du compte, cela reste un mystère. »

Telle fut la position de la Maison-Blanche, et je la trouvais juste. Mais elle n'avait de sens que si l'on comprenait ce que nous éprouvions au sein de l'équipe présidentielle, que si l'on appartenait à notre famille. Pour des oreilles plus sceptiques, si Clinton refusait de s'interroger sur l'état psychologique de Vince et si nous nous acharnions à affirmer que son suicide ne pouvait trouver d'explication dans son travail à la Maison-Blanche, c'était pour mieux fermer la porte à de légitimes investigations : c'était la garantie, bien sûr, qu'elles ne faisaient que commencer. Une semaine après la mort de Vince, dans un briefing à la Maison-Blanche, on posa à Dee Dee cent trente-neuf questions sur l'affaire Foster. Dans le mois qui suivit, le *Times* et le *Post* publièrent chacun six unes sur ce suicide, et William Safire en fit une « cause célèbre » dans sa chronique.

L'intérêt prévisible de la presse pour le rôle de Vince dans l'imbroglio des voyages, le fait que nous ayons demandé que les experts de la Maison-Blanche contrôlent ses dossiers pour protéger le secret professionnel de leur client-avocat avec les Clinton, la confusion qui régnait sur ce qui avait été fait dans son bureau et par qui, la découverte et la promulgation tardives d'une note déchirée, trouvée au fond de sa serviette, combinez tout cela et vous avez les ingrédients circonstanciés d'un joli scandale. Nous avions essayé de préserver une certaine intimité à Foster, et suscitions une curiosité galopante. Nous avions réfléchi en juristes, et risquions d'être interrogés comme des criminels. Nous avions souligné le « mystère » du suicide, et semblions vouloir brouiller les pistes. Nos réactions humaines étaient lues à travers le prisme de l'après-Watergate : tout président est un Nixon tant que son innocence n'est pas prouvée.

Le 21 juillet, la police du parc déclara que les lésions de Foster « évoquaient une blessure volontaire ». Le 11 août, ce fut sa conclusion officielle. Les enquêtes ultérieures menées par deux experts indépendants, des commissions du Congrès et d'innombrables journalistes d'investigation ne convainquirent sans doute pas les ardents théoriciens du complot, mais elles apportèrent avec une quasi-certitude la confirmation que Vince Foster s'était lui-même donné la mort dans Fort Marcy Park, Virginie, le 20 juillet 1993. Les raisons de son geste, nous ne les connaissons toujours pas vraiment.

« Le suicide, écrit A. Alvarez, est un monde fermé, doté d'une logique propre et irréversible. » On peut dire la même chose d'un scandale à Washington. Lorsque Vince Foster – avocat de la Maison-Blanche, ami du président et confident de la First Lady – mit fin à ses jours, ces deux mondes fermés se télescopèrent avec la violence d'une fission atomique, provoquant une réaction en chaîne que Vince n'aurait jamais voulue, ni n'aurait pu imaginer. Son suicide avait suscité les soupçons, les soupçons engendré la curiosité, la curiosité déclenché l'envie de lui résister et le ressentiment. L'inéluctable accusation de « dissimulation » qui suivit, dans « l'irréversible logique » d'un scandale moderne à Washington, conduisit à la nomination d'un avocat indépendant. Le reste, comme on dit, appartient à l'Histoire.

Comment l'Histoire jugera Vince Foster et le président que nous servions tous deux, nul ne le sait encore. Mais c'est peut-être dans une interview accordée quelques semaines avant sa mort à Margaret Carlson de *Time*, que Vince révéla ce qu'il redoutait. Son lamento au laconisme douloureux est un avertissement adressé à tous ceux qui aspirent à de hautes fonctions à la Maison-Blanche : « Avant d'arriver là, nous pensions que nous étions de braves gens. »

Désormais, la pression pesait sur moi aussi. Il s'était passé tant de choses en deux ans, depuis que j'avais rencontré Clinton... Et maintenant, il y avait ça. Quelques semaines plus tard, je commençai à voir une thérapeute. J'avais pour cela toutes les raisons ordinaires – amour, famille, travail –, mais elles étaient amplifiées par le choc du suicide de Foster et les aspects délicats de mon travail. Mais même cette décision on ne peut plus intime semblait avoir une incidence publique qui me fit hésiter. *Est-ce que ça va sortir ? Quel effet ça fera dans le* Post ? *Et si ma thérapeute est assignée à comparaître ? Est-ce qu'elle parlera ?* Dans le sillage du suicide de Foster, les fonctionnaires de la Maison-Blanche étaient vaguement encouragés à « chercher de l'aide », mais avouer une psychothérapie n'en restait pas moins un tabou politique. Le souvenir de Reagan traitant, odieusement, Michael Dukakis d'« infirme » en 1988 ne me quittait pas. Je me demandais s'il se pouvait qu'un jour je sois victime de pareille calomnie, et ce qui se produirait si je ne pouvais pas la réfuter. Je n'avais pas honte de me faire soigner mais, d'instinct, je calculais les retombées politiques.

Et puis il fallait penser à Clinton. (*« Y a-t-il quoi que ce soit dans votre vie qui puisse un jour mettre le président dans l'embarras ? »*) Je savais qu'il ne s'opposerait pas à ma décision, mais j'estimais qu'il était en droit de savoir. Lorsque je lui en fis part dans le Bureau ovale, il eut une réaction parfaite : un haussement d'épaules pour dire que c'était sans conséquences pour lui, et un regard qui disait son inquiétude pour moi.

Ainsi, chaque vendredi soir, peu avant 19 h, je quittais la Maison-Blanche. Assez vite, même cette heure unique repoussée au bout de la semaine me parut volée. *Et si le président avait besoin de moi ? Et s'il se rendait compte qu'il* n'avait pas *besoin de moi ?* Mais ma thérapeute, une femme peu bavarde mais comprenant qu'il fallait me sevrer de mon travail, avait édicté deux règles : interdiction de manquer une séance, sauf cas d'extrême urgence, et obligation de dire tout ce que j'avais en tête, sans tourner autour du pot ni me censurer.

Je fis de mon mieux. Malgré toutes ces vicissitudes, travailler à la Maison-Blanche demeurait le plus grand privilège de ma vie. Je voulais en être digne, heureux, et y faire quelque chose de bien. Je voulais rester, mais j'avais besoin qu'on m'aide un peu.

8 FAIRE SON BOULOT

La nuit précédant le 13 septembre, le jour le plus exaltant de sa présidence, Clinton se leva à 3 h du matin pour lire sa *Bible* : le *Livre de Josué*, avec le récit de la chute de Jéricho et de la conquête de la Terre de Canaan par les Israélites. Il cherchait des mots dont le poids symbolique égale celui du moment. Quelques heures plus tard à peine, à 11 h, les trois mille chaises pliantes de la pelouse qui s'étendait sous la fenêtre de son bureau privé allaient accueillir les témoins d'un événement sans précédent : le Premier ministre israélien Ytzhak Rabin et le président de l'OLP, Yasser Arafat, allaient échanger une poignée de main et s'engager à ramener les anciennes terres de Judée et de Samarie à un temps où « le pays se reposait de la guerre » (Josué, 11, 23).

Les préoccupations qui me réveillèrent étaient plus triviales. *À quelle heure faut-il ouvrir les portes ? Est-ce qu'on va laisser entrer tout le monde ? Qui va-t-on exclure de la liste ? Et s'il pleuvait ? Est-ce que Safire nous éreinte dans sa chronique ? Et si ça rate et que tout le monde nous tombe dessus ?* Le président faisait son boulot, et moi je faisais le mien, celui que j'avais commencé à apprendre dans l'église de mon père. Ce matin-là, sur la pelouse de la Maison-Blanche, Clinton allait être l'officiant d'une sorte de liturgie. Moi, je serais son enfant de chœur, espérant servir la paix en servant mon président, c'est-à-dire en suant sang et eau pour des points de détail.

La bonne nouvelle était arrivée quelques jours plus tôt, sans préavis. Tony Lake m'avait attrapé sur le chemin du Bureau ovale pour annoncer à Clinton qu'Arafat avait signé l'accord de reconnaissance mutuelle entre Israël et l'OLP. Le président avait répondu en répétant ce que Rabin lui avait dit au téléphone, de cette voix de basse monocorde et gutturale si caractéristique : « Après toutes ces années passées à lutter contre Arafat, je ne peux pas croire que je sois en train de faire ça. Cela dit, ce n'est pas avec ses amis qu'on fait la paix, mais avec ses ennemis. » Il allait faire preuve de la même résignation déterminée face au monde entier. Il montra une certaine répugnance à fêter l'événement. Mais le président l'y encouragea, aussi bien en privé que publiquement, et, lorsque son nouvel ami fut convaincu qu'une cérémonie scellerait l'accord de paix, il accepta l'invitation de Clinton à la Maison-Blanche.

Nous avions soixante-douze heures pour la préparer.

Mack me demanda de m'occuper de l'affaire avec Rahm Emanuel : non des négociations diplomatiques, évidemment, mais de la cérémonie qui allait les accompagner. Le vendredi même, nous programmions deux réunions de « compte à rebours » quotidiennes dans le salon Roosevelt avec des responsables de tous les services de la Maison-Blanche : la Défense, le Protocole, le service Presse et Communication, les Relations publiques, les Affaires législatives et les Services secrets. Tout le monde était sur le pont et posait toutes les questions possibles et imaginables : *Qui va monter sur le podium ? Qui signera ? Sur quoi ? Est-ce qu'on peut utiliser la table de Carter à Camp David ? Qui parlera ? Combien de temps ? Où est-ce qu'on case les Russes – et les Suédois ? Comment coller à une heure de grande écoute au Moyen-Orient ?*

Où se tiendra la cérémonie ? Dans la Roseraie ? Trop petite. Sur la pelouse Sud ? Qui invite-t-on ? Les anciens présidents ? Les ministres des Affaires étrangères ? Et les membres du Congrès ? Ils voudront tous être là. Au moins, ceux qui sont juifs et arabes ? Les principaux collaborateurs ? Bien sûr, mais combien ? Comment faire passer tout le monde par les services de sécurité ? Est-ce qu'on prévoit un dîner ? Trop festif. Et la presse ? Des présentateurs sur la pelouse ? Et qu'est-ce qu'on va dire ? Comment encourager le processus de paix sans avoir l'air de tirer parti d'une chose que nous n'avons pas vraiment initiée ? Comment saisir l'opportunité sans avoir l'air opportunistes ?

Nous savions tous qu'une cérémonie réussie sur la pelouse de la Maison-Blanche serait une aubaine politique pour Clinton, mais il ne fallait pas le dire : s'attribuer le mérite de l'affaire eut été grossier, sans parler du risque de retour de flamme. Je devais prévoir et préparer les décisions concrètes, poser les bonnes questions, prévoir les réponses adéquates et m'assurer de bien faire précéder chaque résolution de : « Si cela peut aider l'effort diplomatique, nous devrions... » Ce n'était pas seulement de la casuistique. Nous étions tous un peu intimidés par les promesses que contenait l'événement. Nous ne savions pas si cette paix durerait, mais l'idée qu'elle le pût nous rendait à la fois modestes et plus consciencieux. Faire en sorte que tout se passe bien était une obligation capitale, et avoir la *chance* que tout se passe bien un don du ciel.

Les plaisirs de ma fonction surgissaient souvent aux moments les plus improbables. Ce fut le cas ce samedi matin, lorsque nous répétâmes pour la première fois la poignée de main. Ce n'était qu'un essai à blanc avec quatre gars en jeans, debout autour de mon bureau, en train d'inventer les pas de ce tango diplomatique. Il y aurait d'abord les signatures, avec les nombreuses copies du traité nécessitant toutes de multiples paraphes. Après quoi, le président se tournerait vers la gauche et serrerait la main d'Arafat, se tournerait vers la droite et serrerait celle de Rabin, puis il ferait un demi-pas en arrière, les bras légèrement écartés, et n'aurait plus qu'à espérer que Arafat et Rabin se tendent la main devant lui pour la photo de la décennie. J'avais aidé à mettre au point des centaines de séances photo avant celle-ci, mais dans ce cas précis, la mise en scène n'était pas qu'un effet esthétique. Cette poignée de main allait vraiment avoir lieu, et sous les yeux du monde entier. Si nous savions nous y prendre et avec un peu de chance, l'instant pourrait avoir un soupçon de cette magie qui fait la différence.

Le lundi matin, le soleil brillait. La chronique de Safire était irréprochable. (Il me demanda : « Pourquoi m'inviter à voir le président ? – Je ne vais pas vous raconter d'histoires, lui répondis-je. Pour nous, vous vous êtes montré injuste au sujet de Vince [Foster], mais nous voulons étayer l'accord de paix en Israël, et nous avons besoin d'un appui parmi les Juifs américains, or une grande partie d'entre eux vous écoutent. ») Un coup de fil du président m'arracha à ma réunion. « George, à mon avis le discours est très bien. J'y travaille depuis 3 h du matin, et je pense que je le tiens. Je serai en bas dans dix minutes avec les modifications. »

Ce qui voulait dire que j'avais au moins une demi-heure devant moi. Lors de la dernière réunion avec Rahm, je remerciai l'équipe, insistant pour que tout le monde montre la plus grande déférence. « Imaginez-vous, leur dis-je, que vous faites pénétrer les invités dans une église ou une synagogue. » Rahm, qui avait été engagé volontaire dans l'armée israélienne, alla même plus loin : « Comprenez bien que, même si nous la réussissons parfaitement, beaucoup de gens quitteront la cérémonie d'aujourd'hui avec des sentiments mitigés. Ce ne sera pas pour tous un bonheur sans mélange, et il faut respecter cela aussi. »

Lorsque le président pénétra dans le Bureau ovale, il pétillait d'enthousiasme et portait une cravate chatoyante, avec des trompettes dorées brillant sur un fond bleu sombre, clin d'œil aux sonneries qui firent s'écrouler les murailles de Jéricho. Il plaisanta en disant qu'il appréciait Josué car la seule personne qui restait debout dans Jéricho était Rahab, la prostituée. Nous mîmes la dernière main au discours, ajoutant un extrait du Coran que nous avait suggéré le prince Bandar d'Arabie Saoudite, et je fus heureux que subsiste une phrase de ma contribution : « Dans tout le Moyen-Orient, vibre l'ardent désir d'un miracle tranquille : celui d'une vie normale. » Nous étions pleins d'entrain, mais toutes les cinq minutes Martin Indyk, notre agent de liaison avec les Israéliens, entrait, porteur d'un message signalant un nouvel accroc diplomatique. (« Les Israéliens ne viendront pas si Arafat est en uniforme. » À quoi Tony répliqua dans sa barbe : « Demande-lui d'enlever ses médailles, dis que c'est une saharienne et vois s'ils acceptent. »)

Presque toutes les questions de détail avaient été réglées. Le leader palestinien ne porterait ni arme ni uniforme. Clinton était certain de pouvoir amener Rabin et Arafat à échanger la poignée de main, mais restait la question de l'accolade. Que se passerait-il si, à l'instant crucial, Arafat se montrait exubérant et bouleversait ce fragile équilibre diplomatique en embrassant le président ? Nous devions manifester de l'enthousiasme, mais pas d'emballement, or Clinton est doué d'une nature expansive. Le conseiller à la Défense imagina une manœuvre dissuasive : un léger blocage du coude allié à une pression sur le biceps. Côté pratique, Lake jouait le président et Clinton jouait Arafat : si Arafat se penchait pour l'embrasser, Clinton devait passer sa main gauche au-dessus du coude d'Arafat, agripper son biceps avec son pouce, chercher une artère et presser. En cas d'échec, le président pourrait toujours recourir à une méthode qui a fait ses preuves, la meilleure contre une avance importune : un coup de genou bien placé…

Tout le monde éclata de rire, mais rien n'était laissé au hasard. La dernière chose que je dis à Clinton fut : « Pensez à votre tête. » Il était assez avisé pour ne pas arborer un sourire béat à l'instant décisif, mais s'il surcompensait, il pouvait avoir l'air lugubre, et la plupart des gens ont au repos un visage inexpressif, presque idiot. « Ça me gêne de vous dire ça, fis-je d'une voix hésitante, mais vous devez absolument penser à votre expression quand vous reculerez et qu'ils se serreront la main. Ce sera une photo définitive. » J'étais *vraiment* un peu embarrassé de soulever cette question, mais plus inquiet encore à l'idée qu'un moment parfait pût être gâché à cause d'une infime négligence. Nous répétâmes donc le sourire bouche fermée.

Pendant la réception qui précéda la cérémonie dans le salon Rouge, j'eus l'impression d'assister à un minutieux quadrille dans une Cour de Russie encombrée d'intrigues. Des groupuscules évoluaient dans le salon, lorgnant leurs homologues en chuchotant tout bas, attendant de voir ce qui se passerait lorsque Rabin et Arafat entreraient dans la pièce. Shimon Peres, le ministre des Affaires étrangères israélien, était manifestement le plus heureux : un inaltérable sourire illuminait son visage bruni et buriné. On n'aurait pu en dire autant de Rabin. Ce vieux soldat, plus conservateur que son ministre des Affaires étrangères, avait l'air d'un homme qui aurait préféré être n'importe où plutôt que là. Lorsque les Palestiniens approchèrent, l'entourage de Rabin alla se masser silencieusement dans un coin de la pièce. Nous fîmes comme si de rien n'était et continuâmes d'évoquer la tenue d'Arafat : saharienne ou uniforme militaire ? « Je penche pour la saharienne, dit Hillary en riant. Pas vous ? » Mais Martin Indyk était toujours nerveux. Il fondit sur moi pour me faire part de la prochaine crise potentielle : l'unique médaille qu'Arafat avait gardée sur la poitrine était l'Insigne de Jérusalem, subtil rappel des prétentions palestiniennes contestées à la ville. Que se passerait-il si les Israéliens demandaient à ce qu'il l'enlève ?

Ils n'en firent rien, ce qui n'empêcha pas un ultime incident de se produire : Peres avait promis aux Palestiniens qu'ils pourraient signer le document « au nom de l'OLP ». Or le texte précisait « au nom de la délégation palestinienne » et ils refusaient de signer. Peres proposa alors d'inscrire provisoirement la mention « OLP » en disant que ça n'avait « pas beaucoup d'importance ». Puis ils allèrent clarifier ce point avec un Rabin réticent. Nouveau retard. Mais 11 h approchait et, avec trois mille personnes attendant sur la pelouse et un milliard de téléspectateurs devant leurs postes, il était impossible de reculer. Ce fut « pour l'OLP ». Je me précipitai vers la pelouse quelques secondes avant les invités d'honneur et pris place au dernier rang, à côté de Rahm.

La cérémonie se déroula comme dans un rêve. Rabin avait toujours l'air inquiet ; son impensable partenaire, Arafat, était extatique et, au moment crucial, Clinton parut plus présidentiel que jamais : calme, sûr de lui et parfaitement maître de la situation lorsqu'il fit son demi-pas en arrière, son sourire ébauché bien en place, dégageant gentiment le chemin. L'assistance retint son souffle. Lorsque Arafat et Rabin se tendirent la main, arabes et juifs, chrétiens et musulmans, républicains et démocrates, laissèrent éclater leur joie.

Nous retrouvâmes bientôt notre gravité pour écouter en silence l'éloquente douleur de Ytzhak Rabin. « Ce n'est pas si facile », murmura-t-il, comme pour lui-même. Pourtant, sa voix meurtrie se fit plus forte lorsqu'il affirma : « Assez de sang et de larmes. Assez ! » Il passa plus rapidement le passage de l'*Ecclésiaste* avant de déclarer que « l'heure de la paix était venue ». Alors, je posai un bras sur l'épaule de mon ami Rahm, qui sanglotait déjà, et fondis en larmes, moi aussi, en pensant à tous ceux qui s'étaient battus à ses côtés et à tous ceux qui n'auraient sans doute plus à se battre : cette minute pouvait durer longtemps. Lorsque le Premier ministre conclut par cette prière des Hébreux – « Puisse-t-il, Celui qui apporte la paix à Son Univers, nous apporter la paix à nous et à tout Israël » –, nous murmurâmes dans un même souffle notre espoir : Amen.

Après l'office, mon père était toujours d'excellente humeur. Il pinçait les joues de ses enfants de chœur, tandis que nous nous empressions d'ôter nos robes, et il riait au-dessus d'une soupe avgolemono[1] avant d'aller faire sa sieste. Il doit avoir un peu déteint sur moi, et je sentais la même humeur chez Clinton. Lorsqu'il invita Rabin à pénétrer dans la salle à manger privée, de l'autre côté de ma porte, je me frayai un chemin à travers les embrassades de la foule sur la pelouse et regagnai à toute allure mon bureau pour regarder par l'œilleton. Je n'épiai pratiquement jamais l'intimité du président, mais, cette fois, je ne pus résister. Il fallait que je les voie tous deux assis là, hommes d'État en plein déjeuner. Lorsqu'ils eurent terminé, j'attendis près du bureau de Betty pour raccompagner Clinton dans ses appartements où il devait se reposer une heure. Il était impatient d'avoir les premiers échos : « Vous pensez vraiment que je m'en suis bien sorti ? Je ne pouvais pas me rendre compte de là-haut. » Au retour, il me raconta une anecdote qui s'était produite alors qu'il se trouvait seul avec Rabin et Arafat, juste avant qu'ils ne soient appelés sur la pelouse.

« Vous n'allez pas le croire, fit-il, plantant le décor. Il n'y avait que nous trois. » Puis il imita la voix de Rabin et prononça un seul mot : « Dehors. » Il répéta : « Dehors. » Arafat avait voulu échanger avec lui une poignée de main privée, mais Rabin avait secoué la tête et dit : « Dehors », ce qui signifiait sans doute : « *Je sais que je dois le faire, mais plutôt être pendu que de le faire avant que ce ne soit absolument nécessaire.* » Puis il avait atténué cette rebuffade en meublant le silence qui l'avait suivie : « Vous savez que nous avons encore beaucoup de travail. » À quoi Arafat avait répondu : « Moi, je suis disposé à en faire ma part. »

Clinton me laissa livrer à la presse les dernières paroles des deux hommes en privé, à l'exception de la poignée de main refusée. C'était un détail délicieux, mais trop brut pour être utilisé. Il risquait d'être mal interprété. Or, rien ne devait venir gâcher cette journée. Le cynisme de rigueur à Washington était provisoirement en suspens, et tout le monde baignait dans un esprit de réconciliation. Tandis que nous nous dirigions vers les appartements, Barbara Walters vint demander une brève interview à Clinton. L'entretien fut aimable et rapide ; hors caméra, elle

1. NdT. Soupe traditionnelle grecque aux œufs et au citron.

s'approcha de lui avec une autre requête : « Est-il correct de demander une accolade à un président ? »

Plus tard cet après-midi-là, nous réunîmes les patrons américains, arabes et juifs, pour une séance de travail inédite à la Maison-Blanche. Lorsque Clinton eut terminé ses quelques remarques, toutes ces sommités prirent la scène d'assaut comme des ados tendant leurs programmes pour obtenir un autographe. Je savourais les coups de fil des mêmes journalistes qui souvent pourrissaient mes journées. Bill Safire : « Le meilleur discours que Clinton ait jamais prononcé. » Brit Hume : « Je n'ai aucune question. Vous avez fait un boulot génial, et votre meilleure action. » Tom Friedman : « Aujourd'hui, grâce à Clinton, j'ai été fier d'être américain, et grâce à Rabin, fier d'être juif. » Ann Devroy : « Même moi, je ne trouve rien de négatif à dire ; c'était tout simplement extraordinaire d'être là. » *Oui, c'était extraordinaire.*

En cette journée, tout semblait pardonné, tout semblait possible. Au cours de la réception privée que le président donna sur le balcon Truman, je dis à l'ancien secrétaire d'État aux Affaires étrangères, Cyrus Vance : « J'espère que nous pourrons faire la même chose en Bosnie. » Mais Zbigniew Brzezinski, son redoutable adversaire sous l'administration Carter, vint nous interrompre : « George, vous ne voudriez pas descendre à la bibliothèque me chercher quelques livres ? » À l'université de Columbia, j'avais été son assistant de recherche, titre assez pompeux pour quelqu'un dont les deux tâches principales consistaient à ravitailler son patron en livres de la bibliothèque (les mémoires de Napoléon en français) et en déjeuners (pastrami sur pain complet avec moutarde). Maintenant, nous échangions des histoires de combattants : « Il faut deux mandats pour apprendre à faire ce boulot », me dit-il, histoire de me rappeler une fois de plus que les trois derniers présidents démocrates n'avaient pas eu cette chance. Colin Powell entra dans la pièce. « Alors, superstar ! » lui lançai-je par espièglerie, faisant allusion à sa photo en couverture de l'*US News and World Report* sorti ce jour-là. « Oubliez-moi, fit-il en riant. Je n'ai plus que seize jours à tirer dans la carrière. » *Bien sûr, et après vous vous présenterez contre nous.*

J'avais failli y arriver : passer toute une journée sans une idée noire, sur le plan politique. Mais malgré toute mon admiration pour le général, il restait l'adversaire potentiel que je redoutais le plus. Le titre de l'article, « Colin Powell Superstar : le général en chef troquera-t-il l'uniforme contre un avenir politique ? », donnait le coup d'envoi à tout un baratin publicitaire :

> Powell pourrait devenir un nouvel Eisenhower, un héros militaire au-dessus des querelles partisanes, en phase avec l'un des plus vieux mythes de l'humanité : celui des vertus du roi-guerrier... Powell est un raz-de-marée politique qui attend son heure... Quasiment les trois quarts des personnes interrogées pensent... qu'il ferait mieux que Clinton en matière de politique étrangère... Plus des deux tiers des Américains croient qu'il serait plus efficace dans la lutte contre la drogue et la criminalité... Un Powell républicain battrait le président démocrate Clinton par 42 contre 38 pour cent des voix si les élections avaient lieu aujourd'hui.

Alors que Powell goûtait ses derniers jours de chef d'état-major des armées, nous entamions une série de discussions sereines sur une « stratégie Colin Powell », avec Vernon Jordan dans le rôle du sage. Bien que Powell ait repoussé Jordan lorsque celui-ci avait essayé de tâter le terrain, nous espérions toujours qu'il prendrait George Marshall plutôt que Dwight Eisenhower pour modèle : avec le temps, il ne pourrait refuser la chance d'être le premier Noir secrétaire d'État aux Affaires étrangères qu'ait connu l'Amérique.

Mais, pour l'heure, notre souci était de lui trouver une récompense honorifique pour son départ en retraite. Nous voulions lui offrir une nomination prestigieuse qui marquerait notre respect sans dénoter ni faiblesse ni complaisance flatteuse. Mack me demanda de me renseigner discrètement sur la marche à suivre pour décerner une cinquième étoile à un général. Ce que j'appris au Pentagone vint rapidement clore le débat : dans toute l'histoire de l'Amérique, seuls cinq généraux avaient obtenu cette distinction, le dernier n'étant autre que Omar Bradley, le héros de la seconde guerre mondiale, en 1950. Malgré sa victoire dans le Golfe persique et ses états de service au Vietnam, on ne pouvait prétendre que Powell eût un palmarès équivalent. Cette difficulté, ajoutée au fait que l'attribution d'une cinquième étoile devait être avalisée par le Congrès, suffit à repousser l'idée.

Lorsque je confiai à Clinton le résultat de mes recherches, il me dit être arrivé à la même conclusion, mais par des voies différentes. Si le cas avait été indiscutable, je suis sûr qu'il aurait préconisé cette récompense pour Powell. Mais comme il s'agissait d'un expédient, Clinton se dit que récompenser Powell serait un piège politique. Si le général s'opposait un jour à lui, lui avoir donné une cinquième étoile empêcherait toute critique éventuelle sur son action militaire. Nous évoquâmes donc des options politiquement inoffensives, comme demander à Powell de présider la Commission des monuments militaires américains, mais il n'en sortit rien.

Dans ses moments les plus optimistes, Clinton se persuadait que, de toute façon, Powell ne s'opposerait pas à lui. Nous abordâmes le sujet le soir du mardi 21 septembre, au terme d'une autre bonne journée. Cet après-midi-là, le président avait signé la loi sur le service national, et je venais de lui tendre l'ébauche de l'allocution sur le système de santé qu'il devait prononcer le lendemain soir. Betty Currie et le valet de chambre du président, Glen Maes, se tenaient dans l'antichambre, espérant que j'active les choses pour qu'ils puissent rentrer chez eux, et que lui prenne un peu de repos. Mais lorsque je revins dans son bureau, il était toujours en train de préparer ses dossiers pour partir. Sans lever les yeux de sa serviette ouverte, il dit : « Je crois que les choses commencent à se mettre en place. » J'étais heureux de l'entendre car, en dépit de quelques bonnes journées, depuis le mois d'août, le président s'était montré intraitable. Mais, ce soir-là, il parla gaiement de faire appel à son vieil ami, l'organisateur de la Convention de 1992, Harold Ickes, pour renforcer son équipe. Puis il mentionna Powell : « Vous ne pensez pas qu'il va se présenter, n'est-ce pas ?

– Je ne sais pas. Je continue de croire qu'il pourrait le faire, mais je n'ai aucune certitude.

– Je ne crois pas qu'il se présentera. Il va se poser en Eisenhower et passer son tour », affirma Clinton, ponctuant sa déclaration d'un claquement de serviette, puis il me demanda de le raccompagner jusqu'à ses appartements. Alors que nous marchions sous la colonnade, la conversation tomba sur le dernier livre de Richard Reeves : *La Maison-Blanche sous l'ère Kennedy*. Ne voulant pas ternir une humeur si accommodante, je me fis un rien flagorneur : la lecture des premières épreuves traversées par Kennedy m'avait réconforté car « il a fait beaucoup plus d'erreurs que vous, monsieur le Président ». Clinton évoqua alors la maladie d'Addison qui avait frappé JFK, s'étonnant d'apprendre que la cortisone avait considérablement augmenté ses pulsions sexuelles. Alors que John, le liftier cravaté de blanc, lui tenait la porte de l'ascenseur, Clinton contredit Reeves, pour qui JFK avait été le premier président étranger au système à se présenter aux élections. Il insista pour que je lise les livres de Vidal et Oakes sur Abraham Lincoln, son président préféré : un homme qui avait été député de l'Illinois, avait forgé seul sa propre popularité et fini par remporter la présidence. Il s'abstint de souligner qu'en 1864, un général appelé George McClellan n'avait pu arracher la Maison-Blanche à ce Lincoln.

Pourtant, ce soir-là, aucun président des États-Unis n'était plus présent à l'esprit de Clinton que Franklin Delano Roosevelt. Il avait battu des records de longévité dans sa fonction et gagné sa place dans l'Histoire au cours de son premier mandat, lorsqu'il avait convaincu le Congrès de créer l'Assurance sociale. Clinton semblait presque regretter de ne pas avoir à relever les défis qu'avait connus Roosevelt : aucune guerre froide à affronter, encore moins de guerre mondiale, quant à l'économie, Dieu merci, elle se portait bien. Le président n'en était pas moins déterminé à poser les bases d'un nouveau New Deal[2], à réussir là où Roosevelt, Truman, Kennedy, Johnson, Nixon et Carter avaient tous échoué, il voulait qu'on se souvienne de lui comme du président qui aurait fait de la santé, et notamment de celle des retraités, un droit acquis dès la naissance par chaque Américain.

Au premier étage, Hillary l'attendait : c'était Eleanor attendant Franklin. La santé publique était son bébé, un programme de grande envergure qui devait sauver des vies et prouver à la face du monde

---

2. NdT. Nouveau pacte ou nouvelle donne. L'expression New Deal désigne un ensemble de mesures économiques et sociales appliquées par le gouvernement du président F.D. Roosevelt pour mettre fin à la crise économique que traversaient les États-Unis depuis 1929.

qu'une First Lady peut aussi être une partenaire présidentielle à part entière. Travaillant avec Ira Magaziner, elle avait créé une filiale au sein de la Maison-Blanche, avec sa propre équipe, son propre programme et sa propre salle d'état-major, baptisée Unité de soins intensifs. Elle dévorait les dossiers, s'immergeait dans les sondages, présidait des commissions officielles, discutait avec des sénateurs, des députés et sillonnait le pays pour prêcher (sans notes) les vertus de la médecine préventive, du contrôle des coûts, et la paix de l'esprit qui accompagne une politique de santé publique « toujours présente ». Le public adorait ça, il la récompensait en l'applaudissant debout et elle atteignait des sommets vertigineux dans les sondages. (En septembre, le président était péniblement revenu à 50 pour cent d'opinions favorables, tandis que Hillary ralliait deux tiers d'Américains satisfaits.)

Mais à l'intérieur de la Maison-Blanche, elle devait se sentir comme une mère qui élève seule un enfant à problèmes, avec des voisins hostiles et un père de passage le week-end, adorant son bébé mais jamais là quand on a besoin de lui. Clinton commença par flirter avec les néodémocrates qui faisaient passer la réforme de l'assistance sociale avant celle de la santé publique. Puis vint la déroute du projet de loi de relance de l'économie. Tout l'été y fut entièrement consacré, englouti par la bataille sur la réduction des déficits. Désormais, les conseillers économiques de son mari (quand ils n'essayaient pas d'étouffer subrepticement le bébé au berceau, par d'interminables questions sur l'exactitude des hypothèses économiques d'Ira ou sur l'efficacité du contrôle des coûts) insistaient sur le fait que l'ALENA était le principal chantier présidentiel de l'automne. Dans l'intervalle, Gore s'efforçait d'inciter Clinton à « réinventer l'État ». Pour couronner le tout, la veille de son allocution sur la santé publique, le discours le plus important de la carrière d'Hillary, le président rentra tard – encore une fois.

Pourtant, malgré les étincelles que leurs divergences provoquaient, ils étaient sur la même longueur d'onde. Je suppose qu'ils se retrouvèrent vraiment dans leur élément lorsque, ensemble, ils travaillèrent à ce discours le mardi soir. Et quels qu'aient pu être, par le passé, leurs désaccords stratégiques sur la santé publique, ils partageaient désormais une

Mon premier flirt avec la gloire comme enfant de chœur de l'archevêque Iakovos. Cette photo est parue dans le *Daily News*. *(Costa Hayden)*

Sa première remontée. Après l'affaire Gennifer et celle du service militaire, Clinton se fait interviewer le jour de la primaire du New Hampshire.
(Je suis aussi à l'arrière-plan) (droits réservés).

Sur la route, durant la campagne de 1992, avec Paul Begala et des journalistes.
(P. F. Bentley)

En coulisses, lors du premier débat télévisé Bush-Clinton, remporté haut la main par celui-ci. De gauche à droite : James Carville, Tom Donilon, Mandy Grunwald, Dee Dee Myers (masquée), Stan Greenberg (derrière M. Grunwald), Vicki Radd, Wendy Smith, moi et Paul Begala.
(P.F. Bentley/ Time)

En attendant les résultats définitifs, je préside avec James Carville une des dernières réunions du QG de campagne.
(David Burnett/Contact Press Images)

Je savoure la victoire, le soir de l'investiture, avec mes parents.
(1993, George Stephanopoulos)

Première rencontre de Clinton avec les chefs d'état-major. À l'ordre du jour : les homosexuels dans l'armée. De gauche à droite : moi, le secrétaire d'État à la Défense Les Aspin, le général Colin Powell, le général Gordon Sullivan.
(Photographie officielle de la Maison-Blanche)

Après le raid sur le domaine de la secte des Davidiens à Waco, j'ai conseillé, à tort, au président de ne pas répondre lui-même à la presse. Ici, avec Bruce Lindsey et Mack McClarty.
(Photographie officielle de la Maison-Blanche)

La roue tourne. La conférence de presse, le jour où j'ai perdu mon poste de directeur de la communication. De gauche à droite : le vice-président Gore, le président Clinton, moi, David Gergen, Mack McClarty, Dee Dee Myers.
(Photographie officielle de la Maison-Blanche)

À ses côtés. En juin 1993, Clinton relit une dernière fois son discours avant d'annoncer à la télévision qu'il a décidé de bombarder l'Irak.
(Photographie officielle de la Maison-Blanche)

Un moment de détente avec le général Colin Powell dans la salle du Conseil.
(Photographie officielle de la Maison-Blanche)

Pendant que le président discute au téléphone avec Boris Eltsine dans son bureau privé, je me demande comment finir le discours sur le système de santé.
(Photographie officielle de la Maison-Blanche)

Le président réécrit comme d'habitude son discours sur l'état de l'Union quelques minutes avant l'allocution (1994).
(Bob Mc Neely/Photographie officielle de la Maison-Blanche)

Ma première audition devant le grand jury. Je hèle un taxi pour éviter l'image de la limousine officielle de la Maison-Blanche.
(Associated Press/Worldwide)

L'infâme photo de couverture du *Time*, non recadrée, avec Dee Dee Myers et David Gergen (à l'extrême droite).
(Photographie officielle de la Maison-Blanche)

« Vous avez été excellent, monsieur le Président. » Je félicite Clinton après son discours lors d'un dîner avec les journalistes accrédités à la Maison-Blanche.
(Photographie officielle de la Maison-Blanche)

Je passais l'essentiel de mon temps à prendre des notes pendant les conversations téléphoniques de Clinton, pour assurer le suivi et informer la presse.
(Photographie officielle de la Maison-Blanche)

Page de droite, en haut : Lors du voyage pour commémorer le cinquantième anniversaire du Débarquement, avec Wendy Smith et l'assistant du président, Andrew Friendly.
(Diana Walker/Time)

Page de droite, au centre : En septembre 1994, deux mois avant les désastreuses élections de la mi-mandat. Le président se délecte à la lecture d'un article qui critique une presse très réticente à son égard.
(Photographie officielle de la Maison-Blanche)

J'aide le président à faire le tri dans les tâches du jour, après une allocution radio du samedi matin.
(Photographie officielle de la Maison-Blanche)

Ne pas négliger un seul mot : Mark Gearan, Leon Panetta, Woodrow Wilsn, Tony Lake et moi surveillons le président pendant qu'il revoit un discours sur Haïti.
(Photographie officielle de la Maison-Blanche)

La first lady et moi comparons nos notes.
(Photographie officielle de la Maison-Blanche)

Encore dedans, mais déjà dehors : je suis écœuré par une intrigue tortueuse conduite en sous-main par Dick Morris.
(Photographie officielle de la Maison-Blanche)

Un moment de bonheur lors de la dernière réunion sur les mesures en faveur des minorités, en juillet 1995. Je m'étais laissé pousser la barbe pour masquer des éruptions cutanées dues au stress.
(Photographie officielle de la Maison-Blanche)

Le président sur le point d'exploser. Gene Sperling, Erskine Bowles et moi essayons de persuader Clinton de retirer une déclaration qu'il vient de faire : « J'ai trop augmenté les impôts. » *(Photographie officielle de la Maison-Blanche)*

Réunion dans le Bureau ovale. Le gouvernement est sur le point de voir ses lignes de crédit suspendues par le Congrès (novembre 1995). De gauche à droite : la photographe de la Maison-Blanche, Don Baer, Erskine Bowles,

Élaboration d'une stratégie de riposte avec Erskine Bowles et Harold Ickes durant la « mise en faillite » du gouvernement.
(Photographie officielle de la Maison-Blanche)

Mike McCurry, Gene Sperling, Michael Waldman, le vice-président Gore (au premier-plan), Laura Tyson, le président Clinton, Leon Panetta et moi.
(Photographie officielle de la Maison-Blanche)

Le dernier samedi précédent Noël 1995, nous préparons l'allocution du président. La seconde mise en faillite du gouvernement votée par le Congrès sous la houlette de Newt Gingrich s'avérera un cadeau de Noël inespéré pour Clinton. *(Photographie officielle de la Maison-Blanche)*

« Que se disent-ils ? » Clinton, qui détestait se sentir exclu de toute conversation, essaie de découvrir de quoi Leon Panetta et moi discutons. *(Photographie officielle de la Maison-Blanche)*

opinion commune et passionnée : ce discours était nul ; il fallait le réécrire de bout en bout.

Le mercredi matin, nous fûmes quelques-uns à nous rendre dans les appartements pour « inspecter les dégâts ». La table en chêne de la salle à manger familiale était couverte de pages raturées. Tout en griffonnant sur le texte de sa main gauche, Clinton rongeait l'ongle de son pouce droit, et Hillary se tenait derrière sa chaise, lui massant les épaules. On envoya David Dreyer et Jeremy Rosner, la meilleure plume depuis le succès du discours sur le Moyen-Orient, achever la réécriture. J'étais en retard pour une série d'interviews avec les animateurs de talk-shows radiophoniques qui devaient diffuser leurs émissions depuis la pelouse Nord, et il fallait que le couple présidentiel s'habille avant de déjeuner avec les journalistes dans la vieille salle à manger du rez-de-chaussée. Moins de dix heures avant l'antenne, nous revenions au saut à l'élastique sans élastique.

Je passai l'après-midi à travailler avec Rosner et Dreyer. C'étaient eux qui écrivaient le discours ; moi, je faisais davantage office de berger, guidant la transhumance du texte jusqu'à ses ultimes étapes : de la rédaction finale à la répétition en costume, de l'avant-première à la presse jusqu'à l'enregistrement sur le prompteur, face au pupitre du président. À 19 h, encore assis sur les pliants du théâtre familial, nous regardions Clinton debout à ce pupitre déclamer et brasser ses idées et taper directement ses modifications sur le prompteur. Il ne savait jamais avec précision ce qu'il voulait dire, tant qu'il ne s'était pas entendu prononcer les mots. Peu après 20 h, lorsque le président monta se doucher et se changer, Dreyer imprima des copies du texte : il m'en tendit une, en donna une autre au secrétariat personnel du président, et fonça au Capitole avec les disquettes dans sa serviette. Je patientai pour faire le trajet avec le président. J'aimais la pompe familière de ces cortèges officiels en route pour le Capitole. Pendant que les voitures s'alignaient dehors, nous attendions le président et la First Lady dans le vestibule, côté pelouse Sud. Quelques secondes avant qu'ils ne descendent, les Services secrets entraient discrètement en action ; pour nous, c'était le début de la bousculade. Ce soir-là, j'attendis près de la limousine que le couple présidentiel soit monté, puis je grimpai tant bien que mal sur le strapontin –

les mains crispées sur le texte de Clinton, les genoux contre ceux d'Hillary –, juste au moment où la Sécurité donnait l'ordre de démarrer.

Tandis que nous descendions Pennsylvania Avenue, Clinton continuait de travailler. « Je l'abrège un peu, fit-il. Il sera mieux comme ça. » J'avais mon boniment tout prêt pour le gonfler à bloc – « C'est un bon discours ; vous l'avez vraiment bien amélioré » – et pour lui indiquer les pauses à ménager : « Faites en sorte de brandir la carte assez longtemps pour que tout le monde la voie. C'est ça la photo. » Hillary ne disait pas un mot. L'épais maquillage de la télé masquait un peu la peur qu'on pouvait lire sur ses traits, mais je la connaissais. Sourire figé, regard fixe, mains serrées sur les genoux, elle retenait tout à l'intérieur : l'air d'une femme qui doit toujours se faire du souci pour deux. Pendant la campagne électorale, elle se cachait jusqu'à ce que le débat soit terminé, préférant se retirer dans une pièce vide avec un livre. Désormais ce n'était plus possible. Cette fois, elle allait se retrouver aux loges, au balcon de la Chambre, architecte d'un plan dont elle espérait qu'il serait l'héritage laissé par son mari.

Clinton se rendit au bureau du président de la Chambre pour saluer les chefs des groupes parlementaires ; moi, je bifurquai pour aller donner les modifications faites dans la voiture au militaire qui s'occupait du téléprompteur. Je restai un moment derrière son épaule afin de m'assurer qu'il entrait bien les bonnes corrections aux bons endroits. Puis je dus gagner rapidement ma place.

Pour moi, me retrouver là, c'était comme de revenir à la maison, mais en mieux. Je fonçai droit à mon ancienne place, près de la tribune, là où j'avais appris à compter les voix et à sentir l'assemblée. Là aussi où, sept mois et plusieurs vies politiques auparavant, j'avais assisté au premier discours sur l'état de l'Union de Clinton. Le programme économique qu'il avait présenté ce soir-là était devenu une loi. Mais, entre-temps, nous avions dû obtenir le vote décisif à l'arrachée et nos rêves aussi avaient été arrachés. Au fond, réduire le déficit, c'était toujours nettoyer d'anciens gâchis, c'était jouer en défense. La santé publique nous offrait notre vraie chance de réaliser une grande ambition.

« Monsieur le Président de la Chambre des représentants, le président des États-Unis. »

Clinton descendit l'allée d'un pas tranquille, serrant des mains, savourant les applaudissements ; il n'accéléra que lorsqu'il atteignit le parterre de l'Assemblée, passa devant la tribune et sauta d'un bond les marches pour faire son discours.

Je compris que quelque chose n'allait pas quand je le vis plisser des yeux et regarder au loin, tournant la tête d'un côté et de l'autre comme s'il cherchait un visage dans la foule. Puis il fixa le vice-président, qui fit volte-face vers moi et, de l'index, me fit signe d'approcher. *Impossible.* Je répondis non de la tête. *Impossible de monter là-haut devant une centaine de millions de personnes ; j'aurais l'air d'aller recevoir l'engueulade du siècle.* Gore me fit à nouveau signe, de manière plus insistante, écarquillant les yeux, dodelinant du chef. Je répondis à nouveau non de la tête, mais je commençai à m'inquiéter. *Qu'est-ce qui se passe ? Est-ce que Clinton est malade ?* Puis le vice-président descendit deux marches, j'en montai deux, j'étais encore hors du champ des caméras. « Le discours, allez vérifier le discours. Ce n'est pas le bon. »

Je piquai un sprint, enfonçai les portes battantes et filai droit vers le coin où se trouvait le machiniste : il fixait son engin d'un œil implacable, suspendu à l'instant où le président allait commencer. Et là, ce que je vis me coupa le souffle. *C'est impossible. J'ai des visions.* Ce n'étaient pas des visions. Le texte électronique est encore gravé dans ma mémoire :

« UNE NOUVELLE DIRECTION »

ALLOCUTION AU CONGRÈS

DU

PRÉSIDENT WILLIAM CLINTON

17 FÉVRIER 1993

Par bonheur, Dreyer était là. Je suis un analphabète de l'informatique, quant à l'opérateur en charge du téléprompteur, il n'était pas aussi calme que je l'avais cru tout d'abord, mais plutôt sous le choc. (Il ne comprit que plus tard ce qui s'était passé. Plus tôt dans l'après-midi, il avait fait apparaître le premier discours pour tester le disque dur, puis il avait commis une simple erreur : il avait appuyé sur « Enregistrer » au lieu de « Effacer ». Lorsque le nouveau discours était arrivé, il s'était placé à la suite de l'ancien.) Pendant que Dreyer scrutait l'écran, le président demanda une minute de silence pour les victimes d'une catastrophe ferroviaire qui s'était produite la veille. *Priez longuement, et fort ; on a besoin de temps.* Mais ensuite, Clinton n'eut plus d'autre solution que de commencer son discours : « Mes chers compatriotes, nous sommes réunis ce soir pour écrire un nouveau chapitre de l'histoire de l'Amérique… »

Pendant qu'il parlait, l'ancien discours s'affichait sur l'écran. Savoir que le président tentait de se concentrer sur son débit alors que ce charabia se déroulait en ronronnant sous ses yeux me rendait malade d'inquiétude – pour lui comme pour moi. Si je n'étais pas coupable de ce cafouillage, du moins en étais-je responsable. « C'est la pire chose qui soit jamais arrivée », marmonnai-je. « Sais pas, répliqua Mike Feldman, le conseiller du vice-président, il y a eu l'Holocauste aussi. » *Très drôle.*

Après un laps de temps qui me parut interminable, Dreyer inséra une nouvelle disquette dans la machine et fit défiler le texte à toute allure pour rattraper le président. Il ne ralentit que lorsqu'il eut atteint les mots : « (…) navigateur de talent : quelqu'un doté d'un esprit rigoureux, d'une boussole fiable et d'un cœur généreux. Par chance, pour moi et pour notre nation, je n'avais pas à chercher bien loin. » Sept minutes après le début de son discours, ayant enfin les bons mots sous les yeux, le président regardait vers le balcon pour remercier sa femme.

Je me demandai si Hillary avait compris qu'il se passait quelque chose quand elle lui renvoya un regard plein de gratitude et accepta l'ovation qui lui était faite. L'assistance ne s'était aperçue de rien et Clinton avait déjà trouvé son rythme. Mais moi, je restai toujours sous le choc. Seul le fait de retourner à ma place pour le voir vraiment à l'œuvre me réconforta un peu.

Lorsqu'il s'adressait en direct à un public, Clinton était un génie du jazz improvisant un bœuf avec ses copains. Il engageait tout son corps dans son discours, se balançait au rythme des paroles, s'abandonnait à une mélodie capricieuse, s'évadait du texte dans des riffs dont la clé était une vie de travail acharné et d'écoute bienveillante. S'il sentait dans la foule une poche de résistance, il se penchait vers elle, bien décidé à émouvoir par la seule force de sa volonté ceux que les charmes de la raison avaient laissés insensibles. Il n'eut guère de mal à convaincre, ce soir-là, surtout quand il tira la carte de sa poche et la tendit vers les caméras.

C'était un carré de plastique au bleu vigoureux, marqué au sceau des États-Unis, dont le bas était bordé d'une bande blanche avec deux étoiles dorées et le haut barré d'une bande rouge portant la légende : « Carte de soins médicaux ». C'était un accessoire, bien sûr, mais aussi plus que cela : lorsque cette bataille aurait pris fin, chaque Américain posséderait l'une de ces cartes et bénéficierait des garanties qui l'accompagnaient – la Sécurité sociale. Oubliant un moment l'affaire du prompteur, je me rappelai notre campagne dans le New Hampshire : là, j'avais rencontré pour la première fois des gens comme Ron Machos, un homme qui cumulait deux emplois mais ne pouvait toujours pas payer l'opération à cœur ouvert dont Ronnie, son petit garçon de deux ans, avait besoin pour survivre. Cette carte signifierait que nous tenions la promesse que nous leur avions faite, à eux et à tous ceux qu'avait émus leur histoire. Puis je m'imaginai un amphithéâtre poussiéreux, dans un avenir lointain. Chaque année, j'apporterais la carte originale, je la sortirais de ma poche par un de ses coins usés, la poserais sur la table devant moi et raconterais l'histoire du jour où nous avions perdu le discours, mais gagné la bataille pour la santé publique.

En vérité, je commençais à me demander si l'heure de ma retraite n'allait pas sonner un peu plus tôt que prévu. Lorsque Clinton eut conclu son discours, je me frayai un chemin vers la salle des pas perdus et me préparai à affronter sa colère. Mais le temps qu'il y parvienne, il croulait sous tant de félicitations qu'il ne pouvait être furieux.

« Vous nous avez encore une fois sauvé la mise, monsieur le Président, lui dis-je. Je suis désolé de ce cafouillage.

– Oui, que s'est-il passé ? » fit-il en posant la main sur mon épaule. Mais avant que j'aie pu lui répondre, il enchaîna : « Je ne m'en suis pas si mal sorti, non ? » Bien sûr, il s'en était très bien sorti ; avec ce discours, il marquait un but triomphal, et la façon dont il avait posé la question prouvait qu'il le savait. Soulagé, je partis rencontrer la presse. La mésaventure du téléprompteur allait forcément sortir, mieux valait en tirer parti : *« Clinton est incroyable, vous ne trouvez pas ? Imaginez ce que*

Reagan aurait fait sans son texte. » Hélas, cet épisode devait être l'apogée de la bataille pour la réforme du système de santé.

▪ ▪ ▪

« Comment ? Qu'est-ce que vous avez dit ? »

Foutu. Tous les regards étaient braqués sur moi dans le salon de Hickory Hill. Mais mon véritable supplice, c'étaient le haussement de sourcils et le sourire crispé de l'homme qui me questionnait : le vice-président Al Gore.

Nous étions le vendredi soir, une semaine après le discours sur la santé publique ; plusieurs dizaines de responsables ministériels et d'employés de la Maison-Blanche s'étaient réunis dans la propriété de Bobby et Ethel Kennedy pour fêter l'adoption de la loi sur les zones d'aménagement concerté, dont le vice-président Gore s'était fait le promoteur avec Andrew Cuomo, du secrétariat à l'Urbanisme (le gendre de Ethel). Pour moi, cette soirée était une récréation bienvenue au terme d'une semaine de conflits sur le programme « Réinventons l'État » du vice-président. Mais alors qu'il se levait pour clore la soirée, après plusieurs toasts où Gene Sperling fut raillé sur son allure chiffonnée et ses habitudes de drogué du travail, Gore me surprit en train de chuchoter quelque chose à l'oreille de Dee Dee : « Allons, George, faites-nous profiter de vos remarques. »

Allez, c'est vendredi soir. Lâche-moi un peu.

« Oh, pardonnez-moi, monsieur le Vice-président. Je disais juste que Gene devient le Joey Buttafuoco de Washington. Il suffit de prononcer son nom pour que tout le monde éclate de rire. »

Par chance, ce fut le cas : tout le monde rit, y compris Gore. Mais cet échange n'était qu'une très légère turbulence dans une relation de plus en plus explosive.

Avant 1992, je n'avais jamais rencontré Gore, bien que j'eusse postulé à un emploi dans son bureau sénatorial après la campagne Dukakis. J'avais finalement atterri chez Dick Gephardt. Premier set avec Gore. Gephardt et lui s'étaient présentés l'un contre l'autre aux primaires de 1988, et étaient rapidement devenus des ennemis politiques. Le vice-président n'ignorait pas non plus – je le soupçonnais – qu'après mon échec avec Cuomo, j'avais fait une tentative de dernière heure pour mettre Gephardt sur la liste de Clinton. Même si Gore et moi avions continué de faire du bon travail ensemble pendant la campagne, ses soupçons sur mon compte refirent souvent surface à la Maison-Blanche. Un jour, au terme d'une réunion particulièrement animée sur l'ALENA, il s'était tourné vers moi, exaspéré : « George, il faut que je trouve un procédé scientifique pour extirper de vous ce chromosome Gephardt. »

Le plus souvent, néanmoins, les piques étaient anodines. À huis clos, Gore a beaucoup d'esprit : il aime rire de lui-même et de tous ceux qui l'entourent. En ce qui me concerne, mon côté « people » fournissait une cible toute désignée. Un dimanche après-midi, à l'époque où la rubrique des potins mondains disséquait ma relation avec Jennifer Grey, j'arrivai en retard du gymnase pour une réunion budgétaire. Gore me surprit alors que je tentais de me glisser discrètement dans le salon Roosevelt, le cheveu encore dégoulinant : « Mais d'où sortez-vous, George ? (Un temps.) D'une boîte de nuit ? » La saga Lorena et John Wayne Bobbitt fut son cheval de bataille des semaines durant, pendant lesquelles il livra chaque matin à Clinton, avant la réunion dans le Bureau ovale, un bulletin détaillé de l'état post-opératoire de M. Bobbitt. Gore était aussi le seul à la Maison-Blanche qui pût vraiment rire du président. Lorsque nous étions en répétition, il était l'empêcheur de tourner en rond par excellence. Si Clinton, répétant une conférence de presse, répondait à une question en s'apitoyant exagérément sur lui-même, Gore applaudissait, et brandissait un point vainqueur de l'autre extrémité de la table. « Excellente réponse, monsieur le Président. Vous lui avez fichu le moral à zéro ! » Clinton comprenait le message.

Il tablait sur l'intelligence méthodique de Gore et, dès le début, s'était sincèrement appliqué à faire de lui un partenaire à part entière de sa présidence. Mais, sagement, Gore ne tenait rien pour acquis. Tout de suite après les élections, il avait pris une suite à l'hôtel Capitol de Little Rock et conforté sa place aux côtés du président pendant la formation du gouvernement. Il avait eu voix au chapitre pour tous les postes clés, et Clinton lui avait laissé carte blanche sur quelques nominations : Carole Browner à la Protection de l'environnement ; Reed Hundt, qui partageait sa chambre à la fac, à la tête de la Haute Autorité de l'audiovisuel, et Frank Hunger, son beau-frère, responsable des juridictions civiles au secrétariat à la Justice.

Gore s'était également démené pour cultiver ses relations avec certains d'entre nous, appelés à faire partie de l'équipe en place à la Maison-Blanche. Quelques semaines à peine après les élections, il m'avait invité à déjeuner. Conscient des brèches toujours possibles entre un vice-président et l'entourage du président, il m'avait dit que sa porte était ouverte, qu'il voulait mon avis et que je devais tout de suite venir le trouver si je percevais un quelconque problème entre lui et le président, ou qui que ce soit d'autre – Hillary, par exemple.

Cette attention de haut niveau était grisante, mais intimidante. D'instinct, j'étais passé en mode subalterne, celui du modeste employé à la Maison-Blanche, et lui avais répondu qu'ayant été élu, il était mon patron autant que le président. Nous étions l'un et l'autre à la fois sincères et hypocrites. Nous nous appréciions, nous respections et voulions nous entendre parce que nous savions qu'une relation harmonieuse nous permettrait d'entreprendre davantage de choses. Mais sous les amabilités de Gore se cachait une menace implicite : « *Ne t'avise pas d'essayer de me tenir à l'écart, sinon je te les coupe.* » Quant à moi, ma docilité affectée dissimulait l'assurance de qui se croit surprotégé : je pensais que ma relation étroite avec Clinton était tout ce dont j'aurais besoin, et que le président avait besoin de gens comme moi, qui ne pensent qu'à lui.

Mon premier accrochage avec Gore se produisit assez vite, à propos de la taxe sur l'énergie. Au nom de la réduction du déficit, je m'étais résigné à ce que les allègements fiscaux sur les classes moyennes soient abandonnés, mais inventer une taxe sur l'énergie était, à mon sens, une double bourde politique. Non contents de trahir notre promesse d'alléger la fiscalité des classes moyennes, nous l'alourdissions. Je voyais déjà les spots des futures campagnes républicaines et ne cessais de me répéter cette phrase que j'avais entendu mille fois dans la bouche de Clinton : « Je n'augmenterai pas les impôts de la classe moyenne pour subventionner mon programme. » *Ce sera donc toujours « Croyez ce que je dis, mais n'attendez pas que je le fasse ».*

Gore s'était fait le champion de la taxe sur l'énergie, affirmant qu'elle profiterait à la fois à l'économie et à l'environnement. Il avait le soutien des poids lourds – Bentsen, Rubin et le président de la Banque centrale, Alan Greenspan – et, avec le recul, je sais qu'il avait raison. Mais, à l'époque, je trouvais qu'il faisait peu de cas de nos promesses de campagne et des choix du président. Pendant tout le printemps 1993, Clinton tempêta en privé : Gore le poussait à des augmentations d'impôts exagérées. Je le connaissais assez pour me douter qu'il ne lui disait pas cela dans leurs déjeuners hebdomadaires, et j'interprétais ses propos comme un encouragement indirect : je devais continuer à lutter pour une diminution de la taxe sur le gaz dans nos débats internes.

Le 29 juin, Gore et moi finîmes par nous expliquer devant Clinton. L'ordre du jour était la stratégie à adopter dans les négociations, alors que la commission interparlementaire préparait un plan final pour le vote de la taxe sur l'énergie. Je réclamai d'avoir un peu les coudées franches dans les négociations : mieux valait adopter une taxe modérée sur le gaz, votée par le Sénat, plutôt que de défendre une taxe sur l'énergie plus élevée, soutenue par Gore et la Chambre des représentants. « Nous devons laisser penser que nous n'acceptons qu'à contrecœur une augmentation d'impôt. Alors que nous avons l'air d'en être les champions. » Gore s'emporta. J'avais l'habitude des colères du président, mais là, j'eus droit à une sortie d'un genre nouveau et, bizarrement, plus réfrigérant : « Bon sang, George, on ne peut pas se contenter de viser un bon journal télévisé. Pensez au long terme. C'est la bonne décision. » Le président restait assis sans un mot. Enhardi par son silence, je mis de côté l'étiquette, et si je ne criai pas vraiment, mes cordes vocales n'en étaient pas moins tendues quand je répondis à Gore en serrant les dents : « Si cette loi n'est pas votée, elle ne fera aucun bien à personne, et elle… ne peut pas… être votée… avec… des impôts… aussi *élevés.* »

Je gagnai cette bataille, mais mes problèmes avec le vice-président ne faisaient que commencer. Nous eûmes une nouvelle confrontation à propos de « Réinventons l'État », le programme REGO.

Ce programme était pour Gore ce que la santé publique était pour Hillary : un objectif louable qui échappait à tout contrôle, une Maison-Blanche au sein de la Maison-Blanche. Je n'avais rien contre le fait d'économiser l'argent du contribuable par une meilleure gestion, mais j'étais déçu que la commission spéciale dirigée par Gore génère des idées dans le vide, sans tenir compte, le plus souvent, ni des réalités politiques, ni des intérêts du président. Petit exemple, mais éloquent : la commission conseillait au président de supprimer le recensement militaire. *Bien sûr. Le président qui a échappé au service militaire fait tout pour s'en débarrasser. Comment n'y ai-je pas pensé plus tôt ?* Non, je n'y avais pas pensé, d'autant que cette mesure permettait au grand maximum une économie de 15 millions de dollars : soit approximativement 0,00001 pour cent du budget fédéral.

Ce que le programme REGO allait signifier pour la suite du programme politique de Clinton m'inquiétait davantage. Gore voulut faire sensation en annonçant que ses propositions nous feraient économiser 108 milliards de dollars. Leon Panetta, en charge du budget, penchait plutôt pour 30. S'il ne se trompait pas (comme je le supposais), ou de peu, les républicains allaient exiger d'autres compressions budgétaires pour combler le déficit. Ainsi, les programmes que nous avions promis de protéger – prêts étudiants, formation professionnelle, Medicare[3], Medicaid[4] – deviendraient vulnérables. Nous nous imposions à nous-mêmes un objectif qui risquait de se transformer en camisole de force et de nous contraindre (comme le répétait Clinton) à nous comporter plus en républicains d'Eisenhower qu'en démocrates de Roosevelt.

Je perdis cette bataille-ci et, vers la fin septembre, deux ou trois jours avant la soirée de Hickory Hill, j'eus avec Al Gore le pire conflit de ma carrière. La commission REGO avait convoqué une réunion pour faire le point sur les réformes qu'elle proposait quant aux dépenses d'équipement, approvisionnement et fournitures. J'avais tant de travail, et le sujet était tellement assommant, que je n'envisageai même pas d'assister à cette réunion. Je reçus alors des appels de gens comme Sperling et Chris Edley, directeur associé de l'OMB, qui me pressèrent de m'y rendre. Ils avaient entendu dire que la commission s'apprêtait à déclencher un séisme politique en proposant d'abolir l'essentiel des mesures anti-discriminatoires qui aidaient les Noirs, les femmes, les anciens combattants et autres minorités à obtenir des contrats avec l'État.

---

3. NdT. Assistance médicale aux personnes âgées.
4. NdT. Assistance médicale aux indigents.

La défense des minorités était un sujet qui me tenait à cœur ; heureux de me sentir utile, je me rendis donc dans le bureau protocolaire du vice-président, aux plafonds décorés et au sol marqueté de marbre. Je m'assis au deuxième rang des sièges qui entouraient la table de conférence. Un délégué du Conseil en politique intérieure me tendit une lettre de la Commission des droits civiques qui s'opposait au projet. Plusieurs autres participants s'arrêtèrent en passant pour compléter mon information. Je compris que, si j'avais envie de faire un peu de bruit, je bénéficiais d'un soutien dans l'assistance. Au bout de quelques minutes, je levai la main pour poser une question : « Ce projet a-t-il reçu une approbation politique ?

– Oui, tout le monde l'a signé.

– Et la Commission des droits civiques ? En a-t-elle eu connaissance ?

– Non. »

Humm. Pourquoi ce mensonge ? Mieux vaut rester sur la réserve.

Gore entra dans la pièce, le ton monta et, après quelques minutes de débat, je fis ce que j'espérais être une intervention décisive : « Écoutez, je ne connais rien à la réforme sur les budgets d'équipement, je ne peux donc pas en discuter sur le fond, et je m'en excuse. En revanche, je connais la politique. Les anciens combattants nous détestent déjà, nous avons eu des problèmes avec les féministes sur le remboursement de l'avortement, des tensions avec les Afro-américains à propos de Lani Guinier, une bataille sanglante avec les syndicats sur l'ALENA et des ennuis avec la communauté handicapée qui trouve qu'on ne s'occupe pas assez d'elle. Après tout ça, je sais juste qu'il va être très difficile de faire l'impasse sur leurs exigences. Autant lancer une bombe au beau milieu de notre électorat. »

Je reçus les demi-sourires que m'adressèrent mes silencieux supporters comme une standing ovation. Le vice-président était obligé de réagir, et il était furieux. Cette fois, il ne cria pas, mais joua la carte de la hiérarchie : « Attendez un peu, me dit-il. Nous partons du principe que le président a déjà pris sa décision… »

Si c'est le cas, qu'est-ce qu'on fiche ici ? Le vice-président avait invoqué l'autorité divine : outil puissant, mais dangereux. Quand il eut dit cela, la réunion était pratiquement terminée. Hotspur le rappelle à

Glendower dans *Henry IV* (acte I), tout homme peut invoquer les esprits des « insondables profondeurs »... « Mais seront-ils là quand tu les appelleras vraiment ? » Quand on prétend parler au nom du président, mieux vaut le faire sur des bases solides. Quelque chose me disait que la décision ne pouvait être aussi tranchée. Je laissai s'écouler quelques minutes, histoire de ne pas avoir l'air de me précipiter dehors dans un mouvement de dépit, et j'allai voir ce qu'il en était.

Le président faisait une pause : en manches de chemise, il se détendait en rangeant ses livres dans son bureau privé avant une réunion avec le ministre russe des Affaires étrangères. « Au fait, lui dis-je après l'avoir entretenu des nouvelles du jour, je sors d'une réunion : avez-vous vraiment approuvé le fait d'écarter les minorités des contrats passés avec l'État ? » Clinton fit volte-face, posa ses livres, ôta de sa bouche un cigare qu'il n'avait pas allumé et fit deux pas dans ma direction.

« Non, non et non, fit-il en secouant négativement la tête et en posant la main sur mon avant-bras. J'étais au courant pour Davis-Bacon [une réclamation salariale de l'époque], mais jamais il n'a été question des minorités. »

Trois « non » et trois doigts posés sur l'avant-bras. Il a promis quelque chose à Gore, mais il ne veut pas abroger les mesures en faveur des minorités. Le vice-président ne mentait pas, mais il avait dû un peu berner Clinton. Sans doute avaient-ils rapidement évoqué le sujet au déjeuner. Le président avait peut-être rêvé tout haut, ou alors Gore avait exprimé la décision en termes techniques, sans prononcer le mot tabou de *minorités ;* à moins qu'il n'ait agi dans l'urgence. Quoi qu'il en fût, il était désormais évident pour moi que le président ne voulait pas liquider les mesures en faveur des minorités. Je bouclai la boucle grâce à Bob Rubin qui, en tant que directeur du Conseil économique national, avait le poids institutionnel suffisant pour exiger une révision de la décision. « Je suis allé voir le président, lui dis-je. Il ne se rappelle pas avoir pris cette décision, ni même avoir clairement abordé le sujet. » Le projet finit par mourir de sa mort bureaucratique.

Autant dire que j'étais dans de sales draps. J'avais peut-être gagné cette escarmouche préliminaire sur les minorités – et, à mon avis, la question méritait de risquer certaines inimitiés –, mais je savais que jamais je ne pourrais l'emporter dans un conflit prolongé contre le vice-président. Ce soir-là, je rentrai chez moi plus découragé que je ne l'avais été en plusieurs mois. *Gore me déteste. Il va me faire virer. Il va encore se rebiffer, et c'est moi qui paierai.*

Mais à ce moment-là, faire ce que me disait le président était ma raison d'être ; son agrément était mon carburant. Peu de temps après ce conflit, Heather Beckel, mon assistant, vint me tirer d'une réunion matinale : Betty avait besoin d'aide pour faire comprendre à Rosie Grier, l'ancienne star du football, qu'il était temps qu'il quitte le Bureau ovale, afin que Clinton puisse quitter sa tenue de jogging et se changer. Une fois Rosie dehors, le président sortit un dossier de son bureau et me dévisagea avec sérieux : « Je sais que vous vous demandez si « Réinventons l'État » est une initiative crédible, fit-il, impassible. Maintenant, c'est *à mon tour* de m'inquiéter : je crois que le vice-président a franchi la ligne rouge. »

Il me tendit le dossier en souriant : il contenait une photocopie de la « Résolution 39 du REGO », un projet de 2 millions de dollars pour purifier l'air en diminuant les flatulences bovines. 2 millions de dollars pour lutter contre les pets de vaches. Je quittai le Bureau ovale dans un grand éclat de rire, persuadé désormais que je n'étais pas fou de vouloir garder un œil sur le REGO.

Je portais toujours un bip à la ceinture. Au cas où il aurait besoin de quelque chose : n'importe quoi, n'importe quand. Un dimanche soir, Chelsea avait des difficultés avec un devoir sur l'immigration, et Clinton m'avait appelé sur mon pager. Depuis la cabine téléphonique du restaurant, j'avais remonté la piste de l'information dont elle avait besoin sur les gardes-frontières et la lui avait transmise via son papa. Mais lorsque ma ceinture bipa, dix minutes avant minuit, le samedi 2 octobre – « Merci d'appeler le 628-7087 pour le président » – je me doutai qu'il s'agissait d'une affaire plus sérieuse.

Il s'en passait tant… Les troupes américaines patrouillaient dans les rues de Mogadiscio à la recherche de Aideed, le chef militaire somali. Les communistes ultra-conservateurs adversaires de Boris Eltsine s'étaient retranchés à l'intérieur du Parlement russe. Côté politique intérieure, nous avions passé une grande partie de la matinée dans le Bureau ovale, à discuter du cas de l'amiral Frank Kelso, chef des opérations navales lors du scandale de Tailhook. Sans interférer dans l'enquête du Pentagone, le président voulait s'assurer que Kelso avait obtenu un arrangement équitable, et il semblait très intrigué par ce qui s'était passé exactement à Tailhook : « Qu'entendez-vous au juste par *rasage ?* »

Est-ce qu'il pourrait s'agir de la lettre de Woodward ? Bob Woodward était en train de rédiger un livre sur notre plan économique et, par mon intermédiaire, il avait transmis une demande d'interview écrite au président. Clinton avait seulement répliqué : « Je devrais peut-être accepter, histoire qu'on ne l'ait pas sur le dos pour les quatre ans à venir. » *Il veut peut-être en discuter davantage.* De toute façon, il est difficile de se montrer blasé quand le chef du monde libre vous appelle à minuit, alors que vous sortez d'un dîner et rentrez à pied à la maison avec votre meilleur ami, témoin de cette intrusion bienvenue. Je n'étais qu'à trois pâtés de maisons de chez moi, mais je m'arrêtai tout de même dans une cabine téléphonique près de la Vingtième Rue et appelai le président.

« Salut, ça va ? Désolé de vous déranger, mais je suis vraiment inquiet pour la messe Rouge de demain. Je crois que je ne devrais pas y aller. »

Chaque année, le dimanche qui précédait le traditionnel premier-lundi-d'octobre ouvrant la session de la Cour suprême, la John Carroll Society offrait une messe à la cathédrale Saint-Matthieu afin de solliciter « la bénédiction et l'aide de Dieu pour ceux qui rendent la justice ». Depuis Eisenhower, tous les présidents y avaient assisté au moins une fois, et elle figurait sur l'agenda de Clinton depuis des semaines.

Mais voilà qu'Hillary ne voulait plus y aller, conclusion à laquelle je parvins en l'entendant aiguillonner Clinton à l'autre bout du fil. Elle avait eu vent d'une rumeur selon laquelle des activistes anti-avortement avaient programmé une manifestation ; le cardinal Joseph Bernardin, de Chicago, risquait de saisir l'occasion pour critiquer le président dans son sermon. Un désistement de dernière minute pouvait provoquer davantage de scandale encore : « CLINTON SNOBE LES CATHOLIQUES » ; au ton du président, je compris qu'il savait ne pas pouvoir annuler, mais qu'il avait besoin de quelques réponses pour apaiser les nerfs de sa femme.

« Je ne peux pas imaginer le cardinal Bernardin faisant une chose pareille, monsieur le Président, lui dis-je. Il a une bonne réputation. Vous aurez peut-être quelques manifestants, mais ce qui compte, c'est la façon dont vous vous y prendrez avec eux. Il n'y a pas de mal à respecter et assumer ses convictions. » Il y eut encore quelques hésitations puis, avant de me souhaiter bonne nuit, il accepta d'assister à la messe. Je fus cependant assez inquiet pour ne pas me rendre à celle de mon église et choisis plutôt d'accompagner les Clinton à l'office de Saint-Matthieu. Maintenant, s'il se passait quoi que ce soit, je serais responsable.

Alors que je me dirigeais vers les appartements, le lendemain matin, le téléviseur accroché dans un angle du service de presse attira mon regard. CNN diffusait en direct des images de manifestants anti-Eltsine prêts à investir les locaux de la télévision d'État et à prendre d'assaut le Parlement. J'appelai le central pour parler à Tony Lake, et on me mit en communication avec son domicile : je voulais être mis au courant avant de voir le président. Tony crut que je lui téléphonais à propos d'une nouvelle encore officieuse : plusieurs soldats américains avaient été tués quelques heures auparavant, en Somalie. Mais la première fois qu'il entendit parler des événements de Moscou, ce fut par moi. Une fois encore, CNN doublait la CIA. Lorsqu'il eut fini de maudire nos services de renseignements, nous convînmes rapidement de la réponse du président : « Nous suivons le déroulement des événements », et je fonçai rejoindre les Clinton.

Ils étaient déjà en bas, et Clinton était plongé dans un dossier rouge : un compte rendu des combats à Mogadiscio.

« Vous êtes prêt pour les questions ? lui demandai-je.

– Sur la Somalie ?

– Non, sur la Russie. »

Lui non plus n'était au courant de rien. Nous jugeâmes préférable de ne rien dire pour le moment. Tony me renseignerait pendant la messe et, après l'office, le président répondrait aux quelques questions des journalistes plantés devant la cathédrale.

Dieu merci, la messe se déroula sans incident. Le cardinal Bernardin évoqua bien le caractère sacré de la vie, de la conception jusqu'à la mort, mais le thème de son homélie fut le « bien commun » et le besoin de vertu dans la vie américaine. Seuls quelques rares manifestants brandissaient en silence des pancartes près des marches de la cathédrale. Pendant ce temps, à Moscou comme à Mogadiscio, la situation empirait. La police anti-émeutes tirait sur les manifestants russes et, en Somalie, d'autres soldats américains avaient été tués ou faits prisonniers. Tony appela mon biper juste avant la sortie de la messe. J'abandonnai mon banc et fonçai pour gagner le camion des transmissions mobiles dans le cortège présidentiel.

Les journalistes ignoraient encore l'embrasement en Somalie et réclamaient à grands cris un commentaire de Clinton sur la Russie. Mais Tony et moi ne souhaitions pas le voir aborder une crise explosive avec des informations incomplètes sur les marches d'une église. Donc, quand le président eut remercié le cardinal, je l'attirai dans un coin et lui dis que nous devions retourner à la Maison-Blanche pour un briefing avant d'affronter la presse. Il hocha la tête en signe d'assentiment et me conduisit jusqu'à la limousine où l'attendait Hillary.

Les inquiétudes de la veille au soir étaient balayées : assise sur la banquette arrière, en train de siroter une bouteille d'eau, elle bouillonnait d'idées, revigorée par ses dévotions matinales. Sur le chemin du retour, pendant que Clinton saluait avec flegme les petits groupes massés sur les trottoirs à la vue du cortège, Hillary rapprochait l'homélie de Bernardin de son travail sur la santé publique. Quant au président, qui la voyait s'appliquer au reste de son programme, il entreprit sur-le-champ de composer un discours sur « entente commune et bien commun ».

Dans la voiture, Clinton nous rappela que l'Église catholique n'avait pas toujours enseigné que la vie humaine commençait dès la conception. Je lui répondis grâce à quelques souvenirs de mes études théologiques. L'agitation de la matinée se dissipa avec l'évocation de saint Augustin et de Thomas d'Aquin, et de leurs réflexions sur le moment où le corps devenait « animé », où il se joignait à une âme. « Garry Wills a écrit un bon article sur le sujet dans la *New York Review* », dis-je à Clinton en lui promettant de lui en communiquer un exemplaire. Le président me demanda alors de rassembler quelques statistiques sur l'avortement et sur l'adoption, avant de me raconter, l'œil humide, l'histoire de Connie Fails, leur invitée d'un soir, venue de l'Arkansas, qui avait « ramené chez elle une magnifique petite Coréenne », née sans bras. Sans l'interrompre, Hillary illustra ses propos d'une photo tirée de son sac. Et Clinton conclut en rappelant la brillante formule du député Barney Frank, stigmatisant l'hypocrisie de ces conservateurs qui font comme si « la vie commençait à la conception et s'arrêtait à la naissance ».

Tony nous rejoignit dans le salon privé, entre la cuisine et la chambre à coucher des Clinton. Le président joua au maître de maison : « Voulez-vous un café ? » D'ordinaire, c'étaient les domestiques qui le proposaient, et je préférais presque me faire oublier. Pourtant, ce jour-là, je pris la sollicitude de Clinton comme un remerciement pour la façon dont j'avais répondu à son coup de fil de la veille. C'était aussi une manière d'échapper, fût-ce provisoirement, au problème qui nous attendait.

Tony passait une matinée de cauchemar, et ça se voyait. En temps normal, il se contenait devant le président, mais ce jour-là il déplora amèrement de ne pouvoir obtenir de réponses claires de notre ambassade à Moscou ; par ailleurs, il soupçonnait nos sources à Mogadiscio de faire délibérément de la rétention d'information. J'avais espéré axer le débat sur la Russie, car la presse attendait la réaction de Clinton depuis le début de la matinée. Mais même si la situation en Russie était critique, les premiers indices montraient que Eltsine pouvait la maîtriser, et elle ne menaçait pas des vies américaines. Alors qu'à Mogadiscio, nous avions déjà six soldats morts, et les combats continuaient.

« On ne leur fait pourtant aucun mal à ces enfoirés, commença posément Clinton. Quand on nous tue, nous devrions tuer, nous aussi, et davantage. » Puis il s'empourpra, élevant la voix, le poing martelant la cuisse, et se pencha vers Tony comme s'il le tenait pour responsable : « Je crois dans le fait de tuer pour se défendre, mais je ne peux pas croire qu'on se laisse marcher sur les pieds par ces connards. »

J'ignorais si cet éclat était prémédité ou juste l'expression de sa déconvenue, mais je comprenais l'anxiété du président. Depuis le mois d'août, la situation en Somalie était devenue peu à peu incontrôlable. Ce qui avait commencé comme une démarche humanitaire s'était transformé en une vaine chasse à l'homme. Dorénavant, le président se sentait piégé entre deux mauvaises solutions : abandonner une opération mal préparée et reconnaître son échec, ou venger la mort de ces soldats en lançant une attaque « décisive » pour neutraliser les chefs de guerre somalis. Lorsqu'on aurait publié la liste des victimes, aucune des deux options ne serait facile à tenir. Le Congrès voterait le « retour de nos gars à la maison » et accuserait Clinton d'avoir causé une défaite humiliante pour l'Amérique. Le retrait de nos troupes signerait aussi la fin d'une opération humanitaire qui avait sauvé de la famine des milliers d'individus.

Jusqu'alors, l'opinion avait soutenu notre présence en Somalie, mais Clinton était convaincu qu'elle ne serait pas longue à se retourner quand elle verrait les sacs emballant les cadavres : « Les Américains sont profondément isolationnistes. Ils comprennent l'argument de Kissinger sur nos intérêts vitaux au sens le plus littéral du terme. Et, à l'heure qu'il est, l'Américain moyen ne voit pas nos intérêts menacés au point de devoir sacrifier une seule vie. » À la fin de ce dimanche, dix-huit Américains étaient morts et soixante-quatorze blessés. Pendant toute la journée du lundi, CNN diffusa des images du cadavre d'un soldat américain traîné à travers les rues de Mogadiscio, ainsi qu'une vidéo d'un pilote prisonnier.

Le dimanche après-midi, le président avait décidé d'effectuer malgré tout un voyage en Californie qui figurait sur son programme, mais la semaine fut entièrement consacrée à la crise en Somalie. Dans ses appels, au cours de son voyage, puis derrière les portes closes, à son retour, Clinton reprocha implacablement aux membres de son équipe chargée de la sûreté nationale de l'avoir tenu dans l'ignorance. Il se plaignit de n'avoir jamais été réellement informé de l'évolution de la mission ni aux Nations Unies, ni sur le terrain. Et il n'oublia jamais que Les Aspin, secrétaire d'État à la Défense, avait refusé d'envoyer davantage de chars pour protéger les troupes lorsque les militaires le lui avaient demandé, au mois de septembre. Cependant, officiellement, le président en endossa la pleine responsabilité ; il résista au Congrès, qui réclamait un retrait immédiat, et annonça au contraire le déploiement provisoire de troupes supplémentaires, ainsi qu'une date limite de désengagement fixée au 31 mars 1994. Le 7 octobre, lors d'une allocution prononcée dans le Bureau ovale, il adopta le ton du défi : « Nous avons entamé cette mission pour de bonnes raisons, et nous allons la terminer de la bonne façon. »

Dans des moments plus paisibles, il s'interrogeait et se demandait s'il s'était montré assez ferme. Un vendredi soir, à la fin du mois, il entra dans mon bureau, l'air épuisé, avec, sous les yeux, des poches qui se retroussaient comme la peau sur le cou d'un poulet. « Voilà ce qui m'inquiète », fit-il en laissant tomber un dossier rouge devant moi. Le rapport indiquait qu'une recrudescence des luttes tribales en Somalie menaçait les approvisionnements. « J'espère que je n'ai pas paniqué et annoncé trop vite notre retrait.

– Vous n'aviez pas le choix, lui dis-je. Vous avez obtenu six mois supplémentaires. Si vous aviez essayé d'en obtenir plus, le Congrès aurait imposé un vote pour tout arrêter maintenant, et il aurait gagné. Vous avez fait du mieux que vous pouviez. »

Tout en discutant, Clinton aperçut sur mon bureau un exemplaire de *Gestion du temps*, le livre de l'ancien secrétaire d'État aux Affaires étrangères Dean Acheson. La veille au soir, dans la navette pour New York où j'allais faire campagne pour le maire Dinkins, je m'étais retrouvé à côté de RW « Johnny » Apple, du *Times*. La conversation avait porté sur les livres, et je lui avais dit que Clinton et moi avions lu récemment l'ouvrage de Reeves sur JFK. Apple avait répondu que le président devait absolument lire celui d'Acheson, un classique sur la diplomatie américaine de l'après-guerre : « Ça ressemble beaucoup à ce qu'il traverse en ce moment. » Ce matin-là, j'avais demandé à Heather de le prendre à la bibliothèque.

Clinton avança la lèvre inférieure, hocha deux fois la tête, prit le livre et repartit vers son bureau. Alors qu'il se trouvait dans l'embrasure de la porte de la salle à manger, il pivota sur lui-même, comme s'il venait d'avoir brusquement une idée. Et à son tour il me réconforta :

« On s'en sortira, George. Bonne nuit. »

La Somalie, la Bosnie, Haïti : notre politique étrangère était en piteux état. Chaque fois, nous étions pris entre deux feux : ceux qui préconisaient de mettre la puissance américaine au service de causes humanitaires et les autres, pour lesquels « nous ne pouvions être les gendarmes du monde », en conséquence de quoi toute tentative était inutile. Safire exprima bien ce paradoxe en prenant exceptionnellement la défense du président :

> « Nous, les médias, nous accusons le président d'avilir la puissance américaine en acceptant de combattre dans l'arène avec des pugilistes lamentables. Lui reprochons-nous de concevoir des missions trop étroites, de ne pas prévoir avant nous leurs revers, de donner de l'armée américaine l'image d'un géant impuissant et pitoyable... ou bien de mettre inutilement « en danger » la fleur de notre jeunesse ? »

Clinton partageait la conclusion de Safire : pour une part, « cette récente impuissance de l'Amérique tient au fait que trop d'Américains refusent de voir verser le sang et l'argent » hors de nos frontières. Mais dans son bureau privé, tout en faisant tourner entre ses mains un vieux club en bois (cadeau du président Bush), il me dit d'appeler Safire et de lui rappeler que « même si nous sommes une armée de métier, nous ne sommes pas une armée de mercenaires. C'est ça la grande différence ». Dans les interviews officielles, il ironisait sur le bon vieux temps – « Mince alors, voilà que la guerre froide me manque ! » – lorsque l'antisoviétisme était l'alpha et l'omega de notre politique étrangère. Mais en privé, il se répandait en invectives contre ces critiques de gauche, comme Anthony Lewis, du *Times*, qui le poussaient à envoyer des troupes en Bosnie et en Haïti : « Lewis a été contre chaque intervention américaine pendant trente ans, et maintenant c'est le champion des va-t-en-guerre. » Parfois il laissait exploser sa colère : « Que veulent-ils que je fasse ? Mais, bon sang, que veulent-ils que je fasse ? »

La fureur du président n'était pas réservée aux caciques de la presse. Il était fou de rage contre son équipe, surtout après la déconfiture du Harlan County en Haïti. Conformément au pacte visant à rétablir le président Aristide, démocratiquement élu, les États-Unis avaient accepté d'envoyer en Haïti six cents unités, avec des Casques bleus qui contribueraient à réorganiser l'armée et à reconstruire les écoles, les routes et les hôpitaux. Mais les dictateurs haïtiens qui avaient déposé Aristide n'étaient pas disposés à partir. Lorsque le Harlan County était arrivé dans les eaux haïtiennes avec le premier contingent des troupes américaines, des manifestants armés, aux ordres des forces de sécurité haïtiennes, l'avaient empêché d'accoster. Au bout de vingt-quatre heures de réflexion, nous avions fait revenir le navire. Si peu de temps après la Somalie, personne n'avait envie d'un nouveau combat.

David Gergen – sachant le président furieux contre Aspin, Christopher et Lake, et cherchant à améliorer sa position dans l'équipe – vit dans ce revers une opportunité. Le mardi 12 octobre, il monta à bord du Marine One avec le président, pour une visite en Caroline du Nord, et joua sa carte.

Quoi que Gergen ait pu dire à Clinton, l'effet désiré ne se fit pas attendre : quelques minutes après le décollage, le président appelait Tony Lake, hurlant après ces collaborateurs foireux en politique étrangère et exigeant de savoir pourquoi Gergen ne prenait pas part aux décisions sur des affaires comme celle du Harlan County. Que Gergen ait été, au sein de la Maison-Blanche, le plus virulent partisan d'un retour du bateau importait peu. « Je veux qu'il travaille là-dessus, hurlait le président. L'équipe de Reagan était bien meilleure que la nôtre en matière de politique étrangère. Regardez pour le Liban. Deux jours après, ils entraient dans Grenade et l'affaire était réglée[5]. »

Quelques minutes plus tard, j'écoutais, avec Sandy Berger, Tony nous faire le récit de la diatribe du président. Je n'en croyais pas mes oreilles. *Grenade ? C'est ça qu'on devrait faire ? Comme Reagan ? Répondre à la mort de nos marines dans une attaque terroriste par l'invasion d'un tout petit pays ? Si c'est vraiment ce que vous pensez, pourquoi avoir fait faire demi-tour à ce maudit bateau ?* Il était déjà assez rude de subir les fadaises de Gergen sur la bonne vieille époque Reagan, mais entendre le président les répéter comme un perroquet, c'était trop ; je prononçai des excuses à sa place, murmurant presque, incrédule : « Il est tellement furieux qu'il ne sait plus ce qu'il dit. » Sandy ne pensait qu'à la manœuvre scélérate de Gergen : « C'est lamentable ; on croirait la Maison-Blanche sous Nixon. » Quant à Tony, il se demandait où tout cela nous mènerait.

---

5. NdT. Le 23 octobre 1983, à Beyrouth, un attentat terroriste fit 239 morts parmi les marines et 58 morts dans le corps expéditionnaire français. Le 25 octobre, le président Reagan ordonna l'invasion de l'île de Grenade – pour éclipser le désastre de Beyrouth, selon certains commentateurs.

Ma fidélité première allait au président, mais je voulais aussi protéger Tony. Le lendemain matin, l'assistant personnel du président, Andrew Friendly, vint me chercher dans une réunion sur la santé publique parce que Clinton désirait me voir. Je lui demandai quelle était l'humeur du jour et Andrew me répondit : « Pas si mauvaise, il est juste fatigué. » Lorsque je pénétrai dans le Bureau ovale, Clinton était en train de lire une interview que Tony avait donnée à *USA Today*. « Quand on lit ça, on croirait que nous nous fichons de la Somalie », grommela-t-il.

Souvent, la meilleure méthode avec une colère de Clinton était de lui trouver un sujet de diversion. « Monsieur le Président, j'ai parlé de l'interview avec Tony, et je suis sûr qu'il a défendu votre décision concernant la Somalie. Mais vous connaissez *USA Today*, ils découpent cent fois le texte. » Dans la foulée, je saisis l'occasion de lui faire part d'une inquiétude plus profonde : son mécontentement envers ses collaborateurs sur les questions de politique étrangère commençait à filtrer dans la presse. Ce n'était pas seulement décourageant, mais leur efficacité s'en trouvait diminuée, et il apparaissait comme un patron faible et déloyal, refusant d'assumer la responsabilité de ses décisions.

« Monsieur le Président, il vous suffit de... – je ne savais pas vraiment par où commencer. Je sais que c'est difficile en ce moment, mais vis-à-vis du monde extérieur, vous devez vraiment... vraiment soutenir votre équipe. Vous devez restaurer la confiance dans les rangs. » Il eut l'air de m'entendre, et je n'insistai pas. Au bout de quelques minutes, nous tapions tous deux sur la presse. Lorsque Tony entra quelques instants plus tard pour un briefing, le président le salua par ces mots : « Mon garçon, vous vous êtes sûrement fait rouler par *USA Today*. »

Le restant de la semaine fut consacré à la décision concernant Haïti. Les dictateurs faisaient de la provocation, et les Casques bleus se préparaient à évacuer. Le président était partagé. Il comprenait pourquoi les militaires rejetaient l'idée d'une invasion et savait qu'il n'aurait pas le soutien de l'opinion publique. Mais il voulait aussi respecter nos engagements et appliquer les termes du traité, et puis il détestait avoir l'air de s'en laisser remontrer par des tyrans de pacotille. Le jeudi, en fin d'après-midi, alors qu'approchait la réunion décisive du cabinet avec les conseillers à la Défense, il ne pensait à rien d'autre. J'étais debout devant son bureau, en train de revoir quelques documents ordinaires. Le président jetait un œil à chaque page et, sans un mot, les visait l'une après l'autre. Soudain, il leva les yeux et me posa la question qui lui brûlait les lèvres : « Alors, comme ça, vous pensez que je devrais attaquer ? »

Je n'avais d'ordinaire aucune réticence à donner mon avis, même quand on ne me le demandait pas. J'étais là pour ça : mettre dans le mille. Mais j'avais assez de bon sens pour savoir que je n'étais qu'une petite voix parmi de nombreuses autres. *Si je dis oui et qu'il fonce au désastre ? Ça ne me déplairait pas de voir disparaître des terroristes comme François et Cedras. Mais on a tout le Congrès contre nous, Aristide est cinglé, et comme le dit le sénateur Dodd, la dernière fois qu'on a envoyé des marines en Haïti, ils y sont restés trente ans. Chaque fois que nous occupons un petit pays, nous le changeons, et pas toujours en bien. La moitié de la population nous déteste d'emblée, et on ne sait jamais comment s'en sortir. Sans doute est-ce l'argument décisif : sans plan pour repartir, on ne peut pas y aller.*

« Je n'ai aucune certitude, monsieur le Président, lui dis-je. Mais pour l'instant, on n'a pas de fin de partie. Peut-être plus tard, si rien d'autre ne marche. Maintenant, c'est trop tôt. »

C'était *vraiment* trop tôt, même pour Aristide. Le vice-président l'appela pour lui faire part de la décision de Clinton : rétablir les sanctions économiques plutôt que lui rendre le pouvoir par les armes. Puis Gore revint dans le Bureau ovale : « Aristide est enchanté », raconta-t-il en secouant la tête d'un air dégoûté. Soulagé de cette réaction qui venait appuyer sa décision, Clinton répondit : « Vous voyez, je vous l'avais bien dit. Et *vous*, qu'est-ce que vous préféreriez ? Retourner en Haïti ou sabler le champagne dans l'appartement de Harry Belafonte[6] ? »

Mais, une semaine plus tard, Clinton révéla ses véritables sentiments envers l'homme qu'il allait finalement aider à retrouver la présidence haïtienne. Nous étions dans le Bureau ovale, où nous discutions des fuites de la CIA parvenues au Congrès : il s'agissait d'analyses psychologiques concluant qu'Aristide était un instable maniaco-dépressif. « Vous

---

6. NdT. Célèbre crooner noir américain, devenu une figure idéologique importante de la communauté noire.

savez, il ne faut pas faire trop de cas de la normalité, dit Clinton. Beaucoup de gens normaux sont de véritables trous du cul. » Puis une association d'idées l'amena à passer d'Aristide, combattant de la liberté, au souvenir de l'un des plus grands : Abraham Lincoln. Soudain lointain, Clinton raconta que celui-ci prenait souvent pension dans des maisons de repos où les gens partageaient des lits divisés par des planches en bois. « Ceux qui dormaient à côté de lui disaient que Lincoln restait simplement assis sur le lit... à regarder fixement dans le noir. Eh bien, conclut-il sèchement en haussant les épaules. Lincoln était peut-être fou, mais c'était un sacré président. »

Avant la fin de l'année, il parut, quant à lui, meilleur président qu'il ne l'avait été. La chance commença à tourner en notre faveur après la victoire de novembre sur l'Accord de libre-échange nord-américain. Je ne peux m'attribuer aucun mérite sur la question : j'étais contre. Peut-être Gore avait-il raison : encore mon chromosome Gephardt. Avoir travaillé pour les démocrates du Middle West, ceux qui représentaient des communautés durement touchées par le chômage industriel, avait façonné ma pensée, et je croyais que nous ne devions avancer sur cet accord que s'il garantissait, comme nous l'avions promis, la protection de l'emploi et de l'environnement – ce qui susciterait, pensais-je, de meilleurs salaires et de meilleures conditions de travail. Je ne croyais pas possible de gagner la bataille de l'ALENA. C'était un sale tour pour nos plus fidèles soutiens syndicaux ; quant à nos députés à la Chambre, ils en avaient déjà assez vu cette année. Quelle était l'utilité de leur faire passer encore une fois un mauvais quart d'heure, et pour un accord commercial républicain ?

Je perdis la partie et eus l'inconfortable mission d'essayer de prouver que j'avais tort. J'étais sûr que nous courions à un échec qui diviserait le Parti démocrate et nous empêcherait de nous consacrer au chantier de la santé publique. Mais nous avions plus besoin de gagner que moi d'avoir raison. Je me lançai donc dans la bataille et travaillai les députés indécis que je connaissais le mieux, tout en m'efforçant de faire bonne figure.

Je n'y parvins pas toujours. Le 19 octobre, moins d'un mois avant la date limite pour le Congrès, il nous manquait toujours quelques dizaines de voix. Newt Gingrich (notre improbable allié sur le projet) qualifiait publiquement la tentative du président de « pathétique », et les républicains de la Chambre s'opposaient à une petite taxe douanière censée payer la formation professionnelle. Lors d'une réunion sur l'ALENA dans le Bureau ovale, je m'emportai, trouvant indigne de devoir quelque chose à Newt, et sautai presque sur le canapé présidentiel pour m'élever contre de nouvelles concessions : « Newt essaie de jouer sur tous les tableaux. Il crée une situation où il récoltera les honneurs si ça marche, et où *nous*, nous récolterons les critiques si ça ne marche pas, parce que nous n'aurons pas fait « assez d'efforts » ou « à cause des impôts », au choix. On ne peut pas continuer à se dégonfler devant ces types.

– On y est obligés, rétorqua Gergen. Ce ne sont pas les républicains qui seront tenus pour responsables. Après tout, c'est le traité du président Clinton ; c'est *notre* traité. »

L'analyse politique de Gergen était exacte sur le fond, mais l'entendre dire « notre » me fit sortir de mes gonds. *Non seulement il faut que j'entende Newt Gingrich qualifier le président de pathétique. Non seulement on doit abandonner la formation des travailleurs, la seule chose qui rende le l'ALENA tout juste acceptable pour les démocrates. Et maintenant je devrais écouter un type ayant travaillé pour trois présidents républicains me raconter qu'une initiative de Bush est* notre *traité.*

« Foutaises. »

Me montrer grossier au cours d'une réunion officielle fut ma plus grande indélicatesse dans le Bureau ovale – et elle produisit son effet. L'espace d'un instant, personne n'ouvrit la bouche. Alors le président se rangea de mon côté et accepta d'appeler Gingrich pour exiger quelques concessions. Il ne se montra pas aussi ferme que je l'aurais espéré, mais lorsqu'il raccrocha, il fit de son mieux pour égayer mon humeur : « Discuter avec ce gars, c'est comme embrasser une anguille. »

Trop se focaliser sur une question peut obscurcir le jugement politique. Pour finir, ce fut ce qui m'arriva avec l'ALENA. J'avais sous-estimé le pouvoir de persuasion du président Clinton et celui de la présidence en matière de politique étrangère. Je n'avais pas non plus évalué à sa juste mesure la percutante efficacité de Gore dans son débat contre Ross Perot dans « Larry King Live ». Avoir tort à ce point fit de moi la cible d'aimables plaisanteries à la Maison-Blanche. Rahm rédigea, et le président signa, une « Déclaration du président » dans laquelle on pouvait lire : « Bien qu'encore officiellement un peu chancelant, l'engagement personnel de George pour sauver ma présidence et fournir, le cas échéant, le 218e vote, démontre sa loyauté, ses convictions et son haut sens moral. »

Nous eûmes gain de cause, et j'essayai de me monter beau joueur. En traversant l'aile Ouest après la conférence de presse de la victoire, je rattrapai Gore, qui marchait nonchalamment un pas ou deux derrière le président. « Vous savez, monsieur le Vice-président, je vous dois des excuses. Vous aviez raison pour l'ALENA, et j'avais tort.

– Non, non, George, fit-il avec un sourire. C'est *vous* qui aviez raison. Nous partions perdants – jusqu'à mon débat avec Perot. » Juste avant de s'engouffrer dans le Bureau ovale, Clinton s'immisça dans la conversation avec le mot de la fin : « Ça me plaît bien : gagnant… gagnant… gagnant… la roue tourne ! »

En 1993, la veille de Thanksgiving[7], la Maison-Blanche était d'humeur badine. Lors de notre réunion matinale dans le Bureau ovale, nous nous demandions quoi faire si la dinde « graciée » par Clinton était prise d'incontinence dans ses bras ; Gore proposa une démonstration de ses talents d'hypnotiseur de volaille. Le président évoqua l'anniversaire tout proche de John Kennedy Junior, et je lui racontai qu'aux dernières nouvelles il se séparait de l'actrice Daryl Hannah. Bob Rubin parut tellement stupéfait par ce badinage que Clinton lui conseilla de se détendre : « Allons, Bob, lui dit-il sur le ton de la plaisanterie. On essaie juste de caser George. »

Moi, ce qui m'intéressait, c'était de caser le président… avec Salman Rushdie, l'écrivain condamné à mort par l'ayatollah Khomeini pour ses *Versets sataniques*. Le 24 novembre, il se trouvait à Washington où il devait intervenir devant l'Association de la presse nationale, rencontrer

7. NdT. Quatrième jeudi de novembre, fête d'actions de grâces, où l'on mange traditionnellement de la dinde – d'où le jeu de mots.

Tony Lake et Warren Christopher et obtenir une chose qui lui avait été refusée par le passé : une entrevue avec le président des États-Unis. Même si l'administration Bush, en la personne de Martin Fitzwater, avait éconduit Rushdie, auteur en tournée promotionnelle ne méritant aucun « intérêt particulier », je pensais pour ma part qu'une rencontre avec le président montrerait notre refus de céder au terrorisme, apporterait à Rushdie une protection supplémentaire et rappellerait au monde que tolérance et liberté d'expression sont des valeurs qui nous sont chères. Mais les Affaires étrangères déconseillèrent cette entrevue : elle risquait d'accroître le nombre des actions terroristes anti-américaines, de perturber le processus de paix au Moyen-Orient et de nous aliéner le monde musulman.

Il y eut une réunion hâtive dans le Bureau ovale, plus tard ce matin-là, au cours de laquelle Tony Lake et moi-même nous livrâmes à d'actives pressions. Heureusement, le président se rangea à notre avis et nous raconta qu'il avait reçu un message de soutien d'une vieille amie de l'Arkansas, Norris Church, l'épouse de Norman Mailer. Le compromis s'élabora à la hâte : ni Bureau ovale, ni photographe ; Clinton et Rushdie se serreraient la main dans l'ancien bâtiment de l'administration, après que le président aurait fini d'enregistrer quelques interviews. Cette rencontre « fortuite » me rappelait certaines anecdotes : on s'était arrangé de la même manière pour que Kennedy passe près du bureau de Harris Wofford et croise « par hasard » Martin Luther King.

La rencontre fut d'une banalité décevante. Tandis que Lake et moi regardions Rushdie et Clinton échanger une poignée de main dans un coin reculé de l'ancien bâtiment administratif, au cinquième étage, je me demandai si le décor n'avait pas nui à notre entreprise. Ne sachant pas quoi faire de ses mains, le président faisait montre d'une gaucherie inhabituelle. Ensemble, les deux hommes ressemblaient à deux anciens amants qui se seraient rencontrés par hasard : ils se cantonnaient à des sujets anodins, évoquant leurs amis communs Norman (Mailer) et Bill (Styron), comme s'ils redoutaient ce qui risquait d'arriver s'ils s'attardaient trop longtemps ou s'ils s'en disaient trop.

Tant pis. Je retournai dans mon bureau pour laisser un message – « L'aigle a atterri » – sur le répondeur de l'ami et avocat de Rushdie, le journaliste Christopher Hitchens. Rushdie se précipita à sa conférence pour raconter au monde entier « l'amitié et la chaleur véritables » qu'il avait ressentie chez Clinton. C'était tout ce qui comptait ; le message, c'était l'entrevue.

Tandis que nous tentions modestement de soutenir la liberté d'expression à un bout de Pennsylvania Avenue, à l'autre, le leader de la majorité au Sénat, George Mitchell, annonçait une grande victoire pour la sûreté publique. En effet, au terme de sept années d'efforts, le projet Brady allait être voté. On lui avait donné le nom de James Brady, le Speaker de la Maison-Blanche sous Reagan, paralysé par une balle destinée à son patron. Ce projet de loi imposait à qui voulait acheter une arme un délai de cinq jours et une vérification de ses antécédents. Reagan avait soutenu le projet, mais le président Bush lui avait opposé à deux reprises son veto. Pourtant, en cette veille de Thanksgiving 1993, la National Rifle Association ne put plus faire obstruction devant le Sénat, et nous invitâmes tout de suite Jim et Sarah Brady à venir fêter officiellement l'événement dans le Bureau ovale. Cette victoire m'était particulièrement précieuse. Sept ans plus tôt, j'étais dans le bureau de mon patron, le député Edward Feighan, avec Sarah Brady et je contribuais à la rédaction du texte originel. À présent, c'était mon nouveau patron qui faisait voter cette loi, et j'étais sûr qu'elle sauverait des vies.

Je quittai la Maison-Blanche de bonne heure cet après-midi-là et, tout en rentrant à pied chez moi dans la brume de l'été indien, je me disais que ce Thanksgiving me remplissait d'une juste gratitude. Je faisais le boulot de ma vie, et j'y réussissais mieux. L'ensemble de l'administration avait compris comment gouverner, et nous arrivions à faire avancer les choses. Le lendemain matin, je pris l'avion pour La Nouvelle-Orléans où j'assistai à une nouvelle fête. Le mariage de James Carville et Mary Matalin : autre couple incongru, autre luxueuse cérémonie officielle. républicains et démocrates déferlèrent dans le quartier français pour marcher dans la parade de mariage Dixieland emmenée par le trompettiste Al Hirt. Une vague de touristes de Thanksgiving se joignirent au cortège, portant un toast aux jeunes mariés avec des verres à bière en plastique.

Plusieurs toasts plus tard, Mary me présenta à un homme qui m'avait souvent rendu la vie difficile pendant l'année. Chaque fois que Rush Limbaugh parlait de moi dans son nouveau show télévisé, il posait mon visage sur le corps d'un bébé. J'en avais assez. « Rush, lui dis-je sur le ton de la plaisanterie, ne croyez-vous pas qu'il serait temps de me sortir des couches ? »

Il gloussa nerveusement, embarrassé sans son micro et marmonna qu'il verrait ce qu'il pourrait faire. Avant la fin de l'année, j'étais un bambin en culottes courtes juché sur un cheval à bascule.

9 LE BRUIT DE SABOTS NOUS RATTRAPE

Le bruit des sabots se rapprochait.

Ils arrivaient cette fois d'Ozark, Alabama, lieu de l'affaire Whitewater, cette opération immobilière manquée qui datait du temps où j'étais encore au lycée et où Bill Clinton était procureur général de l'Arkansas. Après le gros émoi déclenché par une investigation du *New York Times* début 1992, la question était retombée lorsque, pendant la campagne, nous avions demandé une enquête d'audit sur les sommes d'argent perdues par les Clinton dans cet investissement. Les républicains ne pouvaient exploiter l'affaire comme ils l'auraient voulu, parce que Neil Bush, le fils du président, était lui aussi impliqué dans une autre affaire de faillite de caisse d'épargne. Mais fin 1993, la Resolution Trust Corporation, (l'agence gouvernementale qui avait été créée pour régler les suites de ces faillites des années quatre-vingts) demanda au ministère de la Justice d'ouvrir une enquête criminelle sur la Madison Guaranty, la caisse dirigée par Jim McDougal, partenaire des Clinton dans l'investissement de Whitewater. L'un des associés de McDougal, l'ancien juge David Hale, qui se démenait tant qu'il pouvait pour éviter une accusation de fraude, tendit un nouvel hameçon aux procureurs et à la presse en affirmant qu'il avait consenti un prêt à McDougal sous les pressions du gouverneur Clinton.

Ces faits nouveaux, associés au mystère qui avait entouré le suicide de Vince Foster, éveillèrent l'intérêt du *New York Times* et du *Washington Post*. Les deux journaux demandèrent l'accès à tous les documents concernant Whitewater, et pendant des semaines, les télécopies sans réponse s'empilèrent à la Maison-Blanche. J'étais très occupé avec l'ALENA, avec la Somalie, et une foule d'autres affaires, si bien que je ne participai pas aux quelques réunions qui eurent lieu en octobre et novembre sur ce sujet. Whitewater était pour moi de l'histoire ancienne, l'obsession d'une poignée de maniaques de la conspiration. Or, début décembre, le *Washington Post* était convaincu que nous cherchions à cacher quelque chose. Le directeur de la rédaction demanda lui-même les documents à plusieurs reprises, et la journaliste Ann Devroy m'avertit que le journal était prêt à se battre si nous ne répondions pas à leurs questions et si nous refusions de leur communiquer le dossier.

Je regrette bien de ne pas l'avoir fait. Si une fée m'offrait aujourd'hui la possibilité de remonter le temps et de modifier une seule des décisions prises au cours de mon séjour à la Maison-Blanche, je me ferais transporter dans le Bureau ovale le matin du samedi 11 décembre 1993. La veille au soir, Bernie Nussbaum, David Kendall, l'avocat personnel de Clinton, et Hillary avaient persuadé le président de ne donner au *Washington Post* que des réponses évasives. La stratégie inflexible de ces trois avocats aussi coriaces qu'expérimentés était bien plus adaptée aux procès d'affaires qu'aux problèmes de politique présidentielle. Il était certes fort peu probable que les Clinton soient inquiétés lors d'une enquête sur la Madison Guaranty, mais ils refusaient de prendre le moindre risque. Hillary craignait également que l'enquête du *Washington Post* ne marque le début d'une chasse aux scandales qui ne ferait que provoquer d'autres investigations. Ils sous-estimaient trois réalités : l'une médiatique, qui veut que les reporters soient avant tout intéressés par ce qu'on a refusé de leur dire ; la seconde, politique, limitant le droit d'un président à la vie privée par le droit que le public a de savoir ; et enfin une réalité culturelle de ce pays, qui fait que l'opinion se moquerait probablement de connaître en détail les tenants et les aboutissants d'une vieille histoire immobilière, du moment que les Clinton n'avaient pas l'air de cacher quoi que ce soit.

Ce samedi-là, Mack McLarty nous laissa, à David Gergen et à moi-même, une dernière chance de convaincre Clinton que la seule façon de tuer l'article dans l'œuf était de coopérer avec le *Washington Post.*

Le président était assis au centre de sa petite table ovale, et buvait une tasse de déca devant une pile de dossiers. Gergen et moi étions assis de part et d'autre. Bien que souvent très opposés sur les questions de stratégie politique, nous défendions pour une fois la même cause. Et nous expliquions tous deux que la seule façon de contrôler l'article du *Washington Post* était de communiquer les documents en notre possession. Clinton semblait être d'accord. « Je ne pense pas que cela pose un gros problème », dit-il presque en s'excusant, l'esprit ailleurs (il préparait ce week-end-là le remplacement de Les Aspin au secrétariat d'État à la Défense). « Mais Hillary… »

Le seul fait de prononcer son prénom le fit basculer. Son regard s'éclaira brusquement, et deux années de venin se déversèrent. Il était souvent facile de voir quand Hillary s'exprimait par sa bouche : même s'il criait, c'était sur un ton plat, comme un lycéen qui récite trop vite une leçon apprise par cœur. La phobie de la presse m'était maintenant familière. « Non, vous avez tort, enchaîna-t-il. Les questions n'arrêteront pas. Au petit déjeuner chez Sperling, j'ai répondu à plus de questions sur ma vie privée qu'aucun autre candidat, et qu'y ai-je gagné ? Ils en veulent toujours plus. *Aucun* président n'a jamais été traité comme moi par la presse. »

Gergen fit de son mieux pour le calmer. Il avait travaillé chez Nixon, chez Ford et Reagan, et savait ce qui se passe lorsqu'un président est accusé d'étouffer une affaire. Il essaya de persuader Clinton que le *Washington Post* ne lui ferait pas de sale coup. « Monsieur le Président, en vingt-cinq ans, je n'ai jamais vu une presse aussi bonne pendant la première année d'un mandat. » Gergen faisait exactement ce pour quoi on l'avait embauché – servir d'émissaire entre l'establishment de Washington et le sudiste frais émoulu de l'Arkansas. Quant à moi, je portais encore les cicatrices laissées par les scandales de la campagne et les embrouilles de nos six premiers mois à la Maison-Blanche, et j'essayai une tactique plus compatissante, en invoquant notre expérience commune. « C'est vrai, monsieur le Président, que la presse vous a vraiment malmené, et ce qu'ils vont écrire sur Whitewater sera certainement désagréable. Mais ils ne peuvent rien contre vous, parce qu'il s'agit d'une vieille histoire et que vous n'avez rien fait de mal. Si nous ne leur donnons pas ce qu'ils réclament, ils diront que nous cherchons à étouffer l'affaire. Ils feront monter la pression, et nous finirons de toute façon par répondre à leurs questions plus tard. Mieux vaut leur communiquer ce dossier tout de suite, en profitant des fêtes, pendant que personne ne fait attention. »

Je crus un instant que nos efforts conjugués allaient porter leurs fruits. Il ne nous contra pas – l'homme politique en lui savait que nous avions raison. Nous aurions dû appeler immédiatement Leonard Downie et tendre le récepteur à Clinton. Mais cela n'aurait peut-être pas marché. Dans cette affaire, Clinton n'était pas un commandant en chef, mais un mari qui se sentait redevable envers sa femme. Hillary avait toujours été là pour le défendre lors de ses « histoires de filles » : il devait lui renvoyer l'ascenseur. Gergen et moi ne connaissions pas le contenu des documents en question, mais nous comprenions bien qu'Hillary ne voulait pas qu'ils sortent de la Maison-Blanche, et elle avait un droit de veto. Le président mit fin à l'entretien en disant qu'il voulait réfléchir encore un peu. C'est Mack McLarty qui appela Gergen un peu plus tard pour lui dire que c'était non.

Inutile de dire que la stratégie d'Hillary fut un échec. La semaine suivante, des articles successifs commencèrent à suggérer que la Maison-Blanche était en train d'orchestrer le verrouillage de l'affaire de Whitewater. *Newsweek,* 15 décembre 1993 : « La stratégie de la Maison-Blanche semble consister à contenir l'affaire en la traitant par le mépris. » Le *Washington Post,* 19 décembre 1993 : « Mais la véritable histoire de Whitewater ne sera peut-être jamais entièrement connue, car le personnel de la Maison-Blanche refuse depuis plusieurs semaines de répondre aux questions sur le financement de Whitewater. » Le *New York Times,* 20 décembre 1993 : « Si l'on se fonde sur ce qui est connu publiquement, il n'y a probablement là aucun scandale grave. Mais la Maison-Blanche se comporte comme s'il y en avait un. » *Parfaitement exact.*

Quelques jours avant Noël, la controverse avait atteint sa masse critique, et deux révélations provoquèrent l'explosion. Tout d'abord, l'*American Spectator* et le *Los Angeles Times* annoncèrent que le gouverneur Clinton avait utilisé les services de soldats de la brigade anti-émeutes de l'Arkansas pour se procurer des femmes, et qu'il leur avait récemment promis par téléphone des emplois fédéraux en échange de leur silence. J'avais posé la question à Clinton quelques jours auparavant, quand les rumeurs avaient commencé à circuler. Il avait immédiatement adopté ce ton juridique, ce débit accéléré, ces explications beaucoup trop argumentées qui me convainquirent qu'il y avait quelque chose de louche. « Je n'ai jamais offert de job à personne », avait-il affirmé. Mais il ne nia pas avoir appelé les gardes, et j'appris peu après qu'il avait effectivement évoqué avec l'un d'entre eux la possibilité de postes fédéraux. Tout cela avait un goût écœurant de déjà vu, qui me rappelait l'époque de Little Rock où j'avais entendu la voix de Clinton sur les cassettes de Gennifer Flowers. *Comment peut-il être aussi imprudent ? Tellement sûr de pouvoir se tirer de n'importe quelle situation à coup de mensonges ? Sans même penser aux conséquences ? Et s'ils ont une cassette de cet entretien téléphonique ? Il ne pourrait pas se tenir un peu tranquille avec les femmes ?* Voilà que quelques stupides conversations téléphoniques menaçaient de faire d'une vieille histoire immobilière en Arkansas un vrai scandale à la Maison-Blanche.

Pourtant, on pouvait penser que la presse avait encore la gueule de bois sur les histoires de sexe, surtout à l'approche de Noël, où Hillary défendait son mari au pied du sapin et sous les branches de houx. Mais lorsque le *Washington Times* révéla que quelques heures après le suicide de Vince Foster, un des dossiers de Whitewater avait disparu de son bureau pour être transmis à l'avocat personnel de Clinton et non aux enquêteurs, toute l'énergie que la presse avait contenue sur l'histoire des femmes de l'Arkansas se déchaîna sur ce « verrouillage de Whitewater ». Les républicains sautèrent sur l'information pour demander une enquête indépendante, et les éditorialistes se relayèrent pour exiger que le dossier Whitewater leur soit communiqué. Faisant marche arrière, nous convînmes le 23 décembre de transmettre ce que nous avions au secrétariat à la Justice, mais pas à la presse, ce qui ne fit que soulever de nouveaux soupçons. Les appels à la transparence complète reprirent de plus belle entre Noël et le Jour de l'An.

Le premier dimanche de janvier, je fus invité à l'émission *This Week with David Brinkley*. La première question de Sam Donaldson était de savoir si la Maison-Blanche s'opposerait à ce qu'une commission d'enquête indépendante étudie l'affaire Whitewater.

Moi : « Une enquête est actuellement menée par le secrétaire à la Justice, à qui le président a remis tous les documents. Le dossier a d'autre part fait l'objet d'une investigation exhaustive lors de la campagne électorale de l'année dernière. Le président a participé, il y a de cela plusieurs années, à une opération immobilière dans laquelle il a perdu beaucoup d'argent. Voilà les faits. Il n'y a rien eu d'illégal. C'est ce que montrera l'enquête du secrétariat à la Justice. Il n'y a aucune raison de nommer une commission d'enquête. »

Quatre questions plus tard, George Will finit par changer de sujet, mais, dès le lendemain, les sénateurs républicains Newt Gingrich et Bob Dole réclamaient publiquement la nomination d'un procureur spécial, et le service de presse de la Maison-Blanche harcelait Clinton en lui demandant de publier une réaction. J'avais par ailleurs commis une erreur chez David Brinkley, qui n'a fait qu'envenimer les choses : en affirmant que les documents étaient entre les mains de la Justice, je croyais dire la vérité, puisque nous nous étions engagés à le faire entre Noël et le Jour de l'An. Or, il se trouvait que les juristes de la Maison-Blanche n'avaient pas fini de lister les documents en question. Dee Dee Myers passa sa matinée du lundi à essayer de rattraper ma gaffe. Harold Ickes, qui venait d'être embauché à la Maison-Blanche pour travailler sur la réforme du système de santé, fut prié de s'occuper de limiter les dégâts.

Toute la journée du mardi fut consacrée à une réunion de crise dans le bureau de Mack McLarty. Si je m'en étais tenu à la ligne officielle chez Brinkley – le refus d'un procureur spécial – je me battis intra muros ce jour-là pour obtenir que nous demandions nous-mêmes une commission d'enquête avant qu'elle ne nous soit imposée. Depuis l'affaire du Watergate, ce dispositif était systématiquement mis en place chaque fois qu'un président ou un haut responsable du gouvernement était soupçonné d'actions illégales. (La loi sur les commissions indépendantes venait d'expirer au 1er janvier 1994, et nous discutions donc du fait de demander au secrétaire à la Justice de nommer lui-même une commission spéciale, comme cela s'était fait sous Jimmy Carter, quand il avait eu des ennuis avec son usine de cacahuètes.) Au bout de deux ou trois heures de réunion, nous étions tous d'accord, à l'exception de Nussbaum. On envoya son adjoint Joel Klein soumettre à Hillary la nouvelle proposition ; il revint avec une fin de non-recevoir. Ickes et McLarty renouvelèrent la tentative deux heures après. Même réponse.

Nous étions une dizaine dans le bureau de Mack McLarty, certains assis autour de la table de réunion, d'autres près de la cheminée. J'étais assis en travers sur la bergère à côté du bureau, face à la porte, et je ronchonnais à haute voix sur l'énormité de l'erreur que nous étions en train de faire, quand la porte s'ouvrit sur Hillary. Silence complet dans la pièce.

« Alors, dit-elle d'une voix tranchante en s'asseyant sur le canapé près de la porte, voilà une réunion à laquelle je crois devoir participer. »

Comme j'avais été le dernier à parler, j'eus l'impression que tout le monde me regardait, comme le brave type toujours prêt à aller au feu. Je ne voulais pas passer pour une poule mouillée, moi qui m'étais toujours enorgueilli de ne jamais reculer devant les frictions avec les proviseurs de lycée.

Je m'assis bien droit sur mon fauteuil et défendis ma cause : « Autant que je continue ce que j'étais en train de dire. Si l'on part du principe qu'on n'a rien à se reprocher, autant que ce soit la commission spéciale qui l'affirme. Et on n'y coupera pas : si ce n'est pas nous qui en faisons la demande auprès du ministère de la Justice, on aura droit à un procureur indépendant. Le rouleau compresseur du Congrès se remettra en marche. Ils voteront une nouvelle loi pour un conseil indépendant, et c'est la Cour d'appel qui le nommera. Je sais que nous n'avons rien à cacher, mais en refusant de parler, nous donnons l'impression du contraire. Et ce qu'il y a de pire, c'est que si on ne reprend pas les commandes tout de suite, c'en sera fini du projet de Sécurité sociale. On en aura pour un, deux voire trois mois à ne pouvoir s'occuper que de Whitewater. Si vous voulez qu'on se batte, on le fera. On peut y arriver, mais ça prendra tout le temps de toute l'équipe, et nous y userons tout notre capital politique, dont nous avons bien besoin pour faire passer la réforme du système de santé. »

Je pensais que ce dernier argument serait le coup de grâce, celui qu'elle ne pourrait pas contrer. C'est le contraire qui se produisit et toutes ses terreurs se réveillèrent : la peur qu'après tout son travail, tous ses sacrifices, après toutes les ignominies de la campagne électorale et les frustrations de la première année à la Maison-Blanche, que ce projet qui lui tenait tant à cœur et qui avait rendu tout cela supportable, soit justement paralysé par le scandale. Coincée, elle lança une contre-attaque : « Comment cela, le Congrès va continuer ? Vous m'aviez dit qu'on mettrait fin à tout cela en donnant les documents à la Justice. Cela n'a rien arrêté du tout. Et maintenant c'est le Congrès qui veut les voir ? Si on était aussi durs que les républicains, on se serrerait les coudes et on aurait le dessus. »

J'essayai de garder mon calme et de lui répondre point par point :

« Les démocrates tiennent encore bon. (Les républicains Bob Dole et Alfonse d'Amato avaient exigé une audience sur Whitewater, mais le président – démocrate – de la Commission bancaire du Sénat les tenait encore en respect.) Mais je ne peux pas vous promettre qu'ils seront encore avec nous dans un mois. Et l'affaire a largement dépassé les limites du Congrès : elle fait tous les éditoriaux, on en parle partout. Ce n'est pas en refusant de communiquer qu'on obtient le bénéfice du doute. Et nous sommes sur la défensive. »

J'avais dit exactement le contraire de ce qu'il fallait. Les larmes lui montèrent aux yeux, et je me rendis compte de l'étendue de sa fureur : envers les républicains qui, en la détruisant, pensaient détruire le projet de Sécurité sociale ; envers la presse et ses obsessions mesquines, qui ferait mieux de se préoccuper des vraies questions de société ; envers son mari et ses amis douteux, qui l'avaient entraînée dans ce projet immobilier insensé, pour lui demander ensuite de réparer les dégâts ; envers son meilleur ami, Vince Foster, qui s'était suicidé ; enfin envers elle-même, qui avait laissé la situation s'envenimer et lui échapper. Et toute cette colère amassée s'était à ce moment-là dirigée contre moi.

« Vous n'avez jamais cru en nous », attaqua-t-elle. Pendant les primaires du New Hampshire, il n'y avait que moi, Susan [Thomases] et Harold [Ickes] derrière Bill. Si nous ne nous étions pas battus, nous n'aurions jamais gagné. Vous, vous aviez laissé tomber… »

Sa voix chancela, elle s'interrompit et se mit à pleurer. « Nous étions seuls à l'époque, et je me sens seule aujourd'hui. Personne n'est prêt à se battre pour moi. »

Nous restâmes muets, cloués sur nos chaises, ne sachant s'il fallait s'énerver, la craindre ou la consoler. J'étais trop abasourdi pour répondre. Harold, qui venait d'être ouvertement absous de l'accusation d'infidélité, tenta de venir à mon secours en la suppliant une dernière fois de réviser son jugement.

Retrouvant son sang-froid, elle le coupa : « Je ne veux plus rien entendre. Je veux qu'on se batte. Je veux une campagne, tout de suite. » Son regard fixé sur moi, elle lança son dernier tir : « Si vous ne croyez pas en nous, vous n'avez qu'à partir. » Et elle sortit de la pièce.

Il y eut un temps mort. J'affichai un sourire coincé. Après lui avoir laissé le temps de s'éloigner, je me levai pour partir. « C'était un bel essai », dit gentiment Dee Dee Myers. Je rejoignis mon bureau juste à côté, fermai la porte derrière moi, et craquai.

« Vous nous avez laissé tomber… ». *Comment peut-elle dire ça ? Personne ne s'est battu plus que moi. Ils n'ont jamais eu quelqu'un d'aussi fidèle que moi. Je suis allé au charbon tous les jours. Sur Gennifer Flowers. Sur la conscription pour le Vietnam. Et sur Whitewater. J'ai sacrifié ma crédibilité. J'y suis allé en toute confiance, sans connaître les faits, et je me suis fais assassiner, humilier. Peu importe ce que je pensais, j'ai affronté le pays entier. J'ai même dit que je croyais que Clinton n'avait jamais eu de relations sexuelles avec Gennifer. Les gens se marraient. Tout ça pour me faire attaquer maintenant – pas parce que j'ai tort, mais parce que je ne suis pas fidèle, parce que je les abandonne… La garce ! Je me débats pour que tout aille au mieux, pour elle comme pour lui, pour nous tous et pour tout ce que nous défendons. Qu'elle aille au diable !*

Mais je savais bien que si les paroles d'Hillary m'avaient tellement blessé, c'est parce qu'elles étaient justes. Je ne l'avais jamais laissé paraître, mais c'est vrai que j'avais lâché prise au moment des primaires du New Hampshire : dans l'usine de yaourts où nous avions reçu la lettre de conscription oubliée, dans la laverie de Nashua, quand on m'avait accusé d'avoir manigancé pour trouver un job à Gennifer Flowers, dans mon bureau de Little Rock, quand j'avais entendu les conversations enregistrées entre Clinton et Gennifer. Elle aussi, elle avait écouté ces cassettes. Elle avait dû serrer les dents au journal télévisé du soir, quand Sam Donaldson avait donné lecture des adieux de son mari à Gennifer : « Au revoir, ma jolie. » Il avait sans cesse fallu que ce soit elle qui redresse la barre – pour lui, pour leur fille – sans jamais connaître la tranquillité vis-à-vis de ce qui pouvait sans cesse lui tomber dessus. Et tout cela pour quoi ? Pas seulement pour être la première dame des États-Unis, mais aussi pour pouvoir réaliser de grandes choses. La remise en cause de son intégrité mettait en péril tout ce à quoi elle avait travaillé, et personne ne la soutenait.

L'aile Ouest de la Maison-Blanche est un petit monde. Dans l'après-midi, le vice-président me prit à part juste avant une réunion dans le Bureau ovale :

« Alors, comment ça va ?

– C'est-à-dire ? » J'essayais de rester calme.

Il mit la main sur mon épaule :

« Il y a des moments difficiles, ici. Mais tout s'arrangera, vous verrez. »

C'était délicat de sa part, et j'avais bien besoin d'être encouragé. Mais c'est un coup de fil reçu plus tard dans l'après-midi qui me sortit de mon apitoiement sur moi-même. Ann Devroy, en urgence juste avant le bouclage : « George, je ne vais pas y aller par quatre chemins. Il y a un tas de rumeurs qui courent : vous n'avez rien entendu dire sur l'homosexualité de Bobby Inman ?

– Non, de quoi parlez-vous ? Non, rien du tout. Pas même un murmure. Zéro… »

Au mois de décembre, après une cour discrète menée par Strobe Talbott, le président Clinton avait nommé Bobby Inman, un amiral à la retraite, pour remplacer Les Aspin à la Défense. Inman était un chouchou de l'establishment militaire. Il avait été directeur adjoint de la CIA, chef de l'Agence nationale de sécurité, et il jouissait d'une solide réputation d'indépendance. Je m'étais opposé à ce qu'on annonce si vite sa nomination, sans laisser à Aspin un préavis suffisant – non que j'aie pu imaginer ce qui se passerait ensuite, mais parce que je pensais qu'Aspin s'était toujours montré loyal envers Clinton et qu'il méritait une sortie honorable. Mais Inman, fidèle à lui-même, avait choisi la tactique brutale et exigé une réponse immédiate. Sa nomination avait été saluée avec enthousiasme par les deux partis, au Sénat comme dans tout le monde politique. Le *New York Times* parlait d'un « choix sûr et avisé ». Après une année de nominations difficiles, tout le monde avait l'impression que nous avions un gagnant.

Je n'en étais pas si certain. Bob Inman avait eu des problèmes de défaut de paiement de cotisations sociales pour sa femme de ménage ; il avait refusé de quitter un club très chic et exclusivement masculin, le Bohemian Grove ; tout cela laissait entrevoir un certain nombre de questions délicates lors des audiences de confirmation au poste de secrétaire d'État à la Défense. L'administration serait accusée de faire deux poids deux mesures sur l'histoire des cotisations, et Inman serait classé comme insensible aux droits de la femme. Mais le pire, c'était son arrogance. À l'annonce de sa nomination par Clinton, il l'avait pris de haut en déclarant n'avoir accepté le poste de secrétaire d'État à la Défense qu'après avoir atteint « un certain degré d'entente » avec le président.

La question d'Ann Devroy n'avait fait que raviver mes inquiétudes. J'ai filé dans le bureau de Tony Lake et je me suis affalé dans son rocking chair : « Tony, je viens d'avoir un drôle de coup de fil d'Ann Devroy… » Mais avant même que j'aie pu finir ma phrase, Joel Klein – qui supervisait l'enquête de moralité d'Inman – passa la tête dans l'embrasure de la porte : « Il faut que je vous parle. »

« Tiens ! ai-je répondu, ma prochaine visite était pour vous. »

Il me laissa parler le premier : « Ann Devroy vient de m'appeler pour me demander si j'étais au courant des rumeurs sur l'homosexualité d'Inman. J'ai nié catégoriquement, et dit que je n'avais rien entendu d'aussi absurde. Elle a fait allusion à une communauté gay d'Austin [la ville où Inman est né] comme étant à l'origine de ces rumeurs. Elle n'y croit pas vraiment, mais elle veut s'assurer qu'on n'a rien entendu là-dessus. »

« C'est bizarre, ce que vous me dites » répliqua Klein avec un sourire désabusé. Il avait entendu les mêmes rumeurs, avait posé la question à Inman, qui avait nié tout net en ajoutant qu'il était poursuivi par ces allégations depuis une controverse à l'Agence nationale de sécurité, où il avait refusé de suivre la procédure établie et de licencier des employés dont l'homosexualité avait été établie. (Clinton avait depuis habilement modifié les directives de l'agence, en faisant classer l'activité homosexuelle comme risque a priori pour la sécurité nationale.)

Si les rumeurs sur l'homosexualité d'Inman étaient confirmées, il ne serait jamais confirmé par le Sénat. Les attaques viendraient de tous les bords : des conservateurs pour lesquels l'homosexualité était une condition disqualifiante, autant que des défenseurs des gays qui nous accuseraient d'hypocrisie pour avoir nommé un secrétaire d'État à la Défense homo, alors que les gays et les lesbiennes restaient interdits dans l'armée. Joel Klein décida de rappeler Inman.

Quant à moi, j'étais confronté à un dilemme : devais-je informer Ann Devroy du contenu de cette conversation ? Je ne pouvais pas laisser des rumeurs non vérifiées paraître dans les journaux. Mais si Ann Devroy s'apercevait par la suite que la Maison-Blanche avait eu vent des mêmes rumeurs, elle en déduirait que je lui avais menti délibérément, et nous le paierions très cher à la une du *Washington Post*. Elle ne laisserait jamais passer l'affaire. Si j'avais eu moins confiance en elle, j'aurais peut-être pris le risque de garder l'information pour moi. Mais je savais qu'elle respecterait une conversation officieuse. En précisant bien que cela devait rester entre nous deux – ce qui signifiait qu'elle ne pourrait pas le publier ni en parler à personne si ce n'est son rédacteur en chef – je lui confiai donc que j'avais entendu quelques vagues rumeurs, en insistant sur le fait qu'Inman avait tout nié, qu'il s'agissait de « on dit » et non d'informations fiables. Elle me promit que le *Post* ne publierait rien tant qu'il ne disposerait pas d'informations plus sérieuses. Nous avions échappé au premier tir.

Mais nous étions tout de même coincés. Interrogé par Joel Klein, Inman nia catégoriquement, tout en sachant bien que les rumeurs ne tarderaient probablement pas à refaire surface. Les gens d'Act Up[1], qui menaçaient depuis quelque temps de dévoiler l'homosexualité de certains hommes politiques, pouvaient très bien organiser une opération spectaculaire avant l'audience du Sénat. Peut-être les sénateurs républicains trouveraient-ils un moyen de propager ces allégations, en organi-

1. NdT. Organisation qui milite pour la reconnaissance des droits des homosexuels et s'est signalée par ses slogans musclés et ses manifestations spectaculaires.

sant des fuites auprès des médias ou en faisant venir un témoin surprise à l'audience – les démocrates leur avaient fait le coup avec la comparution d'Anita Hill lors de l'audience de confirmation de Clarence Thomas à la tête de la Cour suprême. Après les audiences mouvementées de Clarence Thomas, de Robert Bork et de John Tower, où les candidats républicains avaient été bombardés de révélations gênantes sur leur vie privée, ils ne laisseraient pas passer l'occasion de se venger.

Au cours des vingt-quatre heures qui suivirent, Inman ne cessa d'osciller entre la dépression et la provocation. Lors d'une deuxième conversation avec Klein le mercredi soir, il semblait assez accablé, mais il maintint fermement vouloir le poste. Nous nous demandâmes si cette apparente indécision n'était pas une sorte de double jeu, conscient ou non, pour nous obliger à prendre la décision à sa place. Et nous convînmes tous qu'il fallait au moins que Klein ait un tête-à-tête avec lui pour en avoir le cœur net. Il prit un billet d'avion pour le lendemain matin, destination les Montagnes rocheuses, où Inman avait un chalet.

Le président n'était pas au courant des détails de nos délibérations. Il venait d'apprendre la mort de sa mère et passa la journée dans son chagrin, à recevoir nos condoléances et à préparer l'inhumation. Vers midi, il entra dans mon bureau. Il resta quelques minutes avec nous, à évoquer celle à qui il devait ce don pour l'amour inconditionnel et ce tempérament enjoué et combatif. Juste après son départ, Joel Klein apparut dans l'embrasure de la porte.

« Qu'est-ce que vous faites là ? lui demandai-je. Je vous croyais parti dans les Rocheuses.

– Il faut que je vous parle. »

Joel Klein m'entraîna dans le bureau de Gergen. Deux heures plus tard, nous y étions encore : juste avant le départ de son avion, Klein avait reçu un message d'Inman lui demandant de le rappeler d'urgence. « Écoutez, avait-il dit, ce n'est pas la peine que vous fassiez le voyage. Voilà : quand le président m'a parlé pour la première fois de cette nomination, je ne lui ai dit que 90 pour cent de la vérité. Je vais vous dire le reste. »

Tout en continuant à réfuter les rumeurs de façon cohérente et convaincante, Inman a déballé tous les détails de sa vie privée qu'il avait cachés lors de l'enquête de moralité. S'il avait connu toute l'histoire un mois plus tôt, Clinton ne l'aurait jamais choisi. Après de telles révélations, il était en tout cas totalement impossible de maintenir sa nomination. Une fois l'enquête du Sénat terminée, tous les résultats seraient rendus publics et Inman ne serait jamais confirmé dans son poste.

Pour éviter de mettre le président en fâcheuse posture, la seule option qui restait à Bob Inman était de se retirer sans faire de vagues. Mais c'était compter sans son caractère à la fois rigide et irresponsable. Strobe Talbott, le plus ardent défenseur d'Inman au sein de l'administration, vint nous voir pour plaider sa cause. Inman n'avait, selon lui, donné tous ces détails que pour « attirer l'attention ». Nous étions tous ébahis, mais Talbott enchaîna, prétendant avec raison qu'il serait grossièrement injuste de l'abandonner sur des rumeurs non confirmées. Puis Joel Klein lui raconta la dernière conversation qu'il avait eue avec Inman. Même en supposant, contre toute vraisemblance, que la vie privée d'Inman resterait à l'abri des investigations sénatoriales, nous avions un problème : Inman avait induit la Maison-Blanche en erreur au début de l'enquête de moralité. Révéler maintenant la vérité revenait au fond à se désister. Plus la discussion avançait, plus nous étions tous persuadés qu'Inman devait se retirer.

Restait à savoir comment nous devions procéder. Mack McLarty alla voir Clinton et pendant son absence, nous nous perdîmes en conjectures sur un éventuel remplaçant. Nous jonglâmes avec tous les candidats habituels – quelques sénateurs comme Sam Nunn, John Warner et David Boren, des chefs d'entreprise comme Norm Augustine, le pdg de Martin Marietta. Mais ce qui nous plaisait le plus, c'était l'idée de faire passer Llyod Bentsen (ancien pilote de la seconde guerre mondiale) du Trésor à la Défense, et de nommer Bob Rubin à sa place. McLarty rentra pour nous faire part de son entretien avec Clinton : il était globalement d'accord avec nous, mais trouvait que le comportement incohérent d'Inman n'était « pas forcément disqualifiant ». Nous recommençâmes à passer en revue tous les détails de l'histoire, quand tout à coup, j'en eus assez : « Attendez, tout cela n'est même pas discutable. C'est impossible, un point c'est tout.

– Ce n'est peut-être pas discutable, lança Gergen, mais c'est bougrement amusant. »

Après quelques rires nerveux, restait à prendre une décision. Clinton devait partir à l'étranger le samedi, et Gergen craignait que l'annonce du retrait d'Inman juste avant ou pendant un voyage présidentiel ne brouille quelque peu le message, tout en noyant la couverture médiatique de la première visite de Clinton en Russie. Nous nous séparâmes enfin, après avoir demandé à Joel Klein d'obtenir d'Inman qu'il ne bouge pas pendant une dizaine de jours.

Finalement, l'ombre du Whitewater suffit à elle seule à obscurcir le voyage de Clinton. Quelques jours avant son départ – le lendemain de ma prise de bec avec Hillary – le *Washington Post* avait publié en première page un de ses interminables articles à la fois captivants et horriblement sérieux, qui reprenait tous les détails de l'affaire. À 7 h 15, une bonne heure avant sa descente habituelle dans l'aile Ouest, Clinton était entré en coup de vent dans mon bureau, le journal à la main. J'attendais l'explosion. Elle n'eut pas lieu. Peut-être essayait-il de cicatriser les coups de poignard d'Hillary en me montrant que je lui restais proche ? Peut-être avait-il vu dans l'article quelque chose qui m'avait échappé ? Toujours est-il qu'il débordait d'excitation. J'étais un peu abasourdi.

« Monsieur le Président, j'ai l'impression que vous trouvez que c'est un article génial, mais je ne comprends pas. Il faudrait vraiment m'expliquer pourquoi il est si bon. »

Il me montrait les paragraphes qu'il avait surlignés et annotés.

« Mais vous ne voyez donc pas ? C'est truffé d'erreurs factuelles. Et ils expliquent que même le ministère de la Justice ne juge pas utile de poursuivre. »

Le *Washington Post* faisait effectivement cette remarque, et ajoutait qu'« il n'y avait pas de preuve concluante que les Clinton soient coupables de rien d'illégal ». Mais l'article évoquait à plusieurs reprises la manière dont le président et sa femme avaient cherché à entraver la procédure. Je réunis ces deux éléments pour lui faire une dernière requête :

« Vous avez peut-être raison, monsieur le Président, et je sais que vous n'avez rien à vous reprocher. C'est pourquoi je pense qu'il vaut mieux remettre tout cela à un conseiller indépendant, pour que nous puissions nous remettre tranquillement au travail.

– Hum ! Évidemment, il y a du vrai là-dedans... »

Et il monta se changer. Une heure plus tard, dans le Bureau ovale avec Harold Ickes, Mack McLarty et moi, il avait reconnu que c'était la seule chose à faire. Mais à la fin de la matinée, nous étions tous les trois dans le bureau de McLarty – toujours à propos du même sujet – lorsque Ickes, puis McLarty furent appelés chez Clinton. Ils en revinrent pâles et penauds, et il n'était pas besoin d'être grand clerc pour deviner ce qui s'était passé.

« Vous pouvez toujours continuer à discuter, lança Ickes. Cela ne sert à rien. Pas de conseiller spécial. »

Je savais que les gros ennuis recommençaient pour moi. Le président ne m'avait pas rappelé avec les deux autres, et Ickes me regardait comme s'il venait de se rendre compte que j'avais une maladie incurable. Dès que la conversation se ralentit un peu, il me fit signe de sortir avec lui, et nous discutâmes à voix basse dans le couloir.

« Elle est vraiment furieuse contre vous, vous savez. Elle vous en veut à mort de l'avoir encore retourné ce matin.

– Mais il me semble que je n'avais pas le choix. »

Nous étions en train de discuter de la manière de sortir notre propre version de l'affaire Whitewater, et je demandai à Ickes de me laisser m'occuper de limiter les dégâts : « Je suis tellement mal parti qu'au point où j'en suis la seule façon de me rattraper auprès d'eux, c'est de faire le porte-parole.

– Vous avez parfaitement raison. »

J'intensifiai donc mes contacts avec la presse en présentant un profil agressif. Juste avant le déjeuner de presse pour lequel Clinton convoquait les éditorialistes pour les briefer sur son voyage imminent en Russie, l'un deux, William Safire, me prit à l'écart pour me pilonner sur Whitewater : « Comment peut-on mettre quinze jours à lister des documents ? me demanda-t-il d'un ton railleur. Qu'est-ce que vous en faites, de ces fichus documents ? Vous les découpez en petits morceaux ? Vous allez les jeter à la poubelle ? Mais comment allez-vous, George ? Vous êtes sûr que tout va bien ?

– Et pourquoi je n'irais pas bien ? »

J'avais peur qu'il sache quelque chose.

« Vous me faites penser à ma grand-mère juive de Brooklyn. Chaque fois que je lui pose une question, elle me répond par une autre question. »

À la conférence de presse, Safire se contenta de poser des questions sur l'extension de l'OTAN, ce qui ne l'empêcha pas de sortir le lendemain un papier assassin sur Whitewater.

Whitewater était partout. Le soir, au dîner de l'ambassade d'Italie, j'étais assis entre Mary McGrory, éditorialiste confirmée de Washington, et Katherine « Kay » Graham, la doyenne du *Washington Post*. En temps normal, la soirée aurait pu être – toutes proportions gardées – très sympa. Mary McGrory est une vieille amie, et toutes deux sont des convives très agréables, trouvant toujours une plaisanterie piquante à faire sur les invités présents. Mais ce soir-là, toute la conversation tourna sur Whitewater et je ne pus reprendre mon souffle un seul instant.

« George, disait Kay, cette histoire de Whitewater, c'est bien ennuyeux, vous ne trouvez pas ?

– Pas du tout, ce n'est pas un problème, parce que les Clinton n'ont rien fait de mal.

– Alors, s'ils n'ont rien à se reprocher, pourquoi ne sortez-vous pas les documents que vous avez ? Ou pourquoi ne demandez-vous pas qu'un conseil indépendant vienne dissiper toutes ces insinuations ? »

La remarque était judicieuse. Mais je ne pouvais pas me permettre de ciller, ni prendre un tant soit peu de distance, en commençant par : « Eh bien, le président pense que… »

« Voyez-vous, Kay, ça serait peut-être de la bonne politique, mais ce ne serait pas justifié, on créerait un précédent très dangereux. S'il suffit de lancer n'importe quelle accusation pour obtenir un conseil indépendant, tout le monde en profitera pour répandre toutes les rumeurs possibles. Ce serait très mauvais tant pour l'image des conseils indépendants que pour celle de la présidence. »

C'était peut-être vrai, mais c'était une bataille perdue d'avance. Les jours suivants, nos défenses s'effondrèrent totalement, après un article du *Washington Post* selon lequel la remise des documents à la Justice par la Maison-Blanche n'avait pas été une démarche volontaire. Lorsque David Kendall (avocat personnel de Clinton) avait contacté le ministère pour en discuter, on l'avait informé que la Justice était déjà en train de préparer un réquisitoire. À la suite de quoi, Kendall avait négocié avec les juristes du secrétariat à la Justice pour obtenir qu'on élargisse le réquisitoire, de manière à protéger des médias un certain nombre d'autres documents. Encore un fait que nous n'avions pas révélé sur le moment. Manœuvre certes courante et tout à fait appropriée lors d'un litige privé, mais, dans le cas précis, qui ne servit qu'à renforcer l'accusation de camouflage et à soulever une nouvelle allégation d'ingérence présidentielle abusive. Le mardi 11 janvier, neuf sénateurs démocrates – conduits par Pat Moynihan et Bill Bradley – coupaient court à toutes nos protestations contre ce que nous appelions une chasse aux sorcières partisane, en demandant une enquête indépendante.

La couverture télévisée du voyage présidentiel fut entièrement dominée par Whitewater. Cela ne pouvait pas continuer et Clinton voulait que le problème soit réglé. Le soir du 11 janvier, Hillary convoqua un petit groupe d'entre nous pour une conférence avec le président, qui était en ligne depuis Prague. Ce fut une scène étrange, la première fois que nous étions dans le Bureau ovale sans Clinton. Nous étions debout autour de son bureau, comme s'il était là, les yeux fixés sur la petite boîte noire située devant sa chaise. Harold Ickes dirigeait le débat et m'avait demandé d'intercéder pour que nous demandions un conseil spécial. Nussbaum plaiderait contre.

Je repris les arguments que je défendais depuis longtemps – à savoir que nous n'avions pas le choix ; que si nous ne demandions pas ce conseil spécial maintenant, il nous serait imposé plus tard ; que la presse ne cesserait de nous harceler jusqu'à ce que nous capitulions ; que l'affaire Whitewater bloquait tout le travail auquel nous devions nous consacrer. Bernie Nussbaum contre-attaqua, arguant à juste titre que les procureurs spéciaux étaient des gens incontrôlables, mais que la seule solution était de livrer les documents que nous avions. *Tiens donc ! Où étais-tu il y a un mois, quand cette idée aurait encore pu tout changer ? Il est trop tard maintenant.* Mais je n'enfonçai pas le clou, c'était inutile. Le débat était truqué. Clinton avait déjà pris sa décision – ou plus exactement, il pensait ne plus avoir le choix. Après quelques minutes de discussion, Hillary nous demanda de sortir tous, sauf David Kendall, et ils arrêtèrent la position présidentielle entre eux.

Le lendemain, Nussbaum écrivait à Janet Reno, secrétaire à la Justice, pour lui demander de la part de Clinton la nomination d'un conseil spécial « pour mener une enquête indépendante sur la question de Whitewater et rendre compte devant le peuple américain ».

J'allai dans la salle de briefing pour expliquer notre revirement aux journalistes. Étant donné ce que m'avait coûté ma victoire relative, je pris l'offensive et profitai de cette réunion publique pour défier nos accusateurs : « Malgré sa coopération totale et volontaire avec l'investigation en cours, le couple Clinton a subi un véritable tir de barrage d'insinuations malveillantes, d'hypocrisies politiciennes et d'accusations irresponsables... Nous continuons à penser qu'il n'y a pas dans cette affaire matière à l'intervention d'un conseil spécial. Mais nous avons également le souci que rien ne vienne gêner le programme de travail du président. »

Vers la fin du briefing, quelqu'un souleva la question d'une rumeur selon laquelle la plus forte résistance à la nomination d'un conseil spécial venait d'Hillary. Je ne voulais pas mentir, mais je ne pouvais pas non plus raconter toute l'histoire. Ma seule porte de sortie était de rester évasif : « Je pense que l'ensemble de la Maison-Blanche est assez réticent. » Dieu merci, la question ne fut pas approfondie.

Le mardi 18 janvier – Clinton venait de rentrer de Moscou – Bobby Inman donna à la presse un spectacle paranoïaque et fascinant, multipliant les invectives contre « le nouveau McCarthisme », et accusant tout le monde : la Maison-Blanche pour avoir monté en épingle son défaut de paiement de cotisations sociales, le *New York Times* pour l'avoir calomnié en tant que fournisseur de l'armée, et le *Washington Post* pour l'image que le journal avait donné de lui dans un dessin humoristique. La diatribe s'étendait aux éditoriaux d'Ellen Goodman et d'Anthony Lewis, mais c'est sur William Safire qu'il déversa le gros de sa bile, l'accusant – à tort – de plagiat, et ajoutant qu'il conspirait avec le sénateur Dole pour faire dérailler sa nomination à la Défense. Après avoir lui-même évoqué les soupçons d'homosexualité et s'être porté volontaire pour un test au détecteur de mensonge, il nia fermement l'existence d'aucune autre information qui lui soit préjudiciable, en affirmant qu'il était sûr et certain que le Sénat aurait « très facilement approuvé sa nomination ».

Tous les correspondants étaient cloués sur leur siège. À peine était-il apparu sur CNN qu'Andrea Mitchell me téléphona : « Ce type est complètement cinglé. » Brit Hume me confia : « Vous l'avez échappé belle avec celui-là ! » « Moi au moins, je prends mes médicaments » plaisanta Bob Boorstin, qui parlait volontiers du combat qu'il menait contre sa psychose maniaco-dépressive. Hillary et moi nous présentâmes des excuses réciproques pour notre altercation de la semaine précédente, après quoi elle m'appela pour me demander « s'il ne faudrait pas faire passer des tests psychologiques à tous nos ministrables ». La presse du lendemain qualifia la conférence de Bobby Inman de « stupéfiante », « bizarre » ou « déroutante ». Depuis que Ross Perot avait invoqué une soi-disant conspiration des républicains visant à perturber le mariage de sa fille pour expliquer son désistement dans la course aux présidentielles de 1992, jamais le monde politique n'avait connu un tel déballage public de délire paranoïaque.

Aucun de nous ne pouvait supposer qu'Inman ferait un tel cinéma devant la presse, qu'il se montrerait si impudent, et même si nous l'avions soupçonné, nous n'aurions probablement pas pu l'empêcher. Partant du principe que les motivations d'autrui nous sont par définition obscures, je pense qu'il y avait chez Inman – comme chez Hamlet – de la méthode dans sa folie, comme William Safire, sa première cible, en eut immédiatement l'intuition : « Je crois qu'Inman n'est pas fou. Nous avons affaire à un grand spécialiste de la désinformation et de la manipulation, au meilleur de sa forme, en train de noyer sa dernière dérobade dans une de ses petites concoctions de fausses nouvelles. » Dans cette histoire bizarre, c'est Safire qui eut finalement le dernier mot.

Deux jours après le désistement d'Inman, six mois jour pour jour après le suicide de Foster, un an après la prise de fonction officielle de Clinton, Janet Reno, secrétaire à la Justice, nomma Robert Fiske conseiller spécial pour l'affaire Whitewater. Fiske était un républicain, ancien procureur et avocat à Wall Street. Un sondage publié ce jour-là dans le *New York Times* donnait un taux d'adhésion à la politique de Clinton supérieur à ceux dont jouissaient Carter ou Reagan après une année de mandat. Les chiffres montraient également que la population américaine n'avait jamais manifesté une telle confiance dans son économie depuis 1990. Le modèle de la présidence Clinton était tracé.

10 UN RELENT DE WATERGATE

Bill Clinton adore faire des cadeaux. Tout au long de l'année, il dresse des listes et bourre ses placards de toutes sortes d'achats qu'il accumule en prévision de Noël ou autres circonstances similaires. Le 10 février 1994, jour de mon trentième anniversaire, il entra dans mon bureau en tenant à la main un petit bateau de guerre en cuivre monté sur une pince crocodile, et portant une inscription gravée en noir : « Torpilleur 109. » C'était un souvenir très rare de la campagne de 1960, l'une des pinces à cravate que portaient les partisans de John Kennedy.

Le même soir, ABC News évoquait les souvenirs de Nixon et du Watergate. L'émission « World News Tonight » passa vingt-deux minutes sur Whitewater. Comme en 1972, quand le journaliste présentateur Walter Cronkite avait consacré presque intégralement le journal du soir de CBS à l'évolution du scandale qui avait ébranlé la Maison-Blanche. Mais en ces premiers mois de l'année 1994, ABC n'était pas seul à s'intéresser à Whitewater. À la mi-mars, ABC, CBS et CNN avaient à eux trois consacré 220 minutes d'antenne aux retombées de l'affaire – trois fois plus que le temps accordé à la réforme du système de santé.

Cette saturation médiatique renforçait notre attitude de repli, ce qui ne faisait qu'aggraver les choses. Plus nous nous cachions, plus la presse nous harcelait, et les articles sur la question n'arrêtaient pas de pleuvoir : David Hale, l'accusateur de Clinton, conclut un marché avec le conseiller Fiske, le Congrès organisa des audiences visant à déterminer si l'administration avait tenté de faire capoter l'enquête ; un article du *Washington Post* révéla l'existence, jusqu'alors cachée, de contacts entre la Maison-Blanche et le Trésor, déclenchant ainsi une cascade d'assignations à comparaître et la démission du conseiller Bernie Nussbaum.

Le *New York Times* dévoila également que Hillary Clinton, ayant investi une somme de 1 000 dollars à la bourse de commerce à la fin des années soixante-dix, avait réalisé un bénéfice de 100 000 dollars, une explication fort plausible à son refus obstiné de lâcher les documents du Whitewater : la seule information nouvelle qu'ils contenaient aurait été en fait la déclaration d'impôts du couple Clinton pour l'année 1978-79, qui faisait apparaître ce profit miraculeux. Quelques-uns des associés de son cabinet de Little Rock, qui l'avaient suivie à Washington, durent répondre d'agissements répréhensibles plus ou moins graves : Bill Kennedy, devenu conseiller à la Maison-Blanche – et chargé des enquêtes de moralité sur les candidats aux postes de l'administration Clinton accusés de défaut de paiement de cotisations pour leur personnel domestique – se vit contraint de démissionner après avoir reconnu sur le tard qu'il avait lui-même commis quelques oublis similaires concernant sa femme de ménage. Quant à Webb Hubbell, il dut quitter son poste au secrétariat à la Justice, à la suite d'un litige concernant une facture établie par le cabinet Rose Law, qui lui valut par la suite d'être condamné pour fraude et détournement de fonds.

Whitewater devint – et reste – un terme générique pour désigner la moindre incorrection ou irrégularité commise de près ou de loin par tous les proches des Clinton ou de la Maison-Blanche. La réforme du système de santé, et tout le reste de notre programme, étaient au point mort, et la cote de popularité du président accusait une baisse sensible. Nous essuyions des tirs de tous côtés, et je me surpris à regretter l'époque du New Hampshire – en particulier lorsque je me trouvai moi-même impliqué dans mon premier scandale personnel.

Tout commença par un coup de téléphone un peu vif, au cours d'une journée particulièrement agitée.

Au matin du 25 février, à 5 h 45, un bulletin radio annonça qu'un fanatique israélien avait pénétré dans la cour d'une mosquée à Hébron et massacré plusieurs dizaines de musulmans en train de faire leur dernière prière de la journée. Quelques minutes plus tard, j'étais dans la salle de crise de la Maison-Blanche pour obtenir des détails et les transmettre aux reporters de télévision qui préparaient leurs directs du matin sur la pelouse Nord. Pour être sûr de ne rien faire qui contrarie le président, je laissai pour lui un message à l'huissier de service, lui demandant de passer me voir avant d'aller faire son jogging matinal.

La réunion du matin porta essentiellement sur Hébron et sur la réforme du système de santé, mais nous passâmes également quelques minutes à discuter d'une audience tumultueuse, la veille au Sénat. On y débattait de l'investigation conduite par la Resolution Trust Corporation sur la Madison Guaranty et Whitewater. La RTC travaillait depuis le début de l'affaire sous la responsabilité de Roger Altman, adjoint du secrétaire au Trésor et vieil ami de Clinton. Mais les républicains avaient demandé qu'il abandonne cette responsabilité, au motif que ses liens étroits avec le président entraînaient un conflit d'intérêts. Encore un de mes combats inutiles : j'avançai que, puisque Roger Altman ne pouvait, et n'avait d'ailleurs aucun besoin de commettre la moindre irrégularité pour protéger les Clinton, pourquoi avions-nous risqué de nous faire accuser d'illégalité en l'ayant nommé responsable de l'enquête de la RTC ? Mais Nussbaum me coupa dans mon argumentation, prétendant que le renvoi d'Altman serait un signe de faiblesse. Je n'eus pas le temps d'insister : je devais briefer Clinton pour sa rencontre, à 9 h, avec la commission sénatoriale des forces armées au sujet de l'affaire Aldrich Ames, l'agent double de la CIA. À 9 h 45, je sautai avec Harold Ickes dans une voiture de la Maison-Blanche pour une séance de travail sur la réforme du système de santé au Capitole. J'étais de retour à 11 h 30 pour discuter avec Clinton du massacre d'Hébron.

Cette affaire d'Hébron avait bouleversé tous les emplois du temps. Alexis Herman, le responsable des relations publiques, me demanda de remplacer Ickes dans une réunion sur le projet de système de santé avec les lobbys industriels, ce qui me mit en retard pour un déjeuner convenu de longue date avec deux journalistes qui écrivaient un livre sur l'histoire des déficits budgétaires. Mais je n'avais pas mangé la moitié de mon sandwich quand Heather, ma secrétaire, arriva en courant pour me faire part d'une demande émanant du service social de la Maison-Blanche : pouvais-je faire une apparition d'urgence dans l'aile Est ? Une centaine de militants démocrates de l'Iowa attendaient d'être reçus par le président, qui avait une heure de retard. Hillary et le vice-président étaient intervenus à tour de rôle, et il fallait quelqu'un d'autre pour les faire patienter. L'Iowa serait notre premier rempart pour les primaires de 1996 : je filai vers l'aile Est.

À mon retour dans mon bureau, quelques dizaines de messages téléphoniques m'attendaient, dont un de Josh Steiner, un vieil ami du temps de la campagne de Dukakis, et qui était alors chef de cabinet de Lloyd Bensten au Trésor. Il m'appelait pour me dire que Roger Altman avait confié à un éditorialiste du *New York Times* qu'il avait finalement l'intention de se désengager dans l'enquête sur Whitewater. J'étais furieux – non pas que je désapprouvais la décision d'Altman, mais parce que la Maison-Blanche n'en avait pas été avertie. J'aurais préféré que nous l'apprenions avant le journal.

Énervé par l'histoire d'Altman, je me soulageai auprès de Steiner d'une contrariété : je venais d'apprendre que Jay Stephens, un ancien procureur fédéral, aurait été désigné par la Resolution Trust Corporation pour enquêter sur le financement de Whitewater. Je n'en croyais pas mes oreilles. Lors de sa prise de fonction, se conformant aux habitudes de ses prédécesseurs, Clinton avait demandé à tous les procureurs fédéraux de lui adresser leur lettre de démission. Au lieu de se soumettre à cette tradition comme tous ses confrères, Stephens avait organisé une conférence de presse, et était apparu dans un magazine télévisé pour accuser Clinton de « faire obstruction à la justice », et de bloquer l'investigation que lui, Stephens, était en train de mener sur un parlementaire, Dan Rostenkowski. *Comment la RTC a-t-elle pu confier une investigation « impartiale » à un ennemi juré de Clinton ? C'est incroyable ! Il est en guerre ouverte avec lui, pourquoi l'a-t-on choisi ?* J'explosai au téléphone, exigeant de Steiner qu'il m'explique les raisons d'un choix aussi inepte, et qu'il me dise si cette décision était définitive. Steiner fit de son mieux pour me calmer et me promit de se renseigner. Il me rappela un peu plus tard pour me dire que la nomination de Stephens avait été approuvée par un conseil de dirigeants de la RTC, et ajouta que nous ne pouvions pas intervenir. Je savais qu'il avait raison.

Mais j'étais toujours hors de moi. Quelques instants plus tard, Harold Ickes était dans mon bureau, quand Roger Altman m'appela pour s'expliquer sur sa conversation avec l'éditorialiste du *New York Times.* Nous nous accrochâmes violemment sur ses confidences, comme sur la nomination de Jay Stephens, et je finis par lui demander d'envoyer au président une lettre justifiant sa décision. Dans le Bureau ovale, le soir, je résumai à Clinton les événements de la journée pendant qu'il rangeait son bureau, en mentionnant la récusation d'Altman et la nomination de Jay Stephens. Depuis l'aube et le massacre d'Hébron, la journée avait été longue, et il se contenta de hausser les épaules d'un air las. Quant à moi, c'était ma quatrième rencontre avec lui en une journée de quatorze heures, au cours de laquelle j'avais tenu une bonne centaine de conversations. Je pensais ne plus devoir être concerné par cette histoire.

Jusqu'au jour où je fus assigné à comparaître. Le grand jury du conseil spécial présidé par Robert Fiske demanda à la Maison-Blanche de lui transmettre tous les documents et témoignages sur les « contacts » ayant eu lieu entre la présidence et le Trésor, dans le cadre de l'enquête sur Whitewater. Mes conversations téléphoniques du 25 février avec Josh Steiner et Roger Altman constituaient des « contacts ». Plus tard, après quatre années de fonction à la Maison-Blanche, les assignations à comparaître allaient devenir routinières, des lettres comme les autres dans la corbeille du courrier. Mais le jour où cette information s'étala en caractères gras à la une des journaux, toute l'aile Ouest trembla sur ses bases. On se serait cru sous la présidence Nixon. Et même si je pensais n'avoir commis aucune irrégularité, je sentais bien que mes deux coups de fil pourraient être interprétés comme une ingérence fâcheuse dans le déroulement d'une enquête indépendante.

J'appelai d'abord James Carville qui, au son de ma voix, se rendit compte tout de suite qu'il ne s'agissait pas d'un de mes accès de déprime habituels. Il sauta dans sa Jeep, passa me prendre à la sortie Sud-ouest et s'employa à me calmer en me faisant faire le tour du centre de Washington, avant de me déposer à la Maison-Blanche avec un dernier conseil : « Prends un avocat. » Il appela immédiatement le sien, Bob

Barnett – un ami des Clinton qui avait joué le rôle de Bush lors de la simulation préparatoire au débat de 1992 – qui proposa de me rencontrer le samedi à midi.

Dans un petit restaurant près de Dupont Circle, Barnett m'expliqua qu'il ne pouvait pas me défendre lui-même, parce que sa femme, Rita Braver, était journaliste à CBS et couvrait la Maison-Blanche. Mais il contacta un confrère, le meilleur à sa connaissance pour les affaires politiques de ce genre. Une demi-heure plus tard, je me rendais au cabinet de Stan Brand, dans la Quinzième Rue.

Il y a des événements – comme mon coup de téléphone à Josh Steiner – dont la signification ne se révèle que rétrospectivement. Et d'autres dont l'importance vous saute aux yeux dans l'instant : votre premier baiser, la remise de votre diplôme universitaire, votre première maison.

La première fois que vous faites appel aux services d'un avocat.

Je pensais à mon père, qui me demandait souvent quand j'allais « cesser de m'amuser à Washington et trouver un vrai travail ». Et je me rendis compte ce jour-là de ce que j'aurais toujours dû savoir : je n'étais pas un petit garçon précoce qui jouait à faire de la politique, et ce boulot n'avait rien d'un jeu. Le conseiller de la Maison-Blanche, marchant dans Connecticut Avenue à la rencontre de l'avocat qui allait le défendre au pénal, vivait un rite d'initiation.

Stan Brand avait été conseiller de Tip O'Neill, président de la Chambre des représentants, et s'était taillé une réputation au Capitole en défendant des personnalités politiques mises en cause dans des investigations médiatisées. Spécialisé dans les dossiers touchant au pénal et au politique et impliquant souvent la Maison-Blanche, il était pour moi l'avocat idéal.

Pour lui, c'était un samedi comme les autres. Il m'ouvrit la porte en jeans et casquette de base-ball, et me demanda de tout lui raconter. « Tout restera confidentiel, mais je ne pourrai pas vous défendre si je ne suis pas au courant de tous les détails. » Quand je lui racontai mes deux conversations téléphoniques, il se montra encore plus rassurant : « Vous vous êtes mis en colère, c'est peut-être ennuyeux, mais cela ne constitue pas un crime. La seule façon pour vous d'être vraiment inquiété serait de ne pas dire la vérité – or vous n'allez dire que cela. »

Le message qu'il me laissa quelques jours plus tard raviva mes angoisses. « J'ai une mauvaise nouvelle : Josh Steiner a noté votre conversation dans son journal, et c'est peut-être très ennuyeux pour vous. » *Comment cela, très ennuyeux ?* Je savais que mon coup de téléphone n'avait certes pas été le plus glorieux de ma carrière, mais comment cela pouvait-il être si grave ? Puis Brand me rappela pour me donner les détails que l'avocat de Steiner venait de lui transmettre : « Ce n'est pas vraiment bon, mais la dernière phrase peut vous disculper. » Voici ce que disait l'agenda de Steiner :

> Altman a décidé de se récuser après un coup de téléphone du *New York Times* qui menaçait de sortir un éditorial assassin. Ickes et Stephanopoulos m'ont appelé pour me dire que Clinton était furieux. Ils ont également demandé pourquoi Jay Stephens avait été nommé conseil sur l'affaire. Ils trouvaient cela absolument scandaleux. Mais le plus étonnant, c'est que Stephanopoulos m'a laissé entendre qu'il fallait qu'on trouve un moyen de se débarrasser de Stephens. Je l'ai persuadé que ce serait aussi stupide qu'indécent.

L'avant-dernière phrase était très dure. Je ne me rappelais pas avoir dit cela. On ne pouvait toutefois pas parler de véritable ingérence, étant donné la violence toute spontanée avec laquelle j'avais contesté la nomination de Stephens et demandé ce qu'on pouvait faire. La dernière phrase était ma planche de salut, car elle confirmait le fait que je n'avais pas insisté, une fois que Josh m'avait donné des explications. D'après Stan Brand, cette page de journal allait probablement provoquer quelques titres désagréables dans les journaux, mais sur le plan légal, elle confirmait que je m'étais mis en colère sur le conflit d'intérêts qui pouvait exister entre Stephens et Clinton, mais que je n'avais pas demandé qu'on commette une irrégularité.

Restait à en convaincre le grand jury. L'audience était fixée au mercredi 24 mars après-midi.

Ce matin-là, je rencontrai Stan Brand pour revoir mon témoignage avec lui. C'était la première fois que je me trouvais de l'autre côté d'un briefing crucial, et je compris pourquoi Clinton semblait toujours avoir perdu toute sa vivacité juste avant une conférence ou un débat important. Lorsqu'on se concentre aussi intensément sur quelque chose, on coupe le courant sur tout le reste. Brand, lui, était complètement remonté. Il s'y prenait exactement comme moi avec Clinton et me bombardait de questions vaches. Comme mon entraîneur à la fac, qui me poussait sur le tapis de lutte avant les matchs, avec un grand coup sur la tête.

« N'oubliez pas la méthode : dites la vérité, mais n'en dites pas plus que ce que vous savez. Si vous ne vous souvenez pas de ce qui s'est passé, dites-le. Pas de spéculations, pas d'hésitations, pas d'airs songeurs, pas de suppositions – ne cherchez pas à les aider. »

Je me sentais prêt à affronter le grand jury, mais c'est le jugement de l'opinion publique qui me tracassait le plus. En particulier, la peur d'avoir l'air d'un tricheur. Le matin, après maintes spéculations, j'optai pour un costume sombre mais pas trop funèbre, rehaussé d'une cravate bleu vif à petits pois rouges et argent. Je décidai d'aller au tribunal en taxi plutôt qu'en limousine officielle, parce que je ne voulais pas qu'on m'accuse de dépenser l'argent du contribuable pour mes affaires personnelles. Mais je ne voulais pas non plus passer pour un truand qui se cache la tête sous son imperméable pour entrer au tribunal. Une fois arrivé sur les lieux, je traversai en jouant des coudes la meute de reporters qui m'attendaient et entrai la tête haute. Si je me donnais l'air d'un coupable, je perdais tout : je nuisais au président et je ne pouvais plus travailler avec lui.

À l'intérieur du tribunal fédéral, la lumière blanche me calma et me soulagea des clameurs de la rue. Les murs peints d'un vert neutre, les sièges de plastique moulé et le linoléum du deuxième étage ressemblaient à ceux de tous les immeubles administratifs, et je tentai de me comporter comme si j'étais là pour mon travail. En attendant la fin du témoignage de Bruce Lindsey, j'essayai de calmer anxiété et colère en passant un maximum de coups de téléphone professionnels depuis l'unique cabine à pièces du couloir. *Je vais leur montrer que ce ne sont pas leurs attaques qui vont m'empêcher de bosser.* Stan Brand s'efforçait de me recentrer sur le match. Comme il ne pouvait pas entrer dans la salle avec moi, il avait peur que je fléchisse une fois seul :

« S'ils vous envoient une balle vicieuse[1], demandez une pause et venez me voir.

– Ça va aller. »

Comme si j'en savais quelque chose. Je crânais comme je pouvais, mais j'avais l'estomac à l'envers, ma seule hâte était que tout soit terminé, de pouvoir rentrer à la Maison-Blanche, pour briefer Clinton avant la conférence du 19 heures. Enfin, l'un des procureurs vint me chercher.

On aurait dit une salle de théâtre. Le long des deux murs latéraux, les jurés étaient assis sur trois rangs, les yeux fixés sur une table au milieu de la pièce. Autour de cette table, deux procureurs d'un côté, devant une pile de classeurs, et une greffière de l'autre, un micro collé à la bouche comme un masque à oxygène. Le siège vide au centre était pour moi. Avant de me laisser asseoir, le président du jury me demanda de lever la main droite, comme je l'avais vu faire des centaines de fois dans les films, sauf que cette fois c'était pour de vrai – et que cette main droite était la mienne. J'espérais qu'elle ne tremblait pas trop.

Pendant que les procureurs sortaient leurs dossiers, j'essayai d'attraper les regards des membres du jury : une majorité de femmes, noires, dont la plupart avaient probablement voté pour Clinton. En entrant dans la salle d'audience, je m'étais rendu compte que plusieurs d'entre elles m'avaient reconnu : « Hé ! Regarde, c'est le type qui a plein de cheveux ! » Cette réaction m'avait redonné confiance. Ma conversation avec Steiner n'était pas la seule chose qu'elles savaient de moi. Je me faisais peut-être des illusions, mais j'avais l'impression que ma célébrité avait tissé des liens entre ces femmes et moi, que j'existais pour elles en dehors de cette pièce, et qu'elles ne me jugeraient pas seulement sur le moment le plus moche de ma vie. J'étais terrorisé par toutes les questions qui m'attendaient, mais la présence de ces jurés avait quelque chose de réconfortant.

---

1. NdT. Allusion au base-ball, où le lanceur doit donner le maximum d'effet à sa balle pour empêcher le batteur de la frapper efficacement.

Les procureurs commencèrent par passer en revue mon CV, et par me demander en quoi consistait exactement mon travail. En décrivant mes journées dans l'aile Ouest – les réunions, les moments de crises, les pressions, les gens – et en prenant bien soin de préciser que je parlais personnellement avec le président entre cinq et vingt-cinq fois par jour, j'avais l'impression d'être en train de révéler un monde exotique et passionnant à une audience captivée. À part un juré qui dormait et un autre qui hochait la tête d'un air sarcastique, ils semblaient pour la plupart être de mon côté. Ce n'est que vers la fin que je connus un bref moment de panique, quand les procureurs me demandèrent si je me rappelais avoir dit à Steiner : « Je ne vous ai rien dit. » Je répondis que non. Ils me posèrent la question à nouveau, et je fis la même réponse. Puis ils me demandèrent de quitter la salle un instant. « D'où ça vient, ce truc ? » demandai-je à Stan Brand. C'était la seule mauvaise surprise de la journée. « Ne vous énervez pas, me répondit-il, c'est peut-être du bluff. » Ils vinrent me rechercher, me posèrent encore une fois la même question. Je niai, et ils me relâchèrent.

Avant de redescendre, Brand et moi nous trouvâmes un petit coin où il put noter ce que je lui racontai de l'audience. Il n'était pas impossible que je sois convoqué une deuxième fois, ou que je doive comparaître devant le Congrès. Et il valait mieux que tout soit consigné par écrit pendant que l'audience était encore fraîche dans mon esprit, pour me protéger du piège éventuel d'une accusation de parjure. Nous avions toutefois l'impression que le pire était passé. À la presse qui m'attendait au pied des marches, je déclarai : « C'est à la fois rassurant et rafraîchissant de se trouver en face d'un tribunal qui enquête sur *des faits.* » Puis je traversai une mer de caméras avant de héler un taxi. Je devais être rentré à temps pour le briefing du président.

VENDREDI 25 MARS

Les comptes rendus de la conférence de Clinton, la veille au soir – la deuxième de son mandat – dominaient les journaux du matin, elle-même dominée par l'affaire Whitewater. Nous fûmes cependant satisfaits du ton général des commentaires de la presse. Ann Devroy : « Clinton au plus fort de sa forme quand il est au pied du mur. Le président semblait très à l'aise et n'a rien laissé transparaître de la rancune boudeuse qu'il avait montrée lors d'autres rencontres sur Whitewater. » Nous nous mîmes à espérer que l'affaire serait bientôt classée. « La coopération, la transparence, et l'intérêt de notre peuple, voilà l'ordre du jour, avait déclaré Clinton. Et mon administration ne s'en laissera pas distraire. »

C'est ça que les gens aiment tant chez lui. Dans les pires situations, il relève la tête immédiatement et il se remet au travail. J'essayai de me persuader que j'arriverais à suivre son exemple. Ma comparution devant le grand jury avait fait l'objet d'une couverture de presse honnête et minimaliste, et la photo qui me représentait en train de héler un taxi y ajoutait une touche presque légère. Pour la première fois depuis un mois, je réussis à passer une matinée entière sur la réforme du système de santé et autres projets de loi – et je projetai même quelques jours de congé pendant les vacances de Clinton qui s'annonçaient – lorsqu'après le déjeuner, je reçus un coup de fil de Ruth Marcus, du *Washington Post.*

« Qu'avez-vous à dire sur votre conversation avec Josh Steiner au sujet de Jay Stephens ? »

Comment peut-elle être au courant ? Les audiences du grand jury sont censées être tenues secrètes…

« Je vous rappelle », lui répondis-je avant de téléphoner à mon avocat.

J'avais toute liberté de parler de mon témoignage, mais les procureurs, comme les jurés, étaient tenus au secret. Je savais que cette histoire finirait par sortir dans la presse, mais j'avais espéré que cela attendrait que Fiske ait conclu au non-lieu. Apparemment, quelqu'un avait eu accès au compte rendu. Alors même que Stan Brand et moi étions en train de préparer ma réponse au *Washington Post*, Michael Duffy, de *Time Magazine*, appela pour me poser, de façon plus insidieuse, la même question. Il cita quelques-unes de mes réponses devant le grand jury, et exigeait que je réagisse aux phrases les plus gênantes de l'agenda de Steiner. Sans qu'il le dise expressément, je sentis que *Time* prévoyait de faire un gros article là-dessus – peut-être même sa couverture.

Figurer sur la couverture de *Time* était bien plus terrifiant que comparaître devant le grand jury. Stan Brand me rappelait souvent qu'un procureur résolu réussirait à convaincre un grand jury de condamner un sandwich au jambon, mais Robert Fiske avait la réputation d'être impartial, et il était tenu de respecter les lois fédérales sur le régime de la preuve. En outre, le grand jury était obligé de replacer mes conversations dans leur contexte, d'examiner tous les faits, d'évaluer les motifs, et de tenir compte du fait que mes deux coups de téléphone n'avaient été suivis d'aucun effet. Alors que *Time* n'avait que des préoccupations commerciales, teintées d'un désir d'impact sur le monde politique. Le fait que Fiske menait une investigation sur les charges me concernant justifiait à leurs yeux n'importe quelle allégation sensationnelle, et l'impression en gros caractères des citations les plus diffamatoires. Un article avec ma photo en couverture aurait valeur d'acte d'accusation. Si je ne parvenais pas à réfuter très vite leurs accusations de façon convaincante, je pourrais bien subir le même sort que Bernie Nussbaum – une démission-diversion, pour éviter de gros ennuis politiques au président.

Time avait déjà son papier, et Duffy n'avait appelé que pour pouvoir y ajouter mes réactions. Ruth Marcus me paraissait plus sérieuse. C'était une juriste, elle avait couvert la Cour suprême, et elle savait que mon coup de fil à Steiner ne représentait pas un délit. Je relus les notes que Sam Brand avait prises après mon témoignage, et je rappelai les deux journalistes pour leur donner la même réponse : « Bien que n'ayant pas le souvenir de mes paroles exactes, j'ai effectivement eu le 25 février avec Josh Steiner une conversation téléphonique, au cours de laquelle je lui ai demandé comment Jay Stephens avait été nommé pour l'enquête sur Clinton, et où je me suis violemment insurgé contre la "partialité" d'une telle décision. »

C'était exactement le résumé de ce que j'avais dit devant le grand jury. Seulement cette fois, mon témoignage serait lu dans le monde entier, et serait aussi humiliant pour moi que préjudiciable pour le président. On m'avait conseillé de ne pas en parler à Clinton, mais il fallait bien que je lui raconte ces coups de téléphone pour lui laisser la possibilité de m'écarter.

Il était à bord de l'Air Force One, en route pour ses vacances à San Diego. J'appelai le service radio de la Maison-Blanche depuis la console téléphonique protégée de mon bureau, et fus connecté à l'avion présidentiel. Malgré le brouillage sur la ligne, le message de Clinton fut très clair : « Ne faiblissez pas, George, hurla-t-il au téléphone, vous n'avez rien fait de mal, absolument rien ! »

C'est la voix d'Hillary me criant ses encouragements derrière lui qui me remonta le plus le moral. Moi qui étais prêt à tomber pour un excès de zèle à les défendre, je les sentais désormais tous les deux derrière moi ; j'étais protégé par la marque que portaient les membres d'un cercle restreint qui défendent la même cause. J'étais devenu un homme de Clinton. Avant de raccrocher, le président qui craignait pour moi les manœuvres d'éventuels ennemis de l'intérieur, me donna un dernier ordre : « Ne laissez personne insinuer que vous avez quelque chose à vous reprocher. Si quelqu'un de la Maison-Blanche essaie de le faire, appelez-moi immédiatement. »

Comblé au-delà de toute espérance, je rejoignis la réunion où nous préparions une réaction officielle à l'article de *Time*, mais je fus obligé de partir avant que les termes n'en soient exactement définis. J'avais rendez-vous chez mon psy, et il n'était pas question de sauter une séance un jour comme celui-là. Toutefois, en remontant Connecticut Avenue, je passai voir Ann Devroy pour lui signaler confidentiellement que le secrétaire général de la Maison-Blanche envisageait une déclaration publique exprimant « sa totale confiance » en Harold Ickes et moi-même.

« Ne faites pas ça, George, si vous en faites trop, la presse se déchaînera contre vous. »

Elle avait raison, bien sûr. « La confiance totale » signifie souvent « ils ont fait une bêtise, mais nous les soutiendrons le plus longtemps possible – au moins jusqu'à demain ». J'avais été tellement choqué par cette histoire que j'en perdais mon sang-froid, et tout le reste de l'aile Ouest avec moi. La réaction d'Ann était celle d'une journaliste mais c'était aussi une marque de sympathie : notre manque d'à propos détruisait l'idée qu'elle se faisait d'une équipe présidentielle. En tout cas, je n'allais pas laisser passer un si bon conseil. Je rappelai sur-le-champ la salle de réunion de la Maison-Blanche. Harold Ickes décrocha et me brancha sur le haut-parleur, mais je lui demandai de le couper. « Annulez la déclaration. Je vous expliquerai, mais surtout ne publiez rien.

– Que dites-vous, George !? »

Je parlai plus bas.

« Annulez tout. Je viens de voir Ann Devroy, qui dit que la déclaration de "totale confiance" va tout gâcher.

– OK. Salut. »

Je ne pouvais plus rien faire avant la première édition du *Washington Post*, et je n'annulai pas un dîner prévu depuis longtemps avec de vieux amis, sachant que les coups de téléphone commenceraient à pleuvoir dès que l'article serait sur les fils. Comme une horloge, mon bip sonna juste après 22 h, au dessert. Je quittai la table pour rappeler le premier numéro : Gwen Ifill, du *New York Times*, qui voulait se faire confirmer l'information du *Post* pour sa deuxième édition. Elle avait couvert la campagne début 1991, et c'est la seule chose qui l'avait empêchée de devenir une amie. Me faire engueuler par Gwen ne me dérangeait pas : cela faisait partie du boulot. Mais il y avait une chose que je ne voulais pas percevoir dans sa voix, comme d'ailleurs dans aucune voix de journaliste : la pitié, qui – pour reprendre une expression de Clinton – sous-entend qu'on vous regarde « saigner comme un cochon qu'on égorge ».

Elle ne me cria pas après, mais me dit d'une voix douce : « Il va falloir qu'on se parle. » J'obéis. Avant de raccrocher, elle me dit : « Vous ne bougez pas de là où vous êtes, George ! »

Je retournai manger mon gâteau. Après le dîner, il fallait que je rentre chez moi passer d'autres coups de fil. Je m'arrêtai en route pour acheter le *Washington Post*. En haut à droite, le titre du samedi matin : « Le conseiller spécial choisi par la Resolution Trust Corporation s'attire les foudres de la Maison-Blanche. Deux hommes de l'équipe de Clinton contestent sa nomination. »

Assis dans ma voiture, je parcourus l'article. Je ne le trouvai pas trop mauvais. Le titre parlait de colère et pas d'illégalité. Le sous-titre ne laissait pas entendre qu'Harold et moi avions demandé le renvoi de Jay Stephens, mais que nous avions mis en cause le bien-fondé du choix de la RTC. Le reste du papier était de la même eau : pas vraiment passionnant mais objectif, il donnait ma version des faits, sans mentionner « la totale confiance du secrétaire général ». Jamais je n'aurais imaginé qu'une de mes crises de rage ferait un jour la une d'un journal, ni que j'y lirais un article qui parle de moi en ces termes et m'en trouverais plutôt satisfait. Mais j'allai me coucher en pensant que cela aurait pu être pire.

SAMEDI 26 MARS

Je me précipitai sur le *Post* dès mon réveil, et me répétai que je survivrais à l'affaire. Puis j'appelai James Carville, Stan Brand et mon ami Eric. Ils pensaient tous la même chose : jusqu'ici, pas trop de dégâts.

Restait le *Time*. Comme j'arrivai à mon bureau, le téléphone sonna. C'était Michael Duffy, qui voulait me poser une dernière question :

« Est-ce le président qui vous a demandé de contacter le secrétariat au Trésor au sujet de Jay Stephens ?

– Absolument pas. »

Une heure après, l'article prévu pour l'édition du lundi arrivait par télécopie :

INVESTIGATION D'UN GRAND JURY
SUR UNE DÉMARCHE DE LA MAISON-BLANCHE
CHERCHANT À FAIRE OBSTACLE À L'ENQUÊTE WHITEWATER

Les accusations très lourdes sautaient aux yeux : « Affaire Whitewater : le conseil spécial Robert Fiske et le grand jury accusent deux conseillers de Clinton d'avoir demandé le renvoi de Jay Stephens. » *Faux. J'ai demandé si on pouvait faire quelque chose, je n'ai jamais demandé qu'il soit viré.* « L'accusation porte sur une intervention de George Stephanopoulos, le conseiller politique le plus influent auprès de Clinton après sa femme et le vice-président. » *Ouais. S'ils disent cela, c'est parce qu'ils cherchent à me descendre. À moins que ce soit vrai ? Non, ils me montent en épingle pour mieux m'assassiner.* « Selon un responsable de l'administration interrogé par *Time*, les faits qui semblent avoir été établis par Robert Fiske relèveraient de l'article 1505. Cet article du Code pénal américain qualifie de délit, passible d'un emprisonnement pouvant aller jusqu'à cinq ans, toute tentative visant à « influencer, à faire obstruction ou à entraver l'action de la justice ».

L'article 1505 ? Obstacle à la justice ? Cinq ans de prison ? Ils sont fous ! On parle d'un coup de téléphone. On ne peut pas aller en prison pour avoir téléphoné à un ami ! Ou alors, peut-être que Stan Brand s'est trompé, et que je dois vraiment m'inquiéter. Mais non, ces salauds sont simplement en train d'essayer de me descendre. Et comment ont-ils pu avoir ce contact avec un « responsable de l'administration » ? Personne ici ne dirait une chose pareille. Et si pourtant c'était le cas ? C'est vrai qu'on ne peut jamais être sûr de personne...

Mes vrais amis, eux, étaient là. Je n'eus pas besoin de les appeler ; ils vinrent d'eux-mêmes.

Paul Begala, Gene Sperling, David Dreyer, Bob Boorstin et Tony Lake : ils marquèrent tous une pause dans les affaires de l'État pour me rejoindre dans mon antre. Avec Stan Brand au téléphone, nous conjuguâmes les talents que nous avions affinés ensemble à défendre Clinton, pour mettre au point une stratégie de contre-feu, inspirée de Red Adair, « le pompier volant ». Je me souvenais d'une publicité qui montrait Red Adair rampant vers un puits de pétrole en flammes, une Rolex au poignet et une charge de dynamite à la main. *Time Magazine* venait d'allumer un brasier politique qu'il me fallait éteindre par une mini-explosion de ma propre fabrication. L'article du *Washington Post* avait marqué un bon départ, il nous fallait reprendre l'offensive. Sans attendre la sortie de *Time*, je devais sortir mon propre article. Le jour même.

Le point crucial était d'étouffer dans l'œuf cette histoire d'obstruction à la justice. C'était le travail de mon avocat. Stan Brand contacta les journalistes accrédités à la Maison-Blanche pour leur rappeler qu'une question posée pendant une enquête officielle ne pouvait constituer un délit d'obstruction, surtout quand il n'y avait pas eu tentative de corruption. Il tint le même discours aux journaux radio du dimanche, ainsi qu'aux experts judiciaires les plus susceptibles d'être contactés par CNN et les autres réseaux. Mais un avocat ne suffisait pas, il nous fallait des tiers pour nous soutenir.

En définitive, c'était à moi qu'il revenait d'assurer ma propre défense. Je ne pouvais pas laisser mon avocat parler à ma place. Si je ne prenais pas l'initiative immédiatement, je passerais pour coupable, ce qui était presqu'aussi grave que de l'être vraiment. Comme toujours, CNN était la première étape obligée : ils serviraient leur bande toute la journée, en commençant le soir même, pour animer un peu la nuit. ABC prévoyait déjà une émission, et nous décidâmes de leur accorder également une interview, puis de diffuser les deux copies au reste de la presse. Je réécris trois fois mes notes et fis trois fois le tour du jardin avec mes amis pour me calmer, avant d'entrer dans le salon Roosevelt pour les deux interviews.

Mes notes correspondaient exactement à mon témoignage devant le grand jury, pour éviter à tout prix l'accusation de parjure. J'essayai d'insister sur la colère qui s'était emparée de moi, sur ma réaction viscérale devant ce que j'estimais être la nomination partiale de Jay Stephens. Il me fallait le présenter comme un adversaire évident du président, le rendre déplaisant aux partisans de Clinton et contestable aux observateurs objectifs. Les téléspectateurs qui entendraient pour la première fois parler de cette histoire devaient comprendre d'emblée qu'il n'était pas normal qu'un ennemi juré de Clinton mène une enquête officielle à son sujet. Avec un peu de chance, ils auraient peut-être la même réaction que moi. J'avais réagi instinctivement à une injustice notoire – argument déjà évoqué par Lloyd Cutler, notre nouveau conseiller. Il fallait enfin que je persuade l'opinion de suspendre ma condamnation politique et de m'accorder une libération sur parole. « Est-ce que je regrette de m'être énervé ce jour-là ? Vous pensez bien que oui. » Je m'excusai, en précisant que la leçon avait porté. Lorsqu'il fut interviewé à son tour, Stan Brand tenta même d'expliquer cette « crise de rage » par ma jeunesse relative : immaturité certes, mais pas illégalité.

Le soir, j'allai au dîner de lasagnes que Mary McGrory donnait chaque année pour la Saint Patrick. Une autre leçon de Clinton : n'annuler aucun engagement. Si je n'y étais pas apparu, tout le monde aurait pensé que je me débinais à cause de l'article du *Washington Post*. Je m'appliquai à démontrer que je prenais au sérieux les allégations à mon sujet, sans paraître coupable pour autant. C'est Tim Russert de NBC qui me parla le premier. Cordial, mais pro. L'essentiel de « Meet the Press », son émission du lendemain, tournerait autour de mon histoire, avec deux invités : Jim Leach, représentant républicain, l'ennemi le plus acharné de Clinton au Congrès, et – heureusement pour moi –, Tom Foley, le président de la Chambre des représentants. Foley était aussi invité au dîner de Mary McGrory et me servit, pendant les cocktails, la première d'une plaidoirie passionnée de ma défense qu'il répétait pour le lendemain. L'éditorialiste Mark Shields fit chorus, avec les arguments qu'il venait de développer sur CNN. Ce samedi se déroula au mieux.

DIMANCHE 27 MARS

Mon moral retomba légèrement le matin, quand je vis la une du *Sunday Times.* Mack McLarty avait demandé à Lloyd Cutler une investigation sur mes communications téléphoniques, et le *Times* en faisait l'une des « deux nouvelles enquêtes » de son titre. Pas génial. Mais ce qui comptait pour le moment, c'était le débat sur NBC, où deux têtes pensantes de la nation allaient décider de ma survie. Incapable de rien entreprendre, pas plus que d'oser regarder l'émission. J'allai à l'office.

« Vos prières ont été exaucées. » Cette phrase de David Dreyer illumina mon bip à la fin de la liturgie. Tous ceux que j'appelai me confirmèrent la même bonne nouvelle : absolution complète dans les émissions du matin. Et Marlin Fitzwater, interrogé par Mary Matalin dans le « Sunday Journal » de la chaîne câblée C-Span, acheva d'ensoleiller mon dimanche : « Il faut bien reconnaître que si on se met à la place de George Stephanopoulos, il doit être difficile de ne pas être étonné et quelque peu scandalisé par cette nomination. » Chris Matthews aussi avait plaidé ma cause sur CNN : « Je trouve que les accusations faites à Stephanopoulos sont très injustes. Il n'a rien fait de plus que ce que j'aurais fait moi-même pour protéger le président en toute légalité. »

Dans « Meet the Press », le président Foley mit l'accent sur l'essentiel : « N'oublions pas que Jay Stephens n'a pas été écarté », a-t-il rappelé avant de régler son compte au *Time.* Jim Leach est alors entré dans le débat : « Il me semble que la Maison-Blanche a commis une erreur. Mais ce coup de colère est somme toute assez naturel, d'autant qu'il s'agit d'un conseiller encore très jeune, et j'espère qu'on ne s'attardera pas trop sur cette histoire. » On avait l'impression d'entendre un président de jury annoncer un verdict consensuel, qui ralliait les démocrates, les républicains et tous les experts pontifiants : « Non coupable ; simple écart de conduite, atténué par la jeunesse du prévenu. »

Après un déjeuner avec Eric pour fêter mon sursis, je ne pus rentrer chez moi, mon immeuble étant cerné de caméras et de camionnettes de télévision, et mon appartement transformé en attraction touristique. Depuis des semaines, j'essayais de me débarrasser de mon deux-pièces sans recevoir la moindre proposition, mais ce dimanche « portes ouvertes » m'en valut soixante-cinq.

Je fis le tour de la ville en essayant de contrôler la situation par téléphone cellulaire. La remarque percutante de Jim Leach semblait avoir clos l'incident et je n'avais aucunement l'intention de donner d'autres interviews. Je voulais, en revanche, que les reporters n'oublient pas que j'étais resté accessible et courtois sous les tirs croisés, et je les rappelai tous pour expliquer que je n'avais plus rien à dire. Ce qui ne les empêcha évidemment pas de me questionner. C'est Adam Nagourney, du quotidien *USA Today*, qui se montra le plus insistant : « Allez, George, il me faut du nouveau pour mon article. Des nouvelles fraîches. » C'est justement ce que je ne voulais pas, toute contradiction avec ce que j'avais déjà dit risquant de m'être fatale. Je le connaissais assez pour être aussi franc avec lui qu'il l'était avec moi. « Allez vous faire cuire un œuf ! Je me fiche pas mal de votre article. C'est de *moi* qu'il s'agit. »

Le soir, je retrouvai mes amis Dan et Karen pour aller voir *Le Journal*, un film qui semblait tout indiqué pour moi. Il s'agissait d'une journée dans la rédaction d'un journal à sensation de New York, dont le journaliste vedette invente de toutes pièces, pour faire la une, un scandale impliquant le responsable des affaires sanitaires de la ville. N'ayant pas réussi à prouver son intégrité – réelle – le malheureux conseiller municipal finit par braquer un pistolet sur le journaliste. Alors qu'il est emmené par la police, il demande à l'éditorialiste pourquoi il l'a fait passer pour un escroc.

« Parce que vous travaillez pour la ville, et que c'était votre tour. »

C'était comme une chanson d'amour déçu qui tout à coup prend un sens profond parce que votre petite amie est en train de vous quitter. *Voilà, c'est tout le problème avec la presse. Ils se fichent bien d'avoir raison ou pas, l'important c'est d'être les premiers. D'abord vendre le scandale, et réfléchir après. Ils vous accusent en première page pour vous acquitter en page vingt-trois.* Mais, à la fin de la soirée, j'étais moins amer que soulagé, et un coup de fil de Clinton apporta la consolation finale à ce week-end infernal. Il m'appela au restaurant indien où je finissais la soirée avec mes amis, et plaisanta sur l'incident qui, quarante-huit heures plus tôt, avait des allures de condamnation à mort.

« Alors, qui vous a donné ? me demanda-t-il. C'est ce bon vieux Steiner ?

– Non, monsieur le Président, je ne pense pas », répondis-je avec un petit rire, en imaginant les contorsions de l'intéressé s'il entendait le président parler de lui en ces termes.

LUNDI 28 MARS

Le titre du *Washington Post* imposait une sympathique sourdine aux clameurs de *Time.* « Dédramatisation dans l'affaire Stephanopoulos. » Celui du *New York Times* était encore plus satisfaisant, exploitant le point de vue surprenant du républicain Leach qui avait pris ma défense : « Le conseiller de Clinton trouve un défenseur dans le camp adverse. » Peu importe qu'aucun des deux articles ne fasse la une – ils avaient valeur de comptes rendus officiels du procès. À 6 h 30 le lundi matin, avant qu'aucun abonné n'ait encore pu le lire, l'article de *Time* était enterré.

Mais en arrivant à la Maison-Blanche, le magazine était là, avec moi en couverture – un vieux rêve – comme la chute d'une histoire drôle. La photo avait l'air d'avoir été prise avec une caméra cachée : elle montrait Clinton et moi en train de comploter secrètement un nouveau Watergate. Moi, l'air défait, le regard fuyant, debout derrière Clinton assis, sombre, le front dans une main crispée. Ils avaient en fait coupé les autres personnages d'une photo prise dans le Bureau ovale, pendant une réunion sur l'ordre du jour – une de ces séances où Clinton se plaignait souvent d'être traité comme un âne bâté plus que comme un président, avant d'ajouter lui-même au programme une demi-douzaine de nouveaux éléments. Le titre de *Time* était encore plus embêtant que la photo : « Le dessous des cartes : comment les hommes du président ont tenté de faire obstruction à l'enquête sur Whitewater. » *Aucune nuance. L'accusation et la condamnation réunies en une seule phrase.*

Après un week-end entier passé sur le qui-vive, toutes mes défenses s'écroulèrent à la vue de cette couverture – comme si je sortais du coma et que je sentais ma blessure pour la première fois. *Plus rien n'y fera. La photo a tout dit. « Déclaré coupable. » Quatre millions d'abonnés vont recevoir ce matin la photo d'un condamné, et je n'arriverai jamais à effacer l'image qu'ils auront de moi.* Je fus saisi de vertige, tout en tremblant de rage – et de honte. J'avais tenu tout le week-end. Mais tout seul dans mon bureau, il me fallait bien admettre que j'avais commis une grosse bévue. Si j'avais un peu réfléchi avant d'appeler Steiner, cette photo et sa légende mensongère n'auraient pas été imprimées. Si j'avais retenu ma colère, je n'aurais pas été appelé à témoigner devant le grand jury. Dans le feu de l'action, j'avais oublié la règle d'or du travail à la Maison-Blanche : ne jamais rien dire, faire ni écrire ce que vous ne souhaitez pas voir à la une du *Washington Post* ou en couverture de *Time.*

Je séchai la réunion du matin, mais j'avais pour le soir un engagement que je ne pouvais pas éviter. Trois mille Grecs américains, venant des quatre coins du pays, étaient rassemblés au Hilton de Washington pour le trente et unième banquet biennal de l'Association gréco-américaine pour l'éducation et le progrès, et je figurais au programme en tant que maître des cérémonies.

Je n'avais pas très envie d'enfiler un smoking pour aller annoncer les trois heures de discours cumulés d'un banquet d'association. Mais ils ne me pardonneraient jamais de ne pas être au rendez-vous. La communauté grecque m'avait toujours soutenu. Le matin même, j'avais reçu une télécopie du Mont Athos[2], disant que les moines de la Sainte Montagne orthodoxe avaient célébré un office pour moi. Il fallait que je rende la politesse, que je manifeste ma reconnaissance envers les innombrables marques de fidélité de ceux qui constituaient ma famille élargie. Mais le fidèle soutien et les prières spéciales ne suffiraient pas à garantir

2. NdT. République théocratique du sud de la Chalcidique (Grèce) et un des hauts lieux de la religion orthodoxe orientale.

mon succès d'animateur. Il me manquait quelques petites phrases spirituelles pour émailler mes discours, et j'appelai Mark Katz.

Nous avions partagé le même bureau pendant la campagne de Dukakis, et Mark était le spécialiste des « plaisanteries pour discours ». Nous passions des après-midi entiers devant notre écran d'ordinateur à essayer toutes les répliques humoristiques imaginables. La seule que Dukakis ait servie, au cours du débat avec Bush, était de moi : « Si je gagnais un dollar chaque fois que vous me traitez de libéral, M. Bush, je pourrais bénéficier de votre réduction de l'impôt sur la fortune. » Mais c'était Katz le véritable comique, et le choix de Dukakis n'était pas juste. Nous avons donc passé un contrat aux termes duquel Katz était autorisé à s'approprier ma réplique, en échange d'une légère servitude : tant que je vivrais, il devrait m'en écrire une autre chaque fois que je le lui demanderais.

« Comme vous pouvez l'imaginer, ma mère n'était pas contente du tout de la couverture de *Time* : – George, m'a-t-elle dit, tu aurais vraiment dû aller chez le coiffeur avant de te faire photographier. »

Ouais, pas mal. Passons vite à la suivante.

« Que Jay Stephens ne s'inquiète pas : je ne suis pas vindicatif, je suis seulement furieux. »

Mais loin de déclencher l'hilarité, mes petites blagues tombaient à plat dans un silence tendu. Et je me rendis compte de mon erreur d'appréciation. Nous avions beau être au Hilton de la capitale fédérale, le banquet n'avait rien des dîners washingtoniens, où les personnalités politiques sont censées traiter les scandales par une bonne dose d'autodérision. Il s'agissait ici d'une réunion de famille, de la fierté d'un clan. Tous les membres de l'AHEPA[3] qui m'avaient embrassé à l'entrée, ou ceux qui se pressaient autour de l'estrade pour me photographier, ne savaient rien de mes ennuis du moment, ou s'en moquaient bien. Je n'étais pas un homme du président, j'étais leur fils George. J'avais grimpé tout en haut et ils étaient fiers de moi, le Grec le plus haut placé à la Maison-Blanche.

---

3. NdT. American Hellenic Educational and Progressive Association : Association d'entraide et de promotion sociale des Américains d'origine grecque.

Conscient de ma bévue, je rangeai mes notes et je parlai du fond du cœur, de gratitude et de responsabilité, de la valeur que j'attachais à mes racines helléniques et de tout ce que je devais à la communauté grecque américaine. C'est l'AHEPA qui m'avait attribué ma première bourse universitaire, et, depuis que je faisais de la politique, ses membres – démocrates ou républicains – étaient toujours restés mes fidèles piliers. Ce soir-là, ils me renouvelèrent leur soutien en se comportant comme si de rien n'était. Mortifié mais rassuré, je leur rendis la pareille en leur jurant de ne jamais les laisser tomber.

Quelques semaines plus tard, Richard Nixon mourut. Le matin de l'inhumation, j'étais dans le Bureau ovale avec Don Baer, le nouveau responsable de la Communication, pour mettre la dernière main à l'éloge funèbre du président défunt. La trame était bonne, mais une phrase me gênait. Clinton voulait conclure en déclarant : « L'époque qui permit que Nixon ne soit jugé que sur une partie de sa vie vient de s'achever. »

C'était généreux – trop à mon goût. Avec sa majestueuse rhétorique, le pardon prononcé par Clinton serait ressenti comme présomptueux et provocateur. Par les démocrates de gauche, ennemis jurés de Nixon – qui se sentaient déjà trahis par Clinton – et qui y verraient un boniment creux destiné à apaiser sa droite, tout en estimant que seules les véritables victimes de Nixon – comme les Cambodgiens, ou les pères de la Constitution – étaient autorisés à lui pardonner. Par les conservateurs, qui détestaient Clinton et qui ne lui feraient jamais confiance, quoi qu'il dise ou fasse : ils le soupçonneraient de plaider sa propre cause sous le déguisement facile de l'apparente générosité. Quant aux experts politiques, cette phrase leur inspirerait des dizaines de colonnes à la une, truffées de rapprochements entre les personnalités des deux présidents.

Comment fait-on pour dire à son patron qu'il n'est pas assez réaliste ou trop altruiste ? En marchant sur des œufs. Je me gardai d'évoquer les comparaisons malvenues entre Whitewater et Watergate – qui n'auraient servi qu'à mettre Clinton en boule, et je fis semblant de réfléchir à haute voix : « Est-ce qu'on n'en fait pas un peu trop ? Je vois bien le message, mais il ne faudrait pas qu'il soit mal interprété. Si on l'atténuait légèrement ? Quelque chose dans le genre : *Puisse* l'époque où Richard Nixon… ? » En transformant une affirmation catégorique en un vœu personnel, je pensais conserver l'esprit du message, sans provoquer de répercussions partisanes négatives.

« Hum, c'est pas mal, ça ! » Il avait tout de suite pigé. Venant d'un démocrate de gauche comme moi, cette suggestion lui avait immédiatement remis à l'esprit les millions de gens qui en voulaient encore tellement à Nixon. Tandis que je l'accompagnais sur la pelouse Sud, il me rappela sa campagne de 1974 pour le Congrès, après la démission de Nixon. Quand il avait été battu – malgré l'ambiance très pro-démocrate – il s'était rappelé les paroles d'un drôle de vieux bonhomme qui le suivait partout, et qui avait montré plus de flair que les sondages : « Vous n'y arriverez pas, fiston. Hammerschmidt [le républicain sortant] ne pue pas assez le Nixon. »

Selon Clinton, je n'étais pas non plus contaminé par l'odeur de scandale. Pourtant, deux jours plus tard, le 29 avril, il me fit venir dans le Bureau ovale pour m'interroger sur une rumeur qu'il avait entendue en rentrant de ses vacances à San Clemente. « Je n'ai eu aucune confirmation, mais vous ne craignez pas une condamnation par le grand jury ? »

Maintenant oui. Clinton avait le chic pour glaner partout un tas d'informations de toutes sortes. Le message était quelquefois déformé parce qu'il n'y prêtait pas attention, ou qu'il avait du mal à relire ses notes griffonnées à la hâte. Mais si cette rumeur avait un tant soit peu de réalité, je ne pouvais pas la laisser passer. Difficile d'interrompre une audience avec le président, et pourtant je mourais d'envie d'aller appeler mon avocat.

Après avoir recoupé l'information auprès de « sources proches du conseil indépendant », Stan Brand me rappela pour me rassurer, et me conseiller de ne pas croire tout ce que j'entendais. Cependant, c'est une autre rumeur qui se confirmait l'après-midi même. Mike Isikoff, du *Washington Post,* m'apprenait que Paula Jones avait finalement décidé de poursuivre Clinton pour harcèlement sexuel, et me demandait si j'en avais eu confirmation. C'était à Clinton de répondre, et je repartis pour le Bureau ovale.

« Monsieur le Président, j'ai une bonne et une mauvaise nouvelle : la bonne, c'est que mon avocat a vérifié auprès de l'entourage de Fiske que cette histoire d'accusation ne tient pas. Mais la mauvaise, c'est que Paula Jones est sur le point d'entamer un procès.

– Eh bien ! répondit-il avec un sourire résigné, je préfère être poursuivi que de vous voir condamné pour m'avoir protégé. »

Je l'aurais embrassé pour ce qu'il venait de dire. Mais, pas plus que lui, je ne pouvais imaginer l'engrenage dans lequel la décision de Paula Jones allait nous entraîner.

Lorsqu'en décembre 1993, l'*American Spectator* avait sorti son article, les détails sur cette histoire de femme qui prétendait avoir été la maîtresse du gouverneur Clinton ne m'avaient pas particulièrement impressionné. En regard de l'accusation apparemment plus sérieuse concernant les postes fédéraux que Clinton aurait offerts aux gardes de l'Arkansas en échange de leur silence, les prétentions de Paula Jones n'avaient pas l'air vraiment dangereuses. Même s'il était vrai que Clinton lui avait fait des avances quand il était gouverneur, quelle importance cela pouvait-il avoir ? Ce n'est que le 11 février 1994, quand elle modifia sa version des faits et accusa Clinton de harcèlement sexuel, que je commençai à prendre l'affaire au sérieux.

Elle avait lancé son accusation depuis l'épicentre de l'anti-clintonisme : la conférence annuelle du Comité d'action politique conservateur. Aucun réseau de télévision n'était présent, mais tous les comptes rendus qui atterrissaient sur mon bureau donnaient l'impression d'une farce grotesque, dans la tradition du grand cirque de Gennifer Flowers – bandes magnétiques en moins. Sans être vraiment ravi à l'idée de revivre ce numéro, j'aurais pu en décrire le scénario point par point. Tout était cousu de fil blanc : Cliff Jackson, le maître-chien de Paula Jones, était devenu le spécialiste des attaques systématiques contre Clinton, depuis l'affaire du service militaire en 1991. Nous avions également appris que Paula Jones avait posé des jalons auprès d'éditeurs et de producteurs de cinéma, et qu'un de ses avocats avait même entrepris des démarches auprès de certains conseillers de Clinton pour lui obtenir une place dans l'administration. J'avais malgré moi acquis une solide expérience de ce genre de situation, et tout cela ressemblait à s'y méprendre aux autres opérations de chantage que nous avions réussi à déjouer ces dernières années.

Le 29 avril, la première réaction de Clinton à ma « mauvaise nouvelle » me confirma dans cette impression. Il commença par me dire qu'il ne se souvenait pas de cette femme. « À quoi ressemble-t-elle ? » me demanda-t-il. Et contre toute vraisemblance, je le crus. J'avais souvent été témoin de ses dissimulations, mais cette fois-ci, il avait l'air sincère. Il ne se mit pas à parler à toute vitesse, ni à réciter un texte appris par cœur, ni à se lancer dans une foule d'explications. Il plaisanta même, ce qui est inhabituel chez lui, sur l'histoire des gardes de l'Arkansas. « J'ai peut-être vieilli, mais dans ma jeunesse, je n'avais pas besoin d'aide pour trouver des femmes. » Je quittai le Bureau ovale convaincu qu'il avait peut-être rencontré Paula Jones, qu'il l'avait éventuellement draguée, mais qu'il ne l'avait certainement pas harcelée, et qu'elle cherchait à utiliser cette hypothétique rencontre à des fins purement lucratives.

Ma confiance envers Clinton et le mépris que j'avais pour ses ennemis me donnaient deux motifs suffisants pour lui bâtir une défense. Ceux qui soutenaient la cause de Paula Jones étaient les mêmes que ceux qui cherchaient à bloquer systématiquement tout ce en quoi nous croyions. S'ils menaçaient de poursuivre Clinton, ce n'était pas par conviction de défendre une cause juste, mais parce qu'ils avaient trouvé un appât susceptible d'attirer l'attention de la presse et de traîner leur ennemi dans la boue. Et j'étais encore persuadé que le président méritait d'être protégé contre des accusations concernant des actions passées qui n'avaient rien de criminel. *C'est totalement injuste de le traiter comme ça. Aucun président n'a jamais été attaqué de manière aussi honteuse. Même si on le croit capable du pire, l'histoire de cette fille n'est pas crédible. Ce n'est pas un prédateur, il n'a jamais baissé son pantalon sans en évaluer les conséquences.* Fort de ces arguments, je me mis au travail.

Mon objectif était de faire classer Paula Jones, comme Connie Hamzy, dans la catégorie des femmes dont les témoignages sont tellement suspects qu'ils ne méritent pas d'être repris par les médias. Et surtout, je voulais que sa conférence de presse ne passe pas sur les chaînes de télévision. Je défendis donc ma cause directement auprès de Tim Russert à NBC, de Dotty Lynch à CBS et de Tom Johnson à CNN. Cela ne posa pas de grosse difficulté. Chez ABC, ils furent d'autant moins disposés à faire du sensationnel avec un soi-disant scandale sexuel qu'ils étaient échaudés par leur délire de vingt-deux minutes la veille au sujet de Whitewater. Quant à la presse écrite, il m'était impossible d'étouffer tous les papiers, mais je pouvais essayer de réduire l'affaire à quelques articles cantonnés en pages intérieures. Chaque fois qu'on me demandait un commentaire, je traitais la chose de « mascarade pseudo-politique et purement commerciale ».

Au début, cette stratégie s'avéra efficace : la couverture médiatique était relativement maigre et elle allait plutôt dans notre sens. Mais au bout de quelques jours, Ann Devroy m'appela pour me prévenir que nous avions un problème avec le *Washington Post*. « Downie trouve que ça lui rappelle l'affaire Packwood. » Ce qui signifiait deux choses : tout d'abord que Leonard Downie, le rédacteur en chef, se sentait obligé d'enquêter sur les accusations de coureur de jupons, parce que son journal s'était fait l'écho d'allégations similaires contre l'ancien républicain Bob Packwood. Et deuxièmement, que Downie s'estimait autorisé à une investigation, au motif que l'épisode Paula Jones pouvait révéler chez le président un comportement sexuel compulsif. Lorsque je rapportai à Clinton les propos d'Ann Devroy, il n'eut que mépris : « C'est vraiment écœurant ! »

D'après Ann, l'affaire faisait l'objet d'un vif débat au *Washington Post*, l'équipe de rédacteurs en chef n'étant pas unanime sur l'intérêt d'établir un lien entre l'affaire Paula Jones et la présidence Clinton, ni même sur l'opportunité de traiter ce sujet dans le journal. Il y avait, disait-elle, des va-et-vient constants entre Leonard Downie, Bob Kaiser, Bob Barnes, Karen Deyoung et elle-même, le plus fervent défenseur de la publication d'un article sur Paula Jones, ou plutôt d'un papier signé de lui-même, étant Mike Isikoff. Karen Deyoung et Ann Devroy étaient les plus réticentes (là, je sentis une pointe d'amusement dans la voix d'Ann). Quant aux autres, ils pensaient qu'il était encore un peu tôt pour en faire un papier, mais ils étaient favorables à ce qu'on ouvre les colonnes du *Washington Post* à l'affaire si les présomptions se confirmaient. Je savais que la seule façon d'empêcher un article était de persuader Downie que cette histoire n'était pas crédible, et qu'elle n'avait aucun rapport avec le comportement de Clinton à la Maison-Blanche.

Mais il fallait d'abord que je parle au fana du scoop, Mike Isikoff. Avant de l'appeler, je passai en revue tous les détails de l'histoire, allant jusqu'à éplucher le programme officiel de Clinton le 8 mai 1991, pour tenter d'y trouver la preuve qu'il ne pouvait pas avoir rencontré Paula Jones ce jour-là. Selon son emploi du temps, il avait déjà quitté l'hôtel Excelsior à l'heure de la prétendue rencontre, mais les gens qui l'accompagnaient disaient qu'il y était retourné dans l'après-midi. Nous n'avions pas notre alibi en béton. Mais faute d'arriver à discréditer définitivement les dires de Paula Jones, on pouvait avancer que cette rencontre ne reposait que sur des ouï-dire. Je demandai à Isikoff s'il ne pensait pas que le président avait droit au bénéfice du doute. Il n'était pas de cet avis et nous nous affrontâmes sur la validité de divers témoignages de l'époque. C'était un dialogue de sourds : je croyais Clinton, et il croyait Paula Jones.

Danny Ferguson – le garde censé avoir conduit Paula Jones dans la suite de Clinton – apporta le témoignage le plus solide en notre faveur, bien que contredisant celui de Clinton comme celui de Jones. Ferguson confirma à Betsey Wright, l'ancienne adjointe du gouverneur Clinton, qu'il avait effectivement introduit Paula Jones dans la suite du gouverneur, et qu'elle était aux anges en sortant, à l'idée de pouvoir devenir la maîtresse du président. Tout cela discréditait Clinton qui prétendait ne pas se souvenir avoir été avec elle dans sa chambre d'hôtel, mais contredisait tout autant la version du harcèlement sexuel. Un autre potin vint à notre secours : Betsey Wright me confia que Paula Jones avait contacté Ferguson après la parution du *Spectator*, pour lui demander s'il pensait qu'elle pourrait « tirer de l'argent de cette histoire ».

La situation s'avérait beaucoup plus embrouillée que je ne l'avais d'abord espéré, et j'en voulais à Clinton de m'avoir très probablement menti en affirmant que Paula Jones ne l'avait jamais rejoint dans sa suite. Je revivais les pires moments d'avril 1992, pendant les primaires de l'État de New York – le jour où l'affaire de la conscription de 1969 nous était tombée dessus. Depuis les primaires du New Hampshire, nous ne cessions de nier que Clinton avait été tiré au sort, et je m'étais effondré quand John King, d'*Associated Press*, m'avait tendu une photocopie de sa convocation. *Comment est-ce possible ? Pourquoi ne nous a-t-il pas parlé de ce papier ?* « Je l'avais oublié », avait alors répondu Clinton. Au moment où l'ordre d'incorporation était arrivé à Oxford, le bureau militaire du Mississipi lui avait déjà dit de ne pas en tenir compte, et il avait obéi.

J'avais eu du mal à avaler qu'on puisse oublier ce genre de chose, mais j'étais encore plus sceptique sur l'épisode de l'hôtel Excelsior. Je restais cependant convaincu que l'amnésie de Clinton était plus proche de la réalité que la plainte de Paula Jones, que la vie privée du gouverneur Clinton ne pouvait avoir d'incidence sur sa performance de président des États-Unis, et qu'il était injuste de traiter de crime ce qui n'avait été qu'une aventure passagère. Voilà les arguments que je développerais auprès de Leonard Downie.

Nous nous retrouvâmes au restaurant de l'hôtel Jefferson le 17 février. Nous avions convenu que l'entretien serait confidentiel, et j'arrivai avec mes notes, me sentant investi d'une noble mission, en dépit du caractère assez sordide du sujet traité. Je défendais le président, je m'opposais à la vulgarité de la presse à scandale, je me voyais très bien dans le rôle de conseiller présidentiel, débattant avec un baron de la presse de l'équilibre à maintenir entre le droit de l'opinion à être informée et le respect dû au chef d'État.

Je commençai par quelques flatteries sur le *Washington Post.* Je précisai que nos efforts pour éviter que l'affaire ne sorte dans ses colonnes était une preuve de notre respect pour ce journal et de notre confiance en sa réputation mondiale de fiabilité. Puis j'en vins au peu de crédibilité qu'on pouvait accorder aux dires de Paula Jones : ses trois années de silence, son intérêt pour les droits qu'elle espérait toucher auprès de l'édition et du cinéma, ses liens avec le CPAC ultra-conservateur, tous ces éléments discréditaient son histoire. De plus, ses collègues de bureau avaient parlé d'elle à Isikoff comme d'une employée peu sérieuse et qui semblait en pincer pour Clinton.

Après quoi, je me portai garant de la personnalité de Clinton. Je décris à Downie sa réaction en apprenant la conférence de presse de Paula Jones : il avait eu un trou de mémoire, et semblait sincère en disant ne pas se souvenir de cette rencontre. Passant sous silence mes doutes ultérieurs, j'ajoutai que j'avais déjà vu Clinton s'embrouiller dans des explications mensongères, mais que, dans ce cas précis, je l'avais cru. J'allai même plus loin, avec l'argument que même si l'on tient Clinton pour un coureur de jupons, il n'était pas crédible qu'il ait poursuivi celle-là, qu'elle n'était pas du tout son genre. J'éprouve aujourd'hui quelque difficulté à m'expliquer pourquoi j'y croyais, mais ce jour-là j'étais convaincu d'avoir raison.

Je tentai également d'exploiter à notre avantage le témoignage de Danny Ferguson. « Il a fait entrer Paula dans la chambre de Clinton, c'est d'accord. Mais on ne peut pas ne croire qu'une moitié de son histoire et rejeter l'autre : si on fait confiance à Ferguson, alors le harcèlement sexuel n'est pas crédible. Et si vous croyez à la version de Paula Jones, vous n'avez aucune raison de l'imprimer trois ans après, alors qu'elle a toutes les raisons de chercher à enjoliver son histoire. En supposant que Ferguson dise vrai, les fredaines de Clinton quand il était gouverneur de l'Arkansas n'ont rien à faire à la une du *Washington Post.* Si vous publiez l'accusation de Paula Jones contre le président en exercice, même avec toutes les nuances possibles dans le titre, ce sera l'équivalent d'un jugement provisoire. Vous accréditez la version de Paula Jones aux yeux du monde entier, et vous acculez la Maison-Blanche à l'impossible, à savoir l'établissement de la preuve du contraire. »

Avec une politesse imperturbable, Leonard Downie me laissa parler sans broncher. Puis il me posa quelques questions, prit note de mes réponses, et me remercia pour le temps que je lui avais consacré. Il faisait son travail et moi le mien. Et sans savoir quel rôle notre entretien avait joué dans la décision, je me félicitai de ne pas trouver l'article d'Isikoff avant le 4 mai, le lendemain du jour où Clinton avait demandé à l'avocat Bob Bennet de le représenter dans le procès *Jones contre Clinton.*

Le délai légal de prescription pour le dépôt de plainte de Paula Jones expirait à la fin de la semaine, et Bennett avait d'abord essayé de négocier un accord préventif avec ses avocats. Son avocat principal, Gil Davis, resta inflexible, affirmant que sa cliente était déterminée à s'engager dans un procès et qu'elle ne craindrait pas d'évoquer « certains aspects intimes de la personne du président ». Les relations s'envenimèrent l'après-midi du 5 mai, que Bob Bennet passa dans mon bureau, afin de pouvoir consulter son client à tout moment.

Clinton était dans le Bureau ovale, d'où il multipliait les coups de téléphone en préparation du vote de la Chambre des représentants sur l'interdiction du port d'armes de guerre. Malgré le lobbying forcené de la National Rifle Association, nous n'étions qu'à quelques voix de la victoire. Je faisais la navette entre les deux négociations, mais j'aurais dû me douter qu'avec notre victoire à l'arraché au Congrès, Paula Jones ne renoncerait pas. Avec Clinton, les bonnes nouvelles arrivaient rarement sans leur sombre contrepartie.

Au début de l'après-midi, Bennet pensait qu'on pouvait encore gagner du temps. Il appela Gil Davis pour lui dire qu'il ne pouvait obtenir une réponse rapide du président, dont la journée était extrêmement chargée, et qu'il ne pouvait pas « décider à sa place ». Paula Jones exigeait une déclaration publique de Clinton confirmant qu'ils s'étaient bien rencontrés, et s'excusant auprès d'elle des propos diffamatoires que lui ou certains membres de son équipe auraient pu tenir à son endroit. Ce qui nous apparaîtrait plus tard comme un prix bien léger à payer, semblait inacceptable à ce moment-là. Il paraissait inconcevable de contraindre le président à s'excuser publiquement d'une action qu'il niait avoir commise. D'autant que les avocats de Paula Jones nous demandaient de signer un accord qui prolonge le délai de prescription, pour leur permettre d'engager les poursuites à la date de leur choix. Un tel accord vouait notre cause à l'échec : il nous fallait un règlement immédiat. Nous ne pouvions pas courir le risque que la plainte sorte en plein milieu de la campagne de réélection.

Pendant qu'il négociait au téléphone, Bob Bennet m'utilisait comme repoussoir, arguant que les conseillers de Clinton seraient furieux, qu'ils étaient radicalement opposés à des excuses publiques. Le président niait catégoriquement avoir harcelé Paula Jones, je le croyais, et à deux ans de sa réélection, il me semblait très dangereux de reconnaître publiquement une aventure aussi vulgaire, surtout si cet aveu n'éliminait pas les poursuites ultérieures. J'aidai cependant Bennet à rédiger une contre-proposition qu'il lut au téléphone à Gil Davis :

> Bien que je n'aie aucun souvenir d'une rencontre avec Paula Jones à l'hôtel Excelsior le 8 mai 1991, il est possible que je l'aie vue ce jour-là.
>
> Si cette rencontre a effectivement eu lieu, ni elle ni moi n'avons dit ou fait quoi que ce soit qui touche à la sexualité. Je regrette toute assertion mensongère qui aurait pu lui porter préjudice.

Je pensais proposer à Clinton de faire publier cette déclaration écrite par le service de presse de la Maison-Blanche, à condition que Paula Jones reconnaisse que le président n'avait rien dit ni fait de déplacé, et qu'elle respecte le délai légal de prescription. Je pensais alors que nous faisions le maximum acceptable : ce communiqué répondait à la plainte en diffamation qu'elle avait déposée contre le *Spectator*, sans obliger Clinton à avouer un comportement qui n'avait pas été le sien.

Mais les avocats voyaient dans l'accord qu'ils demandaient un minimum requis, et nous n'avions aucune assurance que Paula Jones confirmerait publiquement que Clinton n'avait rien fait de répréhensible. Leurs conditions ne faisaient que renforcer mon idée qu'elle chercherait d'abord à vendre son histoire, avant d'inventer une nouvelle excuse pour lancer un procès à l'approche des élections de 1996. D'autre part, bien que favorable à un accord, Bennet estimait qu'il pourrait gagner le procès. Mais en quelques heures, notre débat s'avéra sans objet : les avocats de Paula Jones rompirent la négociation en prétextant qu'ils ne pouvaient pas prendre le risque de voir leur cliente traînée dans la boue par la Maison-Blanche.

Le lendemain matin, nous préparant à une longue bataille juridique et médiatique, nous plaisantâmes sur celui d'entre nous qui aurait le privilège d'interroger le président sur ses « caractères physiques distinctifs ». C'était la première fois que ce genre de sujet figurait dans nos préoccupations de conseillers. Je ne me rappelais pas avoir rien lu de ce genre dans les mémoires de Clark Clifford, ni dans le journal d'Haldeman.

L'humeur combative de Clinton nous facilita la tâche. Lorsque Bob Bennet et Llyod Cutler revirent avec lui les détails de l'histoire, il réagit avec véhémence et proposa sans hésitation de se faire examiner par un urologue qui rédigerait son compte rendu sous serment. Un peu plus tard, alors que j'étais seul avec lui dans le Bureau ovale, il avait l'air abattu. J'essayai de lui remonter le moral en lui disant qu'il créerait un précédent historique en se faisant réélire malgré toutes ces saloperies.

« Vous avez peut-être raison, répondit-il avec un espoir teinté de scepticisme, Andy Jacobs [représentant démocrate de l'Indiana au Congrès] m'a dit qu'on se souviendrait de moi comme de John Adams et d'Harry

Truman – de grands présidents qui furent calomniés parce qu'ils entreprenaient des réformes difficiles. »

Connaissant la férocité de ses ennemis, il était prêt à payer le prix qu'il fallait pour faire avancer son programme politique. Il savait aussi qu'il n'avait pas de « signes distinctifs ». Mais ce qui lui faisait défaut, c'était une vision lucide de lui-même. S'il avait été capable de prévoir ses propres réactions plus tard, alors que la justice suivrait son cours, il aurait fait l'impossible pour éviter ce procès – ne serait-ce qu'en raison de l'étendue des conséquences qu'il aurait sur les gens et les choses qu'il aimait. Et j'en aurais fait autant. L'agrément que demandait Gil Davis me paraît rétrospectivement avoir été peu de chose.

Mais nous n'en savions rien. En mai 1994, Monica Lewinsky venait d'entrer à l'université.

11 L'ÉTÉ LE PLUS LONG

Le Premier ministre japonais faisait attendre le président américain et Clinton n'était pas content. Mais cette impatience, le matin du 24 mai 1994, avait surtout à voir avec la politique intérieure. Quelques heures plus tôt, les bureaux de vote venaient d'ouvrir dans le Kentucky pour une élection partielle destinée à remplacer le défunt William Natcher, un démocrate qui avait accumulé un nombre de voix record en quarante ans de carrière au Congrès. Aucun républicain n'avait été élu dans cette circonscription depuis 1865 mais le président, inquiet pour cette élection, voulait intervenir personnellement dans la campagne. Il m'expliqua, masquant le récepteur d'une main : « C'est le retour au nazisme, là-bas, nous devons riposter ! »

Craignant que le Premier ministre Hata ne capte ce propos et l'interprète mal, je répondis par un long topo suggérant que la tactique de campagne agressive des républicains allait peut-être se retourner contre eux. « Peut-être, répliqua-t-il. Mais pas si nous ne leur résistons pas. » Puis, d'un ton égal : « Merci, monsieur le Premier ministre, je crois que vous avez trouvé les mots qu'il fallait... » Quelques minutes plus tard, après avoir essayé de relancer les négociations commerciales avec le Japon, Clinton était rasséréné : « J'aime bien Hata. Il parle mieux l'anglais qu'il ne le montre. Il s'est trahi en répondant à plusieurs de mes questions avant qu'elles aient été traduites. Mais c'est un homme politique de valeur. »

C'était un éloge inestimable dans sa bouche, un peu comme si Joe DiMaggio[1] avait dit en parlant de quelqu'un « qu'il avait une jolie frappe de balle ». L'instinct de Clinton pour la tactique électorale s'étendait à ses principaux partenaires ; il calculait intuitivement les pressions intérieures que devaient affronter ses homologues étrangers, comme Hata, Helmut Kohl ou Boris Eltsine. Comme ses biorythmes étaient accordés aux cycles électoraux, il savait, en général, quand il pouvait faire monter la pression et quand il devait lâcher du lest. Mais ce matin-là, il était aveugle à ses propres difficultés. Notre siège du Kentucky était certes en péril, mais laisser Clinton intervenir dans la campagne n'aurait fait qu'aggraver les choses. En 1994, les électeurs n'aimaient pas leur président. Les sondages montraient que seuls 30 pour cent des électeurs de cette circonscription pensaient que Clinton méritait d'être réélu et la moitié des démocrates interrogés estimaient qu'il était temps de lui infliger un désavœu en votant républicain.

Les affaires Whitewater, Paula Jones et d'autres faux-pas comme la polémique sur la situation des homosexuels dans l'armée, n'étaient pas nos seuls problèmes. Au printemps 1994, même nos succès législatifs travaillaient contre nous. Le projet de loi Brady et l'interdiction des armes de guerre avaient rendu furieux et galvanisé les membres de la National Rifle Association, mais le public ne savait pas encore que les statistiques sur la criminalité s'amélioraient. Les électeurs avaient entendu les républicains stigmatiser notre plan économique et proclamer que nous étions responsables de « la hausse d'impôts la plus énorme dans l'histoire de l'univers », mais ils ne ressentaient pas encore les bienfaits de la baisse des taux d'intérêt et de la relance. Notre base ouvrière était déprimée par les efforts de Clinton pour conclure l'accord sur l'ALENA qu'ils considéraient comme destructeur d'emplois, tandis que les associations patronales qui profitaient de ce pacte montraient leur gratitude en attaquant notre plan de réforme du système de santé. Les stratèges républicains avaient très bien su exploiter cette animosité croissante dans les débats télévisés et les spots politiques.

1. NdT. Joe DiMaggio (1914-1999) est une figure légendaire du base-ball américain.

Grâce à la technologie digitale, les électeurs de la seconde circonscription du Kentucky purent voir un spot démocrate dans lequel la photo de Joe Prather, notre candidat, grâce à un subtil fondu enchaîné, se transformait en une image du président, tandis qu'une voix off annonçait d'une voix menaçante : « Vous avez aimé Bill Clinton, vous adorerez Joe Prather. »

Envoyer au Congrès un clone de Clinton était à peu près la dernière chose que voulaient les électeurs de 1994. Prather perdit avec dix points de retard et les républicains avaient une stratégie toute trouvée pour les élections de mi-mandat, en novembre.

Ce retour de bâton était prévisible. En 1992, notre campagne avait exploité la colère des électeurs à l'égard du président Bush en diffusant une série d'extraits de ses discours où il promettait qu'il n'y aurait pas de nouveaux impôts et parlait des sombres perspectives économiques. Mais ni Clinton ni moi n'étions d'humeur à philosopher quand arrivèrent les premiers résultats du Kentucky. Un peu avant 19 h 30 ce soir-là, j'accompagnai le président à un dîner de travail sur notre voyage européen pour commémorer le cinquantième anniversaire du Débarquement. Il cria durant tout le trajet. « Je vous ai dit que nous n'avions pas de stratégie. Nous n'aurions pas dû essuyer une défaite aussi lourde. Personne n'a retenu nos arguments. Personne ne sait ce que nous avons fait. »

Une meilleure diffusion de « nos arguments » n'aurait pas été d'une grande utilité, mais le président avait raison. Avec un pays en paix et une économie en progrès, nous aurions dû obtenir de meilleurs résultats et l'entourage politique de Clinton méritait sa part de critiques. Mais je préférai dépersonnaliser cet accès de mauvaise humeur et le focaliser sur les événements à venir : « Nous avons de réelles opportunités avec la commémoration du Débarquement et le sommet du G7. Nous rétablirons notre popularité si nous savons en tirer parti. »

Autre ironie de l'histoire : c'est en attaquant le président Bush, notamment sur le fait qu'il se consacrait trop à la politique étrangère, que nous l'avions battu. Maintenant, je suggérais à Clinton d'utiliser ses voyages à l'étranger pour échapper à nos difficultés intérieures. La vision de Clinton sur la scène internationale, entouré de chefs d'États étrangers et de foules applaudissant, allait aider les Américains à le voir avec d'autres yeux. Il le fallait. Notre programme législatif piétinait et notre cote de popularité s'effritait. Lors d'une réunion consacrée à la préparation des cérémonies du Débarquement, Clinton se plaignit : « Le peuple américain m'a élu pour réaliser des réformes, mais je suis devenu le prisonnier du Congrès. » Je commençais à prendre toutes ces remarques comme des critiques personnelles. Les Américains rejetaient le Congrès pour lequel j'avais travaillé, le président que j'avais contribué à faire élire et la politique que je promouvais depuis des mois.

Mais on ne pouvait pas nous enlever l'Air Force One, l'avion présidentiel. Grimper les marches de la passerelle, c'est entrer dans un univers encore plus rare que la Maison-Blanche elle-même. À l'intérieur de l'immense cabine, se trouve tout le confort d'une maison et d'un bureau : des divans, des consoles garnies de saladiers de fruits frais et de bonbons dans les couloirs, une salle de conférence avec deux téléviseurs et une vidéothèque de films récents ; des bureaux avec ordinateurs, fax, photocopieurs et téléphones ; une équipe de cuisiniers qui préparent et servent repas chauds et boissons fraîches vingt-quatre heures sur vingt-quatre. À l'avant de l'appareil, le président dispose d'un appartement comprenant une chambre avec un grand lit, un bureau et une salle de bains complète.

Quand nous étions en l'air, Clinton enfilait des jeans et un blouson d'aviateur et arpentait les couloirs comme le capitaine d'un bateau de croisière. Après avoir vérifié son itinéraire dans la salle de conférence, il nous rejoignait pour regarder un film en grignotant des tortillas arrosées de sauce tex-mex pendant que Hillary et ses collaborateurs se reposaient sur les canapés. Le président aimait bien égrener les derniers ragots de la Maison-Blanche et raconter des histoires sur son enfance dans les petites églises du fin fond de l'Arkansas où l'on rencontre des charmeurs de serpents et des illuminés. Hillary les connaissait par cœur mais elle semblait les apprécier et le laissait radoter avec un sourire bienveillant.

Dès notre atterrissage à Rome, je me sentis régénéré, plus dans la peau de l'aide de camp aguerri du président que dans celle d'un membre de l'équipe Clinton. Ici, en Europe, un demi-siècle après la fin de la guerre contre les nazis, j'étais un émissaire de mon pays mais aussi de ma génération. Ma principale responsabilité durant ce voyage consistait à surveiller ce qui se passait aux États-Unis, mais, comme beaucoup d'entre nous, j'étais envahi par un sentiment d'humilité devant l'Histoire. Bien sûr, nous espérions que ce voyage permettrait au président de rebondir politiquement, mais nous voulions plus encore honorer la génération qui avait rendu possible notre monde. À chaque cérémonie, dans chaque discours, dans chaque détail, nous voulions exprimer à quel point nous étions reconnaissants « d'être les fils et les filles du monde qu'ils avaient sauvé ».

Le président Clinton prononça ces paroles au cimetière américain de Nettuno, un champ de marbre bordé de cyprès et de pins. Ce discours, comme ceux de toutes les autres cérémonies commémoratives, comprenait une variation sur le thème « Nous sommes les enfants de votre sacrifice ». Une escadrille d'avions de combat effectua un passage à basse altitude en vrombissant au-dessus de la foule et remonta en flèche vers le ciel ; soudain, en hommage aux pilotes qui ne sont jamais revenus, l'un des avions décrocha et disparut tandis que ses compagnons poursuivaient leur ascension.

Le lendemain à l'aube, à l'heure exacte où avait eu lieu le premier débarquement cinquante ans auparavant, une simple gerbe de fleurs fut jetée à la mer depuis le pont du George Washington. Dans le ciel des falaises de la Pointe d'Hoc, une mouette intriguée voletait au-dessus du clairon solitaire qui jouait la sonnerie aux morts. Je m'imprégnais de ces moments, un peu à l'écart de la foule, partagé entre la réflexion historique et l'obligation d'évaluer la performance de Clinton.

À Colleville-sur-Mer, j'étais assis derrière un homme au visage buriné par le soleil, les cheveux blancs coupés en brosse. Quand Clinton parla du Caporal Frank Elliott, « un des pères que nous n'avons jamais connus, un des oncles que nous n'avons jamais rencontrés, un des amis qui ne sont jamais revenus, un des héros à qui nous ne pourrons jamais montrer notre gratitude », l'ancien combattant se mit à pleurer. Sa femme tendit le bras pour lui caresser le dos et j'avais l'impression aiguë d'être deux personnes à la fois : j'étais humainement ému par la vision de ce vieux soldat que sa femme réconfortait alors qu'il se rappelait sa jeunesse, ses missions et ses camarades tombés au combat. Mais le conseiller politique ne pouvait s'empêcher de se dire à ce moment précis : *Parfait, ça marche. Clinton a réussi à faire naître ce moment. Même le soleil a percé les nuages quand il s'est mis à parler.*

Au moment même où Clinton finissait son discours, le vieil homme se tourna vers moi. Il avait un message pour le président : « Je m'appelle Franck Callahan. Je n'ai pas voté pour votre patron, mais je suis un ancien combattant d'Omaha Beach. Dites au président à quel point, en tant que républicain très conservateur, je suis fier de lui aujourd'hui. Franck Elliott était avec moi… »

Il ne put continuer. Il ne put s'empêcher de se remettre à pleurer et essaya de stopper ses larmes en s'enfonçant un poing dans la joue. Puis il sourit : « Où est cette Dee Dee qui est si mignonne ? »

Ce voyage regorgea d'instants palpitants, tel ce moment où, debout sur le pont d'un porte-avions traversant l'Atlantique, au moment de l'atterrissage de l'hélicoptère présidentiel, les hauts-parleurs annoncèrent solennellement : « L'Amérique atterrit ! » Ou encore celui du jogging matinal de Clinton dans les rues pavées de Rome, derrière les agents des Services secrets à vélo qui ouvraient la route sous les acclamations de gosses en baskets qui scandaient : « Cliin-ton, Cliin-ton ! »

À Paris, Mitterrand surpassa sa réputation. J'étais impatient de le rencontrer. Ce moment se produisit juste avant une interview conjointe avec Clinton pour la télévision française. Wendy Smith, la directrice des voyages du président, et moi, nous dirigions vers la loge de Clinton quand nous vîmes le président Mitterrand venir d'un pas ample dans notre direction, la tête penchée et les mains croisées dans le dos. Au moment de nous dépasser, il leva les yeux brusquement et s'arrêta devant nous ; pas (comme je l'avais espéré) pour faire la connaissance du jeune conseiller présidentiel dont il avait tant entendu parler.

« Bonsoir, Madame ! » dit-il en s'inclinant légèrement devant la belle Wendy aux formes sculpturales et à la chevelure luxuriante. Il la détailla de la tête aux pieds, puis des pieds à la tête, la jaugeant lentement en silence. J'eus droit à un hochement de tête.

Au dîner d'État, ce soir-là, la salle à manger faisait penser à un tableau de Versailles. Toutes les tables avaient un nom (j'étais à « Bégonia »). À ce dîner éclairé uniquement aux chandelles, nous dégustâmes du homard nappé d'une sauce au caviar puis une caille fourrée de truffes aussi grosses que des châtaignes. Le champagne d'un rose cendré était assorti à la nappe et à la couleur des murs. Après le toast final de Mitterrand, quelques-uns d'entre nous rejoignirent Clinton pour une visite nocturne de la nouvelle aile du Louvre. « Quel dommage que vous ne puissiez venir de jour pour voir l'éclairage zénithal ! » s'excusa notre guide, IM Pei, l'architecte responsable du réaménagement de l'aile.

Cette dernière soirée à Paris fut un festival de délicieux excès. Je ne dormis pas de la nuit, repoussant les mauvaises nouvelles qui m'attendaient aux États-Unis et ignorant pendant encore quelques heures les tensions qui affleuraient la surface de ce voyage européen.

Les ennuis commencèrent le samedi précédant l'anniversaire du Débarquement. Nous venions juste de finir de déjeuner avec John Major dans sa résidence des Chequers et Clinton rencontrait pour la première fois Tony Blair, le dirigeant du parti travailliste. De retour à la Maison-Blanche, un petit groupe coordonné par David Dreyer compulsait fiévreusement les exemplaires de lancement du nouveau livre de Bob Woodward, *Le Programme*, et nous faxait des résumés avec des propositions de réactions. Le lendemain, tout Washington allait lire des extraits de son livre en bonne place dans le *Washington Post* et le reste du pays allait pouvoir admirer Woodward en personne dans l'émission « 60 Minutes ». Il n'y avait pas une seconde à perdre.

Tel est le pouvoir de Woodward : ce qu'il écrit, les gens le lisent. Il donne l'impression, dans ses récits, de savoir parfaitement comment fonctionne Washington. Il a renversé Nixon, exposé les couloirs impénétrables de la Cour suprême aux regards de tous, dévoilé les opérations clandestines de la CIA et montré une Maison-Blanche en crise au moment de la guerre du Golfe. À l'époque, ses yeux de lynx étaient rivés sur nous. Pendant plus d'un an, il avait analysé l'évolution conflictuelle de la politique économique à l'intérieur de la Maison-Blanche. Son livre, comme il le prédisait dans la lettre que j'avais remise en main propre au président huit mois auparavant, voulait être « l'analyse contemporaine la plus sérieuse de la politique économique de votre gouvernement. »

À l'été 1993, plusieurs mois après le début de son travail, le premier appel de Woodward avait suscité deux pensées simultanées en moi : « Oh, non ! » et « J'y suis arrivé ! » Ses livres occasionnaient invariablement des articles embarrassants pour ceux dont il parlait, mais on savait que ses sources étaient les personnes les plus influentes, les mieux renseignées et les plus fiables de Washington. Tout en me défiant de Woodward, j'étais aussi flatté et curieux. Je considérais comme mon travail de découvrir ce qu'il tramait et d'en tirer le meilleur parti. Nous décidâmes de nous rencontrer et nous dînâmes ensemble dans sa maison de ville de Georgetown, où j'eus droit au grand jeu.

Le plateau en bois verni de sa salle à manger était parsemé de liasses de feuilles annotées, soigneusement empilées, et j'aperçus aussi un magnétophone de poche. Au-dessus d'un poulet rôti maison, il me passa des mémos de l'une de nos premières réunions économiques, puis des notes manuscrites d'une autre, suivis de transcriptions mot à mot d'une intervention que j'avais faite à une troisième réunion. La technique de Woodward a l'efficacité de sa simplicité : il vous livre un aperçu de ce qu'il sait, dans un éclairage très négatif, en insinuant qu'il en sait beaucoup plus et vous place devant une série de dilemmes qui vous renvoient toujours à la même alternative : Êtes-vous disposé à coopérer et à livrer des informations en échange desquelles vous en apprendrez plus sur le travail en cours et obtiendrez – peut-être – un tableau plus flatteur de votre patron et de vous-même ? Ou bien répondez-vous à son bluff par l'esquive dans l'espoir que votre silence fera perdre de sa qualité et de sa pertinence au résultat final et en réduira par conséquent la nocivité ? Si personne ne parle, il n'y a pas de livre. Mais il y a toujours quelqu'un qui parle. La réaction la plus périlleuse est celle que j'eus instinctivement lors de notre première entrevue : « Eh bien… les choses ne se sont pas exactement passées comme ça…

– Vraiment ?.. Intéressant… Je n'étais pas au courant… Expliquez-moi… »

Notre danse avait commencé, la séduction mutuelle du journaliste et de sa source. Le charme calculé de Woodward était taillé sur mesure pour ma vanité intellectuelle, ma fierté professionnelle et ma loyauté personnelle au président. Je savais que Woodward parvenait toujours à arracher à ses informateurs plus de tuyaux que ceux-ci n'auraient voulu lui en donner. Mais comme tant d'autres qui avaient soupé à sa table et parlé dans le micro de son petit magnétophone avec l'assurance que tout ça resterait « officieux », j'étais assez arrogant pour m'imaginer que je pouvais le battre à son propre jeu, que j'étais plus rusé que lui. Je croyais qu'il était possible d'arrondir les angles du point de vue négatif de Woodward en lui expliquant le contexte et les objectifs poursuivis ou de l'accabler de « gros plans » et d'anecdotes personnelles mettant en valeur la force d'âme, l'intelligence et l'empathie du président.

Je savais qu'il y avait un risque à coopérer ouvertement avec Woodward, mais à l'époque je l'acceptais comme le prix à payer pour ma loyauté. Cela aurait semblé plus loyal d'ignorer Woodward, raisonnai-je, mais ce serait en fait plus déloyal parce que ça reviendrait à faire la part belle à ceux qui ne prenaient pas les intérêts de Clinton aussi à cœur que moi. J'étais si sûr que ce livre allait faire des dégâts, si sûr de savoir comment l'empêcher, et si sûr que mes motivations étaient irréprochables, que j'en faisais une affaire personnelle.

Ce que je ne pouvais complètement m'avouer à moi-même, bien sûr, c'était que cette attitude si désintéressée était en fait un acte égocentrique, surtout avec un journaliste de la stature de Woodward. Lui parler d'égal à égal faisait de moi un des *happy few*. C'était mon boulot de travailler sur le bouquin de Woodward, mais ça dilatait aussi mon ego. J'étais si heureux de mon nouveau rôle que j'encourageai amis et alliés, Carville, Begala, Sperling et Greenberg à coopérer avec Woodward. J'insistai aussi auprès d'Hillary pour qu'elle lui concède une interview, lui en accordai trois moi-même et remis la lettre de Woodward au président en personne sans en parler à qui que ce soit.

Cette demande d'interview était un petit chef-d'œuvre dans son genre. Woodward connaissait son sujet et sa source potentielle. Il commençait par une constatation neutre :

> Je crois que vous savez que j'écris sur l'élaboration de la politique économique gouvernementale. Une partie importante de ce livre concerne votre gouvernement.

Suivait une tentative d'intimidation :

> J'ai déjà accumulé plus de cent pages de notes dactylographiées, de mémos, de souvenirs, de diagrammes et de statistiques seulement sur l'une de vos réunions d'avant l'investiture, qui s'est tenue à Little Rock avec votre équipe économique...

Un obligatoire aveu d'humilité :

> Mais je me suis demandé souvent : qu'est-ce que je rate ? Beaucoup de choses, sans doute trop. Ma récolte est suffisante pour que je ne sois pas mortifié par ce que j'ignore... Une grande partie des informations que j'ai recueillies viennent de l'intérieur, mais j'ai écrit assez de textes sur les gouvernements et les présidents pour savoir que la perception intérieure la plus profonde vient toujours de l'extérieur. Il manque le point de vue du président...

Un appel historique :

> Richard Reeves, dans son remarquable ouvrage sur le président Kennedy, *Profile of power* (*Kennedy : portrait d'un pouvoir*), pose cette question directe et inéluctable : À quoi ça ressemble d'être président ?.. Reeves a été contraint de s'appuyer sur des documents et des témoignages de proches certes substantiels, mais sans avoir accès au cœur même du pouvoir. Il n'a jamais interviewé Kennedy...

Une gifle pleine de civisme à la presse :

> Votre parcours, depuis à peine huit mois que vous êtes élu, a été incontestablement remarquable. Mais les comptes rendus qui en ont été diffusés dans la presse ou sur les ondes sont beaucoup trop lacunaires. Le niveau du débat public laisse beaucoup à désirer. Les problèmes de gouvernement ne sont-ils pas liés à la superficialité des commentaires politiques ? Phil Donahue et

> Rush Limbaugh et leurs bulletins d'actualité de vingt secondes n'affadissent-ils pas la compréhension d'un public qu'ils trompent ? Les gens devraient savoir ou au moins avoir la possibilité de connaître la vérité, une vérité qui fasse autorité...

Un avertissement loyal suivi d'une garantie :

> Ce projet implique-t-il pour vous une certaine perte de contrôle et des risques ? Oui...
> [Mais] je ne me propose pas d'évaluer la qualité de votre travail... je me refuserai aux coups bas comme aux applaudissements trop faciles...

Une conclusion flatteuse, irrésistible :

> Dans mon dernier livre, *The Commanders* (*Chefs de guerre*), je terminais mon introduction par cette idée : « La décision de faire la guerre est une de celles qui définit une nation, à la fois aux yeux du monde et, de manière peut-être encore plus importante, à ses propres yeux. Il n'y a pas d'affaire plus sérieuse pour un gouvernement national, pas de mesure plus précise de la direction d'une nation. »
>
> J'ai écrit cela au printemps 1991. À cette époque, vous disiez à vos amis et à vos alliés que le champ de bataille avait changé : la manière dont une nation se définit, le sérieux et la qualité de la direction se mesureraient désormais à sa conduite de l'économie et de la politique intérieure. Vous aviez raison.

Clinton rencontra secrètement Woodward et l'ouvrage de celui-ci, *Le Programme*, fut à la hauteur des attentes qu'avaient suscitées cette lettre. Pris dans son ensemble, avec le temps, c'est un compte rendu global et d'une exactitude acceptable de la façon dont nous avons élaboré et fait voter un programme de réformes économiques qui a réussi. Mais ce n'est pas ainsi que le livre fut perçu en 1994. Dans l'émission « 60 Minutes », Woodward réduisit son livre à une réplique de vingt secondes dont on retint : « C'est un chaos, un chaos absolu. » *Le Programme* fut lancé comme la démonstration la plus efficace que Clinton était un président brouillon et indécis à la tête d'une Maison-Blanche inexpérimentée et incontrôlée.

Mack McLarty fut la première victime du livre. L'ouvrage de Woodward reprenait à son compte une opinion couramment admise selon laquelle Clinton avait besoin d'un secrétaire général plus fort et issu de l'establishment washingtonien. Mack était un gentil garçon, un cadre supérieur qui avait réussi sa carrière et un ami intime de Clinton, mais il n'avait jamais travaillé à Washington et Clinton ne lui donna jamais d'autorité véritable. Quand le président pensa à Mack, je l'encourageai à faire ce choix. C'était, de ma part, une vue à court terme : je croyais que mon expérience relativement riche du monde politique accroîtrait mon pouvoir dans l'aile Ouest. Mais avant même la parution du *Programme*, il était clair que nous avions besoin d'un changement et j'étais un des premiers à souhaiter un secrétaire général plus exigeant qui pourrait épauler le président et canaliser les ardeurs des fortes têtes comme moi, qui avaient tendance à jouer les électrons libres.

Durant le vol qui nous emmenait aux cérémonies commémoratives du Débarquement, Leon Panetta et moi passâmes quelques minutes seuls à l'arrière de l'appareil. J'avais connu Leon au Sénat où il présidait la commission budgétaire. Leon était un ami intime et un allié de Dick Gephardt. Cet ex-républicain était un peu trop rigoriste en matière fiscale à mon goût, mais il possédait un grand cœur, les valeurs des immigrants de la première génération et un rire contagieux. Quand il me confia que Clinton songeait à lui pour remplacer Mack et qu'il me demanda conseil, je l'encourageai. Le talent de chef d'équipe infatigable et discipliné de Leon était exactement ce dont nous avions besoin. Je lui tendis le livre que j'étais en train de lire, *The Haldeman Diaries* (*Le Journal de Haldeman*) où, à la page 309, l'auteur rapporte un discours de Nixon à ses ministres : « Lisez cela, dis-je à Leon, c'est ce qu'il vous faut, le contrôle suprême » :

> « À partir de maintenant, Haldeman est l'exécuteur des hautes œuvres. Ne venez pas vous plaindre auprès de moi quand il vous dit de faire quelque chose. Il le fera parce que je le lui ai

> demandé et vous devrez vous exécuter... Je veux de la discipline. C'est à Haldeman d'y veiller... Quand il parle, c'est comme si je parlais, et ne pensez pas que vous gagnerez à venir me voir pour me parler parce que je serai encore plus dur que lui. C'est comme ça que ça va se passer. »

« Il vous faut un mandat plus large que celui de Mack, poursuivis-je. Il ne faut pas qu'on puisse contourner votre pouvoir, vous ne devez pas avoir à traiter avec trois Maison-Blanche différentes. Il faudra que vous soyez un dictateur. »

Leon me remercia et prit le livre. Je ne sais s'il goûta l'ironie qui planait au-dessus de cet échange. (Nixon avait essayé de licencier Panetta, alors haut fonctionnaire et économiste, pour déloyauté. Panetta avait démissionné.)

Je ne compris pas tout de suite que j'étais dans le collimateur. On est toujours aveugle sur certains points. Moi-même je l'étais sur la question de la loyauté et des fuites. Je m'acharnais tellement à freiner les rumeurs nuisibles que je pensais être au-dessus de tout soupçon à cet égard. J'étais convaincu d'être une des solutions au problème mais le président et Hillary commençaient à penser que j'étais un des aspects du problème et *Le Programme* leur en fournit la preuve. L'impression d'ensemble qu'avait laissé ce livre était assez mauvaise. Les citations qui me sont attribuées sont encore pires :

> « Vous devez toujours vous souvenir, a expliqué Stephanopoulos à l'un de ses plus proches collègues, que Clinton ressemble à un kaléidoscope. Ce que vous voyez dépend de l'endroit où vous vous trouvez et de ce que vous regardez chez lui. Il vous montrera une facette mais ce ne sera qu'une facette. »

Woodward fait ensuite parler Panetta : l'équipe de campagne lui avait dit que Clinton était terriblement lent à prendre des décisions :

> « Le pire à son sujet, c'est qu'il ne prend jamais de décisions », a dit Stephanopoulos.

Les formulations de Woodward indiquent clairement qu'il ne tirait pas ces citations directement de moi. Mais j'avais prononcé des phrases comme celles-ci à la Maison-Blanche quand j'essayais de définir certains aspects de la personnalité de Clinton à mes nouveaux collègues. Ces « proches collègues » ou l'un de « leurs proches collègues » avaient ensuite rapporté l'anecdote à Woodward. Quelle que fut leur provenance, ces paroles semblaient beaucoup plus accablantes imprimées en noir et blanc dans un bestseller, que dans un bavardage de couloir de l'aile Ouest. Et comme je m'étais fait l'avocat du projet de Woodward, la crudité de ces jugements rendit Clinton furieux.

Je n'en entendis d'ailleurs pas parler directement, tout d'abord. Je considérais rarement que les explosions de colère de Clinton puissent être dirigées contre moi personnellement, je les laissais plutôt me traverser. Mais ses silences m'inquiétaient davantage. Les colères du président s'exprimaient de manières variées et il jouait de cette palette en virtuose.

La forme la plus courante et la plus véhémente de la colère du président est ce qu'on pourrait appeler le « rugissement du matin ». Clinton n'est pas du matin. Il est grincheux et lent au réveil. Le rugissement du matin était sa façon de se racler la gorge avant le petit déjeuner, comme un coq qui salue le lever du jour, mais avec irritation. Il exprimait rarement un mécontentement profond, mais simplement de la mauvaise humeur devant un emploi du temps trop chargé, un discours dont la première mouture ne lui plaisait pas, un article ou un autre dans un journal – ils n'étaient presque jamais à son goût. C'est dans le Bureau ovale qu'il me signifiait son agacement à la lecture de ces articles. Il était assis à son bureau, entouré de petites liasses de notes qu'il venait de sortir de son attaché-case, brandissant l'article injurieux à bout de bras. Il me le tendait, s'indignant d'une voix saccadée pour mieux souligner son point de vue : « C'est... tout simplement... faux ! C'est tout simplement... malhonnête... Je n'ai pas le temps de réfléchir... j'essaie... j'essaie... j'essaie de vous le dire, mais ils ne comprennent jamais ! » Tant que Clinton restait assis à son bureau, je n'avais pas de souci à me faire. Je lui promettais de régler le problème, j'expliquais encore une fois les raisons qui justifiaient son emploi du temps, je lui témoignais ma sympathie devant l'injustice des médias et je changeais de sujet.

Le petit frère du rugissement du matin était le « coup de gueule du soir » auquel j'ai rarement assisté en personne. La conversation avait lieu au téléphone, mais je l'imaginais en jeans et tee-shirt, accoudé au comptoir de la cuisine, entouré de ses liasses de notes, avec la télé en bruit de fond. Le déclic était généralement une conversation avec Hillary, un appel d'un ami de l'Arkansas concernant une nouvelle injure d'un politicien de droite, ou un discours critique à la tribune du Sénat qu'il venait de voir en différé à la télé. Comme le rugissement du matin, le coup de gueule du soir n'était en général pas bien grave. Il suffisait de promettre que le problème serait réglé le lendemain, de prononcer quelques paroles réconfortantes, de raconter un ou deux potins et il repartait rasséréné par mon infusion réconfortante. Le coup de gueule du soir n'était embêtant que lorsqu'une bonne nuit de sommeil ne parvenait pas à apaiser l'énervement de la veille. C'était le signe certain qu'un vrai orage se préparait.

Cette colère froide pouvait couver plusieurs jours, parfois des semaines. À la différence du rugissement du matin et du coup de gueule du soir, elle n'était pas provoquée par un simple événement. Elle traduisait un ressentiment qui enflait chez Clinton et que chaque événement extérieur renforçait et justifiait : on ne faisait rien pour régler le problème, insinuait-il. Certaines phrases récurrentes étaient symptomatiques de cette colère croissante : « Ces fuites nous tuent... Al From a raison, nous ne sommes qu'une bande de yuppies élitistes... Vous m'avez enchaîné au Congrès comme le capitaine Achab à son bateau. Je suis président et non Premier ministre... Le Sénat est rempli de poules mouillées. Je collecte des fonds pour eux, je les fais réélire, mais il suffit que les républicains ou Howell Raines haussent le ton pour qu'ils se couchent. » À un certain point, elle se développait comme un concerto baroque, avec des variations entrecroisées sur un thème qui se répétaient *crescendo* et se terminaient en vociférations exaspérées et épuisées. Ces colères-là traduisaient des problèmes structurels profonds et non des contrariétés anecdotiques. Elles étaient désagréables mais en général justifiées.

Deux autres types d'explosions étaient plus calculées : la parade et la suffocation.

La parade était en général destinée à un tiers présent dans la pièce. La présence d'Hillary expliquait souvent ce type de colère. Durant la période où elle s'attachait à réformer le système de santé, il laissa souvent éclater sa colère au cours de réunions destinées à préciser notre stratégie législative : ses éclats étaient destinés à protéger Hillary et à nous rappeler qu'il fallait la prendre au sérieux. La suffocation était généralement réservée aux moments où Clinton soupçonnait qu'il avait fait une erreur mais ne voulait pas le reconnaître. Elle contenait aussi quelques éléments de contre-attaque et un petit reproche préventif. « Je le ferai si vous y tenez, mais selon moi c'est une erreur ! »

Mais le pire de tout, c'était le cri silencieux. Pas de cris, pas d'index pointé sur vous, seulement le silence. J'entrais dans son bureau et il ne levait pas les yeux. Son « Bonjour, George ! » légèrement formel ressemblait plus à une agaçante obligation qu'à un vrai salut. Il ne se tournait pas automatiquement vers moi pour jauger ma réaction à ses nouvelles idées ou aux réponses qu'il envisageait pour sa prochaine conférence de presse. Il ne s'arrêtait pas quand il passait devant mon bureau, il ne m'appelait pas. Et pire encore, il ne disait pas qui l'avait rendu furieux – parce que c'était moi.

Vers la fin du voyage en Europe, je compris que Clinton était furieux contre Woodward – c'était inévitable. Mais il ne parla pas de son livre en ma présence. Je soupçonnai pour la première fois l'ampleur de sa colère en l'accompagnant à une interview avec Tom Brokaw, le journaliste de NBC. J'informai Clinton d'un sondage que *Newsweek* venait de publier et qui plaçait Colin Powell et Bob Dole devant lui en fait de « modèles de civisme » pour les jeunes Américains. Tous deux étaient des rivaux potentiels et si Brokaw évoquait ce sondage à brûle-pourpoint, Clinton risquait fort de prendre la mouche.

Des dizaines de fois auparavant, ce type d'intervention de dernière minute avait sauvé la journée. Mais pas ce jour-là. Clinton se figea et me fixa droit dans les yeux, son regard bleu clair plein d'une fureur contenue. « Je n'avais pas besoin de ça maintenant, George, je n'avais pas besoin que vous m'enfonciez. » Je sentis toute la colère que trahissait cette rebuffade mais il ne criait pas du tout. Il se contrôlait parfaitement et ses mots avaient une tonalité métallique. C'était la première manifestation d'un ressentiment qui allait durer des mois.

Hillary, quant à elle, ne dissimula pas sa colère. Durant les semaines suivantes, *Le Programme* devint l'unique explication de nos ennuis de l'été. « L'unique problème de ce gouvernement est le livre de Woodward, expliqua-t-elle lors d'une réunion stratégique de l'été. Il nous fait du tort à l'étranger et il explique notre chute de popularité. Il y a des gens ici qui ne montrent aucune loyauté envers le président, aucune loyauté envers le travail que nous avons accompli pour le pays et qui ne cherchent qu'à se mettre en valeur. J'espère qu'ils sont satisfaits ! »

Je n'étais ni déloyal ni satisfait. La décision de faciliter à ce point le travail de Woodward était une erreur naïve. Si j'avais été plus mûr et plus discipliné, j'aurais compris qu'il était vain d'espérer amadouer Woodward. Un ouvrage moins informé aurait été moins préjudiciable à court terme à notre programme de réformes. Mais ma coopération ouverte avec lui ne se ramenait nullement à une trahison. Ce n'était d'ailleurs pas non plus notre unique tracas politique en cet été 1994.

Après quarante ans de domination sur le Congrès, le parti démocrate était devenu une sorte de royaume féodal dans lequel la confiance dans le roi ou la peur de celui-ci ne bridaient plus les ambitions personnelles. Chaque représentant était à la tête d'une baronnie, chaque président de commission était le maître dans son duché. Notre majorité ressemblait plus à une coalition tactique de factions autonomes aux intérêts communs qu'à un mouvement politique qui partageait des valeurs et une philosophie de gouvernement cohérente. Exploitant nos points faibles sans vergogne, les républicains jouait le Nord contre le Sud, les banlieues contre les villes, un Congrès contrôlé par des politiciens tous issus de professions libérales contre l'Amérique profonde et ses véritables valeurs. Ils comprenaient que la colère populaire qui avait joué en faveur de Clinton en 1992 allait travailler contre lui en 1994, et se fédéraient autour d'une stratégie que les analystes politiques Dan Balz et Ron Brownstein avaient surnommée « la politique du non » : non à Clinton, non aux démocrates et non à la politique bi-partisane. En août, sous les coups de boutoir des républicains qui nous attaquaient sur Whitewater, les lois contre la criminalité et le système de santé, notre fragile coalition éclata.

L'été avait pourtant commencé avec de bonnes nouvelles sur Whitewater. Les résultats de l'enquête de Fiske montrèrent que les tenants de la conspiration avaient tort et que Vince Foster s'était bien suicidé dans Fort Marcy Park. D'autre part, les prétendus contacts entre la Maison-Blanche et l'administration des Finances à propos de l'enquête sur Whitewater étaient maladroits mais pas illégaux. Une enquête émanant de l'office de contrôle de l'éthique gouvernementale arriva à la même conclusion. Mais ces découvertes n'arrêtèrent pas les républicains. Des sénateurs très en vue comme D'Amato et Faircloth, après avoir félicité Fiske en déclarant qu'il était « le genre d'homme qui ferait surgir la vérité pour le peuple américain », manœuvrèrent pour le faire remplacer dès qu'il disculpa le gouvernement. Ils multiplièrent aussi les auditions pour exploiter au maximum les conséquences de l'affaire Whitewater avant les élections de novembre.

Nous savions que les investigations projetées à la Maison-Blanche et au Sénat nous feraient du tort, mais nous espérions que les républicains en feraient trop et qu'ils apparaîtraient obsédés par une affaire mineure, aux dépens des problèmes importants. Mais ils étaient décidés à prendre ce risque dans l'espoir qu'un coup de projecteur sur Whitewater nous affaiblirait et leur permettrait de bloquer notre programme législatif. Ils furent secondés dans cette tâche par les médias. La plupart des grands journaux et les plus importantes chaînes de télévision s'efforçaient de prouver que la Maison-Blanche avait des fautes graves à se reprocher, ne serait-ce que pour justifier l'argent et le temps consacrés à Whitewater. Les conservateurs renforçaient cette tendance en répétant que les démocrates ne devaient prétendre à aucune complaisance de la part des médias et qu'un scandale démocrate méritait le même traitement que Watergate ou que l'affaire Iran-Contra. Tout ceci nous valut deux semaines de bulletins non-stop sur la chaîne câblée C-Span et CNN, et des reportages de plusieurs longues minutes tous les soirs aux nouvelles.

Ce qui signifiait de nouveaux ennuis pour moi. J'avais été diffamé par le *Time* et disculpé par le procureur spécial Fiske, mais les auditions ramenèrent mon coup de fil à Josh sous les projecteurs. La rumeur, au Capitole, était que D'Amato nous avait dans le collimateur, Harold et moi. Nous étions tous deux originaires de New York et il savait que nous avions travaillé contre son camp dans le passé.

Les républicains comptaient aussi sur le fait que s'ils parvenaient à mobiliser toute l'énergie de membres importants de l'équipe de Clinton sur ce type de dossiers, la campagne en serait facilitée. Le temps passé avec nos avocats ou devant la commission du Congrès serait perdu pour les projets de loi sur le système de santé et la criminalité. Je savais aussi que le président et Hillary étaient toujours contrariés pas le livre de Woodward et je craignais de ne pouvoir compter sur le même soutien de leur part que lors de la parution du premier article dans le *Time.* Si je trébuchais maintenant, Clinton ne serait peut-être pas là pour me retenir.

Peu avant ma convocation devant la Commission sénatoriale, Pat Griffin qui assurait la liaison de la Maison-Blanche avec le Sénat m'appela dans son bureau et me confia que les démocrates craignaient que je ne me montre « arrogant » à l'audition et que je ne témoigne pas assez de respect aux membres de la commission. « Vous devrez être humble, George. Je sais que c'est difficile pour vous mais il le faudra. » Pat était un ami, je savais qu'il me donnait un conseil précieux. Mais je me demandais aussi ce qui était en train de m'arriver. *Avant d'arriver à la Maison-Blanche, nous nous considérions comme des gens bien. Ai-je changé ? Suis-je aussi mauvais qu'ils le disent ? Un voyou ?* Je promis à Pat que je ferais de mon mieux.

Mais je ne voulais pas non plus me faire malmener sans rien dire ou donner à nouveau aux républicains la satisfaction de me faire passer pour un délinquant. Mon boulot consistait à me défendre moi-même sans montrer de mépris pour ceux qui m'interrogeaient. Je consultai Michael Sheehan, le conseiller de Clinton pour les discours, qui me recommanda : 1) d'avoir l'air studieux en prenant des notes ; 2) de commencer toutes mes phrases par des formules du type : « Comme je l'ai dit auparavant » et « Les faits montrent... » ; 3) et surtout « d'être ennuyeux », de ne manifester ni verve ni vivacité.

Je pensai à cette confrontation durant des jours mais je ne compris que la veille à quel point elle allait être décisive. Je gambergeais en essayant d'imaginer la scène : *Qu'est-ce que je ferais si j'étais à leur place ? Bien sûr ! Le journal de Josh ! Ils vont essayer de faire en sorte que je m'accuse moi-même !*

Il n'était évidemment pas question que je lise ce journal pour qu'on diffuse ces images à la télévision le soir même. J'avais compris ce qui m'attendait, j'aurais été presque déçu s'ils ne me l'avaient pas demandé.

Pas d'inquiétude à avoir : le sénateur Orrin Hatch suivit exactement le scénario prévu. À mi-chemin de l'interrogatoire, il me tendit une affiche plastifiée.

Sénateur Hatch : « Je voudrais que vous lisiez cette transcription du journal de M. Steiner à partir de la page deux, là où la phrase commence par "Après Howell Raines…". »

Moi : « Monsieur, ce n'est pas mon journal. »

Sénateur Hatch : « Ce n'est pas votre journal mais j'aimerais que vous le lisiez. Commencez à "Après Howell Raines" et lisez jusqu'à la phrase qui se termine par "aussi stupide qu'indécent". »

Moi : « Ce n'est pas mon journal. Je ne vais pas le lire. »

Sénateur Hatch : « Je veux seulement savoir si nous pouvons vous rafraîchir la mémoire avec ceci. Si vous ne pouvez pas dire que vous ne… »

Moi : « Je le connais, j'ai entendu lire son contenu à plusieurs reprises. Je ne vais pas le lire. »

Le président : « Sénateur Hatch, je ne crois pas qu'il soit tenu de lire à haute voix le journal de quelqu'un d'autre. Je crois qu'il peut le lire pour lui-même ou que vous pouvez le lui lire. »

Le président Riegle m'avait concédé un petit avantage moral, mais je n'étais pas assez stupide pour penser que cette escarmouche dans la salle des auditions était une victoire. Assis à la table des témoins, j'avais l'air d'un prévenu, et chaque heure passée à jouter avec des sénateurs républicains était une heure volée aux tâches urgentes que j'étais censé accomplir.

À 8 h le lendemain matin, je vis le président. Il ne tarit pas d'éloges sur les performances de Bernie Nussbaum devant la commission mais ne me demanda même pas comment je m'en étais tiré, ce qui me rendit encore plus paranoïaque. Et dans un coup de théâtre kafkaïen, une Cour fédérale d'appel annonça cet après-midi-là qu'elle remplaçait le procureur spécial Fiske par un nouveau procureur indépendant, Kenneth Starr, lequel allait reprendre l'enquête depuis le commencement. La

Cour arguait que les décisions de Fiske, qui avait été engagé par le secrétaire à la Justice Janet Reno, étaient sujettes à caution pour raison de conflit d'intérêts. Le président de la Cour était arrivé à cette conclusion après un déjeuner avec les sénateurs républicains Lauch Faircloth et Jesse Helms. Nous estimions cette décision scandaleuse, mais nous ne la combattîmes pas (ce qui nous apparut rétrospectivement comme une lourde erreur). Alors que nous pensions que Whitewater était enfin terminé, tout recommença.

Une semaine plus tard, alors que Starr entreprenait son investigation sur les crimes supposés de Clinton, notre projet de loi sur la criminalité fut repoussé, une défaite que je résumai le jour même de la manière suivante :

> Nous sommes donc jeudi 11 avril et je crois qu'aujourd'hui nous avons enregistré notre première grande défaite parlementaire. Je me suis senti passablement stupide parce que ces deux dernières semaines j'ai répété partout que j'étais sûr de notre victoire. Rahm avait l'air sombre, alors qu'en général c'est l'inverse.
> Il avait un pressentiment négatif depuis le départ. Il avait l'impression que les démocrates du Sud ne pourraient rallier les républicains modérés et son pronostic s'est vérifié. Mais le jour J, je pensais encore que nous allions gagner. J'ai allumé le poste de télé dans le bureau du président et me suis préparé pour le rituel habituel : regarder le vote, endurer un suspense stressant et découvrir enfin les résultats. J'ai joint le président juste avant le discours de conclusion du président de la Chambre des représentants, le sénateur Foley.
>
> Nous pouvions compter sur six républicains dès le départ. Bon signe. Je dis au président que nous devions nous souvenir de les remercier après la victoire. « Les remercier. Nous leur érigerons des monuments ! » Les démocrates tenaient bon mais le président brillait par ses commentaires négatifs : « On dirait que nous allons perdre. J'ai bien l'impression qu'ils vont nous flanquer

> une raclée. » Les « non » dépassèrent la barre des 200, puis 206 pour culminer finalement à 225, le chiffre exact que j'avais prédit la veille, mais pensant qu'il s'agirait de « oui ».

Les représentants démocrates noirs nous avaient lâchés parce que nous avions supprimé un article de la loi permettant à des détenus passibles de la peine de mort de contester le verdict en invoquant la ségrégation raciale. Nous n'avions pas le choix : dans un Congrès majoritairement et farouchement favorable à la peine de mort, cet article était une pilule empoisonnée. Et eux non plus n'estimèrent pas avoir le choix : voter non, pensaient-ils, était la seule forme de protestation qui leur restait. Les démocrates conservateurs, pour la plupart du Sud, se sont opposés à la loi parce qu'elle était trop restrictive en matière de détention d'armes. La National Rifle Association ne s'était pas remise de sa défaite lors du vote de la loi Brady et avait mis le paquet pour ne pas laisser passer les nouvelles interdictions sur les armes de guerre du projet de loi anti-criminalité. Le lobby pro-armes avait inondé le Congrès de cartes postales et de coups de téléphone et emporté le morceau. Les démocrates avaient déjà défié la politique du président sur les impôts et les traités commerciaux. Ils craignaient qu'une loi anti-armes ne les mette en difficulté lors des prochaines élections.

Les votes de républicains modérés qui auraient pu compenser ces défections compréhensibles nous avaient fait défaut à cause du lobbying intensif de la NRA proclamant que cette loi (un ramassis de « foutaises ») coûterait 30 milliards de dollars. Et les dirigeants républicains avaient su habilement provoquer un sursaut « patriotique » chez leurs collègues modérés en jouant sur leur animosité à l'égard d'un Congrès corrompu par plus de quarante ans de contrôle démocrate. Dès le moment où les démocrates de gauche, les républicains modérés et les démocrates conservateurs s'opposaient à la loi, nous n'avions plus de base sur laquelle nous appuyer.

La défaite elle-même fut une douche froide. Nous restâmes quelques minutes assis dans le bureau du président à nous serrer la main en silence. Mais, quelques instants après, cet échec devint étrangement libérateur. Leon et Pat partirent au Capitole conférer avec les leaders démocrates sur la stratégie législative, et Mark Gearan convoqua une réunion à la Maison-Blanche pour préparer un plan de communication. Quand Leon et Pat nous appelèrent du Congrès pour nous transmettre la recommandation des leaders démocrates de laisser tomber l'article sur l'interdiction des armes de guerre afin de sauver le reste de la loi contre la criminalité, je me rebellai : je savais que cette concession nous ramènerait les voix des démocrates conservateurs du Sud, mais je ne voulais pas le faire. Certes, l'interdiction des armes de guerre était pour une large part symbolique mais c'était un symbole plein de sens. Il valait mieux laisser tomber ce marché et conserver cet article de loi. Nous pouvions mettre sur pied une nouvelle coalition et courtiser les républicains modérés en faisant d'autres concessions et en déclarant une guerre de principe au lobby des armes. Nous aurions marqué un point de toute façon. Rahm acquiesça et nous décidâmes le président à aller prononcer un discours offensif avec le républicain Rudy Giulani devant un congrès de policiers.

Clinton était las d'être « enchaîné au Congrès » et frustré de ne pas avoir fait plus souvent cause commune avec les républicains modérés. Il était aussi furieux contre la NRA. Durant toute sa carrière, ces membres avaient essayé de faire échouer ses projets. Il adorait raconter l'histoire d'une altercation avec un lobbyiste de la NRA sur les marches du parlement de l'Arkansas qui avait failli dégénérer en combat à coups de poing. Mais il n'avait jamais reculé auparavant et il n'allait pas commencer maintenant. Clinton approuva notre plan de campagne et se rendit en salle de presse pour stigmatiser un « artifice de procédure orchestré par la NRA ». Les commentateurs ne parlaient que de notre défaite spectaculaire mais il était grisant de voir les trois chaînes montrer un Clinton plus pugnace que jamais alors qu'il se faisait malmener depuis des mois dans l'affaire Whitewater. Ce soir-là, je refermai mon journal sur une note optimiste :

> Nous arrivons à un tournant parce qu'on a l'impression qu'on ne peut plus que remonter la pente. Je me sens très bien ce soir. J'étais encore à mon bureau vers 22 h quand le président m'a appelé après avoir parlé à Jim Ranstad [un représentant républi-

> cain du Minnesota qui avait accepté de recevoir Clinton le lendemain]. J'essaie de comprendre pourquoi je me sens si bien intérieurement. Peut-être cela vient-il du fait que cette défaite sera en un sens plus profitable pour nous qu'un succès. Je sens aussi que nous allons nous en sortir, le balancier va opérer son retour et le président va accomplir de grandes choses pour le peuple américain. Malheureusement, je sais que ce n'est pas ce que diront les journaux demain matin.

J'avais tort de penser qu'on ne pouvait que « remonter la pente ». Certes, après deux semaines de négociations avec les républicains modérés, la loi sur la criminalité finit par passer. Mais ce temps et ces efforts auraient dû être consacrés à notre projet de réforme du système de santé, qui se morfondait après une série de reports estivaux. Plus le temps passait, plus l'opposition républicaine au projet se renforçait. Aucun compromis ne paraissait possible. Les quelques alliés potentiels que nous avions, comme le sénateur John Chafee de Rhode Island, perdirent de leur influence quand leurs collègues plus partisans comprirent que le rejet du projet de loi constituerait leur meilleure assurance de victoire pour les élections de novembre.

Nous étions tous démoralisés par l'imminence de cette défaite annoncée. Mais Hillary essaya de nous galvaniser. Réalisant que j'étais exténué, elle m'envoya un colis de médicaments homéopathiques avec une note : « Nous avons besoin que vous soyez en pleine forme pour défendre notre système de santé ! H. » Le message était encore plus important que les médicaments : elle laissait encore parfois éclater sa colère à propos du livre de Woodward, mais je faisais encore partie de son équipe.

Cependant, les granules d'Hillary étaient bien incapables de soigner les graves problèmes d'insomnie dont je souffrais. Dix à douze fois par nuit je me réveillais pour vérifier l'heure. « Ouf ! il n'est que 2 h... » À 5 h 55, je bondissais de mon lit avant que le réveil sonne, éveillé mais pas reposé. Mes yeux étaient rouges et ma peau me picotait comme si on l'avait passée au papier de verre. Une fois au travail, les journaux du matin me fournissaient ma dose d'adrénaline quotidienne et j'atteignais mon régime de croisière après notre première réunion et ma deuxième tasse de café. Mais mon épuisement s'aggrava tant que je dus consulter un médecin. Il ne pouvait pas faire grand-chose. Mes problèmes n'étaient pas physiques.

Durant l'année 1994, le malaise que j'avais ressenti l'été précédant s'était mué en une véritable dépression. Les pressions engendrées par l'enquête sur l'affaire Whitewater, la déception devant l'échec parlementaire de notre programme de réformes et le sentiment d'insécurité et de brouille avec les Clinton qui suivit l'affaire Woodward, tout cela alimentait cette mélancolie. Mais le pire était ailleurs : le pouvoir et la célébrité que j'avais tant désirés prélevaient aussi leur dîme. Certain que chacun de mes faits et gestes, chacune de mes paroles étaient épiés, je baissais rarement ma garde. Même la maison n'était plus un refuge. Une jeune femme perturbée apparut à plusieurs reprises devant ma porte et me suivit dans le quartier. Elle m'envoyait plusieurs lettres délirantes par semaine et semblait en avoir appris sur moi bien plus que par les journaux. Je ne savais pas comment, mais une lecture attentive de ses lettres me donna la réponse : en assistant aux séances du groupe d'étude de la *Bible* qu'animait mon père à New York et en le questionnant à mon sujet avec une fausse innocence après les cours. Les Services secrets convoquèrent mon espionne, mais ce sentiment de surveillance permanente me sapait. Peu à peu, le cabinet de mon psychothérapeute devint le seul endroit où je pouvais exprimer mes frustrations et livrer mes sentiments intimes sans craindre qu'ils soient divulgués.

Je n'arrivais pas à imaginer comment Hillary pouvait supporter les attaques personnelles dont elle était l'objet. Whitewater et la réforme du système de santé en avait fait une des cibles favorites des animateurs de radio. G. Gordon Liddy alla jusqu'à suggérer de découper des silhouettes en carton de Bill et Hillary pour s'entraîner au tir. Son voyage en car de fin juillet, « l'express de la sécurité médicale » croisa des foules déchaînées qui portaient des écriteaux incendiaires proclamant : « Retournez en Russie », « Bill et Hillary sont des communistes homosexuels immoraux. » À Seattle, les agents des Services secrets confisquèrent deux revolvers et un couteau à des individus dans la foule. Hillary était une militante coriace, elle avait participé à toutes les campagnes souvent baroques de son mari, mais rien ne l'avait préparée à cela. En public, elle essayait de le cacher mais, à la Maison-Blanche, elle jetait le masque. Son mari a l'air doux, et sa nature conciliante amortit les coups qu'il reçoit. Hillary a l'air plus dur, mais cette apparence cache une nature plus vulnérable.

Le 28 juillet, elle nous réunit pour discuter de la meilleure manière de contrer la tactique de guérilla de nos adversaires. De façon assez prévisible, elle se prononça pour des représailles massives. L'attaque la plus efficace, expliqua-t-elle, consistait en un discours enflammé du président à la télévision à une heure de grande écoute, juste avant une session conjointe du Congrès. Comme tout le monde, je voulais que le président prononcer ce discours, mais je me trouvais dans la position de l'apostat présentant les dures réalités aux défenseurs de la foi : « Le Congrès n'acceptera jamais une nouvelle session conjointe », répondis-je d'un ton neutre. (Ce que je ne dis pas, c'est à quel point, si on leur avait soumis cette suggestion, ils auraient été exaspérés. Accorder une session conjointe à un président pour une simple initiative législative était exceptionnel ; en demander une seconde aurait trahi une vanité insultante.)

« Eh bien, et une allocution depuis le Bureau ovale ? essaya-t-elle, masquant mal une exaspération naissante.

– Nous pouvons essayer mais nous n'obtiendrons sans doute pas l'heure de grande écoute. »

Les chaînes de télévision étaient devenues de plus en plus parcimonieuses en ce qui concernaient cette plage horaire. À moins d'une urgence nationale, elles n'étaient pas disposées à accorder au président dix minutes gratuites sur leurs ondes.

« Nous devrions plutôt convoquer une conférence de presse dans le salon de l'aile Est. C'est la meilleure carte que nous puissions jouer. Mais si nous le faisons, ce devra probablement être le jour où Maggie [M. Williams, la plus proche collaboratrice d'Hillary] témoignera, et le président devra répondre à beaucoup de questions sur Whitewater.

– Et qu'importe ? rétorqua-t-elle. Nous devons le faire. Pas question de nous laisser arrêter par cette histoire. »

Avec notre approbation enthousiaste, il fut décidé que la conférence de presse aurait lieu le mercredi suivant à 20 h. La veille, je me trouvais dans le bureau d'Alice Rivlin, la nouvelle directrice de l'Office de la gestion et du budget, lorsque Hillary me fit appeler : « Contactez-moi d'urgence, je dois vous parler. » J'appelai l'opératrice de la Maison-Blanche. Après un bref silence, elle annonça : « Vous avez Madame Clinton en ligne. » Elle ne mentionna pas le fait que Hillary sanglotait.

« George, dit-elle d'une voix étranglée trahissant une profonde frustration. Comment tout cela est-il arrivé ? Comment se peut-il que nous ayons une conférence de presse le soir où Maggie et Roger [Altman] témoignent ? » Puis elle reprit une des rengaines de son mari, à moins qu'elle soit d'elle : « J'essaie, j'essaie et j'essaie encore. Je m'abstiens de toute intrusion dans votre travail. Vos décisions ne regardent que vous. Mais les gens ne réfléchissent jamais. Ils ne pensent à rien. »

Si je n'avais pas entendu une telle souffrance dans sa voix, j'aurais pu éclater de rire devant l'absurdité de ce reproche. Mais la première dame des États-Unis pleurait au téléphone et je savais bien qu'elle ne se souvenait pas m'avoir coupé le sifflet quelques jours auparavant. Je ne pouvais lui offrir qu'un peu de réconfort : « Je sais bien que ce n'est pas une configuration idéale, Hillary. Tout ce que je peux vous dire, c'est que nous avons passé des dizaines d'heures à discuter de ce point. Cette conférence de presse n'est pas totalement sans risque mais c'est une opportunité. Nous échangeons une déclaration préliminaire de six minutes, un spot publicitaire en réalité, contre vingt-quatre minutes de questions. Le président est bon dans ce genre d'exercice. Il saura riposter aux questions sur Whitewater et nous avons une chance d'arriver à vendre vraiment ce que nous essayons de faire pour le système de santé. Je ne crois pas que nous puissions nous dérober maintenant. Ce serait une erreur pire si nous le faisions. »

Après une vingtaine de minutes, elle reconnut qu'il ne nous restait plus qu'à aller de l'avant. Mais je savais qu'à ses yeux, étant désormais responsable de cette conférence de presse, j'avais intérêt à ce qu'elle soit un succès. Grâce à Dieu, Clinton fit un sans faute, mêlant un plaidoyer passionné pour la réforme du système de santé à des réponses détendues sur le dossier Whitewater. Mais rien n'était encore acquis. Après avoir évalué les premières réactions de la presse et obtenu les premiers sondages sur des échantillons de téléspectateurs, j'appelai Hillary. C'était d'abord à moi d'appeler, à Stan de prendre la relève avec ses chiffres, puis à Carville de conclure avec ses tripes. Appelant l'opératrice, j'attendis qu'elle annonce : « Madame Clinton.

– Hillary ?

– Salut George, quelles réactions ?

– Très bonnes, je crois. Mes premiers appels à la presse sont positifs et Stan...

– Oh, je crois que c'est lui qui m'appelle sur l'autre ligne.

– Ah bon ? Prenez-le, je vous parlerai plus tard. Au revoir. »

Mais un mois de conférences de presse quotidiennes n'aurait pas suffi à sauver la réforme du système de santé, victime de ceux qui avaient déjà fait échouer les projets similaires des présidents qui avaient essayé. Les chefs d'entreprise, les grandes compagnies d'assurances et les PME joignirent leurs efforts et leurs énormes ressources. Ils investirent des millions dans le lobbying et la publicité pour préserver le statu quo. Le parti républicain mêla dans son opposition arguments idéologiques sincères et pur opportunisme politique. Quand ils virent, selon les termes du futur Speaker Newt Gingrich, que l'affaire du système de santé était « un tremplin pour gagner le contrôle de la majorité à la Chambre des représentants », ils sautèrent sur l'occasion. Le parti démocrate était pour l'essentiel uni autour de l'objectif de cette réforme, mais ses multiples factions se défiaient les unes les autres, et nous étions profondément divisés sur des questions de tactique et de stratégie.

Tous ces obstacles auraient pu bloquer le projet même si nous avions mené une campagne législative parfaite depuis la Maison-Blanche. Ce ne fut pas le cas. La présentation d'un projet de loi détaillé au Congrès fut une grave erreur. Nous avions pensé qu'il pourrait être revu et corrigé au fil des inévitables négociations avec les différents groupes. En réalité, les clauses qui menaçaient des pans de l'industrie de la santé devinrent la cible d'une campagne de lobbying acharnée pour les faire disparaître, mais une fois le projet de loi imprimé nous ne pouvions plus concéder quoi que ce soit sans menacer de faire éclater la coalition qui le soutenait.

En outre, l'esprit de compromis n'était pas le fort d'Hillary. Elle était gouvernée par l'idée juste et intellectuellement séduisante que seule une solution globale pourrait fonctionner, mais c'était plus que le système politique ne pouvait en supporter. La vérité est que sa prééminence politique dans ce projet était insupportable pour le système politique. Comment ne pas en conclure que ce fut une erreur de laisser Hillary gérer la réforme du système de santé ?

À l'époque, cependant, j'étais convaincu que c'était un coup de maître. En choisissant sa femme pour conduire cette bataille, Clinton montrait à quel point il se souciait du système de santé, projet pour lequel Hillary semblait parfaitement armée. Elle connaissait son sujet à fond, c'était une militante opiniâtre, une tacticienne éprouvée parfaitement capable d'organiser une campagne nationale et son éloquence dans les débats publics était impressionnante. Mais l'approche qu'elle développait reflétait à la fois ses forces et ses faiblesses. Son programme, comme la femme qui l'avait inspiré, était ambitieux, idéaliste et extrêmement logique. Mais il était aussi intransigeant, trop complexe et prêtait à de multiples malentendus. La conclusion que nous avions tirée de la campagne de 1994 était que nous avions voulu en faire « trop et trop vite », et que nous avions eu « les yeux plus gros que le ventre ». Au lieu de menacer d'un veto les lois qui ne correspondaient pas à notre attente, nous aurions dû articuler l'objectif à long terme d'une couverture maladie universelle et la démarche d'une négociation par étapes successives. C'est sans doute un bon exemple de cas où la méthode pragmatique et conciliante – parfois exaspérante – de Clinton aurait sans doute mieux servi leur objectif commun.

En outre, Hillary faisait une cible trop tentante pour les ennemis de la réforme. Aux questions justement soulevées concernant la légitimité politique de l'épouse d'un président dans le rôle d'initiatrice de projets de loi, s'ajoutaient des tentatives plus douteuses de paralyser le projet de réforme en faisant d'Hillary une caricature de féministe radicale avide de pouvoir. Ce qui conduit à une autre question : non pas celle de ce qu'Hillary a fait pour la réforme du système de santé, mais plutôt ce que cette réforme a fait à Hillary. Cet engagement dans la vie publique la rendit vulnérable. Pour la presse, sa position publique quasi officielle justifiait un examen plus attentif de son passé, ce qui ne fit qu'aggraver la « Whitewater-mania ». Les républicains et leurs alliés trouvaient que ces attaques n'étaient que justice. À l'intérieur même de la Maison-

Blanche, sa position alimentait un certain scepticisme à propos de notre stratégie, et elle devint l'objet d'un ressentiment silencieux parce que personne ne savait plus quelles étaient exactement les règles à observer dans les débats intérieurs. Seule Hillary peut dire si elle serait prête à retenter une expérience similaire, mais j'ai le sentiment que non.

Le 26 août 1994, le Congrès ajourna ses travaux sans voter sur le plan de réforme du système de santé, et le sénateur George Mitchell annonça qu'une assurance maladie globale et universelle ne passerait pas le Congrès cette année. Le moribond venait d'être euthanasié.

12 CRASH À LA MAISON-BLANCHE

Le président Andrew Jackson était en fonction quand on planta le vieux magnolia sur la pelouse Sud de la Maison-Blanche. Le 12 septembre 1994 à 1 h 49 du matin, cet arbre était la dernière ligne de défense de Bill Clinton. Un petit avion piloté par un ancien combattant déprimé se dirigeait droit vers lui. Il dérapa sur la pelouse, traversa une haie de houx, heurta de l'aile les branches du vieux magnolia avant de s'écraser contre le mur de la Maison-Blanche, deux étages sous la chambre des Clinton. Les agents de sécurité n'eurent que le temps de se jeter à terre.

Je n'appris le crash qu'à 6 h 25 en découvrant les manchettes des journaux : « Un avion s'écrase sur la pelouse Sud. »

Pas possible. Comment cela a-t-il pu arriver ? Pourquoi personne ne m'a-t-il prévenu ? Je me précipitai au bureau, contrarié de ne pas être dans le coup, ne sachant pas si j'avais affaire à une crise de Sécurité nationale ou s'il ne s'agissait que d'une farce qui avait mal tourné. Un peu les deux, apparemment. Les agents des Services secrets qui géraient la situation de leur poste de contrôle de l'aile Ouest expliquèrent que le pilote Frank Corder, mort dans l'accident, s'était vanté de pouvoir faire atterrir un avion sur la pelouse Sud de la Maison-Blanche, mais ses amis n'avaient pas prêté attention à ce qu'ils pensaient être un propos d'ivrogne. Cet événement soulevait toutefois un problème grave pour les Services secrets. Leur efficacité à contrer les menaces contre le président repose sur la certitude – illusoire – que leur bouclier protecteur est infranchissable. Ils sont censés garantir qu'un kamikaze se dirigeant vers la Maison-Blanche sera détruit en vol par un missile thermoguidé.

Mon souci immédiat consistait à m'assurer que l'accident n'aurait pas de retombées négatives pour l'image de la Maison-Blanche. Vu le climat habituel de difficultés dans lequel nous vivions, je m'attendais plus ou moins à découvrir que le pilote était un cousin de Gennifer Flowers qui avait volé un des avions de Harry Thomason. Ou que la défaillance du système de détection radar était liée aux coupes dans le budget de la Défense. Quand Leon Panetta et moi allâmes inspecter les dégâts dans la Roseraie, notre mission nous sembla à la fois irréelle et étonnamment banale. Nous étions lundi matin, un début de semaine de travail, et nous avions à gérer une nouvelle crise survenue durant la nuit : cette fois, il s'agissait d'un Cessna venu s'écraser contre la Maison-Blanche et qui ressemblait à une canette de bière écrabouillée.

Quelques heures plus tard, des centaines de députés accompagnés de leurs épouses et de leurs enfants étaient censés se réunir sur la pelouse Sud pour célébrer le programme de service civil dans l'Americorps[1]. décidé par Clinton. Au lieu d'annuler notre réunion du jour avec la presse, nous décidâmes qu'elle aurait lieu sur la pelouse Nord et nous fîmes de notre mieux pour esquiver les questions gênantes, en expliquant que toutes les réunions de presse officielles seraient gérées par les responsables du Budget et ceux des Services secrets. *À eux d'écoper pour cette fois.* Bien sûr, ça n'allait pas empêcher les journalistes d'écrire leurs articles habituels sur le président, ce qu'il savait, sa réaction devant cette nouvelle, avec quelques divagations sur ce que l'accident était sensé nous apprendre sur lui. Maureen Dowd du *Times* insista toute la journée pour que je lui fournisse une anecdote à la Reagan – quelque chose du genre : « Chérie, j'ai oublié de me pencher ! », la phrase que Ronald Reagan aurait dite à son épouse après le coup de feu que John Hinckley avait tiré sur lui.

---

1. NdT. Organisation gouvernementale qui recrute des jeunes bénévoles pour lutter contre l'analphabétisme, la pauvreté, la délinquance et la dégradation de l'environnement. Ses membres, une fois leur service achevé, sont récompensés par des bourses d'études.

« Allez, George, vous ne me donnez jamais rien.
– Maureen, je suis toujours charmant avec vous.
– Mais vous ne me donnez jamais rien. C'est le moment !
– Maureen, ce n'est pas vous qui aurez le scoop. »

Pourtant Maureen avait raison. Nous tînmes donc une réunion pour savoir quelle anecdote livrer à la presse. Il s'agissait de montrer Clinton gérant la « crise » avec sang-froid et humour. Tout ce qu'il nous dit quand Dee Dee et moi le retrouvâmes dans le Bureau ovale pour avoir sa version des faits, c'est qu'après l'appel de Leon Panetta, il s'était retourné dans son lit et s'était rendormi. » Pas si mal. « Pouvons-nous faire cesser la rumeur que vous allez arrêter votre jogging matinal à cause des problèmes de sécurité ? » « Bon Dieu oui, répondit Clinton. Si j'arrête le jogging, je vais grimper à cent trente kilos. Je ferai une cible encore plus grosse. »

Peu après que j'aie quitté le Bureau ovale, John Deutsch, le secrétaire d'État adjoint à la Défense, fit irruption dans mon bureau et me fit part de ses craintes concernant l'invasion imminente d'Haïti. « Les premiers jours, tout se passera peut-être bien, fit-il, mais j'ai peur que d'ici quelques mois quelques-uns de nos garçons se fassent hacher menu. »

Dans l'année qui avait suivi la retraite humiliante du Harlan County des docks de Port-au-Prince, la situation en Haïti n'avait cessé de se détériorer. Le triumvirat des dictateurs militaires, dirigé par le général Raoul Cedras, avait refusé de rétablir le président Aristide dans ses fonctions et avait intensifié son régime de terreur. En mai, Clinton avait rejeté les appels prônant une intervention militaire américaine : il préférait accentuer la pression en jouant sur les sanctions économiques et le forcing diplomatique. Mais comme le délabrement économique de l'île menaçait de provoquer un nouvel afflux de boat people vers la Floride, il avait admis l'urgence d'une décision énergique. En juillet, après l'expulsion d'observateurs internationaux d'Haïti, les États-Unis avaient fait voter par le Conseil de sécurité des Nations Unies une résolution autorisant le renversement de la junte de Cedras. En septembre, tout retour en arrière était impossible.

Le président pensait qu'une intervention militaire était moralement justifiée, mais se plaignait en privé d'être forcé de la mettre en œuvre au pire moment possible : « Je n'arrive pas à croire qu'ils m'ont obligé à faire ça… Comment est-ce arrivé ? Nous aurions dû attendre que les élections soient passées. » Je savais, par expérience, que cette manière de se poser en victime et d'exorciser l'avenir n'étaient que des tics nerveux, une façon de s'armer de courage devant l'inéluctable. Dans les réunions élargies avec ses conseillers en sécurité nationale, Clinton se montrait déjà plus sûr de lui que dans ses premières rencontres avec les militaires.

Le 7 septembre, les pontes de la Sécurité nationale se réunirent pour mettre la dernière main au plan de bataille. Au début, je n'étais pas sûr qu'on me laisserait y assister. Depuis que Leon Panetta avait pris en main le secrétariat général de la Maison-Blanche, je n'avais plus d'accès automatique à toutes les réunions politiques et surtout celles où étaient débattus les problèmes militaires – j'étais toujours soupçonné d'être trop bavard. Mais Tony Lake m'invita aux deux, parce qu'il était mon ami et parce que le succès de cette entreprise allait en partie dépendre de notre capacité à gérer les réactions du Congrès et du public – mes sphères de compétence. J'entrai dans la salle de réunion conscient que je devais justifier ma présence par une véritable contribution.

Le général John Shalikashvili, qui remplaçait Colin Powell comme chef d'état-major, ouvrit la réunion. Avec son dos bien raide, ses épaules carrées et ses cheveux en brosse, John incarnait l'archétype du militaire américain, une sensation que renforçait encore son léger accent polonais. En écoutant le général exposer en détail la déliquescence de l'armée haïtienne, je fus frappé et un peu effrayé par sa suprême confiance en lui. *N'est-ce pas ce qu'ils pensent toujours avant que la bataille commence pour de bon ?* Mais là, il ne s'agissait évidemment pas de démesure. Les militaires haïtiens étaient féroces quand ils avaient affaire à des femmes, à des orphelins et à des prêtres sans défense, mais la vue de vingt mille soldats américains allait sûrement les mettre en fuite.

« Merci pour votre présentation, général, répondit brièvement Clinton. C'est un bon plan. Allons-y. »

Et ce fut tout. Le reste de la réunion fut consacré aux aspects de l'invasion qui inquiétaient Clinton : il restait à convaincre le Congrès et l'opinion que l'invasion de Haïti était le bon choix. Nous discutâmes de l'opportunité de demander au Congrès un vote autorisant une action militaire. Le secrétaire d'État Christopher s'y opposa en expliquant qu'un tel recours au Parlement constituerait un précédent contraignant pour les successeurs de Clinton. En tant qu'ancien assistant parlementaire, j'étais convaincu qu'un président ne devait pas décider d'une action militaire sans le soutien du Congrès. Mais ce principe se heurtait à une incontournable réalité : nous n'avions pas le soutien de la majorité du Congrès, loin de là. Il n'était pas disposé à donner son quitus à Clinton pour une invasion impopulaire, et restaurer la démocratie en Haïti supposait qu'on lui inflige une petite entorse à Washington. Selon moi, l'enjeu en valait la chandelle, mais le Congrès allait crier au scandale et les tensions partisanes étaient si fortes qu'il n'était pas exclu que quelques représentants demandent la destitution du président en cas de pertes américaines importantes. Pour couvrir nos arrières, je suggérai que le département d'État publie un livre blanc établissant le bien-fondé d'une action présidentielle unilatérale. Comme moi, Clinton venait de lire dans un ouvrage récemment paru sur F.D. Roosevelt que celui-ci avait utilisé cette tactique pour circonvenir le Parlement sur la question des prêts-bails. Il trouva ma suggestion pertinente.

Je restai silencieux pendant l'exposé de Clinton sur la communication de notre mission à nos différentes cibles : le Congrès, les leaders d'opinion, les Haïtiens et le public américain. Comme les deux tiers du pays étaient opposés à l'intervention en Haïti, cette mission était tout sauf aisée. Et avec plus d'une vingtaine de personnes dans le secret, nous allions avoir le plus grand mal à éviter les fuites. Durant toute la réunion, le président grommela contre les fuites inévitables quand tant de gens étaient au courant. À la fin de la réunion, je vis le général Shalikashvili nez à nez avec Tony Lake, l'avertissant avec véhémence que « si un soldat américain mourait à cause de fuites quelconques, il le tiendrait pour responsable ! » En tant qu'invité exceptionnel à la table gouvernementale, j'espérai que ma présence n'avait pas placé Tony dans une position intenable. Mais la culpabilité que je pouvais ressentir était compensée par mon indignation et mon anxiété : pour ceux d'entre nous, les politiques, qui devaient obtenir le soutien du public, pas question de travailler sans un minimum d'informations sur le déroulement des opérations. En outre, les fuites les plus nuisibles pour la sécurité nationale proviennent toujours d'éléments réfractaires du Pentagone ou des Affaires étrangères.

Il n'y eut, Dieu merci, aucune fuite à déplorer, mais notre situation politique n'était pas enviable. Les républicains, sous la houlette des sénateurs Bob Dole et John McCain, deux héros militaires, pilonnèrent Clinton en alléguant que restaurer Aristide en Haïti ne valait pas qu'on risque une seule vie américaine et que Clinton avait ordonné cette invasion non pour protéger la sécurité nationale mais pour apaiser une situation politique intérieure difficile. C'est sans doute cet argument qui nous rendit le plus furieux. En dehors d'Harry Belafonte et de quelques démocrates noirs, personne ne soutenait l'invasion d'Haïti. C'était notre action politique la plus impopulaire depuis notre prise de position en faveur des homosexuels dans l'armée. Mais cette invasion qui n'était pas motivée par des raisons politiques (et n'était pas sans risques) pouvait s'avérer un atout politique. On surnommait souvent Clinton le « mollusque », le « falot », le « bavard insipide ». Paradoxalement, plus les républicains tempêtaient, plus ils aidaient le président. Adopter une attitude de franc-tireur sur un problème comme Haïti était le meilleur moyen pour Clinton d'affirmer son autorité de président. Ce fut aussi un des moments où je fus le plus fier de travailler pour lui. Défendre les droits de l'homme et la démocratie étaient ce que, nous autres démocrates, étions censés faire, et malgré ses doutes intimes sur l'opportunité de cette opération, le président ne recula pas.

Ce qui ne signifie pas qu'il était toujours beau à voir. Le mardi matin 13 septembre, Clinton avait les nerfs en pelote à cause des nombreux coups de fil geignards de représentants qu'il avait reçus la veille au soir. Quand Pat Griffin, Leon Panetta et moi entrâmes dans le Bureau ovale pour préparer avec Clinton une réunion avec des représentants démocrates, il nous accueillit par une explosion acerbe et véhémente : « Après ces foutus coups de fil, je crois que nous aurons quelque chose à montrer à ces gens qui disent que je ne fais jamais rien d'impopulaire. » J'aimais bien l'air de défi qu'affichait Clinton à ce moment, mais les représentants que nous rencontrâmes craignaient que l'intervention en Haïti compromette leur réélection. Nous discutâmes de l'opportunité de reporter l'opération après les élections de novembre. Clinton balaya cette suggestion d'un revers de main. « Nous sommes maudits si nous le faisons, maudits si nous ne le faisons pas, expliqua-t-il. Si nous y allons maintenant nos adversaires nous attaquerons, mais si nous attendons après les élections les risques d'une telle intervention seront pires. Il y aura encore plus de tués. »

Les représentants savaient qu'ils ne pouvaient pas dissuader Clinton d'intervenir en Haïti et sa réunion avec eux eut lieu dans une atmosphère résignée. Mais dans cette période de mobilisation militaire, avant que le président s'adresse à la nation depuis le Bureau ovale, l'ambiance de la Maison-Blanche s'alourdit sensiblement. Clinton avait certes fait tirer des missiles sur l'Irak, mais avec cette opération, c'était la première fois en vingt mois de présidence Clinton que les États-Unis projetaient une invasion terrestre, même si les forces armées haïtiennes ne représentaient à l'évidence pas un ennemi très redoutable. Le mardi soir, l'amiral Paul Miller, qui dirigeait cette opération, m'appela pour parler communication politique : « Nous avons besoin d'une ou deux personnes qui bossent pour nous au Congrès », lança-t-il du ton sans réplique d'un haut gradé qui a effectué toute sa carrière dans l'armée. Et à propos de notre argumentation : « Vous avez mis dans le mille en parlant de démocratie. Mais les gens veulent aussi savoir combien ça va leur coûter et ce que ça va leur rapporter. Il faut leur parler de leur vie quotidienne. Dites-leur qu'il y a neuf millions d'Haïtiens à quelques kilomètres de nos côtes et qu'ils veulent tous être leur voisin ! »

Les sondages montraient que les motivations des Américains relevaient plus de l'altruisme que de leur intérêt bien compris. Depuis août, nous avions testé différents arguments en faveur de l'invasion. Contrairement aux hauts fonctionnaires des Affaires étrangères qui répétaient avec insistance que les États-Unis ne devaient déployer de troupes à l'étranger que lorsque des intérêts économiques ou militaires « vitaux » étaient en jeu, l'homme de la rue était assez disposé à utiliser la puissance militaire américaine pour protéger des civils innocents de la terreur et des tortures. Jusqu'à un certain point bien sûr : le public était opposé à ce qu'on risque des vies américaines, fût-ce une seule, mais l'argument humanitaire suscitait des réponses très favorables. Comment utiliser les preuves dont nous disposions, les éloquentes photos d'enfants estropiés et de mères au visage tailladé ? David Gergen expliqua que, le mercredi suivant, lors de la rencontre du président avec les journalistes des agences de presse, il devrait étaler les photos sur la table devant les journalistes. « Ça aurait marché avec Reagan, expliquai-je, mais ils nous descendront si on leur fait ce coup-là. Laissons les photos dans un dossier. S'il doit les sortir, il les sortira. » Les journalistes de la Maison-Blanche étaient si rétifs à toute tentative de manipulation que les bénéfices de ce type de démarche risquaient toujours d'être annulés par leur scepticisme et leur méfiance.

Je voulais que le public sache que notre mission en Haïti serait « limitée », que l'armée américaine n'allait pas se transformer en force d'occupation et que nous ne considérions pas l'Amérique comme le « gendarme du monde ». Mais, alors que son interview touchait à sa fin, le président ne l'avait toujours pas dit. Comment obtenir que Clinton souligne ce point sans donner l'impression aux journalistes qu'il répétait un topo soigneusement préparé ? Assis en face du président, au milieu de son champ de vision, je m'efforçai d'attirer son attention sans être remarqué. Je commençai par le fixer, une astuce qui avait déjà fonctionné auparavant : il me voyait écarquiller des yeux inquiets et se remémorait les points dont nous avions discuté dans notre réunion préparatoire. Comme ça ne marchait pas, j'articulai silencieusement le mot « limite » tout en rapprochant mes mains devant moi comme si je refermais un petit accordéon. Toujours sans succès. Je m'emparai d'un carnet sur lequel j'écrivis « MISSION LIMITÉE » et je brandis une seconde la feuille devant moi. Pas de chance : il plissa les yeux mais il ne pouvait pas lire sans lunettes. Finalement, je pris le risque d'intervenir ouvertement. J'écrivis une note, la pliai et traversai la pièce pour la tendre à Clinton. Acquiesçant, il conclut sa réponse par un exposé sur notre « stratégie de sortie », en commençant par « Je veux souligner ceci... ». Je pensais que j'avais fait ce que je devais, mais je m'excusai quand même auprès de Clinton après le départ des journalistes. « Non, non, répondit le président, vous avez eu raison de le faire. »

Le lendemain, je n'eus pas autant de chance. Stan Greenberg avait fait faire un sondage pour affiner notre argumentation avant le discours du président. J'avais mis Clinton en garde quant à la tentation d'appeler lui-même Stan, parce que je ne voulais pas que le président aient les résultats du sondage sur son bureau le jour même de son allocution. Le jeudi matin, Stan me faxa les résultats et je les transmis oralement à Leon. Notre argumentation n'avait pas changé mais le taux d'approbation de la politique présidentielle était au plus bas. À plusieurs reprises, ce matin-là, Clinton demanda qu'on lui communique les résultats, et je ne pouvais me dérober à cette obligation. Je ne voulais pas le distraire par des mauvaises nouvelles, mais, si je supprimais des pages inquiétantes pour lui, il allait le remarquer et m'accuser, à juste titre, de le manipuler. J'aurais tout simplement dû donner le sondage à Leon et le laisser décider de ce qu'il fallait faire. Après tout, c'était lui le patron. Au lieu de cela, je les donnai au président.

Vingt minutes plus tard, je dus affronter Panetta au comble de la fureur. Le président lui avait volé dans les plumes à propos des résultats du sondage et c'était au tour de Leon de tempêter. « Bon Dieu George, qu'est-ce qui se passe ? » Je me suis excusé aussitôt : « Je suis désolé, Leon. Je vous ai parlé de ce sondage mais j'ai oublié de vous en donner une copie et le président n'arrêtait pas de la demander. Je n'ai pas réfléchi. Je suis désolé. » On me reprochait notamment d'avoir tendance à contrarier le président avec de mauvaises nouvelles. Et je savais que cet incident allait me brouiller avec Leon. C'était injuste. Qu'aurais-je dû faire ? Dire au président : « Non, vous n'aurez pas votre sondage, ça va vous rendre trop furieux ! »

Ce soir-là, je relus avec Clinton son discours aux dictateurs haïtiens. Quand nous arrivâmes au passage décisif : « Le message des États-Unis aux dictateurs haïtiens est clair : vous devez partir. Partez maintenant, de vous-mêmes, ou nous vous y contraindrons par la force », Clinton surligna « de vous-mêmes ». Le président gardait un silence troublant. Je me gardai de le questionner. Parfois, on sent intuitivement qu'il vaut mieux ne pas poser de questions. Mais les deux appels téléphoniques que Clinton avait reçus du président Carter plus tôt dans l'après-midi devinrent subitement plus clairs pour moi.

Une heure plus tard, Clinton avait fini son discours et, de retour dans son bureau privé, passait son temps au téléphone. Je savais que quelque chose se tramait avec Carter et Colin Powell, mais quoi exactement ? Je vis Tony, Leon et le vice-président aller et venir, regards intenses et bouches closes. L'intrigue se poursuivit le lendemain, vendredi 16 septembre. À 9 h, Tony surgit dans mon bureau et me demanda : « Vous arrive-t-il d'avoir des coups de cafard ?

– Tout le temps.

– Eh bien, je suis en train de travailler sur une opération très compliquée... »

Avant que j'aie pu questionner Tony davantage, le président l'appela dans le Bureau ovale. Quelques heures plus tard, j'obtins de nouveaux indices quand Clinton entra dans mon bureau et me dis : « Je n'arrive pas à comprendre pourquoi ils [les dictateurs haïtiens] ne veulent pas partir. Je suppose qu'ils pensent que c'est leur pays et que nous essayons de le leur prendre. Ils ont des valeurs différentes et ils considèrent Aristide comme un voyou. » Je compris plus tard que Clinton songeait à haute voix à sa dernière discussion avec Carter et le président Cedras. Dans sa nouvelle vie de président en retraite, Carter avait su se rendre indispensable dans certaines négociations internationales parce qu'il avait tissé des liens avec des dictateurs comme Cedras, Kim Jong Il, en Corée du Nord, et Slobodan Milosevic en Serbie. Mais même Clinton, le roi de l'empathie, était incapable de trouver les arguments capables de fléchir un dictateur haïtien.

Finalement, un peu avant 16 h ce vendredi, Clinton me mit dans le secret. Avant de se rendre à une cérémonie au Capitole pour les anciens combattants de la deuxième guerre mondiale, il me prit à part sur le seuil du Bureau ovale.

« J'envoie Carter là-bas, vous pensez que c'est une bonne idée, n'est-ce pas ?

– Oui, c'est une bonne idée », répondis-je sans en être sûr. Insistant pour que le président Carter ne fasse pas seul le voyage en Haïti, Clinton l'avait convaincu de s'adjoindre les compétences de Sam Nunn et de Colin Powell pour présenter une ultime proposition à Cedras. Le président craignait que les convictions pacifistes de Carter ne l'incitent à édulcorer son ultimatum. Il avait aussi tendance à faire cavalier seul. Nous ne pouvions nous permettre aucune initiative incontrôlée et c'est pour réduire ce risque que Tony et le président avaient demandé à Nunn et Powell de l'accompagner. Je craignais aussi que cette mission de bons offices donne l'impression que nous sous-traitions une partie de notre diplomatie à l'ancien président. Le brouillon du communiqué de presse que je relus dans le bureau de Tony Lake donnait cette impression : il commençait ainsi : « Avec l'accord du président Clinton, Jimmy Carter... »

« Tony, nous ne pouvons pas dire cela, il faut écrire : Le président Clinton a demandé...

– Impossible. Clinton a déjà donné son accord à ce texte.

– Non, il n'en a pas perçu la portée. Il faut que je l'appelle.

– Comme vous voudrez. »

Le sens de la recherche du compromis allié à une certaine urbanité, typiques de Clinton, sapaient en l'occurrence notre message. Un président « n'approuve » pas une mission de sécurité nationale, il « l'ordonne ». Je joignis le président dans sa limousine. « Bien sûr, bien sûr, faites le changement. »

Le trio emmené par Carter partait le lendemain matin tôt pour l'ultime round de négociations avec Cedras. Le dimanche après-midi, à quelques heures de la date limite fixée pour l'opération, je me rendis directement de l'aéroport au Bureau ovale, où le président et les responsables de la sécurité nationale attendaient les résultats des négociations à Port-au-Prince.

« Voilà où nous en sommes », commença Clinton en me faisant signe de m'asseoir. « Ils acceptent de partir mais nous exigeons une date limite. Carter me dit que nous n'en avons pas besoin. Qu'en pensez-vous ?

– Il n'est pas question de discuter sans échéance précise, monsieur le Président. Vous allez vous faire tailler en pièces. Vous avez expliqué au pays et au monde qu'ils devaient être partis aujourd'hui à midi, il faut qu'ils partent. Mais je ne crois pas qu'ils rechigneront à vous donner une date certaine, même s'ils demandent un délai. C'est ce qu'il faut exiger. »

Le président téléphona donc à Powell pour lui demander d'imposer une échéance précise. Peu de temps après, alors que nos avions avaient déjà décollé, les dictateurs acceptaient de quitter Haïti le 15 octobre.

La situation en Haïti pouvait encore se détériorer et le Congrès trouver à redire aux résultats de cette négociation, mais dans l'immédiat la démocratie était pacifiquement restaurée sur place et j'avais contribué à ce résultat.

Malgré ces succès diplomatiques, notre cote politique ne cessait de baisser à l'approche des élections de 1994. La réduction du déficit budgétaire dopait l'économie mais les gens ne voulaient pas encore le reconnaître. Et l'échec de la loi sur la Sécurité sociale éclipsait des succès législatifs comme ceux que nous avions enregistrés sur le congé maladie et la loi Brady. Le président réagit à ces mauvaises nouvelles par un surcroît de travail. Il devint une sorte de combinaison hyper-active de directeur de campagne, de directeur de la Communication et de rouleau compresseur politique doué d'une infatigable énergie.

Cette vision de Clinton, l'animal politique en campagne, était nouvelle pour Leon Panetta. Un vendredi après-midi, après avoir passé deux jours à supporter les bougonnements du président au sujet de la qualité de la campagne publicitaire démocrate, Leon craqua. Il me demanda de venir à sa rescousse. « Écoutez, me dit-il en ôtant ses lunettes et en se frottant les yeux, le président est contrarié par ce projet de campagne. Il faudrait que vous alliez le voir pour lui parler et le calmer, d'accord ? »

Résistant au plaisir d'une petite revanche immédiate *(Vous voyez que ce ne sont pas seulement les « gosses » qui ont du mal à gérer Clinton...)*, je me dirigeai vers le Bureau ovale. Je m'assis à côté de lui et nous passâmes au crible la campagne du Comité national démocrate. Mais l'essentiel de la discussion ressembla à une forme de thérapie politique. Les républicains avaient réalisé une série de spots qui minaient le moral de Clinton et il était excédé d'être représenté comme une « caricature grotesque » de lui-même. Mais sa réponse, une série de spots centrés sur la façon dont il avait tenu ses promesses, n'était pas pertinente. Même si les gens aimaient certaines de ses réformes politiques, leur soutien avait tendance à s'effriter dès qu'on y attachait le nom de Clinton. Cet automne-là, le président ressemblait au roi Midas, si ce n'est que tout ce qu'il touchait se transformait en plomb. Je l'écoutai attentivement jusqu'au bout et rapportai soigneusement ses idées à nos consultants... sans me faire trop d'illusions.

Mais Clinton est d'une obstination à toute épreuve. Souvent, durant ce mois d'octobre, en entrant dans le Bureau ovale, je le trouvais assis derrière une pile de photocopies d'articles, écrivant frénétiquement des notes à des rédacteurs en chef, des amis et des supporters de tout le pays. Des journalistes comme Gene Lyons, Tom Patterson, Richard Rothstein et Jacob Weisberg avaient récemment protesté contre l'injustice de la presse à l'égard de Clinton. Ils estimaient que les journalistes ne rendaient pas assez hommage à ses réussites. Quand le président n'avait pas le moral, il me convoquait pour relire les articles les plus récents et les plus favorables le concernant – que je conservais dans un dossier spécial.

Mais le remède préféré de Clinton en cas de malaise personnel ou politique était de prendre la route. Il sillonnait le pays pour collecter des fonds pour le parti et prononcer des discours dans les cocktails et les soirées de gala de tous les candidats au Sénat prêts à le recevoir. Si son équipe n'était pas capable de faire passer son message, il s'y emploierait lui-même. Avec le recul, il est clair que notre seul espoir d'éviter un désastre électoral en 1994 aurait été de répéter un événement comme la poignée de main Arafat-Rabin. Les semaines qui précédèrent l'élection, chaque fois que le président se cantonnait exclusivement à ses fonctions présidentielles, que ce soit pour expédier des missiles sur l'Irak ou pour aider à faire avancer un accord de paix au Proche-Orient, sa cote de popularité augmentait. Mais conseiller à Clinton de rester en dehors de la campagne législative en octobre 1994 revenait à peu près à lui conseiller de ne pas respirer.

Je commençais à comprendre cet élan. Cet automne, j'appris à quoi ressemblait la vie d'un candidat. J'étais devenu une attraction. Comme j'étais le collaborateur le plus connu de Clinton, le parti me harcelait pour que je collecte des fonds pour les candidats dans tout le pays. Je ne demandais pas mieux : si nous perdions les élections, il ne fallait pas compter appliquer nos réformes, et il fallait mettre en garde l'opinion contre le « contrat avec l'Amérique » de Newt Gingrich. Dans la dernière ligne droite d'une campagne aussi acharnée, rien n'est plus important qu'un compte en banque bien garni.

En outre, j'avais besoin de respirer un autre air que celui de la Maison-Blanche. Ma célébrité, loin d'être un indice de pouvoir, masquait mon statut de plus en plus fragile dans l'entourage présidentiel. Sous la direction de Leon Panetta, la cohésion et l'efficacité du gouvernement s'étaient accrues. Il était devenu le centre nerveux de l'aile Ouest : il coordonnait les décisions, il avait instillé un sens de la discipline et remanié l'équipe. Mais je craignais d'être mis sur la touche, comme mes amis David Dreyer et Dee Dee Myers, et certaines rumeurs faisaient état de l'arrivée d'un vieil ami de Clinton, un journaliste d'ABC News qui devait prendre ma place. De toute façon, même maintenu dans l'équipe, je n'avais plus de rôle très défini. Mon pouvoir et mon rythme de travail quotidien avaient toujours reposé sur ma « relation particulière » avec Clinton. Je comprenais sa façon de penser et je savais comment le préparer à ses apparitions publiques. Ses autres collaborateurs s'en remettaient à moi pour décrypter ses humeurs et obtenir que les décisions soient prises. Clinton, de son côté, comptait sur moi pour lui livrer des informations précises et il semblait estimer mon jugement. Il m'avait donc donné un rôle de conseil polyvalent sans fonction définie. En apparence toujours aussi cordial, il recherchait volontiers mes conseils. Mais je savais qu'il se plaignait constamment aux autres de ma lourde responsabilité dans l'affaire Woodward comme de mes opinions trop progressistes et des dérives qu'elles entraînaient. Un jour, Leon m'appela et me demanda si « j'avais un problème quelconque avec le vice-président ». La réponse était sous-entendue dans la question : Gore pensait à juste titre que nous avions besoin d'une direction plus ramassée et mieux définie, et nos relations étaient devenues plus confiantes mais je payais toujours le prix de nos désaccords initiaux et de mes excellentes relations avec son rival Dick Gephardt. La situation avec Hillary était plus ambiguë. Nous avions plusieurs conversations très cordiales par semaine durant lesquelles je l'informais de tout ce qui se passait. Ces discussions me faisaient penser que tout allait bien mais, au fond, elle ne m'avait pas non plus pardonné l'affaire Woodward. Il me fallut des semaines pour comprendre pourquoi j'étais exclu d'une série de réunions concernant un nouveau projet de réforme du système de santé, jusqu'à ce que Harold me prenne à part un jour pour m'expliquer que Hillary prenait la mouche chaque fois qu'il suggérait de me convoquer : « George ? Bien sûr, si vous voulez que tout Washington soit au courant ! »

La campagne législative devint donc une sorte de refuge. Chaque week-end, je prenais l'avion et je lisais une ou deux heures ou je faisais une sieste sans être interrompu par le téléphone. En arrivant dans une autre ville, j'avais l'impression d'atterrir sur une autre planète où les gens étaient enchantés de rencontrer un collaborateur du président et ne cherchaient pas à jauger son degré de proximité au chef suprême. Le public de ces soirées était composé de démocrates pur jus et pas des journalistes sceptiques ou des républicains hostiles que j'affrontais habituellement. Leur admiration était flatteuse et je ne me lassais pas de rencontrer ces vrais croyants qui ne demandaient qu'à communier dans leur amour commun du président.

Parfois aussi, chez certains invités, cette communion prenait un autre sens. C'est ainsi qu'un soir je fus abordé par deux infirmières joviales, la quarantaine bien sonnée ; Helga avait les cheveux coupés court, et le crâne de Rose était surmonté d'une impressionnante choucroute. Toutes les deux me sourirent de toutes leurs dents.

« Nous venons de tirer au sort pour savoir laquelle de nous allait vous ramener chez elle.

– Génial, je n'ai pas mangé de repas cuisiné à la maison depuis des mois.

– Qui parle de manger ? » Elles gloussèrent et se serrèrent contre moi. « Nous n'allons pas vous nourrir… » Elles me dirent au revoir en me pinçant les fesses.

Ces cocktails de campagne avaient aussi d'autres avantages. Ils représentaient une sorte d'assurance-vie politique : en dispensant mes faveurs, j'accumulais les amis politiques, les soutiens au Congrès, et il devenait plus difficile de me congédier même si ma cote à la Maison-Blanche continuait à chuter. Mais sur mes vingt-deux soirées électorales de l'automne 1994, la plus mémorable, la plus prémonitoire et finalement la plus triste fut celle que j'organisais pour rembourser une dette politique contractée envers Mario Cuomo, dont l'exemple m'avait inspiré à mes débuts.

Ce soir-là, dans le quartier de Queens, tous mes « mondes » convergeaient : la réunion se tenait au Crystal Palace, le lieu où, en 1988, des milliers de Grecs avaient brisé des assiettes et dansé pour célébrer la nomination de Michael Dukakis, leur enfant chéri. L'ambiance de cette soirée était un peu plus retenue : Cuomo se présentait au poste de gouverneur et non pas de président, et il était italien et non grec. Mais les chaises pliantes étaient toutes occupées et mes parents étaient au premier rang. Au cocktail qui avait suivi, j'avais bavardé avec quelques ex-camarades de classe et des bénévoles de la campagne de 1992, tout en éludant les questions des amis de la famille bien intentionnés et surexcités qui voulaient savoir quand je me présenterais aux présidentielles. Ce sera la troisième fois la bonne, me disaient-ils. Nous avons perdu avec Tsongas, nous avons perdu avec Dukakis, mais *vous* allez gagner !

Me présenter aux présidentielles ? Je ne sais même pas si j'aurais encore du boulot le mois prochain ! J'étais inquiet à propos de mon discours : parler avant Cuomo, c'est un peu comme danser avant Noureïev. Cuomo soignait son éloquence. Il adorait ce qu'il avait un jour appelé la « poésie » des campagnes. Je voulais l'impressionner et j'espérais qu'il comprendrait que ma présence était plus une question d'amitié personnelle que de nécessité politique. En général, j'improvisais à partir de notes. Mais cette fois, j'avais rédigé mon texte. Durant toute la réception, je ne cessai de tapoter machinalement ma poche de poitrine pour vérifier qu'il était toujours là.

Et puis Cuomo arriva, plus imposant encore que je ne l'attendais et nous nous dirigeâmes ensemble vers la scène, serrant des mains et embrassant des vieilles dames émues. Une fois les présentations et remerciements d'usage effectués, ce fut mon tour de parler. Après un signe de tête à l'intention de Cuomo, et un sourire à mes parents, je commençai : « Chaque génération de démocrates eut son modèle. Pour mes grands-parents, ce fut F.D. Roosevelt qui, au plus noir de la dépression des années trente, posa sur son bureau un carton qui proclamait : « Que la joie demeure, invincible... » Pour mes parents, ce fut John Kennedy, qui mena le « combat de l'aube » pour la liberté et affirma le rôle dirigeant de l'Amérique sur la terre comme au ciel. Pour le président et sa génération, ce furent Bobby Kennedy et Martin Luther King qui plaidèrent pour la nécessité de surmonter les haines et les divisions. Mais pour quelqu'un entrant en politique il y a dix ans, ce modèle fut Mario Cuomo... » J'achevai mon discours sur une note confidentielle : « Je dois vous confier un secret. J'ai fait tout ce que j'ai pu pour évincer Mario Cuomo de son poste de gouverneur. À l'été 1992, j'ai écrit un mémo au président Clinton exposant les raisons pour lesquelles Mario Cuomo devait être vice-président. À l'été 1993, j'ai rédigé un autre mémo exposant les raisons pour lesquelles il devait entrer à la Cour suprême. Mais chaque fois la réponse de Cuomo a été : “N'y pensez même pas, j'ai un travail à faire à New York.” Eh bien maintenant, les New Yorkais ont un travail à faire pour l'homme qui en a tant fait pour eux, pour nous, Mario Cuomo ! »

Mes parents pleuraient, Cuomo souriait et j'étais trempé de sueur mais heureux de la façon dont je m'en étais sorti. Le gouverneur commença bien, plaisantant et remerciant les orateurs qui l'avaient précédé. Mais au bout de quelques minutes, je sentis que quelque chose clochait. Il n'était plus l'orateur puissant que j'avais connu. Il ne plaidait pas pour « l'idée de la famille » ni ne montrait l'avenir avec fierté et espoir. Sa voix était lasse et ses paroles dures. Son thème favori semblait désormais celui de la justification. Trente minutes après avoir commencé à parler, Cuomo défendait encore son bilan, rabâchait le passé et même son auditoire de loyaux supporters commençait à s'ennuyer. Soudain, une femme visiblement dérangée l'interpella du fond de la salle. Au lieu de l'ignorer ou de la faire taire d'un trait d'esprit, il lui répondit. *Alors, c'est comme ça que ça se termine quand on a raté sa chance et qu'on a attendu trop longtemps. Pas à la Maison-Blanche, ni à la Cour suprême, mais dans un club social du Queens, à débattre avec une illuminée qui ne sait même pas comment elle s'appelle !*

Mario Cuomo perdit les élections de 1994, comme tant d'autres démocrates, alors que tous les représentants, sénateurs et gouverneurs républicains en poste furent reconduits. Les républicains sont redevenus majoritaires au Sénat, majoritaires parmi les gouverneurs pour la première fois depuis 1970 et au Congrès pour la première fois depuis 1954. Notre ennemi intime, Newt Gingrich, devint Speaker, à quelques centaines de mètres de la Maison-Blanche. Si Clinton avait été Premier ministre, il aurait été balayé.

Quelques jours après l'élection, le président partit en voyage officiel en Extrême-Orient. Compte tenu de l'effervescence politique qui régnait à Washington, Leon Panetta resta à la Maison-Blanche et j'accompagnai le président pour l'aider à répondre aux attaques politiques et à riposter aux initiatives des républicains. Mon seul travail consistait à lui éviter tout ennui politique et j'échouai : lors d'une conférence de presse à Djakarta, on demanda au président sa position sur l'amendement républicain pour introduire la prière dans les écoles publiques. Clinton s'était toujours opposé à ce qu'on amende la Constitution mais il soutenait les efforts légaux en faveur de la prière « volontaire » à l'école. Conscient de cette ambiguïté et voulant éviter toute controverse, je suggérai au président de botter en touche. Ce qu'il fit : « Je souhaite réserver mon jugement, et examiner la question en détail. » L'effet fut l'inverse de celui que j'espérais : Clinton eut l'air d'hésiter sur une question politique de principe. Il nous fallut deux jours pour venir à bout de la polémique naissante sur le fait que Clinton avait perdu sa boussole politique et morale.

Quand le président et Hillary quittèrent Djakarta pour de courtes vacances à Hawaï, je rentrai seul à Washington. Et, durant les vingt-cinq heures que dura le vol, je ruminai mon échec. Mon anxiété ne provenait pas seulement d'une réponse loupée dans une conférence de presse. Les tensions des derniers mois atteignirent leur apogée. Lors du long vol vers l'Asie, Clinton et Hillary avaient rarement quitté leur cabine. C'était le retour du « cri silencieux » et des bruits de couloir insistants confirmaient que Clinton, en privé, rendaient « ces gosses qui m'ont fait élire à la Maison-Blanche » responsables de ses ennuis politiques récents. « Je n'aurais jamais dû faire entrer à la Maison-Blanche des gens de moins de quarante ans », avait-il ajouté.

J'étais convaincu que mes jours à la Maison-Blanche étaient maintenant comptés. Le tumulte intérieur dans lequel je vivais, mélange de tristesse et de colère, de désespoir et de méfiance, et surtout un accablant sentiment d'échec, me firent perdre le sommeil.

Tant et si bien qu'un samedi soir, dans l'aile Ouest déserte, j'entrai dans le Bureau ovale vide avec une lettre manuscrite, pliée en trois et adressée « Au président ». Je ne m'étais jamais introduit subrepticement dans le Bureau ovale. Mais si j'envoyais ma lettre en passant par son secrétariat, mes collègues allaient la voir et Clinton ne l'aurait pas avant des jours. Si je l'apportai à la résidence, Clinton la montrerait peut-être à Hillary et je n'étais pas sûr de la réaction de celle-ci. Je voulais qu'il la lise seul, aussi vite que possible. En arrivant à la Maison-Blanche, il se rendrait aussitôt dans son Bureau ovale, comme d'habitude, et il verrait la lettre posée sur son téléphone, unique document sur un bureau vide.

C'était une lettre d'excuses. J'endossais la responsabilité de la controverse sur la prière à l'école et je reconnaissais que mon impréparation était inexcusable. Puis je passais au sujet vraiment épineux, le livre de Woodward. Je n'avais jamais trouvé le bon moment mais j'aurais dû avoir une discussion directe avec le président des mois plus tôt. Maintenant, il ne me restait plus qu'à ramper en espérant que ça marcherait. Je défendais mes raisons tout en m'excusant pour mon total manque de jugement. Incertain de l'effet que produisait cette lettre, j'appelai Wendy Smith pour la lui lire. C'était mon amie la plus intime à l'époque et elle pratiquait Clinton depuis assez longtemps pour prévoir sa réaction. « Tu ne peux pas te contenter d'une lettre d'excuses. Si tu ne lui donnes pas un conseil constructif, il n'y fera même pas attention. » J'ajoutai donc un troisième paragraphe : « Vous allez recevoir beaucoup de conseils durant les prochaines semaines sur le meilleur moyen de rétablir votre autorité, alors acceptez que je vous donne celui-ci qui vaut ce qu'il vaut : soyez le président que vous vouliez être quand vous vous êtes présenté. En 1992, vous saviez, mieux que tous ceux qui vous entouraient, ce que vous vouliez faire et comment le faire. Peu importe ce que les gens disent aujourd'hui. Faites ce que vous croyez juste. Et ne vous souciez pas trop des opinions des uns et des autres. » En novembre 1994, je voulais le retour du Clinton rencontré à l'automne 1991, dans le bureau de Stan Greenberg, dans la résidence des Clinton à Little Rock, dans l'église de Memphis. Je voulais être à nouveau inspiré. Mais le président traversait une phase de désarroi intense, il passait des heures au téléphone avec ses vieux amis. Lui et Hillary invitèrent même Tony Robbins et Marianne Williamson, des gourous New Age, à une session secrète à Camp David. Il répondit cependant à ma note – à sa façon. En passant devant mon bureau le lundi matin, Clinton parut surpris de me trouver là. Il me salua et continua son chemin avant de se retourner subitement. « Je suis d'accord avec votre lettre. » Évoquant le troisième paragraphe, le moins délicat, il parla distraitement de « retour à ses racines ». « J'ai relu mon discours à la Convention démocrate et c'est exactement ce que nous devons faire. » Puis il parla de la prière à l'école et accepta mes excuses en disant : « J'ai loupé mon coup, c'était ma faute. » Pas un mot sur Woodward.

Jusqu'au 3 décembre, presque deux semaines plus tard. C'était un samedi matin et je venais de recevoir un coup de fil de Peter Jennings qui tournait une émission spéciale sur la religion en Amérique dans l'église de Bill Hybels, un des conseillers spirituels du président. Jennings voulait interviewer Hybels sur ce qu'on éprouvait quand on était le pasteur du président mais Hybels voulait la permission de Clinton. J'allai discuter de la question avec le président dans le Bureau ovale. Il consultait les dossiers accumulés durant la semaine. Clinton était tout à fait d'accord pour que Hybels fasse cette interview mais il voulait lui parler avant. Au moment où je me levais pour partir, il m'arrêta : « Attendez. Je suis vraiment content que vous m'ayez écrit cette lettre (comme s'il n'en avait jamais parlé avant). Ce bouquin de Woodward m'a ulcéré et j'ai eu du mal à m'en remettre. Nous avons tous fait des erreurs. Nous avons engagé trop de jeunes gens à la Maison-Blanche qui sont intelligents mais pas sages. »

Excellente description de moi. Il ne pouvait sans doute pas l'admettre formellement, mais ces quelques phrases elliptiques valaient absolution de mes erreurs. « Monsieur le Président, je ne sais pas quoi vous dire. J'ai vu venir un problème et j'ai pensé que c'était le meilleur moyen de l'éviter, mais j'ai eu tort.

– Oui, vous avez fait de votre mieux, a-t-il conclu. Mais ce Woodward est un type diabolique. »

Je quittai le Bureau ovale perplexe et très soulagé. Ce répit devait, comme toujours, être de courte durée. Trois jours plus tard, le 6 décembre, je touchai le fond et eus plus que jamais l'impression d'être sur un siège éjectable. J'éprouvai cette sensation dès 6 h le matin, dans le bureau de Harold Ickes. Pendant que Harold sirotait son thé dans une chope à café, nous parlâmes de la journée qui s'annonçait particulièrement trépidante : la nomination de Bob Rubin comme secrétaire au Trésor était compensée par la nouvelle que Webb Hubbell était reconnu coupable de faux en écriture et de fraude fiscale. Harold me parla aussi de ce qu'il savait sur les rumeurs de réorganisation de la Maison-Blanche et lorsque je lui dis que j'avais eu un entretien en tête-à-tête avec le président, il montra qu'il était parfaitement au courant de ce dont je parlais : « Oui, le président l'a évoqué. Il m'a dit : – George est finalement passé à confesse sur le livre de Woodward. » *Peu importe ce qu'il a dit. Au moins, il a reçu le message.*

Mais je compris rapidement que les soupçons persistants du président étaient le cadet de mes soucis. Pat Griffin me fit appeler dans son bureau pour m'informer des bruits qui circulaient à mon sujet dans la capitale : « George, quand j'ai peur qu'il arrive quoi que ce soit de mal à ma femme, je veux la protéger, mais je me sens impuissant et ça me rend fou. J'éprouve un peu les mêmes sentiments à votre égard aujourd'hui. » Il m'expliqua alors que les républicains avaient décidé de faire de moi leur cible favorite. « D'Amato vous hait et il veut vous avoir à l'usure. » Rien de plus facile pour D'Amato, désormais président de la Commission bancaire du Sénat, il lui suffisait de me convoquer à de nouvelles auditions sur l'affaire Whitewater. Pat ajouta que les stratèges du parti avaient estimé que j'incarnais exactement la caricature à laquelle les républicains voulaient que pense l'homme de la rue en entendant les mots « Clinton, Maison-Blanche ». Je projetai l'image d'une équipe de freluquets trop jeunes, trop à gauche, arrogants, et ils étaient décidés à tout faire pour asséner ce message. Ce qui expliquait pourquoi le nouveau Speaker répétait sans cesse mon nom dans ses interviews et déclarait que j'avais « l'air renfrogné » et que je ferais mieux de retourner dans ma « datcha ».

Cela expliquait aussi pourquoi Leon fut si furieux contre moi en lisant dans le *Washington Post* que j'avais traité le Speaker « d'irresponsable ». Celui-ci avait insulté les collaborateurs de Clinton en déclarant que 25 pour cent d'entre eux « avaient consommé des drogues au cours des quatre ou cinq dernières années. » J'avais l'impression de ne pas avoir le choix parce que la journaliste du *Post*, ne trouvant personne d'autre pour réagir, m'avait appelé à la dernière minute. Quand j'entrai dans la salle de réunion ce matin-là, je m'attendais à être félicité pour ma riposte. Au lieu de ça, je reçus un savon devant tout le monde. Furieux, je volai aussitôt dans les plumes de Leon en expliquant que j'avais d'abord appelé le bureau de l'avocat-conseil et son assistant. Ce n'est qu'après avoir parlé à Pat que je compris, qu'à sa manière, Leon essayait de me protéger. Nous réglâmes ce problème mais je ne pouvais croire que tout allait pour le mieux quand sa réponse instinctive à ma réaction devant une attaque outrancière était de me reprocher de nous avoir défendus. Peut-être que je commençais, plus que je ne le supposais, à devenir un problème...

Mais le coup le plus rude, ce jour-là, vint plus tard dans l'après-midi, quand le président rencontra une délégation du Conseil de direction du Parti démocrate. Je n'étais pas des leurs et certains d'entre eux pensaient que le moment était venu de rectifier ce qu'ils appelaient une « déviance de gauche » à la Maison-Blanche. Le meneur était leur président sur le départ, le représentant Dave McCurdy, qui reprochait à Clinton de lui avoir fait perdre son siège de sénateur en Oklahoma. À la Convention du Conseil de direction du parti, McCurdy déclara que le président était un « lourd fardeau » pour le parti et que si « Bill Clinton [avait] l'esprit d'un nouveau démocrate, son cœur était resté celui d'un vieux démocrate. » En présence du président, il se montra nettement moins hardi. S'adressant à Clinton mais me regardant dans les yeux, il expédia son missile : « Monsieur le Président, avec tous les égards dus à George, vous avez besoin de remanier sérieusement votre équipe. La seule façon pour les Américains de croire que vous avez changé, c'est de leur montrer ce changement. »

Pat murmura « fumier ! » entre ses dents. Je retins mon souffle. Clinton ignora cette remarque, ce qui valait mieux. Comme Clinton, j'avais de la chance d'avoir ce genre d'ennemis. Si quelqu'un demandait ma tête, l'idéal était que ce fut un sénateur au chômage, amer, qui attaquait publiquement le président. Mais c'était encore une première dont je me serais bien passé : quand je m'imaginais travaillant à la Maison-Blanche, je ne pensais évidemment pas devoir un jour écouter en silence quelqu'un demander ma tête au président. Quand je suis rentré dans mon bureau et que j'ai entendu Heather me dire que Rush Limbaugh avait consacré quinze minutes de son discours à m'attaquer, je ne pus rien faire d'autre que rire devant l'étendue des dégâts. Plus tard, je trouvai une lettre d'information républicaine dans ma boîte aux lettres et j'en ai scotché un passage au centre de mon bureau : « Ce ne serait pas une remontée mais un miracle pour Bill Clinton de gagner en 1996... »

Le simple fait de voir ces mots me rasséréna. Ils avaient le pouvoir d'un sortilège bienfaisant. Ce que je ne savais pas encore, c'est que Clinton, de son côté, était allé dénicher dans son passé un talisman maléfique : Dick Morris.

13 MON DÎNER AVEC DICK

Où est ce fumier ? Je savais ce que pensait Harold. Nous finissions nos verres sur une banquette au deuxième étage du Kinckead's, son restaurant préféré. Il était 21 h 30 et notre invité n'était toujours pas arrivé : un jeu de pouvoir à la transparence évidente, mais je n'étais pas en position de me plaindre ; j'avais besoin de cette rencontre, et arriver en retard était un truc dont j'avais moi-même beaucoup usé. Faire partie du cercle des intimes du président signifiait par définition avoir un emploi du temps ingérable (« Vous savez ce que c'est, il ne pouvait plus s'arrêter de parler... »). Ce soir-là, le 17 mai 1995, personne ne volait plus près du soleil que l'homme avec lequel nous avions rendez-vous.

J'étais assis à la gauche d'Harold, du côté de sa bonne oreille. Ce que notre convive tardif avait à dire ne l'intéressait pas beaucoup. Il avait déjà entendu toute l'histoire avant. Pas moi. Hormis une rencontre accidentelle dans le bureau de Betty Currie, je n'avais jamais vraiment fait la connaissance de cet homme. Vingt minutes passèrent. Harold menaça de partir. Nous finîmes par commander le dîner. Puis Dick Morris apparut brièvement en haut de l'escalier avant de s'excuser : il avait un coup de fil urgent à donner.

Telle était la figure ténébreuse que Clinton sollicitait dans ses périodes de désarroi. Je ne le savais pas encore vraiment à l'époque. Je ne savais d'ailleurs pas encore grand-chose sur Dick. Quand j'avais rejoint l'équipe de Clinton pour la première fois, Dick n'était qu'un personnage louche de plus surgi de son passé, un ex-conseiller ayant accumulé rumeurs et rancunes. En 1992, j'avais dû, à plusieurs reprises, démentir un bruit qui courait à propos de la campagne de 1990 pendant laquelle Clinton défendait son siège de gouverneur. Il aurait mis Dick KO sur le perron de sa résidence. Hormis une unique référence en octobre 1993 à un sondage organisé par son « vieil ami », Clinton n'avait jamais mentionné le nom de Dick en ma présence.

Fin 1994, cependant, j'avais remarqué une antienne insolite dans les monologues de Clinton. J'étais censé me tenir au courant des développements de la pensée du président et j'essayais toujours de déchiffrer ce que je l'entendais dire à la lumière des livres qu'il lisait et des gens qu'il voyait. Quand je connaissais l'origine d'un ordre ou d'une question, je savais en général mieux y répondre. Mais il m'était impossible de savoir avec qui Clinton discutait au téléphone. Il téléphonait à toutes sortes de gens à toute heure du jour et de la nuit et lançait souvent de nouvelles pensées sans révéler ses sources, pratiquant une sorte de test en aveugle. À plusieurs reprises cet hiver-là, je sentis une influence nouvelle gagner du terrain. Le président entrait dans mon bureau, en disant « Je viens juste d'appeler quelqu'un… » et il me récitait une version complètement rédigée d'un discours de campagne, proposait une mouture complètement neuve de spots pour la campagne du Conseil national démocrate ou se lançait dans une critique minutieuse des conseils politiques que lui donnaient Stan Greenberg et ses autres consultants. Son thème favori était la nécessité d'un « processus stratégique centralisé » couplé avec un plan destiné à lever de 20 à 25 millions de dollars pour financer une campagne de publicité permanente sur les réseaux de télévision câblés. Après l'élection, alors que Clinton prenait ses distances avec son équipe et se faisait plus taciturne, cette influence persista sous forme de feuillets recouverts d'une écriture en caractères gras que le président sortait de son classeur pendant les réunions. Ou d'appels anonymes que Betty Currie lui passait dans l'intimité de son bureau privé. Ou encore de post-its sur son téléphone lui rappelant que « Charlie » avait appelé.

Charlie était le nom de code de Dick. Le président l'avait engagé pour diriger une opération clandestine contre sa propre Maison-Blanche, c'était le coup d'État du général contre les colonels, en quelque sorte. « Charlie » et Clinton complotaient en permanence, de jour, de nuit, par téléphone, par fax. De décembre 1994 à août 1996, Leon Panetta, le secrétaire général de la Maison-Blanche, régentait les chefs d'état-major de l'armée, les ministres, le gouvernement, mais personne n'avait autant d'influence sur le président des États-Unis que Dick Morris.

Plus le pouvoir de Dick augmentait, plus le mien rétrécissait : je participais toujours aux réunions politiques de la Maison-Blanche, j'aidais le président à préparer les conférences de presse et ses apparitions publiques. Je ne fus pas contraint de changer de bureau et mon titre resta le même : conseiller du président pour la politique et la stratégie. Mais je n'étais « stratège présidentiel » qu'en titre.

L'éloignement de Clinton que je commençais à craindre en 1994 s'accentua en 1995. Mes arguments n'emportaient plus la décision. Je n'étais plus la cible de sa mauvaise humeur matinale, l'interprète virtuose de ses humeurs ou l'autorité suprême qu'on consultait pour déchiffrer son comportement. Clinton suivait parfois mes conseils sur des points tactiques secondaires. Mais après la débâcle de 1994, le président ne faisait plus entièrement confiance à mon jugement.

En portant un regard lucide sur la situation, je ne pouvais lui en vouloir vraiment d'une telle attitude. Mais elle me blessait et je voulais me battre pour rentrer dans ses bonnes grâces, convaincu que l'enjeu à la fois personnel et politique était trop grand pour que je me résigne à faire mes paquets et à partir. Je me suis donc concentré sur la campagne publicitaire, j'ai travaillé avec le groupe démocrate au Congrès pour mener une campagne de guérilla contre le budget républicain, le cœur de leur « contrat avec l'Amérique ». Si je n'étais plus un conseiller écouté, si je n'étais plus un proche, je voulais au moins travailler sur les problèmes qui comptaient le plus pour moi.

Le dîner de ce soir traduisait l'effort récent du président pour intégrer Dick dans l'organisation de la Maison-Blanche. Ils s'étaient vus en tête-à-tête presque tout l'hiver. Puis Clinton avait présenté Morris au vice-président et organisé des réunions de stratégie politique hebdomadaires dans sa résidence avec Gore, Leon Panetta et les deux assistants de Leon, Harold Ickes et Erskine Bowles. Réunions dont j'étais exclu – ce que je vivais comme un affront. *Oui, 1994 a été un désastre mais ce ne fut pas totalement de ma faute. Je reste le seul collaborateur du président à avoir vécu tout un cycle électoral. Et comment me convaincrai-je que je suis le stratège du président si je n'assiste à aucune réunion stratégique ?* Harold et Erskine m'ont fait savoir que Dick me sapait continuellement auprès du président, lui serinant que j'étais trop à gauche et trop « bavard » pour continuer à faire partie de son équipe. Mais Clinton, tout en me tenant à distance, voulait me garder sous la main. Ce dîner n'aurait pas eu lieu s'il avait voulu me mettre définitivement sur la touche. J'étais digne d'une rencontre au sommet, c'est donc que je comptais encore. Mais Morris comptait beaucoup plus – et il le montrait.

Lorsqu'il revint du téléphone, je le regardai attentivement, pour la première fois. C'était un petit homme replet engoncé dans un costume vert à larges revers, une chemise à col Robespierre et une cravate à fleurs. Avec son « brushing banane » gonflant et sa serviette en cuir luisant, il avait tout de l'avocat marron d'une série B des années soixante-dix. Le genre de type qui se fait assommer à coup de batte de base-ball parce qu'il a essayé de doubler son patron. Mais l'aura du pouvoir, sur son visage blafard, éclipsait son accoutrement. Je connaissais bien cet air, cette lueur de satisfaction qu'on arbore après un tête-à-tête avec le chef du monde libre. Dick avait l'air un peu nerveux. Quand il parlait, ses mains virevoltaient, ponctuant ses salutations mielleuses. « Je suis si heureux de vous rencontrer. Votre travail m'a tellement impressionné, commença-t-il en s'inclinant vers la table. Je connais assez bien Bill pour savoir à quel point votre boulot a été dur pendant la dernière campagne. De l'extérieur, j'imaginais comme ça avait dû être dur à l'intérieur. Et je veux vraiment vous remercier d'avoir gagné la dernière élection – afin que *je* puisse gagner la réélection. »

Épargne-moi tes foutaises doucereuses, espèce de fumier d'hypocrite. Ça fait des mois que tu essaies de me faire virer. Bien sûr, je n'ai pas dit ça. J'ai bredouillé des remerciements à peu près aussi sincères que les siens. Les flatteries de Dick suaient la condescendance paternaliste : *Allez, va jouer maintenant, le gamin, tu me déranges.* Après tout, il était celui qui connaissait vraiment « Bill » ; il pouvait se prévaloir d'une relation intime et ancienne avec lui, avec laquelle je ne pouvais rivaliser. Sa conclusion en disait long sur lui : « Je veux vraiment vous remercier d'avoir gagné la dernière élection pour que je puisse gagner la réélection. » *Ah, c'est pour ça que je me suis donné tant de mal ? Merci de la mise au point !*

Mais, par-delà la mégalomanie de Dick, on percevait une sorte de transparence enfantine qui m'aurait presque touché si je n'avais pas été aussi jaloux. Son petit discours trahissait une tendance à exprimer ce que les responsables politiques comme moi pensent parfois mais ne disent pas parce que c'est inexact et peu convenable, comme l'idée que les vrais vainqueurs des élections ne sont pas les candidats mais ceux qui tirent les ficelles dans l'ombre : nous. Je remarquai un jour qu'il manquait un gène à Dick : il n'avait aucune pudeur. Mais, sur le moment, je n'entendis que le message qu'il m'adressait : mon expérience n'était qu'un bref chapitre dans la saga politique Clinton et j'avais fait mon temps.

Pendant les trois quarts d'heure qui suivirent, j'écoutai l'histoire de Morris dans ses moindres détails. Comment Dick avait organisé sa première campagne pour l'élection au conseil de classe à l'école primaire et comment il s'était frayé un chemin dans la politique new yorkaise, dans l'Upper West Side, en gravissant les échelons un à un. Le travail de terrain qu'il avait fourni pour les campagnes McCarthy en 1968 et McGovern en 1972. Le tournant brutal qui avait fait de cet analyste politique de gauche une sorte de mercenaire à vendre au plus offrant en 1977, quand il avait perdu son travail et s'était marié. Dick parlait par séquences débitées d'un trait, sans respirer. Pourtant, il semblait aussi déconnecté de ses propres paroles qu'il l'était de nous, comme s'il lisait la notice nécrologique de quelqu'un d'autre sur un téléprompteur. Jusqu'au moment où il arriva au cœur de son discours, qui tenait à la fois du film de copains et de la fable à moralité douteuse : l'histoire de Dick et Bill.

C'est l'histoire de deux enfants prodiges de la politique, l'un du Nord, l'autre du Sud ; l'un petit, l'autre grand ; l'un est consultant, l'autre est le candidat de ses rêves. Des enfants du Baby Boom, idéalistes, hâbleurs, vénérant Kennedy, haïssant Nixon, ayant vécu l'humiliante défaite de McGovern et s'étant juré que ça n'arriverait plus jamais.

Ils croyaient dans le pouvoir de la politique, ils voulaient aider les gens, mais ils aimaient encore plus le côté « sport de compétition » de la politique. Quand ils se rencontrèrent en 1978, Dick était un consultant débutant qui sillonnait le pays à la recherche de candidats et Bill un ambitieux procureur général de l'Arkansas en quête de nouveaux horizons. On imagine ces deux jeunes politiciens discutant à perte de vue sondages et stratégie de campagne comme des fans de base-ball étudient les scores de leurs équipes préférées et revivent les parties qui les ont fait vibrer. Et ils ont rapidement formé un tandem gagnant. Mais ça n'a pas été une relation facile, ni d'égal à égal. Quand Dick levait les yeux vers Bill, il voyait un futur président. Quand Bill baissait les siens vers Dick, il voyait le démon qu'il connaissait, la part de lui qui confondait puissance et célébrité, d'une part, avec service au public et idéal politique, d'autre part. Dick savait comment gagner mais à l'époque où il rencontra Bill, il n'était pas très regardant sur les moyens ni les hommes qu'il servait. Il travaillait aussi bien pour des démocrates que pour des républicains et il avait la réputation de monter les campagnes les plus virulentes de la profession. On disait qu'il n'aurait pas hésité à travailler pour deux adversaires dans la même élection s'il avait pu arranger l'affaire.

Quand Bill était devenu le plus jeune gouverneur de l'Arkansas, il avait viré Dick qui était devenu, selon les termes de celui-ci, « une tache sur sa vanité ». Deux ans plus tard, il était le plus jeune ex-gouverneur d'Amérique, victime de son impatience et de son idéalisme à vouloir trop en faire, trop vite. Et c'est à Dick qu'il avait demandé d'organiser la reconquête. Ils avaient corrigé le tir, n'avaient pas lésiné sur les moyens et avaient gagné – à tous les coups. La seule victoire que Dick avait manqué était celle de 1992, la plus importante. Ce qui ne l'empêcha pas de proclamer que Clinton devait sa « remontée » dans la primaire du New Hampshire à une discussion téléphonique avec son vieil ami. Le monde selon Morris n'était pas compliqué : depuis seize ans qu'ils se connaissaient, quand Dick était à ses côtés, Bill gagnait et quand Bill envoyait balader Dick, c'était le désastre.

Cette conclusion assénée, Morris se tut quelques instants. Il écarquilla les yeux, reposa les mains sur la table et sa voix se teinta d'une gravité nouvelle. Pour la première fois de la soirée, il avait l'air authentiquement humain. « Bill n'a recours à moi que lorsque son côté le plus sombre reprend le dessus, reconnut-il avec une tristesse lucide. Il ne veut rien avoir à faire avec moi quand il fait du « bon » gouvernement style boy-scout. » Dick connaissait bien son client. « Bill » pouvait avoir besoin de lui mais il en aurait toujours honte. Ils étaient peut-être des âmes sœurs, mais leur complicité devait rester secrète. Et des jours, des mois, des années pouvaient s'écouler sans que Bill appelle jamais Dick.

L'espace d'une seconde, j'eus presque pitié de cet homme. Puis Dick se souvint qu'il était à nouveau dans le coup. Au sommet de sa gloire. Même Hillary avait appuyé son retour en grâce. Elle ne partageait certes pas les valeurs politiques de Dick mais elle estimait son habileté et l'effet magique de sa présence sur l'optimisme politique de son mari. Hillary savait qu'ils auraient sans doute besoin de Dick un jour. Elle était restée en contact avec lui, lui téléphonait régulièrement. Peu avant l'élection de mi-mandat, le président avait lui aussi décroché son téléphone. « J'ai dit à Clinton qu'il allait être battu, affirma Dick. J'ai essayé de le convaincre de ne pas diaboliser les républicains et de se concentrer sur ses réalisations les plus modestes comme le congé parental et les prêts étudiants. Après son voyage au Proche-Orient, je lui ai conseillé de rester en dehors de la campagne, de ne plus intervenir du tout. »

L'essentiel de son monologue me laissa indifférent. *Pourquoi me raconte-t-il tout ça ? Quand va-t-il s'arrêter ?* Mais ses dernières phrases m'intéressèrent. Non qu'elles fussent nouvelles, bien au contraire ; elles faisaient écho à des paroles entendues dans la bouche du président : « Je savais qu'il ne fallait pas essayer de battre les républicains à leur propre jeu... Je n'aurais jamais dû me laisser convaincre de les attaquer... je n'aurais jamais dû me laisser entraîner à faire campagne comme je l'ai fait. » C'était bien entendu Clinton qui avait insisté pour intervenir le plus souvent possible à la radio, apparaître à la télévision et dans les réunions électorales de 1994 et personne n'aimait autant que lui voler dans les plumes des républicains. Le conseil de Dick – tout à fait pertinent au demeurant – lui avait permis de regagner les faveurs du couple Clinton.

« Je n'ai cessé de discuter avec Clinton depuis l'élection », poursuivit Morris. *Sans blague.* Mais mon animosité céda provisoirement la place à la fascination. À mesure que Dick développait les idées qu'il avait enfoncées dans la tête de Clinton depuis des mois, il m'évoquait une version politique du génie matheux autiste qu'interprète Dustin Hoffman dans *Rain Man*. Il se mit à parler de plus en plus vite d'une voix monocorde, en tapotant frénétiquement de l'index l'ordinateur ultra-plat glissé dans la poche de sa veste. Son « livre de messe », comme il l'appelait, contenait tous les sondages sur lesquels il travaillait en permanence en les assaisonnant d'un peu d'analyse politique, de réflexions de politologues reconnus, et d'exemples empruntés à la vie politique française, anglaise et américaine récente. Dick avait élaboré une théorie électorale sophistiquée, selon laquelle Clinton gagnerait s'il parvenait à « neutraliser » les républicains et à « trianguler » les démocrates.

La neutralisation des républicains impliquait de leur « emprunter » de larges portions de leur programme électoral : l'équilibre budgétaire, les allégements fiscaux, la réforme du système d'aide sociale. Elle impliquait aussi la fin des mesures en faveur des minorités. Ces emprunts étaient sensés « soulager les frustrations » qui permirent la victoire des républicains en 1994 et permettre à Clinton de les « repousser à droite de l'échiquier politique » en jouant sur des thèmes « consensuels » comme la législation sur les armes à feu et l'avortement. La « triangulation » supposait que Clinton abandonne « les dogmes démocrates sur l'aide sociale », rassemble au-delà de ses partisans et s'installe au centre de l'échiquier politique entre les deux grands partis américains – et au-dessus d'eux. Pour illustrer ce concept, Dick joignit pouces et index en forme de triangle. Clinton devait prendre ses distances avec ses alliés démocrates, les utiliser comme repoussoir, ne pas hésiter à s'opposer à eux quand il le fallait. Il devait combiner ces deux tactiques avec une « politique étrangère forte » et une bonne santé économique. Il devait enfin prendre des positions publiques sur des thèmes de société comme l'uniforme scolaire et l'interdiction aux adolescents de traîner dans les rues le soir[1] pour démontrer son attachement aux « valeurs ». Telle était, selon Dick, la recette du succès de Clinton aux élections de 1996.

---

1. NdT. La recrudescence de la violence et les multiples problèmes de drogue en milieu scolaire, la multiplication des bandes organisées d'adolescents de plus en plus jeunes et de plus en plus violents, ont amené certaines villes américaines à décréter un couvre-feu pour les mineurs.

Soudain, il s'arrêta de parler. Son dos se raidit et sa tête s'inclina mécaniquement. Puis, mue par on ne sait quel ressort, elle se redressa comme s'il venait de sortir brusquement d'un sommeil hypnotique. C'était son bip. « Le président. » Il sourit et poussa un petit rire. Cette interruption me permit de réfléchir à tout ce que je venais de voir et d'entendre et de rassembler mes pensées.

Incontestablement, son numéro tenait du tour de force : la théorie de stratégie politique de Dick était élégante, son magnétisme impressionnant. En l'observant, je commençai à comprendre ce qui plaisait tant à Clinton chez cet homme. Sous ses apparences étranges, Dick était tout d'une pièce. Il pensait en noir et blanc, ce qui contrebalançait la vision du monde un peu « éclatée » de Clinton. Stan Greenberg, l'ex-consultant politique de Clinton, était un analyste politique classique, un universitaire dont le brio intellectuel et l'esprit synthétique avaient séduit le président. Mais Clinton lui reprochait de ne jamais formuler de recommandations précises. Dick, en revanche, satisfaisait l'attente du président qui demandait des consignes claires et simples. Il offrait des panacées et promettait des résultats quantifiables. Sa certitude affichée compensait les accès chroniques d'indécision auxquels Clinton était sujet. J'entendais presque son bourdonnement continu au téléphone, calmant l'anxiété qui s'emparait souvent du président au milieu de la nuit : « *Rappelez-vous la théorie. Si nous n'en démordons pas, nous gagnerons. Comme toujours. Promis. C'est écrit dans le livre de messe.* »

Bien sûr, aucun conseiller ne pouvait circonvenir Clinton à lui seul. Il était trop intelligent et têtu pour cela. Mais après avoir entendu Morris m'exposer ses théories, je fus frappé de voir à quel point Clinton avait fait sienne l'obsession de Morris qu'il nous avait exposée en détail ce soir-là : « Nous devons neutraliser les républicains sur le thème fiscal et gouvernemental : nous ne voulons pas que l'élection de 1996 se joue sur les impôts et l'efficacité de l'administration. » Je commençai aussi à comprendre d'autres scènes. Comme l'étrange réticence que je sentis ce jour de décembre où je me trouvais dans la résidence avec Hillary et Clinton qui préparait son allocution à la nation depuis le Bureau ovale. « Qui a inventé cette expression « la déclaration des droits de la classe moyenne » ? » avais-je demandé. Clinton avait fait semblant de ne pas m'entendre. Hillary avait arboré un sourire condescendant qui m'avait cloué le bec. Même ambiance le jour du discours sur l'état de l'Union : les Clinton s'étaient retirés dans leur résidence pour réviser le discours ensemble, du moins c'est ce que nous pensions et avions candidement expliqué aux journalistes : le président allait laisser parler son cœur dans son discours. Quand j'avais relu le discours et protesté devant leur décision de laisser tomber un passage contre les allégements fiscaux pour les riches, soutenus par les républicains, Hillary avait répondu sèchement : « Bill dit ce qu'il a envie de dire. » *Bizarre. En général, elle aime bien s'en prendre aux républicains.* Je ne savais pas encore que la nouvelle version du discours était due à Dick qui se cachait dans la pièce voisine.

Répéter la rhétorique de Dick était une chose ; ce qui m'inquiétait davantage était la possibilité que Clinton applique vraiment ses idées. Derrière ses explications assez alambiquées se cachait une idée toute simple : il suffisait d'emprunter aux républicains les parties les plus populaires de leur programme, de les faire voter et la victoire était assurée. L'irritation prévisible des démocrates n'était pas un inconvénient mais un atout. Clinton allait certes contredire ses positions passées et les convictions qu'il professait depuis des années, et alors ? Dick concéda qu'il valait mieux éviter les volte-face, mais sa règle cardinale était qu'il fallait rassembler 60 pour cent des Américains. Si 6 Américains sur 10 affirmaient être pour une chose, le président ne pouvait que se rallier à leur opinion.

Comment Clinton peut-il prêter l'oreille à un type pareil ? Il veut que nous abandonnions nos promesses et reniions nos amis. Pourquoi ne pas aller jusqu'au bout et changer de parti ? La « neutralisation » dont parlait Morris me faisait l'effet d'une capitulation et la « triangulation » n'était qu'un cache-sexe pédant pour une trahison pure et simple. J'étais, de plus, convaincu que cette stratégie était vouée à l'échec. Les idées de Morris seraient peut-être plébiscitées dans les sondages. Mais les adopter sous cette forme brute risquait de brouiller le message politique du président et – c'était la critique qui le rendait le plus furieux – de le faire passer pour une girouette manquant de convictions profondes, qui cédait trop vite aux pressions politiques et jouait sur tous les tableaux. Sans compter qu'il fallait s'attendre à des primaires démocrates extrêmement dures, un risque majeur pour sa réélection.

Assurer des relations harmonieuses avec le Parti démocrate était le boulot d'Harold. Il était officiellement secrétaire général adjoint, mais il avait en charge toute la machinerie politique, l'intendance et le financement des campagnes, et les rapports avec la base du parti. Harold méprisait Dick, il l'avait toujours méprisé, depuis la fin des années soixante, quand ils dirigeaient des sections démocrates rivales dans l'Upper West Side. Il détestait encore plus ce que Dick essayait de faire aux démocrates à présent. Bien que loyal envers Clinton, Harold vénérait le parti. Il avait participé à toutes les conventions et campagnes présidentielles depuis 1968, en général du côté du perdant de gauche : Gene McCarthy, Ted Kennedy, Jesse Jackson. Il avait ça dans le sang. Son père, Harold Ickes Sr. avait été le confident de Roosevelt et son secrétaire à l'Intérieur, une légende de l'époque du New Deal. Le père avait transmis au fils l'ambition de servir un président. Maintenant qu'Harold était effectivement à la Maison-Blanche, il marchait sur les traces de son père d'une autre façon. Les enjeux étaient plus restreints, nous n'avions pas à affronter une dépression ou une guerre mondiale, mais Clinton opposait Ickes à Morris exactement comme Roosevelt avait créé une émulation constructive dans le cercle de ses intimes entre Harold Ickes Sr. et l'avocat Harry Hopkins. Ce soir, pourtant, Harold était trop fatigué pour lutter. Il quitta la table avant que Dick soit revenu du téléphone.

« Je suis heureux que nous ayons l'occasion de nous rencontrer », me lança Dick en revenant à la table visiblement soulagé par le départ d'Harold. « Je veux que vous sachiez d'où je viens et ce que je pense. Le président aussi est heureux de cette rencontre. Il souhaite que nous travaillions ensemble. »

Cette façon de se faire l'interprète des pensées du président me hérissa mais je répondis : « Nous devons essayer », ma première phrase complète de la soirée. Dans une précaire tentative d'établir ma crédibilité d'expert de Clinton, j'ajoutai : « Il déteste les conflits ouverts. Il déteste avoir à régler des conflits de personnes. »

Mais ce n'était pas le confort psychologique du président qui m'inquiétait le plus. Toute la Maison-Blanche souffrait de dysfonctionnements importants. Confrontés à des parlementaires républicains agressifs, nous étions à moitié paralysés et incapables de formuler une réponse cohérente à leur programme ambitieux. Leon Panetta voulait pousser le président à la confrontation ouverte. Nous avions étudié la campagne de Truman, en 1948, contre « l'inertie » du Congrès républicain, en espérant que Clinton suivrait cet exemple de pugnacité. Mais ce n'était ni le style du président, ni la stratégie de Dick. Tous les discours présidentiels, à la radio, à la télé, devant le Congrès, entraînaient des tiraillements chez les hommes du président. Tandis que le cabinet préparait une mouture du discours, une autre version arrivait sur le fax présidentiel. Clinton empruntait à l'un et à l'autre, suivant le jour, son humeur et la version de son dernier interlocuteur. Newt Gingrich orchestrait l'adhésion du Congrès au programme républicain, le « contrat avec l'Amérique » et nous réagissions par une cacophonie de messages disparates.

Au terme symbolique des cents jours, trois mois après l'élection de ce nouveau congrès, la crise était à son comble. Tout le gouvernement s'était mobilisé pour défendre et expliquer l'engagement présidentiel en faveur de l'éducation, et la menace que représentait, à cet égard, le Congrès républicain. Le président voulait contrer l'offensive de la droite par une allocution à la Société américaine des éditeurs de journaux. Deux jours avant cet événement, dans le Bureau ovale, lors d'une réunion destinée à boucler la contre-offensive présidentielle, il mit un point final à son discours et approuva les différentes initiatives auxquelles devaient participer les membres du cabinet et d'autres hauts responsables de l'administration. Le lendemain soir, dans sa résidence, Dick le convainquit que ce discours ne valait pas un clou. Il le poussa à y substituer un commentaire détaillé du programme républicain, décision qui fut annoncée aux responsables du cabinet le matin du discours. L'idée de Dick était la bonne, mais la méthode était déplorable et elle causa des ravages à la Maison-Blanche. Panetta eut une explication orageuse avec le président et lui demanda de reprendre la situation en main.

Une fois le repas terminé, Morris et moi nous installâmes au bar pour discuter des termes de notre pacte. Le maître d'hôtel en personne nous apporta nos boissons avec les compliments de la maison. « Oh, c'est si bon d'être ici avec quelqu'un de célèbre ! claironna Dick, mais je ne veux pas de la moindre publicité. On travaille mieux quand on est un homme de l'ombre. Je veux seulement faire le boulot. » Conscient de ses propres faiblesses, Dick se parlait en fait à lui-même. Mais ses arrière-pensées ne m'échappaient pas : « *Vous êtes célèbre mais vous avez perdu le pouvoir. La célébrité est une arme à double tranchant. C'est moi qui détient le pouvoir à présent – et je ne vais pas le lâcher.* »

Plus j'écoutais Morris, plus j'avais le sentiment que sa position vis-à-vis de Clinton était un peu plus précaire que je ne l'avais imaginé. Le président était à l'affût des idées de Morris mais il ne pouvait se permettre une rébellion ouverte à la Maison-Blanche. Dick avait reçu des consignes de diplomatie. Il savait qu'Harold était son ennemi mortel et que Leon le tolérait à peine. Je faisais partie de leur équipe, l'objectif implicite du dîner de ce soir était de déterminer si je pourrais servir de passerelle entre les deux camps. Pour essayer de m'amadouer, Dick m'exposa ses démêlés avec ses clients républicains, furieux de savoir qu'il travaillait pour Clinton : « Vous n'avez pas idée à quel point je suis mal vu des gens de mon bord, maintenant. »

Vous n'avez pas idée à quel point ça m'est égal. C'était déjà assez exaspérant que Clinton recourre à un consultant dont l'objectif professionnel avoué était « d'aider les républicains à imposer leur programme de gouvernement et à devenir le parti majoritaire ». Il courait des rumeurs encore pires, au Capitole, selon lesquelles Morris continuait à fournir des informations à Trent Lott, son plus important client républicain qui était aussi le chef de la majorité sénatoriale. Dick se répandit en plaintes sur les risques financiers qu'il courait et ses amitiés perdues ; je me contentai de le fixer en silence.

Il essaya alors une nouvelle tactique : la menace voilée. Tordant le cou et crispant la mâchoire en un tic nerveux qui le faisait ressembler à une sorte de James Cagney[2] au rabais, il s'adressa à moi d'une voix devenue un sifflement presque inaudible : « Bon, écoutez, George, je sais que c'est à vous que je dois toutes ces rumeurs qui ont couru sur moi en avril. Ne me dites pas le contraire. Peu importe ce que vous dites. Je sais que c'est vous. »

---

2. NdT. Acteur américain au faciès patibulaire, qui interprétait des rôles de mauvais garçons dans les films noirs des années quarante et cinquante.

« Toutes ces rumeurs » : un petit article « Toute la ville en parle » paru dans le *New Yorker* et un entrefilet dans les « Potins de Washington » du magazine *US News and World Report.*

Je n'étais d'ailleurs pas à l'origine de ces bruits, mais cela n'avait pas d'importance. Dick me coinçait dans un marché du type « n'essaie pas de me couillonner car tu ne gagneras pas à ce jeu-là ». Je me sentis contraint de répondre par acquis de conscience : « Dick, vous ne voulez peut-être pas l'entendre, mais je vous le dis quand même : je ne l'ai pas fait et je ne le ferai pas. Pas par égard pour vous, mais parce que je ne veux pas nuire au président. »

Des sentiments qui me faisaient honneur mais qui ne me seraient d'aucune utilité si Dick continuait à pousser sa complainte auprès de Clinton. Étant donné la certitude du président sur ma responsabilité dans les fuites, toute accusation sur ce plan valait condamnation. Dick revint à des considérations plus terre à terre et m'exposa sa vision de l'équation du pouvoir au sein de la Maison-Blanche : « L'essentiel de votre pouvoir réside dans votre position au sein de l'administration. Tous les hauts fonctionnaires ont les yeux fixés sur vous. Vous disposez aussi d'un réseau efficace dans la presse. Moi, j'ai le président. Nous devons travailler ensemble. » Il se mit ensuite à énumérer une série de propositions politiques et de décisions présidentielles sur lesquelles il voulait que nous nous mettions d'accord pour conforter notre pacte.

L'analyse de Dick était au fond assez juste : il savait que je pouvais saboter ses entreprises et la réciproque était vraie. À moi les interventions discrètes auprès de membres du cabinet ou des représentants, à lui le travail d'influence quotidien auprès du président. Et il était émotionnellement épuisant et politiquement fragilisant de développer une stratégie, de chercher des appuis au sein du gouvernement, de consulter des membres du Congrès et de préparer le terrain avec la presse pour voir finalement tout ce travail annulé par un tête à tête nocturne entre Clinton et Morris sur les résultats duquel vous n'aviez pas votre mot à dire. Dick avait besoin de moi et j'avais besoin de lui. C'est à ce moment que nous commençâmes vraiment à parler.

Sa grande idée, cette semaine-là, était la croisade nationale contre le terrorisme intérieur. Après l'attentat d'Oklahoma City[3], Morris croyait que le moment était venu de réagir avec une extrême vigueur contre les milices. Dick était en l'occurrence tout à fait en phase avec l'opinion publique, mais ses propositions me rappelèrent irrésistiblement l'époque du McCarthisme[4]. Morris voulait que tous les membres des milices, et leurs armes, soient fichés par le FBI et il proposait même que le ministère de la Justice publie dans la presse les noms des personnes soupçonnées d'actes terroristes. J'objectai que la protection des libertés civiles me paraissait exclure de telles mesures. « Oh, les gens n'en ont rien à faire », me répliqua-t-il. Je le contrai alors en expliquant que si le secrétaire à la Justice s'y opposait (et Janet Reno ne pouvait les accepter), Dick n'arriverait pas à les imposer. Les fuites inévitables du ministère de la Justice auraient pour seul effet de faire apparaître Clinton comme quelqu'un de faible et de tels décrets n'émergeraient jamais des profondeurs d'une bureaucratie rétive, à moins que Clinton ne les dactylographie lui-même.

La cible suivante que Morris voulait désigner au président était les immigrants. Il voulait créer un système de contrôle sophistiqué qui transformerait le moindre agent de la circulation en rouage implacable de la police de l'air et des frontières. Un policier repérait-il un personnage suspect au teint basané conduisant un véhicule dont le feu arrière était cassé ? Le projet de Dick lui donnait la possibilité d'interroger un central et, au cas où les papiers de cet individu n'étaient pas en règle, d'ordonner sa reconduite immédiate à la frontière. Je lui exposai mes craintes devant les abus potentiels d'une telle loi, et l'effet dévastateur que ce type de pratiques risquait d'avoir sur notre électorat hispanophone, mais il les écarta d'un geste. C'est en lui exposant le coût prohibitif de telles mesures que je parvins à lui en faire abandonner l'idée.

Au fur et à mesure qu'il énumérait ses propositions, Dick s'échauffait de plus en plus. Le fait que ses idées soient contredites ne semblait guère

3. NdT. Le 19 avril 1994, une voiture piégée explose devant un immeuble fédéral, provoquant la mort de 168 personnes et en blessant 500 autres. Perpétré par un groupuscule d'extrême-droite, cet attentat d'une violence inédite traumatisera durablement l'opinion publique américaine.

4. NdT. Au début des années cinquante, le sénateur républicain Joseph McCarthy déclencha une violente campagne anti-communiste, surnommée, en raison de son caractère inquisitorial, la « chasse aux sorcières ».

l'émouvoir. Son sac à malices paraissait inépuisable. Le plus important pour lui, c'était d'avoir réussi à entamer une collaboration avec moi. « Nous y sommes, George, nous y sommes. Je m'occupe de stratégie, vous de tactique. Ensemble nous avons une vision globale parfaite : moi à long terme, vous à court terme. Je jouerai en attaque et vous en défense. »

Si ça te chantes. Je n'avais pas la moindre confiance en lui. Dick me ferait virer à la première occasion, et, s'il n'y arrivait pas, ferait tout pour me circonvenir. Je lui réservais le même sort. Pour l'instant, je savais que nous ne pouvions qu'essayer de travailler ensemble. Que cela me plaise ou non, le président voulait que Dick soit son stratège. Si ça ne me plaisait pas, je n'avais qu'à partir. Mais mon départ aurait eu l'air d'une capitulation et j'aurais trouvé déloyal de trahir les idéaux et les projets pour lesquels nous nous étions battus au cours de la campagne de 1992. Pour servir le président que j'avais aidé à faire élire, il fallait que je combatte le président que Dick essayait de forger. Si Clinton n'était pas d'accord, il n'avait qu'à me licencier. Mais cela me semblait moins probable maintenant.

Il doit y avoir une méthode dans cette folie. Clinton reprend la méthode de Roosevelt. Il a besoin de l'énergie et des idées de Dick mais il veut aussi que nous le freinions. Il veut que nous accompagnions le mouvement mais pas que nous abandonnions la partie.

C'est ce que je me suis dit. Je savais que je ne gagnerais pas toutes les batailles mais j'étais content que notre combat d'ombres ait pris fin. Dick et moi étions finalement montés sur le ring pour nous affronter – mais les crises et les conflits, les vrais, étaient encore à venir. Après avoir laissé Dick bavarder quelque temps sur notre nouvelle association, je lui demandai finalement d'arrêter. « Les deux choses dont nous avons besoin de parler, lui dis-je, sont, d'une part, les mesures en faveur des minorités et, d'autre part, le budget. Après quelques minutes de discussion, il apparut que nous étions loin d'un accord sur ces deux sujets. « C'est moi qui emporterait la décision », me dit-il avec un haussement d'épaules dédaigneux qui renforça encore ma résolution de lui donner tort. Mais il était 1 h 30, les tables étaient débarrassées, les lumières éteintes et notre serveur nous jetait des regards lugubres. Dick et moi nous sommes séparés sur une poignée de mains et la promesse de reprendre cette discussion le lendemain matin.

14 LE DOUBLE DISCOURS

Deux jours après mon dîner avec Dick, je me trouvais dans le Bureau ovale pour aider le président à préparer une interview de la radio publique du New Hampshire. Wendy Smith, qui supervisait les affaires du New Hampshire pour la Maison-Blanche, exposa au président les problèmes locaux – celui de la base navale de Portsmouth entre autres, tandis que Gene Sperling et moi restions dans les parages au cas où Clinton aurait besoin de données récentes sur les problèmes budgétaires. C'était improbable. Ce matin-là, lors d'une réunion avec le gouvernement, Clinton avait déjà réitéré nos critiques habituelles contre les budgets républicains : ils rognaient trop sur l'aide sociale aux indigents et aux personnes âgées, sur l'éducation et sur les crédits d'impôts aux plus pauvres pour « permettre aux contribuables à hauts revenus de payer moins d'impôts. » Notre « message du jour » était clairement défini. Tout ce que le président avait à faire, c'était de le répéter. Quand Wendy tendit le téléphone à Clinton, je partis prendre mon petit déjeuner. Vingt minutes plus tard, mon bip sonna. C'était Gene. « George, nous avons un problème, il faut que tu reviennes. »

Je savais que j'aurais dû rester. Clinton était ambivalent sur les questions budgétaires : nous projetions un déficit budgétaire réduit mais pas un budget en équilibre. Morris le poussait à proposer un budget équilibré, damant ainsi le pion aux républicains, et à l'annoncer dans une allocution télévisée depuis le Bureau ovale, à une heure de grande écoute. Il n'était pas question de laisser faire. Toute l'équipe économique était opposée à une évolution aussi brutale : les coupes sombres allaient évidemment toucher nos « investissements humains » et nous n'avions d'ailleurs pas de budget de rechange à proposer. Mais quand l'intervieweur provoqua Clinton sur le terrain de la discipline budgétaire, le président lui donna la réponse qu'il espérait : Clinton répondit tout de go qu'il devait aux républicains et au peuple américain un « contre-budget » atteignant l'équilibre à une échéance précise. « Je crois que nous pouvons y arriver en moins de dix ans », annonça-t-il.

Nous le « devons » aux républicains ! Et les démocrates ? Gene et moi étions sidérés. Panetta aussi. En tant qu'ancien président du comité budgétaire du Congrès, il savait quelles difficultés nous aurions à proposer un budget en équilibre qui garantisse nos priorités et il savait que le rythme des négociations avec les républicains ne pouvait qu'être lent. Nous avions accepté la perspective de parvenir à un compromis avec les républicains, mais il était trop tôt. Ils commençaient à peine à payer le prix de lcur politique d'austérité, pourquoi les tirer de ce mauvais pas ?

Tout l'après-midi, nous essayâmes d'empêcher cette volte-face de filtrer. Une seule journaliste, Mara Liasson, de la Radio publique nationale, avait entendu l'interview, et je fis de mon mieux pour essayer de lui faire gober que les propos du président n'étaient pas vraiment nouveaux et qu'ils relevaient plus de l'analyse que du plaidoyer. C'était un vendredi après-midi et tous les journalistes accrédités étaient occupés par la décision imminente des Services secrets de fermer aux voitures et aux camions la portion de Pennsylvania Avenue qui longe la Maison-Blanche. Pas question de les distraire. Nous décidâmes de retarder la distribution de la transcription de l'interview de Clinton suffisamment pour qu'il n'en soit pas question dans les journaux du week-end. Notre stratégie budgétaire avait un sursis de deux jours.

L'enjeu était d'importance. Depuis que je vivais à Washington, le déficit budgétaire était au centre des débats de politique intérieure. La réduction du déficit était un impératif économique et politique. Mais les sacrifices qu'elle entraînait comportaient de gros risques politiques : si Clinton avait battu Bush en 1992, c'était en grande partie parce que

Bush avait augmenté les impôts pour réduire le déficit. Une des principales raisons de la victoire des républicains sur les démocrates en 1994 était l'augmentation des impôts votée en 1993 par ces derniers pour réduire le déficit. La campagne présidentielle de 1996 allait se jouer en grande partie sur la démonstration budgétaire de 1995. Mais de quelle façon ? Les électeurs allaient-ils, comme le pensait Morris, récompenser Clinton de sa coopération avec les républicains, le remercier de présenter un budget en équilibre et fiscalement allégé ? Ou récompenseraient-ils, au contraire, le président pour s'être opposé au budget républicain et pour avoir sauvegardé les programmes sociaux et éducatifs contre des coupes draconiennes ?

L'enjeu du débat budgétaire ne concernait d'ailleurs pas seulement les perspectives de réélection du président. Il tournait aussi autour de questions fondamentales, philosophiques, économiques et politiques : quels doivent être le rôle du gouvernement fédéral, sa taille, l'envergure de son action ? Quelle politique est la plus efficace pour créer de la croissance économique et garantir une répartition équitable de ses bénéfices ? Quelles sont les responsabilités du président dans un système politique divisé ? Quel degré de compromis est honorable, à partir de quel moment est-il indigne ? Quelles concessions pouvions-nous faire aux républicains en continuant à nous appeler des démocrates ?

Notre stratégie budgétaire initiale, mise au point en décembre quand Morris était encore dans les limbes, était résolument partisane. Elle reposait sur l'axiome que la campagne des républicains de 1994 était fondamentalement malhonnête et l'espoir que les démocrates allait le leur faire payer. Jusqu'en novembre, Newt Gingrich et ses alliés avaient catégoriquement repoussé notre accusation selon laquelle leur « contrat avec l'Amérique » et ses promesses d'équilibrer le budget par d'énormes allégements fiscaux, tout en accroissant les dépenses militaires, allaient entraîner des coupes de l'ordre de 30 pour cent dans les programmes sociaux. Étaient concernés les programmes d'aide sociale, les prêts étudiants, la protection de l'environnement et la lutte contre la criminalité. Plutôt que de nous aligner sur leur retour à la politique économique de Reagan, nous n'avons cessé de dénoncer leur bluff. Notre budget de décembre réduisait le déficit mais nous restions loin de l'équilibre. C'était un projet qui définissait des priorités claires et voulait forcer les républicains à préciser les coupes douloureuses qu'impliquaient leurs promesses.

Au début, Clinton avait adhéré avec enthousiasme à cette stratégie. Il avait le sentiment d'avoir accepté d'importantes concessions en matière de réduction de déficit et que c'était au tour des républicains de faire quelques pas vers lui. Mais, les mois passant, cette question le mit de plus en plus mal à l'aise et pas seulement à cause de Morris. Clinton est par nature un fonceur et un optimiste. Il croyait possible de concilier les principes et les promesses de son programme avec l'équilibre budgétaire. Il n'aimait pas être contraint à la défensive et les critiques constantes des républicains le traitant de « déserteur » dans la bataille pour l'équilibre budgétaire l'ulcéraient. « Je suis président. Je dois être *pour* quelque chose, nous disait-il. Je ne peux pas rester sur le banc de touche. » L'interview du New Hampshire était sa manière de bondir sur le terrain.

Le lundi, tous les journalistes étaient en effervescence. Le président avait eu beau parler au conditionnel, ils savaient qu'ils tenaient une vraie information : Clinton rompait avec alliés et conseillers et faisait cavalier seul. Quand Sperling essaya de minimiser l'importance des déclarations de Clinton, David Broder, du *Washington Post*, lui répliqua sèchement : « Si vous permettez, Gene, je préfère me référer directement aux paroles du président sur ce sujet. »

Le mardi matin, le débat budgétaire secret de la Maison-Blanche faisait les manchettes des journaux. À 11 h, l'équipe économique se réunit dans le Bureau ovale pour une réunion ayant pour objet de réfléchir aux moyens de limiter les dégâts. Tout le monde était sur les nerfs, perturbé par le contre-pied unilatéral de Clinton et se demandant ce qu'il dirait l'après-midi, lors de sa conférence de presse. Les différents collaborateurs du président et du vice-président avaient des avis différents sur la politique budgétaire, mais nous pensions tous que le consensus était acquis sur la stratégie de négociation : pour annoncer ses nouvelles propositions budgétaires, le président devait attendre que la Chambre et le Sénat républicain aient détaillé leur propre plan. Avant d'exposer nos contre-propositions, il fallait attendre d'avoir en mains un document consistant et chiffré, savoir quelles concessions les républicains étaient disposés à faire sur le système de santé, l'éducation et les impôts. Même Morris, qui était opposé à cette approche, était d'accord pour estimer que la déclaration de Clinton à une radio locale n'était pas le meilleur moyen d'annoncer une évolution stratégique touchant le débat législatif le plus conflictuel de la présidence.

Clinton se montra à la fois penaud et intraitable. Il savait qu'il avait commis une erreur, mais il rouspétait, avec raison, contre les journalistes qui avaient sorti ses propos de leur contexte. Et il se moquait de nos exhortations à la patience : « Vous voulez que je sorte du bois pour critiquer les républicains et quand ils me diront : – Où est votre plan ? que je leur réponde : – Mais qui suis-je, après tout ? Je ne suis que le président des États-Unis. Je n'ai pas de plan ! » Le président, tout en affirmant qu'il adhérait toujours à notre stratégie, avait la ferme résolution de parvenir à un budget équilibré le plus tôt possible. Il ne nous restait plus qu'à essayer de gagner un peu de temps.

Panetta et Pat Griffin exposèrent la situation au Parlement : les démocrates étaient désorientés et furieux ; leur travail de sape sur le projet de budget républicain était discrédité. De plus, au cours d'une réunion récente avec les chefs du groupe démocrate, le président s'était engagé à faire front commun avec eux. Ils estimaient que la moindre des choses aurait été de les consulter avant un changement d'orientation aussi significatif.

Alice Rivlin, la directrice du Budget, évoqua les différentes options possibles pour présenter un budget en équilibre. Cette économiste éminente et foncièrement dévouée au service public était une militante convaincue de l'équilibre budgétaire, ce qui provoquait d'incessantes disputes entre nous. Au fur et à mesure qu'elle énumérait ses propositions de restrictions, je dressai la liste des promesses brisées et des espoirs déçus : anciens combattants, cultivateurs, personnes âgées, étudiants, policiers, et toute la classe moyenne qui avait pris Clinton au mot, en 1992, quand il avait promis des allégements fiscaux. En 1995, aucun expert ne prédisait une reprise de la croissance économique américaine aussi spectaculaire et durable qu'elle l'a été. Compte tenu des éléments de prévision dont nous disposions à l'époque, l'équilibre budgétaire supposait des restrictions affectant d'importantes tranches de la population.

Mais la lecture des mesures de Rivlin, et les conséquences douloureuses qu'elles entraînaient, transformèrent visiblement les dispositions du président. Ce moment de vérité constitua un antidote efficace au discours lénifiant que Morris lui tenait chaque soir au téléphone. Plus il en entendait et moins il était prêt à changer de stratégie. Décidant qu'une intervention finale serait plus efficace, j'attendis que la réunion soit presque achevée pour répéter l'énumération que j'avais notée en écoutant Alice. « Si vous proposez un budget comme celui-ci, monsieur le Président, en trois jours Gene et moi pourrions publier un livre intitulé « Le Cadet de nos soucis : les gens » qui montrerait comment ce budget contredit toutes les promesses faites en 1992. Nous ne pouvons pas agir ainsi. » Je savais qu'en évoquant de façon aussi brutale un slogan de la campagne de 1992 (« Le Premier de nos soucis : les gens ») je me trouvais à la limite de la courtoisie. Mais je voulais aussi marquer le coup et me sentais un devoir de rappel par rapport à la campagne de 1992.

Nos efforts conjugués durent produire leur effet puisque, au cours de sa conférence de presse, Clinton s'opposa clairement à un programme de retour à l'équilibre sur sept ans. À la question « Comptez-vous présenter un contre-budget ? », le président se déroba et évoqua à nouveau notre stratégie initiale : il s'agissait d'attendre que le processus de conciliation aboutisse, processus dans lequel le président a un rôle – il dispose du droit de veto. Mais il fallait lire ses propos entre les lignes : Clinton n'excluait nullement un programme d'équilibrage du budget sur neuf ou dix ans.

Morris continuait à faire pression en coulisses pour que Clinton tienne bon. En me déclarant tout à trac, à la fin de la journée : « Le roi est mort. Vive le roi.[1] », il me laissa entendre que ma victoire n'était que provisoire.

Le lendemain matin, la discussion budgétaire resta au centre de la réunion de cabinet convoquée à 7 h 30. Comme je reprenais mes arguments de la veille pour souligner à quel point un changement d'orientation serait désastreux, Erskine Bowles éclata : « Bon Dieu, George, le

1. NdT. En français dans le texte.

président a pris une décision. Il veut l'équilibre budgétaire sur dix ans. Faisons simplement ce qu'il demande et assurons-nous que son plan est d'aplomb ». Bob Rubin, le secrétaire au Trésor, approuva. Tous deux savaient fort bien que Clinton n'avait pas encore pris de décision ferme, mais ils savaient aussi qu'il voulait un plan de restauration de l'équilibre sur dix ans. Erskine me demandait de me rallier à ce programme. Je dois concéder que lui et Rubin avaient eu raison d'affirmer, dès 1993, que les bénéfices économiques d'une réduction du déficit budgétaire compenseraient les restrictions sur nos programmes sociaux. Mais je n'avais pas leur foi dans l'équité suprême des lois du marché. C'étaient tous deux de brillants banquiers d'affaires, des négociateurs disciplinés et aguerris. Au début de 1995, ils avaient soutenu la stratégie budgétaire dont j'étais l'un des défenseurs. Mais ils attendaient l'évolution qui était en train de se produire. Et leur mot d'ordre ultime était : « Le président a pris une décision, prends-en ton parti. »

Ils ont raison. Reconnais-le, George, tu as perdu cette bataille. Mûris et accepte la situation telle qu'elle est. Je croyais toujours qu'il fallait s'en tenir à une ligne dure le plus longtemps possible et limiter au maximum nos concessions aux républicains. Mais je ne m'aveuglais pas sur la réalité politique : les républicains avaient gagné les dernières élections. Le président devait frayer la voie d'une collaboration raisonnable avec eux, c'était sa responsabilité, et une opposition inflexible à la réduction du déficit était politiquement intenable. Si l'opinion n'était pas convaincue que nous partagions leur point de vue de bon sens selon lequel le gouvernement ne doit pas vivre au-dessus de ses moyens, comment lui demander d'écouter nos autres arguments ?

Après la réunion, Leon, Harold, Erskine et moi nous réunîmes pour discuter méthodes et objectifs : il s'agissait de définir un budget en équilibre aussi vite que possible et c'était la mission de la direction du Budget et du Conseil économique national. Nous avions un mois. Mais Morris pouvait encore anéantir notre projet le plus solide d'un simple coup de fil.

« Dick, lui dis-je, si le président est décidé à proposer un budget en équilibre, ce qui ne me ravit toujours pas, je crois que vous et moi lui devons d'élaborer un document aussi prudent que possible. Nous devrions essayer de rechercher une position commune. » Dans la victoire, Dick était magnanime. Il m'expliqua qu'il comprenait maintenant que je n'étais pas un « démocrate obtus », que j'avais su prendre des distances avec le Parlement et que j'étais vraiment préoccupé par le positionnement politique du président et les conséquences concrètes de restrictions budgétaires supplémentaires. Nous décidâmes de nous revoir le vendredi suivant, le lendemain de sa prochaine réunion avec le président.

Ayant conclu mon pacte avec le diable, j'essayai de retrouver un peu de crédit auprès de Clinton. À la fin de la journée, alors que nous revenions d'une rencontre avec une délégation de Gréco-américains, j'évoquai mon dîner avec Dick en précisant que nous avions discuté du budget : « Nous souhaitons votre accord pour travailler ensemble. » Clinton ne répondit rien sur le moment, se contentant de me jeter un regard sceptique du coin de l'œil. *Génial, maintenant il a peur que nous collaborions trop ! Ou est-ce qu'il pense que je me paie sa tête ?* Mais quand nous arrivâmes au Bureau ovale, le président sortit un bloc-notes d'un tiroir. Couvert de pattes de mouches. « J'ai beaucoup réfléchi aux moyens de faire des économies budgétaires sans trop de dégâts… » commença-t-il. Peut-être ne lui avais-je pas fait assez confiance ?

Ce retour de confiance ne dura pas longtemps. Le vendredi suivant, Harold entra dans mon bureau et me tendit un rapport. C'était le « profil neuro-psychologique » de l'électeur américain moyen établi par Dick, que celui-ci lui avait remis lors de la dernière réunion. À notre volonté d'élaborer un budget équilibré, Morris avait riposté par une contre-attaque impitoyable dirigée contre Panetta et les autres membres du cabinet. Baptisant la Maison-Blanche « Moulin à discours », il avait fait circuler une liste de ses brillantes idées « zigouillées par les bureaucrates » et insisté énergiquement pour que Clinton annonce son projet de budget le mardi suivant.

Panetta, que la réunion de la veille avait visiblement éprouvé, nous demanda de tout faire pour que Morris change d'avis au sujet de la date du discours : non seulement c'était de la mauvaise stratégie budgétaire, mais les bombardements serbes sur une « zone de sécurité », la veille en Bosnie, allaient sans doute entraîner des représailles de l'OTAN durant le week-end. Il devenait tout à fait inopportun d'annoncer des mesures de redressement économiques alors que des soldats américains étaient engagés dans une action militaire périlleuse.

Morris resta imperméable à cet argument, il ne voulut rien concéder sur le moment le plus opportun pour prononcer ce discours. Les sondages, décréta-t-il, avaient établi qu'il devait avoir lieu la semaine suivante. « Le nombre des électeurs décidés à voter contre Clinton a chuté de 10 pour cent, mais on n'a enregistré aucune remontée du nombre des électeurs décidés à voter pour lui. Pour convaincre ces 10 pour cent d'électeurs volatiles, les ex-partisans de Perot, l'annonce devra avoir lieu à une heure de grande écoute. Il faut que ce soit la semaine prochaine, ou nous perdrons ces voix pour toujours. »

Pas étonnant que nous proposions un budget républicain, notre stratège en communication est l'astrologue de Nancy Reagan. Comment Clinton peut-il prêter l'oreille à ce genre d'absurdités ? Indépendamment de ses prédictions péremptoires, l'analyse de Dick sur les électeurs hésitants était intelligente et elle devait séduire le président par sa rigueur. Quand il disait à Clinton : « Je ne peux te garantir que tu gagneras si tu suis mon conseil, mais je peux te garantir que tu perdras si tu l'ignores », il s'adressait au Clinton superstitieux et toujours enclin à consulter des gourous New Age.

Pendant notre réunion de deux heures, il apparut clairement que le budget n'était pas la préoccupation principale de Dick – du moment qu'il était prêt pour mardi et que nous pouvions affirmer qu'il serait en équilibre. Il ne comprenait rien aux chiffres et il montra beaucoup de bonne volonté à contrer avec moi les propositions républicaines en préservant les priorités démocrates : pas d'augmentation d'impôts, accroissement des subventions à la santé, à l'éducation et à la police. « J'y travaillerai avec Alice Rivlin durant le week-end », me dit-il en conclusion.

Quand je rendis compte à Panetta de ma discussion avec Dick, il arbora une mine sombre et résignée et hocha la tête. La veille, il avait dû subir une double humiliation : se faire insulter par un charlatan et constater que son patron n'avait pas la moindre intention de le défendre. Ce n'était pas comme cela que devait fonctionner la Maison-Blanche. « Vous savez, Leon, lui dis-je, si le président annonce ces mesures mardi prochain, Laura Tyson (directrice du Conseil économique national) et quelques autres risquent de démissionner.

– Je ne sais pas si je pourrai rester moi-même, répondit-il. Cela fait longtemps que je prépare des projets de budget et la façon de procéder actuelle n'est sûrement pas la bonne.

– Je crois que je partirai aussi, fis-je non sans hésitation. »

Erskine Bowles m'annonça qu'il quitterait la Maison-Blanche à la fin de l'été : « Cette situation ne peut plus durer très longtemps » me confia-t-il, faisant allusion à l'influence de Morris, dont il me montra ensuite un mémo qui énumérait les points d'accord auxquels nous étions arrivés sur le budget. Une synthèse étonnamment équitable. Il me demanda d'en parler directement à Clinton.

Mais le président fit la sourde oreille à mes arguments. Après les avoir noté sur son calepin, il se crispa quand je lui dis que nous ne serions pas prêts pour mardi et qu'il n'était pas raisonnable d'envisager une annonce à si brève échéance. « Nous devons agir rapidement, nous devons agir rapidement, nous sommes en train de perdre la bataille de la communication sur le budget, rétorqua-t-il avec véhémence. Je suis d'accord avec vous sur de nombreux points mais je veux me réserver la possibilité de faire mon discours mardi. Je veux tous les chiffres. » Les services économiques allaient plancher sur les chiffres tout le week-end et il fut convenu que l'équipe économique retrouverait le président le lundi. Malgré un week-end de travail acharné, les services du budget ne purent boucler les dossiers demandés par le président, mais nous maintenions la fiction d'une présentation du budget au pays le lendemain soir. Clinton ne relâcha pas la pression sur l'équipe économique et Gore suggéra même que le président reporte son voyage dans le Montana prévu pour le jeudi suivant si nous ne pouvions être prêts pour mardi. *Ça c'est un plan. Nous bombardons la Bosnie mais il faut bousculer l'emploi du temps présidentiel pour proposer un budget qui n'existe pas.* C'est une chose d'annuler un voyage présidentiel motivé par une crise diplomatique internationale, c'en est une autre de le faire pour annoncer un nouveau revirement budgétaire qui risque de donner une impression d'atermoiement, au lieu d'un plan mûrement réfléchi.

« Certes, rétorqua Gore, si on ramène tout à une tactique de communication. Nous essayons de changer notre stratégie. C'est un processus dynamique. Nous avons une mauvaise main. Les républicains savent que nous bluffons et notre seule carte gagnante, c'est un nouveau budget.

– Mais nous sommes loin du compte, répliquai-je, mettant en péril plusieurs mois de relations paisibles avec Gore. Les républicains se sont contentés d'effets d'annonce, ils n'ont pas encore élaboré de projet détaillé et chiffré. »

Les objections de Bob Rubin contre une annonce qui ne pouvait être étayée par des chiffres crédibles ébranlèrent Clinton. De hauts responsables de l'administration, Bob Reich, Ron Brown, Richard Riley et Donna Shalala, s'opposaient à de nouvelles restrictions. Si l'on tenait compte de leurs exigences, il fallait se résigner à un déficit de 100 à 150 milliards de dollars. Mais c'est sans doute l'intervention d'Hillary qui sonna le glas de l'impatience présidentielle : elle sut trouver les mots qui permettaient à Clinton de sauver la face tout en concédant un délai.

« Si notre administration était vraiment disciplinée, le président pourrait prononcer son discours cette semaine. Au lieu de nous noyer dans un débat sur des détails, nous nous dirions : « Vous avez entendu ce qu'a dit le président hier soir. C'est cela que nous allons faire. » Mais nous n'avons pas ce genre de discipline, si bien que nous sommes obligés d'attendre. »

Brillant : elle contrait la position du président en abondant dans son sens et en reprenant son éternelle plainte au sujet de la loyauté de son équipe. Les heures passant, Clinton admit la nécessité de repousser l'annonce du nouveau budget d'au moins une semaine.

Furieux de ce désaveu, Dick répliqua aussitôt par un coup bas à mon adresse. Le lendemain, Erskine me montra un fax virulent que Morris avait envoyé au président pour le faire changer d'avis. Et il ajoutait en post-scriptum qu'il connaissait « l'origine des fuites au *Time* », se référant à un article du magazine qui critiquait Morris et, indirectement, Clinton.

J'étais visé. Je proposai à Erskine de lui montrer mes relevés d'appels téléphoniques pour prouver que je n'avais parlé à aucun journaliste du *Time*, mais, selon lui, je n'avais aucun souci à me faire. « Tenez bon, continuez à faire votre boulot comme vous l'avez fait jusqu'ici. » Bon conseil, mais je décidai d'assurer mes arrières en plaidant ma cause auprès d'Evelyn Lieberman, la directrice de cabinet d'Hillary, qui me promit d'en parler à la First Lady. Je demandai à Harold, Leon et Mc Curry d'intervenir pour moi. Depuis l'affaire Woodward, je vivais dans la suspicion permanente, mais je ne pouvais me permettre un nouvel éclat. L'accusation était particulièrement dangereuse cette fois, parce que nous savions qu'Ann Devroy travaillait sur un grand article dans lequel elle allait dépeindre le travail sur le budget à la Maison-Blanche comme un « cafouillage flagrant ».

Mais quand son article parut, cette crise artificielle du microcosme washingtonien fut éclipsée par la crise véritable qui se déroulait en Bosnie. Un bombardier F16 venait d'être abattu par un missile serbe, à l'issue d'une semaine au cours de laquelle les forces serbes bosniaques avaient pris en otage plus de trois cents Casques bleus des Nations Unies parce que l'OTAN avait osé répliquer à leurs tirs d'obus sur Sarajevo. Dans un discours prononcé devant l'école de l'armée de l'air, deux jours plus tôt, le président avait déclaré qu'il envisageait d'envoyer des troupes au sol pour permettre un « redéploiement » de ces Casques bleus. Vingt-trois mille hommes convergeaient vers la région et la perspective d'une guerre balkanique impliquant des soldats américains était de plus en plus probable.

Jusque-là, il n'était question d'envoi de troupes au sol qu'en cas d'évacuation d'urgence des soldats de la paix de l'ONU. Ce changement de position provoqua une tempête de protestations au Parlement. Le secrétaire d'État Warren Christopher et le secrétaire d'État à la Défense Perry se plaignirent au président de n'avoir pas été consultés par Tony Lake avant l'annonce de cette nouvelle orientation. Morris était apoplectique : « 80 pour cent de la population est contre l'envoi de troupes terrestres en Bosnie ! » Sous la pression de Morris, Clinton modifia à la dernière minute le discours préparé avec le Conseil national de sécurité, en expliquant que ce scénario de redéploiement des Casques bleus était « hautement improbable ». L'ambiguïté de sa position lui valut des commentaires peu amènes de la presse devant cette nouvelle volte-face.

La lutte en coulisses pour la préparation du budget continua mais tout le pays était obsédé par les événements de Yougoslavie. Le Congrès débattit de la pertinence d'un envoi de troupes au sol, vota des amendements contre la politique de Clinton et critiqua l'insuffisance de sa réaction après l'épisode du F16 abattu. Des informations invérifiables en provenance de Bosnie prétendaient que le pilote était encore vivant, se cachait dans les montagnes et envoyait des signaux de détresse aux équipes de secours dépêchées sur place. Morris insistait toujours, vainement, pour que le président annonce son budget.

En l'honneur du dixième anniversaire de son émission, Larry King, le célèbre animateur de télévision, fut invité à la Maison-Blanche pour la « première interview conjointe d'un président et d'un vice-président en exercice. » Ça devait sembler une bonne idée à l'époque, mais le soir de l'émission tous les membres du cabinet étaient assez inquiets en s'installant devant le poste. Impossible de prévoir les questions de Larry King ni les interventions en direct des téléspectateurs, et au train où allaient les choses, difficile de savoir ce que Clinton allait bien pouvoir répondre.

Les cinq premières minutes se passèrent si bien que Mark Gearan, qui regardait l'émission avec moi, plaisanta en disant qu'il était très heureux d'avoir pris l'initiative de proposer cette interview. Après un passage assez peu convainquant sur la débâcle de Waco il se ravisa, se rappelant soudain que c'était mon idée. Mais Clinton et Gore passaient un bon moment et nous n'avions apparemment plus rien à craindre. À la fin de l'émission, Mike me demanda ce que j'en pensais.

« C'était assez bon, il me semble.

– Assez bon ? Tu es fou, George, c'était un ticket gagnant pour 1996 ! » Et il me rappela le commentaire d'un journaliste de la BBC qui, à la fin de la campagne de 1992, avait expliqué aux téléspectateurs anglais que la première fois qu'il avait vu l'entourage de Clinton sourire était le soir où ce dernier avait prononcé son discours de victoire.

Je l'ai bien mérité. Je vois toujours tout en noir. Mais avant que j'aie pu répondre quoi que ce soit, King lançait sa bombe finale : « Merci Messieurs. Vous êtes partant pour une sortie à la Brando, n'est-ce pas ? » Quelques mois auparavant, Marlon Brando avait dit bonsoir à Larry en l'embrassant à pleine bouche sur les lèvres. Cette scène repassait régulièrement dans des spots promotionnels et nous avions prévenu nos patrons que Larry risquait de leur demander son baiser d'adieu. Pas de problème. Gore repoussa la demande par un simple : « Une poignée de main suffira. » Puis nous entendîmes un grognement hors champ. Je me raidis en me demandant si je ne rêvais pas. Mais King confirma mes pires craintes : « Oh, oh, ça se passe ici, le président Clinton nous fait Brando. Faites-le une fois… » *Non, non, surtout pas.* Clinton s'exécuta. Le cameraman fit un gros plan et on entendit le président des États-Unis se racler la gorge, reprendre haleine, et le début du générique de fin fut couvert par la voix de Clinton imitant Brando dans *Le Parrain* : « Tu vois, Mike, c'est pour *ça* qu'on a toujours l'air si soucieux. »

Nous reprîmes le chemin de la résidence, consternés et tourmentés. Alors que l'interview était réussie dans l'ensemble, la séquence qui risquait de passer en boucle aux nouvelles était celle de Clinton imitant Brando. Une image qui n'avait rien de présidentiel et qui allait être reprise des dizaines de fois pour les bandes-annonces de l'émission. Comment mettre Clinton en garde sans le blesser ? Une critique trop sèche risquait de l'exaspérer et de toute façon il était trop tard pour rattraper le coup, maintenant. Mais pas question non plus de faire comme si de rien n'était : nous aurions perdu toute crédibilité dès le lendemain. Tout en ôtant gaiement son maquillage, il me demanda comment j'avais trouvé l'émission.

« Eh bien… des réponses fortes sur la Bosnie, bon effet d'annonce sur le terrorisme comme vous le vouliez. Correct sur Waco et la violence dans les films. Vous avez évité toutes les grosses erreurs… mais… vous savez…

– Quoi ?

– La séquence Brando risque d'attirer un peu trop l'attention… C'était du bon Brando, sans doute trop bon. Les émissions du matin n'y résisteront probablement pas. »

Clinton fit la grimace comme si je venais de lui servir un verre de vinaigre et se tourna, en quête d'une seconde opinion. *Ne me laisse pas tomber, Mike, j'ai besoin d'un coup de main.* Mike vint à ma rescousse et m'épargna le reproche d'éternel pessimisme en affirmant que l'imitation de Brando par Clinton ferait la une des infos.

Mais l'émission aurait pu plus mal tourner. À notre grand soulagement, quand King avait soulevé la question du budget, le président n'avait pas fait de nouvelles promesses, se contentant d'annoncer qu'il aborderait le sujet « en temps opportun ». Les jours suivant l'interview de King, nous obtînmes des chefs de la majorité démocrate du Congrès qu'ils soutiennent notre stratégie. Et Clinton les assura qu'il ne ferait plus cavalier seul.

Avec l'apaisement de la crise en Bosnie et le sauvetage spectaculaire du capitaine Scott O'Grady (le pilote du F16 abattu en Bosnie), Morris put pousser à nouveau son avantage. Le 13 juin, le vice-président demanda aux présidents des chaînes de télévision une tranche horaire à une heure de grande écoute le soir même, afin que le président présente son projet de budget en équilibre à la nation.

Le reste de la journée fut consacré à l'habituelle lutte sur le texte. Mais comme les chaînes nous avaient octroyé cinq minutes et que l'essentiel du discours était acquis, les points litigieux étaient forcément peu nombreux. Je demandai qu'on limite au maximum les insultes gratuites aux démocrates, mais Morris voulait faire hurler nos amis. Il insista pour que le président oppose son plan à celui des parlementaires démocrates plutôt qu'à celui des républicains. Et il loua dans son discours la courtoisie du Speaker Gingrich, des termes que nos alliés risquaient de trouver par trop indigestes, eux qui enduraient depuis des années les outrances répétées de Gingrich contre la « corruption » des représentants démocrates.

J'avais perdu la bataille. Tandis que le président révisait la version finale de son discours sur le petit bureau de son cabinet privé, Dick, debout dans l'embrasure de la porte, le surveillait et intervenait sans cesse. Clinton ne le regardait pas et Morris répétait à s'en donner la nausée ses arguments d'un ton saccadé, comme un vieux téléscripteur hoquetant. Chaque fois que le président faisait mine de retoucher le texte avec son stylo, j'entendais Dick protester : « Non, non, pas ça ! » Il s'avançait et se penchait par-dessus l'épaule de Clinton, jusqu'à ce que celui-ci le renvoie d'un geste sec en grondant : « Dick ! »

Peu avant le début de l'émission, résigné, jaloux mais assez amusé par cette scène, je quittai la pièce pour prendre un appel de Lisa Caputo, la chargée de presse d'Hillary : « J'ai un important message pour vous de la part d'Hillary. Elle compte sur vous pour infléchir le texte en faveur des démocrates. »

Un peu tard pour ça, non ? « Je fais de mon mieux », goûtant cette connivence inattendue avec la First Lady pour conspirer contre le président. Je suggérai qu'elle appelle Clinton elle-même, ma crédibilité étant sérieusement entamée. Sachant fort bien qu'Hillary avait la mémoire plus longue que celle de son époux en ce qui concernait les attaques de Gingrich (sans oublier celles de sa mère qui l'avait traitée de « garce » dans une interview télévisée), je citais l'hommage à Newt Gingrich. Mais l'intervention d'Hillary, à ce stade, ne pouvait guère avoir qu'un effet limité. Clinton accepta de muscler les passages concernant le système de santé et notamment la recherche sur le cancer et le sida. Sa seule concession à propos de Gingrich se réduisit à ne pas l'appeler par son nom mais par celui de sa fonction, le « Speaker ».

Le discours fut une réussite. Je le suivis à la télévision sur le poste de mon bureau, et dus reconnaître que la logique de son argumentation était séduisante. Les conséquences politiques des restrictions budgétaires m'inquiétaient toujours, mais Morris avait entièrement raison sur l'impact favorable d'un budget en équilibre. Nous pouvions continuer à critiquer le programme des républicains de droite tout en sapant efficacement leur argumentation. Ils ne pouvaient plus prétendre que Clinton était un partisan de la hausse de l'impôt et de la dépense publique à tout va. La réponse molle et galvaudée du sénateur Dole au discours de Clinton me réconforta encore plus. Au lieu d'accepter le rameau d'olivier de la réconciliation tendu par Clinton, de crier victoire et de demander une négociation au sommet pour forcer le président à faire de nouvelles concessions, Dole et les autres leaders républicains campaient sur leur refus obstiné. Leur attitude jusqu'au-boutiste nous donnait une chance de rassembler nos troupes avant l'ultime discussion budgétaire de l'automne.

Le discours avait rendu les démocrates furieux, exactement ce qu'espérait Morris. En entendant le commentateur de CNN définir le discours du président comme une gifle aux démocrates qui les avait blessés, irrités et désorientés, Clinton marmonna : « C'est clair. Aucun président n'a jamais été remercié pour avoir réduit le déficit budgétaire. » Il était désolé pour eux et encore plus pour lui, parce que ses partisans étaient furieux contre lui.

« Ce sont les affres inévitables de toute renaissance », expliqua doctement Morris de l'autre bout de la pièce. Mais Clinton était en proie au

« remords de l'achat compulsif » qu'il avait si souvent signalé chez les autres. Morris, conscient qu'il était en train de le perdre, s'agitait de plus en plus et son euphorie cédait la place au malaise. Il tenta de retenir Clinton : « Rappelez-vous la théorie, rappelez-vous la théorie, psalmodia-t-il, d'une voix de plus en plus stridente. Nous allons regagner les électeurs de Perot ; c'est le moment de cogner et on va voir les sondages remonter ! » En prononçant cette dernière phrase, Morris leva brusquement les mains au-dessus de la tête en agitant les doigts. Dressé sur la pointe des pieds comme un sorcier en transe, les bras dressés vers le ciel, il avait l'air d'invoquer les démons de la politique.

Mais cette danse hypnotique ne reçut pas l'accueil escompté. Plus Dick parlait, plus on sentait monter la colère de Clinton. Je vis sa main se crisper sur sa canette et les muscles de ses mâchoires se contracter. Son visage devint écarlate. Embarrassé d'avoir à subir ces incantations grotesques devant des tiers, il éclata soudain : « J'ai pris cette décision parce que je la crois juste, Dick, parce que je la crois juste ! »

Nous ne demandions qu'à le croire.

Nos alliés du Congrès se montrèrent nettement plus sceptiques, surtout après avoir lu, dans le *Washington Post*, la citation officieuse de Dick qui avait baptisé le discours de Clinton « déclaration d'indépendance » vis-à-vis des démocrates. Pat Griffin et moi entendîmes des propos extrêmement sévères des parlementaires, les jours suivants. Donald Payne, le chef de file des démocrates noirs, résumant le sentiment général, déclara par exemple : « Ce n'est pas une décision de dirigeant, c'est de la foutaise. » Mais ce n'était pas seulement le ton et la tactique de Clinton, ni même l'orientation de son budget qui les contrariait ; en juin 1995, c'est la capacité d'initiative politique des démocrates qui semblait enrayée.

Cet été menaçait d'être celui du grand retour en arrière : en 1964 et 1965, des parlementaires démocrates résolus avaient créé un système d'assistance médicale aux personnes âgées et aux indigents, prohibé toute ségrégation raciale, ouvert les frontières de l'Amérique à des millions de nouveaux immigrants et déclaré la guerre à la pauvreté. En 1995, les républicains, ragaillardis par notre débâcle électorale, étaient décidés à faire table rase : les systèmes d'aide sociale et de soins aux plus démunis allaient être soit privatisés soit décentralisés, l'immigration stoppée et la bataille fédérale contre la pauvreté abandonnée parce que, disaient-ils « la pauvreté a gagné ! » Cerise sur ce gâteau, la Cour suprême dominée par les républicains conservateurs avait déjà restreint la portée de la loi sur le droit de vote, et, le lendemain du discours budgétaire de Clinton, une décision de la Cour (« Adarand Constructors Inc. contre Pena ») fit craindre que les mesures en faveur des minorités soient déclarées inconstitutionnelles[2].

Les démocrates étaient aux abois. Ils ne savaient plus dans quel camp jouait leur président. Clinton allait-il se soumettre aux républicains ou les défier ? S'il les défiait en 1995, serait-il élu en 1996 ? Et ensuite ?

La question la plus brûlante était celle de la discrimination raciale : les républicains avaient lancé une croisade contre les mesures en faveur des minorités qu'ils taxaient de « favoritisme racial ». Ils déposèrent des projets de loi à la Chambre des représentants et au Sénat pour annuler les programmes anti-discrimination lancés ou administrés par le gouvernement fédéral.

La ségrégation dont souffraient les femmes et les minorités restait un fait social et Clinton avait toujours soutenu les mesures visant à compenser ces inégalités, mais il était devenu nécessaire de réformer leurs excès et d'en annuler certaines. Nos adversaires faisaient déjà circuler des anecdotes redoutables comme celle du « certificat d'imposition [réservé aux] minorités », administré par la Commission fédérale des communications, qui avait généré une manne se chiffrant en dizaines de millions de dollars, pour un petit groupe de riches avocats afro-américains. Comment défendre ce type de rente de situation devant le Parlement ? Le sénateur Dole avait aussi demandé au Service de recherches du Congrès d'établir la liste de tous les programmes anti-dis-

2. NdT. À ses débuts, sous Kennedy, l'*affirmative action* proclame la fin de toute discrimination fondée sur des critères de race, de croyance religieuse ou d'origine nationale. Mais dans les années soixante-dix et quatre-vingts, pour compenser les discriminations de fait dont pâtissent les minorités et les femmes, une politique de quotas plus ou moins avouée se met en place au détriment de la population masculine blanche qui stigmatise cette « discrimination à l'envers ». Les mesures en faveur des minorités sont un sujet de contentieux toujours brûlant dans la société américaine d'aujourd'hui.

criminatoires administrés par le gouvernement fédéral. En cherchant bien, ils n'allaient pas manquer de découvrir des programmes s'apparentant plus à un système de quotas (illégal) qu'à une compensation légitime des inégalités existantes. L'épreuve, pour les démocrates, consistait à trouver un moyen de neutraliser la menace républicaine sans abandonner ses principes de base, sans défendre des mesures indéfendables et sans diviser le parti.

J'écrivis une note à Leon et me portai volontaire pour ce travail. Malgré le caractère inextricable de la situation qui rappelait étrangement l'imbroglio initial sur les homosexuels dans l'armée, et la rigidité des positions qui semblaient devoir exclure tout compromis satisfaisant, je me dis que je n'avais rien à perdre. Mes talents de stratège polyvalent n'étaient plus en très haute estime auprès du président et j'avais l'impression que mon expérience et mes aptitudes de négociateur faisaient de moi un des responsables de la Maison-Blanche les plus capables de gérer un dossier aussi explosif. J'avais aussi une autre motivation : celle que m'inspirait Bill Clinton lorsqu'il parlait de ce thème. Cette proximité idéologique datait de la campagne de 1992 où, dans ses discours de Little Rock et de Memphis, il avait promis d'empêcher les républicains de gagner l'élection en jouant à nouveau la carte raciale – et de son interview avec Bill Moyers dans laquelle il avait fait le serment que la question raciale était celle sur laquelle il ne transigerait jamais. Ses promesses et ses principes allaient maintenant être mis à rude épreuve. C'était donc un moment décisif pour lui et son parti. J'avais un rôle à jouer.

Avec l'approbation de Leon Panetta, je convoquais une vingtaine de hauts responsables de la Maison-Blanche et du ministère de la Justice afin de mettre sur les rails l'élaboration d'une recommandation pour le président. Dès cette réunion préliminaire, la discussion prit un tour passionnel. Pour mes collègues afro-américains réunis autour de la table oblongue du salon Roosevelt, il ne s'agissait pas seulement d'une nouvelle séance de réflexion sur un problème politique abstrait, ou d'un exercice habituel de gestion de crise. Chacun d'eux avait été personnellement confronté aux préjugés raciaux et avait bénéficié des mesures en faveur des minorités – ce qui constituait aussi un fardeau moral assez lourd. Ces mesures leur avaient ouvert des portes et ils étaient décidés à utiliser leur influence pour ouvrir d'autres portes à des millions de leurs semblables. La défense de ces mesures anti-discriminatoires était pour eux un impératif moral et politique.

En face d'eux, tout aussi passionnés, les « nouveaux démocrates » expliquaient que ces mesures en faveur des minorités partaient d'un bon sentiment mais qu'elles avaient fait la preuve de leur caractère nocif : appliquées de manière rigide et automatique, elles se réduisaient à une nouvelle forme de discrimination à l'envers, dont il fallait évaluer le lourd coût moral et politique. L'équité supposait de répondre à l'animosité légitime de Blancs qui se sentaient punis pour des erreurs passées dont ils n'étaient pas responsables. Un président digne de ce nom devait être capable de parler franchement de l'échec de certaines mesures et du meilleur moyen de redresser la situation.

Comme beaucoup de démocrates et comme le président lui-même, j'étais tiraillé entre ces deux points de vue. Le débat était lourd de soupçons et de procès d'intention mais c'était une version relativement douce de ce que le président allait devoir affronter dans le parti… et dans le pays. Nous étions placés devant une tâche exaltante : nous ne savions ni quand ni exactement comment, mais nous étions tous conscients que nos délibérations allaient préparer la voie à une décision présidentielle qui marquerait l'histoire du pays.

Nous étions tous d'accord, cet après-midi-à, pour estimer nécessaire un important discours de Clinton qui rappellerait vigoureusement « son engagement constant en faveur des droits civiques et de l'égalité des chances ». Nous ne pûmes nous mettre d'accord sur rien d'autre. Pour répondre à toutes les questions que nous nous posions sur l'efficacité et l'équité des mesures anti-discriminatoires, j'avais évidemment la possibilité de demander aux différents services concernés de me fournir les informations nécessaires. Une tâche sisyphéenne. Je choisis donc de contourner la difficulté en recrutant Chris Edley, un grand juriste noir, qui se trouvait aussi être directeur adjoint au Budget. Chris était un brillant analyste politique qui disait volontiers qu'il prenait « son pied » avec les problèmes compliqués et savait comment manœuvrer l'administration. Nous nous étions rencontrés pendant la campagne Dukakis et depuis que nous nous étions retrouvés à la Maison-Blanche, j'avais eu l'occasion d'apprécier la qualité de son travail. Il avait le profil idéal pour ce job : confronté à des dilemmes difficiles, il se targuait de savoir prendre des décisions carrées et c'était un Noir dont l'attachement aux droits civiques était au-dessus de tout soupçon. Les recommandations présidentielles en faveur d'une réforme des mesures anti-discriminatoires allaient inévitablement éveiller des soupçons et soulever des oppositions dans la communauté afro-américaine. La présence d'Edley constituait donc une nécessaire garantie d'impartialité du travail gouvernemental.

Chris avait bien conscience d'être notre caution, mais il était incapable de résister au défi que représentait cette mission.

Il incita le groupe à réfléchir d'abord aux fondements philosophiques de son travail et à poser clairement « des valeurs et une vision ». Cette entrée en matière contrariait mon inclination naturelle. Je n'en étais pas fier mais je considérais habituellement ces débats politiques comme des bombes à retardement qu'il fallait désamorcer avant qu'elles explosent. Je n'étais pas toujours regardant sur la méthode. Pourtant, je compris rapidement que la rigueur universitaire d'Edley constituait l'approche la plus pragmatique. La situation n'était pas brillante : les deux ailes du Parti démocrate risquaient de se déchirer, Jesse Jackson menaçait Clinton d'une primaire aux prochaines élections s'il ne « tenait pas bon » sur les mesures anti-discriminatoires et le sénateur Joe Lieberman déclarait que les préférences raciales constituaient une « injustice flagrante ». Quelle que fût la décision du président, amis et alliés allaient se sentir trahis, critiques et ennemis revigorés. Nous devions parvenir à démontrer à tous les acteurs concernés que Clinton agissait au nom de la justice. Cette question allait être perçue comme un test du tempérament politique du président. Pour réussir cette épreuve, il allait devoir montrer qu'il était resté fidèle aux convictions qu'il avait toujours affichées, que ses conclusions ne résultaient pas d'un pur calcul politicien mais procédaient d'une réflexion de fond.

Clinton, conscient des tensions ambiantes et faute d'avoir assez réfléchi au problème, retardait sans cesse le moment de la confrontation. Je lui fis parvenir un mémo sur l'état d'avancement de nos travaux en lui demandant « des directives plus précises » sur les orientations à prendre.

Mon message resta sans réponse. Ou plutôt, elle était claire : pas question de trancher tout de suite.

Lors d'une conférence de presse début mars, Clinton ébranla le monde politique en déclarant que notre travail de réflexion était « quasiment achevé » et surtout en suggérant que les mesures en faveur des minorités tenaient compte de considérations purement économiques. Mais dans d'autres déclarations, il se présenta comme un partisan résolu des mesures anti-discriminatoires et déclara que son objectif était d'obtenir le plus large soutien possible pour ces programmes. L'ambiguïté de sa position devint patente lors de la convention californienne du Parti démocrate, en avril : « Nous devons défendre, sans nous excuser (...) tout ce qui est juste, honnête et légitime dans notre action en faveur de la promotion sociale. » Mais il ajoutait dans le même discours que les démocrates devaient aussi comprendre les « mâles blancs en colère » et se demander : « Ces mesures en faveur des minorités sont-elles toujours efficaces ? Sont-elles toujours équitables ? »

Encore incapable de répondre à ces questions rhétoriques, Clinton choisit une tactique d'esquive assez noble : il décida d'étudier la question à fond. Il ne cessait de me demander de la documentation sur les divers aspects du problème et les positions des uns et des autres. Nous le rencontrions en petit comité chaque semaine et il semblait apprécier nos dialogues socratiques. Il posait des questions justes : « Quels sont les inquiétudes légitimes de ceux qui sont exclus des mesures en faveur des minorités ? » ; lançait des remarques piquantes : « Tout est question de formulation : si l'on parle de préférences raciales, on perd, de mesures anti-discriminatoires, on gagne » ; évaluait l'impact politique du problème : « Les républicains pensent qu'ils tiennent l'arme idéale pour diviser les démocrates : qu'ils gagnent ou qu'ils perdent, ils marqueront des points. » Mais tout en s'engageant dans notre débat interne, il continuait à tergiverser. Les décisions en instance s'empilaient sur son bureau.

En mai, notre groupe de travail était prêt à rendre ses conclusions : les mesures anti-discriminatoires constituaient un outil efficace pour lutter contre la discrimination et promouvoir la diversité, et les programmes fédéraux axés sur l'éducation et l'emploi étaient en général appliqués avec équité. Nous n'avions pas trouvé autant d'exemples horribles que nous le redoutions si bien que, plutôt que de conseiller des changements spectaculaires, nous suggérions au président de réaffirmer par le biais d'une directive « la bonne façon » d'appliquer ces mesures : pas de quotas, pas de discrimination à l'envers, pas de favoritisme à l'égard de personnes non qualifiées. Le modèle idéal que nous mettions en avant était l'armée : une politique volontariste de recrutement et de promotion des minorités qui ne transige pas sur les critères de compétences et ne recoure pas aux quotas. Nous voulions que les gens, dans leur approche et leur réflexion touchant aux mesures en faveur des minorités, pensent au général Colin Powell.

Certains programmes, qui réservaient un pourcentage des contrats avec l'administration à des entreprises liées aux minorités, étaient inefficaces et inéquitables. Inefficaces, parce qu'ils étaient souvent détournés par des non minoritaires qui se servaient d'hommes de paille, et inéquitables parce qu'ils avaient pour conséquence directe, dès lors que ces contrats étaient affichés, qu'un fonctionnaire bien intentionné punaisait à côté un écriteau sur lequel on pouvait lire : « Blancs, inutile de poser votre candidature. » Pouvait-on réformer ces programmes pour qu'ils s'apparentent moins à des quotas ou fallait-il purement et simplement les supprimer ? En éliminant au nom de l'équité certains programmes manifestement mal conçus, nous espérions avoir les moyens de défendre plus efficacement les mesures en faveur de l'éducation et de l'emploi.

La simple évocation de l'annulation de certains programmes provoqua un tollé. Fin mai, un « haut fonctionnaire » de la Maison-Blanche communiqua un exemplaire de notre rapport au *New York Times* accompagné du commentaire inexact et malveillant que nous « voulions que les hommes d'affaires noirs crient assez fort pour que les "hommes-blancs-en-colère" comprennent que nous avions fait quelque chose pour eux ». Des dizaines de gens connaissaient déjà ce rapport, mais j'étais, à la fois, surpris que nous ayons pu éviter si longtemps une fuite grave, et furieux : les efforts déployés pour faire passer les principes avant la politique politicienne étaient discrédités. L'auteur de la fuite devait être un fonctionnaire qui avait trouvé cette manœuvre défensive pour contrecarrer nos projets de réforme. J'étais loin de penser qu'on me soupçonnerait, mais le lendemain, lors d'une réunion avec une délégation d'entrepreneurs noirs, je compris que j'étais à nouveau dans le collimateur.

Cette délégation était conduite par Bob Johnson, le directeur d'un réseau de télévision et Earl Graves, le directeur du magazine *Black Enterprise*. Ils étaient accompagnés de plusieurs avocats qui défendaient les intérêts d'importants contractants de l'administration. Chacun leur tour, ils me réprimandèrent au sujet de l'article du *Times* malgré mes tentatives infructueuses pour les convaincre que j'étais aussi contrarié qu'eux par ces fuites. Mais je ne pouvais pas leur en vouloir d'être convaincus de tenir le coupable. Après tout j'étais « le blanc » qui supervisait toute l'affaire. J'étais aussi bien conscient que leur véritable inquiétude ne concernait pas l'article lui-même mais les changements politiques potentiels qu'il annonçait. Un des intervenants, B.J. Cooper, prit une pose de victime qui m'agaça un peu :

« Quand toute cette affaire sera terminée, Edley redeviendra prof de droit à Harvard ; vous, George, vous irez à Hollywood et vous empocherez 1 million de dollars. Mais nous, que deviendrons-nous ? »

Oh, je ne sais pas, mais je ne me fais pas de souci. Graves et Johnson vivoteront sur leur matelas de 100 millions de dollars chacun. Vous non plus n'avez vraiment pas l'air de mourir de faim. Qu'est-ce qui est le plus important ? Vos contrats ou la préservation des autres mesures en faveur des minorités, celles qui aident les gosses qui en ont vraiment besoin à aller dans de bonnes écoles et à obtenir leur premier boulot ?

Je retins ma langue mais leur mauvaise humeur était une raison supplémentaire de nous octroyer un délai de réflexion, d'autant que la Cour suprême était sur le point de rendre sa décision concernant certaines de ces mesures. Celle-ci allait conditionner les choix présidentiels, il n'y avait donc pas lieu de faire monter la pression. Edley et moi en plaisantions en disant que le nouveau groupe de travail du président sur les mesures anti-discriminatoires était désormais constitué de « neuf types en robe noire ».

La décision Adarand, qui intervint le 12 juin, laissait place à une certaine marge d'interprétation : tout en affirmant que les dispositions fédérales réglementant le choix des contractants devaient être réformées, elle ne les interdisait pas explicitement. La priorité accordée aux minorités devait être « strictement adaptée » au cas par cas et « servir un intérêt gouvernemental impératif ». « Le pire des mondes », ai-je d'abord pensé : la Cour laissait planer un doute sur la légitimité de ces mesures tout en ne les déclarant pas franchement inconstitutionnelles et elle renvoyait la balle dans le camp du gouvernement. Bob Dole et d'autres républicains conservateurs déclarèrent que cette décision était une « nouvelle raison » d'abroger les mesures en faveur des minorités, parce qu'elles constituaient une discrimination à l'envers. Jesse Jackson, traduisant le sentiment général des parlementaires noirs, qualifia la décision de la Cour de « jugement raciste » auquel il fallait résister.

Cette nouvelle tension se répercuta aussitôt sur l'atmosphère du groupe de travail. Chris Edley et Patrick Deval rédigèrent une déclaration alliant une analyse du jugement de la Cour et une critique en filigrane de l'opinion majoritaire. Sans doute pas aussi vigoureuse que la déclaration de Jackson mais à mon sens trop dure, donc imprudente. Les regards accablés de Clinton me disaient assez qu'il n'avait pas l'intention d'aller si loin et il répétait qu'il avait besoin de temps pour réfléchir et se documenter. Pour l'apaiser, je décidai d'adoucir le ton de la déclaration. Quand je relevai les yeux, je vis le regard accusateur d'Edley pointé sur moi. « À chaque étape de ce processus, pesta-t-il, chaque fois qu'un collègue afro-américain défend un argument, vous vous chargez de l'évacuer. »

Oh, non ! C'est moi le raciste à présent. Si seulement vous saviez les problèmes que je me coltine ! Morris tanne Clinton pour qu'il se range à l'avis des juges. Si nous allons trop loin dans l'autre direction, le président ignorera nos conseils. Contentons-nous de ce que nous pouvons obtenir !

C'était la première fois que j'élevai le ton avec Chris : « J'essaie seulement de protéger le président. Il n'est pas prêt à aller aussi loin. » Chris comprit que ses soupçons m'avaient piqué au vif et il s'excusa. Bientôt nous en plaisantions : « Chaque fois que j'évoque les mesures en faveur des minorités devant le président, il est pris d'un besoin urgent d'aller aux toilettes. »

Après consultation de spécialistes en droit constitutionnel et du ministère, la déclaration finale adopta un ton assez neutre qui faisait l'éloge des mesures anti-discriminatoires « quand elles étaient judicieusement appliquées » et ajoutait que le jugement Adarand « n'était pas en contradiction avec ce point de vue ».

Il fallait se rendre à l'évidence : la décision de la Cour primait sur la nôtre. Pour nous conformer à son jugement, le ministère de la Justice allait devoir passer en revue tous les programmes fédéraux pro-minorités et les soumettre à un examen rigoureux. Nombre de ces programmes, la plupart peut-être, n'allaient pas survivre à cet examen. Le plus grand danger ne résidait pas dans les excès des mesures pro-minorités mais dans le risque qu'elles soient vidées de leur contenu. Mandaté par la Cour suprême pour contrôler les modalités d'application de ces mesures, le président était maintenant obligé de défendre vigoureusement ses options fondamentales. Le retard pris les derniers mois l'avait tiré d'un mauvais pas.

Bien sûr, Morris n'était pas content. Triomphant après sa victoire sur le budget, il avait vu dans la décision Adarand une autre occasion de « triangulation » ; c'était l'uppercut après le direct du droit. Son objectif était que Clinton prononce son discours exactement une semaine après l'allocution sur le budget. Il voulait l'amener à tirer parti du jugement de la Cour en lançant une attaque préventive contre le favoritisme racial et en déclarant que les mesures anti-discriminatoires devaient être remplacées par un système basé « sur la classe et non la race » ; il espérait inciter Jesse Jackson à se lancer, hors investiture démocrate, dans la course à la présidence de 1996.

« Vous êtes complètement fou !

– Non, j'ai fait faire un sondage. Si Jesse se présente, cela nous coûtera trois points de voix noires et nous rapportera quinze points de voix blanches qui n'auraient même pas envisagé de voter Clinton sans la candidature concurrente de Jackson. »

Heureusement, le président repoussa cette nouvelle combinaison de Morris. Il avait sa dose de triangulation pour quelque temps. « J'espère que la décision de la Cour apaisera les esprits sur cette question » déclara-t-il quelques jours plus tard. Et il nous autorisa enfin à achever notre rapport et à préparer un discours qui énoncerait ses principes tout en esquissant des perspectives réalistes. L'allocution fut programmée pour le 19 juillet. Pendant qu'Edley mettait la dernière main au rapport officiel, je passai les quelques semaines qui restaient à essayer de forger un consensus autour de la question. Après le discours budgétaire du président, rassembler les démocrates tenait de la gageure. Mais c'était politiquement prudent et c'était aussi une question de principe. Je voulais que les démocrates se rangent derrière un président qui affiche sa fidélité à ses convictions de toujours et sa loyauté à ses alliés naturels.

Je voulais aussi que Clinton soit réélu. Je me rappelais la règle qui veut que les primaires soient presque toujours défavorables aux présidents en exercice, j'étais convaincu que nous perdrions si Jackson se présentait. Pour tâter le terrain, Harold et moi lui rendîmes visite à son quartier général de la Rainbow Coalition près de la Rue K. Notre réunion fut cordiale, « familiale », moins solennelle et beaucoup plus directe que la première, quatre ans plus tôt. Assis sous une énorme carte murale des États-Unis, Jesse répéta les slogans dont il parsemait ses discours : « Si nous sommes capables de nous fixer des buts, des cibles et d'utiliser les indicateurs horaires pour faire du commerce avec le Japon, nous sommes capables d'en faire autant pour donner un coup de pouce équitable à nos compatriotes. C'est tout l'enjeu des dispositions antidiscriminatoires. » Il conclut en réaffirmant qu'il « ne céderait pas d'un pouce sur la priorité aux minorités. » Si nous allions au-delà de ce qu'imposait le jugement de la Cour, il téléphonerait à Bob Johnson et Earl Graves pour qu'ils financent sa campagne présidentielle. Dick allait peut-être gagner son pari, finalement.

Je contactai l'un après l'autre tous les leaders démocrates, j'assistai à toutes les réunions possibles avec tous les acteurs concernés, noirs, femmes, hispano-américains, asiatiques, démocrates conservateurs, leur délivrant un seul et unique message : le président allait défendre les mesures en faveur des minorités. L'application du jugement Adarand définissait strictement le cadre de la réforme.

Bien sûr, je ne pouvais être totalement certain que Clinton allait vraiment faire ce que j'annonçais. Dick insistait pour que Clinton provoque un clash avec les démocrates et le président continuait à repousser la décision finale. Il avait montré de l'intérêt pour une des rares bonnes idées de Dick : un système d'incitation à la création d'entreprises dans les quartiers défavorisés, dénué de tout critère racial. Je me proposai de soutenir cette idée, à condition que ces mesures apparaissent comme des dispositions supplémentaires et non des mesures de remplacement. J'étais plus sûr que jamais qu'il ne fallait pas outrepasser les limites de la décision de la Cour, faute de quoi nous risquions une fracture au sein du parti.

Sachant que les témoignages personnels des leaders démocrates influenceraient plus sûrement le président que les sondages de Dick, j'insistai pour qu'il les rencontre. Fidèle à sa ligne de conduite, il réserva son choix jusqu'au bout. Lors d'une réunion avec des parlementaires noirs, Helen Norton essaya de le placer au pied du mur :

« Monsieur le Président, nous sommes très anxieux au sujet de vos intentions. Nous avons besoin d'en savoir plus.

– Je ne crois pas que je provoquerai beaucoup d'anxiété, répondit-il. Vous trouverez mes décisions intéressantes mais pas perturbantes. »

Intéressantes mais pas perturbantes ? On est bien avancés ! Maintenant, je sais quoi faire : « Edley, le président a pris sa décision : il veut une politique « intéressante mais pas perturbante ». Appelez les scribouillards et dites-leur que nous voulons un discours retentissant et « intéressant mais pas perturbant ». »

À la suite de cette réunion, les réponses de Clinton devinrent plus explicites. Il réaffirma d'un ton rassurant et passionné son refus de la discrimination raciale, mais choisit ses termes avec précaution. Quand d'autres parlementaires, se rangeant à l'avis d'Helen, lui demandèrent un soutien sans équivoque aux mesures en faveur des minorités, Clinton prit note, se mordit la lèvre et hocha vigoureusement la tête d'un air approbateur. Les démocrates noirs repartirent émus et convaincus que le président s'était engagé. Je redoutai qu'il ne leur donne de faux espoirs.

« Monsieur le Président, lui demanda Erskine après la réunion, vous comprenez que même si vous avez cru laisser une porte ouverte, vous vous êtes lié, n'est-ce pas ?

– Quoi ?

– Dans leur esprit, poursuivis-je, vous avez pris la ferme décision de vous cantonner à la décision Adarand, de ne pas en sortir d'un millimètre et de soutenir à fond les mesures anti-discriminatoires.

– Je n'ai pas dit cela. »

Ce ne sont peut-être pas ses paroles exactes, mais son message était clair, clair malgré lui. La compassion de Clinton était involontaire, à la fois totalement sincère et épidermique, c'était une empathie si instinctive qu'il donnait le sentiment d'approuver au moment même où il croyait rester sur la réserve ; son esprit ne cessait jamais de calculer, de combiner, de chercher des échappatoires.

Mais cette fois, sa résistance était sérieusement entamée. Il s'était en fait rallié à l'idée d'une défense intransigeante des programmes de soutien aux minorités. Sentant le vent tourner, Morris l'appela le week-end précédent son discours pour lui affirmer qu'un sondage qu'il avait commandé montrait qu'une candidature Jackson compromettrait les chances du président : selon les estimations du sondage, en cas de duel avec Dole, il passait d'une issue serrée (38/38 pour cent) à une défaite certaine (38/30 pour cent). Au moins, Dick était conséquent. Son « livre de messe » était un guide infaillible. Il avait les mains liées. Il reconnaissait son échec, j'avais gagné la partie.

Plus j'avais étudié et appris, plus j'avais rencontré de gens compétents et concernés par les mesures en faveur des minorités, plus je m'étais persuadé que le président affirmerait fortement son autorité en adhérant à cette idée et en plaidant sa cause. C'était ce que le président allait faire, c'était le sens de ma mission et je pouvais me dire à moi-même que cette affaire se serait peut-être conclue différemment si je n'avais pas été là. Après un dîner dans la résidence de Vernon Jordan où je présentais la primeur du rapport à un groupe de journalistes afro-américains, Vernon fit transmettre une note au président : « George était le seul blanc, ce soir. Il n'a pas cédé de terrain, vous a défendu et n'a pas eu froid aux yeux. Vous auriez été très, très fier. Il s'est montré un adjoint présidentiel dans le meilleur sens du terme. » Morris m'avait remplacé « à la droite de Clinton » – une forme d'éviction psychologique que je continuais à haïr – et cette déconvenue s'était avérée fructueuse en me donnant l'occasion de me consacrer entièrement à un problème important et de cesser de me définir uniquement comme le bouclier de Clinton, son défenseur et son messager discipliné.

J'étais redevenu l'homme indispensable. La veille du jour où il devait prononcer son discours, Clinton arpentait mon bureau de long en large, discours en main, réclamant des faits, testant une phrase, recherchant mes conseils. Plus tard dans la soirée, il me fit appeler à la salle de gym et me rappela à la maison pour me faire part de ses consultations de dernière minute avec Colin Powell et Jesse Jackson. « Colin a très bien réagi et j'ai eu une bonne discussion avec Jesse, mais il a besoin de plus d'informations. Appelez-le. » Les grandes lignes du discours étaient définies : le président allait dénoncer la persistance des discriminations, défendre les mesures en faveur des minorités comme un outil essentiel dans la lutte pour l'égalité des chances, demander qu'elles soient réformées pour garantir une équité incontestable et se conformer aux exigences de la Constitution. Clinton continua à travailler son discours le soir, sur le comptoir de sa cuisine, suivant le conseil du sénateur Howell Heflin : « Mettez un peu de Bible dans le discours. »

La matinée du lendemain fut, comme il était de rigueur les jours d'allocution, chaotique. Le président arriva en retard au bureau et fut retardé par des appels des premiers ministres français et anglais à propos de la Bosnie. Nancy Hernreich et moi essayâmes de déchiffrer les pattes de mouche de Clinton, mais même nos expériences conjuguées restèrent insuffisantes : il fallait qu'il nous dicte le discours. Chris arpentait le bureau de Betty la tête entre les mains, affolé à la pensée que nous n'arriverions jamais à temps aux Archives nationales.

Ce ne fut pas le cas, bien sûr. Le président gravit les marches du podium installé entre les armoires vitrées contenant des exemplaires de la Déclaration d'indépendance et de la Constitution, tandis qu'Edley et moi prenions place au deuxième rang. Il parla pendant trois quarts d'heure du « voyage mouvementé mais fondamentalement juste de l'Amérique pour refermer le fossé qui sépare les idéaux enchâssés dans ces trésors [la Constitution et la Déclaration d'indépendance] (...) et la réalité de notre vie quotidienne. »

« Le voyage mouvementé mais fondamentalement juste... » Du Clinton pur sucre, une improvisation qui condensait en une seule phrase la lutte pour les droits civiques. J'aurais voulu que cette formule exprime l'essence de cette présidence. Pour la première fois depuis longtemps, en entendant Clinton prêcher avec une ferveur d'évangéliste les préceptes de base de la foi démocrate, en voyant le président affirmer résolument ses positions et exhorter ses compatriotes à le suivre, en voyant nos adversaires provisoirement confondus par son appel à « corriger les mesures anti-discriminatoires mais à ne pas les supprimer », je me sentais totalement en harmonie avec moi-même.

Après le discours, le président me demanda de l'accompagner dans la limousine présidentielle jusqu'à la Maison-Blanche. Il me tendit une bouteille d'eau fraîche et Gore me félicita : « George, vous avez fait un sacré bon boulot sur ce dossier ! »

« Oui, approuva le président. Vous avez fait un excellent travail sur ce dossier, George. »

Je leur rapportai les réactions recueillies lors de la réception d'après-discours. Les défenseurs des droits civiques étaient en larmes – de bonheur. Plus un seul démocrate ne se plaignait, une journaliste avait décrété ce discours « le meilleur discours présidentiel sur la race depuis 1965 », et même les journalistes les plus sévères déclarèrent (officieusement) qu'ils n'avaient jamais entendu du meilleur Clinton. Je dus ajouter que le gouverneur de Californie, Pete Wilson (qui projetait de se présenter contre Clinton en 1996) avait cru bon d'attirer l'attention en déclarant : « Il aurait dû dire : supprimer. On ne peut pas corriger. » Et Joe Klein, l'éditorialiste de *Newsweek*, allait sans doute écrire une colonne désagréable dans son magazine parce que le discours n'était pas assez musclé à son goût.

Fronçant les sourcils, le président acquiesça : « Je l'ai croisé dans le couloir et j'ai vu dans ses yeux qu'il n'avait pas aimé le discours. » Je crus, une seconde, voir une lueur de regret dans l'œil de Clinton. Un ennemi potentiel et un vieil ami l'attaquaient. Mais ses doutes s'évanouirent quand nous franchîmes le portail de la Maison-Blanche.

« Je me sens en accord avec moi-même, conclut-il. Nous avons fait ce qu'il fallait. »

15 ENTENTE CORDIALE

« Il y a deux George Stephanopoulos, Dr Jekyll et M. Hyde. Dr Jekyll est incroyable. Il est le seul collaborateur de Clinton doté d'une cervelle. Le seul qui soit bon. En parlant de vous à ma femme, je me suis surpris à vous aimer. Nous roulions en voiture l'autre jour et je lui ai dit à quel point vous étiez brillant ; elle m'a rappelé à l'ordre : – Dick, il veut te tuer. »

Elle a raison.

« C'est M. Hyde, poursuivit-il. Le seul qui dise aux gens "Dick Morris me ment froidement". Ann Devroy dit que Stephanopoulos et Ickes sont décidés à en finir avec Morris. J'ai entendu de telles rumeurs. »

Le jour du discours de Clinton sur les mesures anti-discriminatoires, après plusieurs jours de silence, Dick téléphona. Il était temps de reparler, disait-il, mais en tête-à-tête, pas au téléphone. Nous nous retrouvâmes à chuchoter dans un petit recoin en retrait du grand couloir du vieux bâtiment administratif. Pourquoi ? Je n'en savais rien. Mais Dick ne cessait de jeter des regards inquiets dans le couloir et ses mains tremblaient.

« Si nous ne gagnons pas en 1996, poursuivit-il, il n'y aura que deux perdants : Bill Clinton et Dick Morris. Vous continuerez votre route. Vous aurez un autre candidat en 2000. Moi, j'abandonnerai ma carrière. Je n'ai pas de foyer. Je n'ai personne à qui parler. »

Achète-toi un chien et au fait !

« Je veux que nous partagions le pouvoir – tout le pouvoir. Je vais passer un marché avec vous : vous aurez accès au président et nous ferons cesser les médisances. Je veux que vous deveniez mon ami et mon confident. »

Il essaie d'obtenir la paix en te léchant les bottes. Il connaît ton faible, il sait que tu veux assister à sa réunion hebdomadaire avec le président. Il doit se dire que ça va arriver de toute façon. Il sait que Harold y travaille. Il n'a pas avalé sa défaite sur les mesures en faveur des minorités. Il ne veut pas que ça recommence. Il sait qu'il a besoin de toi. Ne cède rien.

« Mais Dick, c'est un peu l'histoire de l'œuf et de la poule, selon moi c'est vous qui essayez de m'évincer.

– Ce n'est pas mon fait si vous avez été écarté de ces réunions, répondit-il. C'est ce que le président voulait. »

Hmmmm. Il a raison. Je me raconte des histoires. Aujourd'hui grande victoire mais demain, quels seront les sentiments de Clinton ? Dick détient toujours le véritable pouvoir. Il a l'oreille du président, sa confiance et il a ses sondages. S'il n'intervient pas auprès de Clinton, je ne rentrerai jamais dans ses bonnes grâces.

« Alors que dois-je faire ?

– Je le saurai quand vous arrêterez. Mille fleurs s'épanouiront. Je serai nimbé de douceur et de lumière. Tous ces gens que vous contrôlez cesseront de m'entuber.

– Dick, je suis dans une situation impossible. Vous me faites porter le chapeau pour les actes d'autres personnes.

– Désolé, c'est la vie. Je voudrais voir des résultats avant de vous offrir la compensation promise.

– Parfait, mais j'aurais besoin d'un accès direct. Je veux participer aux réunions et rapidement. Je ne vais pas passer toute la campagne à transmettre mes messages par votre canal.

– Je comprends. »

Nous nous séparâmes abruptement en partant dans deux directions opposées comme un couple d'espions maladroits. En revenant dans mon bureau, j'essayai de me représenter ce que Dick avait voulu dire exactement. Je ne faisais pas mystère de mon antipathie pour lui ni de mon opposition à ses idées. Mais bien que détestant Morris et ses méthodes, je m'interdisais de médire sur lui. Rien ne m'aurait fait plus plaisir que de le voir partir de la Maison-Blanche, mais je savais que ça n'arriverait pas. Son illusion que j'y « contrôlais » mes « troupes » m'amusait : je ne contrôlais personne. Chacun avait ses raisons personnelles de haïr Dick. Je ne voulais rien lui devoir mais j'avais besoin d'assister à ces réunions stratégiques. Le jour où je recommencerais à y assister, Dick n'aurait plus de pouvoir sur moi et son influence sur Clinton serait atténuée. J'aurais l'occasion de faire valoir mes positions directement auprès du président, le nec plus ultra à la Maison-Blanche. Clinton m'entendrait contester les arguments de Morris avant de prendre ses décisions. Morris le savait très bien. Peut-être ne pouvait-il l'éviter éternellement, mais il ferait tout pour m'empêcher d'assister à ses réunions avec Clinton. J'étais décidé à ne pas lui faire de cadeau et je pensais n'avoir rien à perdre. Je ne pouvais pas être l'ami de Dick, mais je pouvais être son confident. Cinq minutes après notre rencontre, je l'appelai pour confirmer notre pacte.

Ainsi a commencé une phase de nos rapports, baptisée « entente cordiale[1] » par Dick. Pendant quelques mois, nous parlâmes ensemble plus d'une dizaine de fois par jour, au téléphone ou en tête-à-tête. Le voir travailler était fascinant, presque drôle. Il pouvait lire un sondage et rédiger une synthèse en cinq minutes chrono. Nous étions souvent d'accord sur les manœuvres tactiques et je prenais un certain plaisir à ses machinations, même si le fait d'y être, si peu que ce soit, associé, me laissait un arrière-goût de culpabilité. Je rationalisais en me disant que je me salissais les mains pour la bonne cause, et qu'il fallait que quelqu'un comme moi marque Morris à la culotte pour l'empêcher d'appliquer ses idées folles avant qu'il ne soit trop tard.

Comme celle de limoger Janet Reno, secrétaire à la Justice. « Le président est enragé, fou furieux » contre Janet Reno. Morris déclarait, même s'il « ne pouvait pas dire pourquoi », que Clinton voulait que « nous nous débarrassions d'elle ». Il me demanda de prêcher pour un remaniement ministériel et de suggérer la nomination d'un nouveau

1. NdT. En français dans le texte.

secrétaire à la Justice. « Je ne peux pas le faire moi-même. Je ne connais pas assez bien ces gens, mais nous devons mettre au point un plan. »

Non mais vous êtes complètement fou ! Même si nous le voulions, il serait impossible de limoger Reno. En tout cas à moi. Ce doit être un test. Non, un piège. Il essaie de voir si je vais divulguer son idée pour pouvoir me faire porter le chapeau si les choses tournent mal.

« Dick, peut-être que Clinton veut que nous nous débarrassions d'elle, je n'en sais rien. Mais parfois notre travail consiste à s'opposer à ses impulsions suicidaires.

– Ne vous en faites pas, ce n'est pas la Saint Barthelemy. »

Le scénario de Dick était si explosif que je n'en parlai à personne et ne bougeai évidemment pas le petit doigt. Je n'étais même pas sûr que Clinton soit vraiment si excédé, jusqu'à ce que je lise le numéro du *Sunday Times* révélant que le secrétaire à la Justice avait autorisé le procureur spécial Kenneth Starr à « poursuivre pour escroquerie et association de malfaiteurs, le successeur du président Clinton au poste de gouverneur de l'Arkansas », à savoir Jim Guy Tucker.

Tout était clair à présent. L'article expliquait parfaitement l'atmosphère de paranoïa croissante qui gagnait Clinton et Morris. Dick m'expliqua sans sourciller : « Nous avons réussi à faire en sorte que 65 pour cent des gens perçoivent Hillary comme responsable de Whitewater. » Pour lui, c'était une bonne nouvelle. Sa seule crainte était que « Starr [obtienne] de Tucker qu'il passe un arrangement avec la justice pour pouvoir épingler Hillary. Ensuite Starr proposera un marché à Hillary : la radiation du barreau ou une reconnaissance de ses turpitudes pour éviter les poursuites. » Dick qui n'était pas juriste croyait sans doute qu'un nouveau secrétaire à la Justice pourrait revenir sur la décision de Janet Reno.

Clinton était plus intelligent. Il comprit que cette décision était un fait accompli et je suis sûr qu'il ne partageait pas l'indifférence de Morris concernant les conséquences fâcheuses de l'affaire Whitewater pour la réputation d'Hillary. Mais il n'appréciait pas beaucoup Janet Reno et il haïssait sans aucun doute Ken Starr. La décision de Reno l'avait certainement excédé mais je ne pouvais croire qu'il ait vraiment imaginé pouvoir régler le problème en la contraignant à partir.

Mais Morris n'abandonna pas si vite. Nous eûmes plusieurs conversations téléphoniques au cours desquelles il me proposa différents noms, comme ceux de Mickey Kantor ou de Leon Panetta. Un appel téléphonique concernant Jay Stephens m'avait déjà valu une couverture de *Time*. Un complot pour se débarrasser du secrétaire à la Justice pouvait très bien m'expédier en prison. (Selon le Code pénal américain, « toute tentative d'infléchir, de freiner ou d'entraver le cours de la justice est un crime passible d'un à cinq ans d'emprisonnement ».) Heureusement, après quelques autres coups de fil, il renonça à sa machination. Je ne soulevai pas d'objections d'ordre éthique ou politique, plutôt techniques et par conséquent plus limitées, mais irréfutables. J'apprenais à manœuvrer Dick, et la Bosnie[2] accaparait son attention.

Morris avait rédigé courant juillet un mémo prônant une campagne de bombardements contre la Serbie. Toute révélation sur le rôle de Dick dans la politique étrangère de la Maison-Blanche pouvait s'avérer politiquement mortelle. Son implication dans des décisions touchant à la sécurité nationale déclencherait aussitôt des attaques contre Clinton. Personne n'aurait compris que le président écoute les recommandations d'un intriguant de bas étage sur des sujets aussi graves. Après les interventions de Morris sur la politique américaine face au terrorisme et les négociations commerciales avec le Japon, Tony Lake avait obtenu l'engagement de Clinton que Morris serait exclu des débats sur la sécurité nationale. Mais dès juillet, Dick avait à nouveau le vent en poupe. Il bâtissait sa machine de campagne électorale et il proclamait ici et là qu'il était virtuellement « secrétaire général de la Maison-Blanche », ce qui n'était pas loin d'être vrai. Son influence croissant, il devint de plus en plus agité et de moins en moins discret.

Le jour même où Morris me demandait de faire limoger Reno, lors d'une réunion hebdomadaire d'une vingtaine de hauts responsables de la Maison-Blanche (presse, politique et communication), nous discutâmes de la nécessité d'une déclaration officielle du président sur la Bosnie.

2. NdT. Le bombardement de Tuzla par les forces serbes le 25 mai 1995, mais surtout la prise de Srebrenica et les massacres de musulmans qui suivirent (6 000 à 10 000 morts) ainsi que les bombardements de Sarajevo finiront par entraîner une réaction aérienne conjointe des alliés contre les Serbes, le 30 août 1995.

« La seule déclaration que je veux entendre sur la Bosnie est Brroum !.. Brrroum !.. Brrrroum ! » Morris se mit à trépider sur son fauteuil en gonflant les joues et les lèvres pour simuler un raid aérien. Quelques secondes plus tard, comme un gosse de trois ans ravi de son effet, il pouffait de rire. Nous étions sidérés. Nous connaissions tous Dick, la plupart d'entre nous éprouvions une solide aversion pour lui. Parfois nous étions capables d'oublier cette aversion pour rire de ses foucades. Mais là non. Ça n'avait rien de drôle de voir le conseiller le plus influent du président des États-Unis discuter d'un acte de guerre en se comportant comme un déséquilibré.

Le lendemain matin, un peu plus calme, il m'appela pour me poser une question : « Pourquoi Clinton ne peut-il pas décider de bombarder la Bosnie tout seul ? »

J'étais acquis à l'idée des frappes aériennes. Le fait que nous ayons été incapables d'empêcher le « nettoyage ethnique » en Bosnie était une tache sur notre politique étrangère, une honte aggravée par les massacres de Srebrenica, plus tôt ce même mois. Comme je l'expliquai à Dick, nos alliés des Nations Unies et de l'OTAN avaient envoyé des forces de maintien de la paix sur le terrain en Bosnie. Si nous décidions de bombarder sans leur accord, ils retireraient leurs troupes et nous serions alors obligés d'envoyer des soldats américains pour couvrir leur retraite. Cela posait un problème à Morris : les bombardements étaient populaires, l'envoi de troupes sur le terrain ne l'était pas. Mais pas de bombardements sans envoi de troupes terrestres, à moins d'un accord avec nos alliés.

« Alors, pourquoi ne pas lancer directement une attaque contre la Serbie ?

– Le Pentagone se révoltera, répondis-je. Si le président déclare de lui-même la guerre à la Serbie, le Congrès protestera en expliquant qu'il essaie de créer un nouveau Vietnam et certains parlementaires commenceront à se poser la question de la destitution. »

En continuant à discuter ouvertement de bombardements américains unilatéraux sur la Bosnie, Morris risquait d'entraver les efforts de Tony Lake qui défendait une nouvelle stratégie, incluant, en dernier recours, des frappes aériennes unilatérales. Tony pensait, selon moi à juste titre que, pour obtenir de la France et de la Grande-Bretagne qu'elles participent à ces offensives, nous devions les persuader de notre détermination à y aller seuls. Tony avait raison et je voulais que son initiative réussisse. Mais si Dick continuait à parler de cette idée avec des spécialistes de politique étrangère extérieurs au gouvernement ou des journalistes convoqués à des « réunions de réflexion top secret », ses fragiles efforts risquaient d'être anéantis et brocardés par nos adversaires comme relevant uniquement de l'intrigue politicienne.

Pour Morris ce n'était d'ailleurs rien d'autre. Plus nous en parlions, plus sa frustration le trahissait. J'essayai une nouvelle tactique, faisant mine d'adopter son point de vue : « Écoutez, Dick, je suis d'accord avec vous. Notre politique est indéfendable. Ces massacres sont horribles. Mais vous devez vous montrer patient. » Furieux, il éructa : « Ouais, d'accord, ils massacrent des Bosniaques, et après ? » Sa voix gutturale me donna l'impression que j'avais exorcisé un démon caché dans le recoin le plus sombre de son âme. « Je veux écraser les Serbes sous les bombes pour que nous ayons l'air fort. »

En tenant ces propos d'une effrayante candeur, il touchait une corde sensible en moi. Peut-être avait-il raison, peut-être y avait-il deux George : celui qui se souciait des Bosniaques et qui croyait que ces bombardements étaient un devoir moral, mais aussi celui qui voulait que Clinton paraisse fort et qui croyait que ces frappes aériennes étaient une nécessité politique. Quelle était ma motivation la plus profonde ? Et Morris était-il vraiment ce personnage incontrôlable que je détestais ou était-il simplement d'une honnêteté brutale ? En tout cas, dans chacune de nos discussions, il m'envoyait un message édifiant même quand – surtout quand – j'étais d'accord avec ses conseils. Comme l'écrit Eliot : « La dernière tentation : accomplir une bonne action pour une mauvaise raison est la pire des trahisons. »

Une autre difficulté de mes relations avec Dick durant cette période consistait à distinguer son discours personnel de celui qu'il empruntait au président, ses anticipations des attentes de Clinton de ses tentatives de l'influencer. Mais je savais que Clinton était impatient, il se plaignait du statu quo en Bosnie qui faisait paraître les alliés cyniques et apeurés.

Ceux-ci commençaient à chanceler. S'ils décidaient de se retirer, les troupes américaines devraient y aller même sans accord de paix. Au Congrès, la résolution du sénateur Dole de lever l'embargo sur les armes à destination de la Bosnie était sur le point d'être votée à une large majorité. Clinton ne pourrait justifier un veto et éviter une défaite politique qu'en arrachant rapidement un accord de paix. Nous devions « arriver à un accord dans les deux mois pour protéger nos arrières », soutenait Clinton, faute de quoi la campagne électorale risquait de paralyser toute décision.

Le président était prêt à envoyer vingt mille soldats américains en Bosnie, décision qui avait toujours parue impensable jusque-là, sachant que les pertes éventuelles pouvaient lui coûter la présidence. Clinton n'était-il prêt à prendre ce risque qu'en raison des contraintes du calendrier électoral ? Son courage moral apparent n'était-il que le masque de la nécessité politique ? Les soucis humanitaires, la realpolitik et les considérations électorales se combinaient dans la résolution du président. Mais la pression des événements faisait souvent ressortir le meilleur chez Clinton, contrairement à Morris. Lors d'une série de réunions qui se tinrent au mois d'août avec les hauts responsables de la Sécurité nationale, le président se montra calme et déterminé, conscient du poids de la décision à prendre. Après avoir étudié documents et cartes militaires, pressé ses conseillers de questions détaillées et réexaminé personnellement tous les aspects de l'opération, il fit comprendre que sa décision était prise en posant une seule question à Tony Lake :

« Combien de temps pour faire vos valises ?

– J'ai une brosse à dents dans mon bureau. »

Une fois acquis l'engagement de Clinton en faveur de frappes unilatérales en cas de besoin, Lake parvint à s'assurer un soutien allié en faveur de bombardements plus agressifs combiné avec des pourparlers de paix soutenus. Début septembre, le siège de Sarajevo déclencha finalement une campagne massive de bombardements qui contraignit les Serbes à reculer et donna à notre négociateur Richard Holbrooke les munitions diplomatiques dont il avait besoin pour négocier un accord avant l'hiver.

Pendant ce temps, Dick Morris comptait sur une formule similaire pour parvenir à un compromis budgétaire avec les républicains. « Nous les vaincrons dans la guerre aérienne ! fanfaronnait-il. Nos spots sur Medicare les transformeront en bandes de va-nu-pieds hagards en quête de toit. » Morris venait de découvrir Medicare et il avait décidé de forcer les républicains à accepter un compromis en lançant une campagne de publicité de plusieurs dizaines de millions montrant le président défendant les acquis sociaux contre les assauts des républicains. Pour Dick, c'était l'occasion de faire d'une pierre deux coups. Non seulement il était convaincu que cette campagne ferait grimper la cote de Clinton et favoriserait la recherche d'un accord sur le budget, mais il entendait aussi toucher une confortable commission sur chaque dollar dépensé pour les spots télé.

Malgré l'enthousiasme suspect de Dick, j'étais à fond pour cette campagne : la garantie de soins aux personnes âgées symbolisait notre engagement en faveur des classes moyennes et constituait un bouclier pour les mesures sociales moins populaires que nous essayions de protéger. Toute l'année écoulée, les dirigeants du Parti républicain avaient menacé de couper les crédits au gouvernement et d'interrompre le remboursement de la dette tant que le président refusait de signer leur budget. « Nous voulons forcer le changement », prévint Gingrich dans une réunion juste avant la trêve estivale, annonçant l'épreuve de force de la rentrée. Pour la surmonter, nous allions devoir convaincre le public que le président refusait ce chantage par principe et qu'il entendait user de son pouvoir pour protéger les Américains moyens. Une campagne en faveur de Medicare devait aider Clinton et les parlementaires démocrates à obtenir le soutien de l'opinion à un veto présidentiel. Et si le Parlement lui coupait les vivres, il allait diablement en avoir besoin. Dick, qui ne voulait pas d'un veto, expliqua que la campagne publicitaire, conjuguée à des négociations en coulisses avec Trent Lott, son ex-client et numéro deux républicain au Sénat, permettrait de trouver un accord sans être obligé d'en arriver là. En septembre, il me demanda mon aide dans ces pourparlers « secrets ».

En échange de ma coopération, il m'offrit deux « carottes » : l'une ancienne, l'autre nouvelle. Deux mois après notre accord de couloir, je n'avais toujours pas été invité aux réunions stratégiques avec le président : il tenta donc à nouveau de me vendre le strapontin qu'il m'avait déjà promis. Il y avait apparemment un nouvel obstacle : « Gore vous a scié les pattes ». Gore l'avait incité à faire sa paix avec Harold Ickes plutôt qu'avec moi (« son vrai ennemi ») mais Dick détestait trop Ickes pour suivre ce conseil, à supposer que Gore l'ait vraiment donné. « Harold a trop souvent essayé de m'entuber. L'un de nous deux devra partir et ça m'étonnerait que ce soit moi. » Dick me pressa de m'allier avec lui contre Harold : lui et moi allions être « le cœur et l'âme de la campagne ». « Mon équipe ressemble au politburo, ajouta-t-il : nous travaillons ensemble, tout le monde à une voix et quand nous ne sommes pas d'accord, nous soumettons la décision au maître suprême du monde occidental : les sondages. » Dick ajouta plus tard que si je quittais la Maison-Blanche pour le rejoindre, il me reverserait des honoraires d'1 million de dollars, ma part de commission sur la campagne publicitaire.

Qu'est-ce qui est vrai ? Manipulation ? Délire ? Maîtrise absolue ? Sur quelle planète vit donc ce type ?

Je ne voulais pas de l'argent de Dick. Après lui avoir dit que Clinton faisait confiance à Ickes (« Non, c'est juste parce que Ickes en sait long sur lui ») j'acceptai de l'aider mais seulement dans les négociations budgétaires. Il me demanda de ne pas relater notre conversation avec Panetta (qui considérait Morris comme « un espion parmi nous »). « Très bien », mentis-je. Puisque Morris était un sous-marin républicain à la Maison-Blanche, je n'avais qu'à devenir agent double.

Les conversations « secrètes » de Dick Morris et Trent Lott était le secret le moins bien gardé de la capitale. Lott rendait compte de ses discussions en détail aux dirigeants du Parti républicain et nous en recevions les échos par les réseaux de Pat Griffin. Morris voulait absolument arriver à un compromis avec les républicains, fût-ce au prix de restrictions budgétaires draconiennes. Ça n'avait visiblement guère d'importance pour lui. Il redoutait surtout que les républicains votent un budget final entraînant des coupes sombres dans l'assistance médicale aux personnes âgées et que l'opposition des parlementaires démocrates et le veto inévitable de Clinton provoquent un durcissement bi-latéral des positions. Cette perspective me convenait parfaitement. J'étais heureux de prendre date pour l'élection de 1996 – au risque de la perdre, plutôt que de voir Clinton se soumettre aux ultimatums des républicains. Peut-être un compromis était-il possible mais Clinton ne pourrait sans doute y parvenir qu'en brandissant l'épée de Damoclès du veto : un président démocrate ne pouvait entériner les conséquences dévastatrices des propositions républicaines pour les enfants et les personnes âgées. « Forcer le président à conclure un accord en ignorant son droit de veto, c'est le pousser à un suicide politique », ai-je soutenu à Dick Morris.

Les intentions de Clinton restaient impénétrables. Le président était intransigeant dans ses propos publics mais son tempérament consensuel l'incitait à rechercher un compromis. Il téléphonait régulièrement à Newt Gingrich, le Speaker de la Chambre des représentants. Ces discussions inquiétèrent ses collaborateurs, comme moi, qui craignaient que les républicains fassent quelques concessions rapides et intelligentes pour contraindre Clinton à un accord inacceptable pour les démocrates. Mais les dirigeants républicains se laissèrent emporter par leur intransigeance et leurs troupes, les élus de 1994 pour qui compromis signifiait capitulation. Ils sous-estimèrent le président et jouèrent trop gros jeu.

À la différence de Morris, Clinton comprenait parfaitement les conséquences des restrictions budgétaires, surtout sur les programmes d'assistance médicale aux indigents dont il avait supervisé l'application en tant que gouverneur.

« Je sais ce qui va se passer. Ce sont les pauvres gosses qui vont trinquer. C'est ça qui me révulse », confiait-il. Clinton était disposé à proposer aux républicains un budget en équilibre, mais il refusait d'accepter leur « objectif insidieux » : casser toute politique volontariste de l'État, notamment en matière de soins médicaux et d'éducation. « Nous allons venger Stockman », déclara Clinton lors d'une réunion budgétaire en septembre, faisant allusion au directeur du Budget de Reagan, David Stockman. Celui-ci estimait que si une relance de l'offre et de la demande ne venait pas compenser l'austérité budgétaire, les déficits engendrés par les réductions d'impôts risquaient d'entraîner une résistance à toute nouvelle dépense gouvernementale. « Ils se servent du déficit pour contrecarrer notre politique. »

Cette remarque était pour moi le signe que les partisans d'une ligne dure pouvait compter sur l'autre conseiller de l'ombre du président : Hillary. « La revanche de Stockman » était une expression que j'avais souvent entendue dans sa bouche. Après tout elle restait le plus puissant soutien des démocrates de gauche au sein de la Maison-Blanche. Certes son influence politique était moins perceptible, d'autant plus qu'elle se consacrait à la rédaction de son livre, *It Takes a Village* (*Il faut tout un village pour élever un enfant*). Sa pugnacité, qui avait sans doute nui à sa réforme du système de santé et qui s'était retournée contre elle aux pires moments de l'affaire Whitewater, en 1994, pouvait devenir notre meilleur atout dans la lutte budgétaire de 1995.

Mes relations avec Hillary étaient redevenues bonnes. Sa colère au sujet de l'affaire Woodward était enterrée et elle avait apprécié mon travail sur les mesures anti-discriminatoires. Elle avait certes contribué au retour en grâce de Morris mais elle ressentait le besoin d'un contrepoids de gauche au sein de la Maison-Blanche. Elle m'appelait plusieurs fois par semaine pour me remonter le moral, souvent pendant sa gym. « Comment ça va aujourd'hui, George ? », me demandait-elle entre deux inspirations. J'entendais le ronron de son tapis roulant de jogging en bruit de fond. Nous échangions nos informations au sujet du budget, je lui rapportais les propos des parlementaires démocrates et, le cas échéant, ce que j'avais entendu d'intéressant aux nouvelles. Elle ne regardait plus la télévision – trop exaspérant, trop blessant. Un soir de septembre, alors que je faisais la une des journaux, elle m'appela pour me consoler, et me montrer comment elle-même faisait face.

Quelques jours plus tôt, j'avais été arrêté par un policier pour délit de fuite alors que j'essayais péniblement de sortir d'une place de parking trop petite : quand j'avais éraflé le pare-chocs de la voiture garée devant, cet agent un peu nerveux, qui m'avait reconnu, avait jugé bon de me faire sortir de ma voiture et de me menotter devant les passants attroupés. J'étais bien incapable de « fuir la scène de l'accident », puisque ma voiture était toujours coincée contre le trottoir. J'avais été relâché quelques heures plus tard avec les excuses du commissaire, mais les dégâts étaient faits : la bande vidéo de mon arrestation fut diffusée à tous les journaux du soir.

« Je suis heureuse de voir que vous avez surmonté vos problèmes avec la police, commenta Hillary en riant. Vous savez, j'ai beaucoup pensé à ce qui vous est arrivé (*et à elle*). Nous avons eu droit tous deux, poursuivit-elle, à des tas d'articles pour des actes imaginaires (*comme de jeter une lampe à la tête de son mari*). Nous avons eu droit à des montagnes d'articles pour des grosses bourdes que nous avions commises (*comme de piquer une grosse colère avec un haut fonctionnaire des Finances*). Nous, les deux démocrates de gauche, les deux paratonnerres, Boy George et sainte Hillary, avons eu beaucoup à nous plaindre de la presse et de nos ennemis communs. Nous avons eu tout le temps de songer au mal que font les caricatures et à la futilité de vouloir y échapper. »

Elle me félicita pour l'expression que j'avais montré à la sortie du commissariat, tête haute, calme et souriant. « C'est ce que j'ai appris à faire, m'expliqua-t-elle. Chaque fois que je m'énerve, je suis diffamée, alors je fais ce que j'ai appris à faire : encaisser avec le sourire. J'y vais et je leur dis : – S'il vous plaît, s'il vous plaît, cognez encore, insultez-moi encore. Vous pouvez être aussi retors que vous voulez en coulisses, mais il faut toujours garder le sourire. »

Cette leçon, nous l'avions tous deux retenue de son mari, le maître du sourire public qui masque la colère intérieure. Cet automne, un homme en particulier alimentait les accès de mauvaise humeur de Clinton. Son livre était un best-seller, sa cote dans les sondages grimpait en flèche et nombre d'experts lui prédisaient un brillant avenir de président. Le général Colin Powell exaspérait le président.

« La presse lui déroule le tapis rouge », gémissait Clinton, assis derrière son bureau à lire un nouvel article flagorneur sur son rival.

– Je ne crois pas », répondis-je (j'étais aussi anxieux que lui au sujet de Powell mais je pensais que s'il se lançait dans la course à la présidence, les journalistes le traiteraient comme les autres candidats). « Quand il annoncera sa candidature, bien qu'ils l'aiment et bien qu'ils veuillent le voir gagner, ils se sentiront obligés d'en parler comme de n'importe quel autre candidat. »

J'aurais dû en rester là. De toute façon, aucun de mes arguments ne passait. Le président se leva et me jeta un regard sombre en s'appuyant des deux mains sur son bureau. Mais j'étais l'expert en communication, j'avais un auditoire et je poursuivis mon exposé : « Les contraintes de la couverture de la campagne étoufferont leurs sentiments personnels... »

Il brandit aussitôt un index vengeur vers mon visage : « Vous vous trompez ! Vous vous trompez ! Ils l'encenseront même s'il fait la moitié du boulot que j'ai accompli en tant que président. Ils vont lui ouvrir un boulevard. »

Quand on l'interrogeait en public sur Powell, il répondait par les banalités de rigueur : « J'ai travaillé avec lui et je l'apprécie… C'est un homme très attachant… l'histoire de sa vie est très émouvante… » mais dans ces remarques perçait une sourde animosité. (« Il reçoit beaucoup de louanges, *pour la plupart* méritées. ») Tôt ou tard, cette aigreur allait finir par filtrer en public et je redoutais que cela n'arrive au dîner annuel des parlementaires noirs démocrates, fin septembre. Ces partisans dévoués de Clinton admiraient Powell ; il était de leur famille. La chaîne câblée C-Span allait diffuser l'événement en direct et les journalistes maison étaient en effervescence à l'idée de ce premier corps à corps public entre les deux rivaux potentiels depuis que Powell avait commencé à se positionner comme candidat.

Je retrouvai Clinton à sa résidence tôt le samedi pour travailler sur le discours qu'il comptait prononcer à ce dîner. Il était assis dans son bureau du deuxième étage, entouré de photos de famille et de sa collection de grenouilles en céramique, un cigare aux lèvres, ses lunettes demi-lune perchées au bout du nez et ses papiers étalés sur la table devant lui. Le président était heureux. Mais il voulait toujours donner « un petit coup de griffe » à Powell.

Dans les dîners de l'Arkansas, où Clinton avait appris son métier, il était de mise, entre adversaires politiques, de se donner de « petits coups de griffe ». Mais à Washington, un président n'a le droit de se moquer que de lui-même. Ce soir-là, Clinton avait envie d'égratigner le général. Il avait apparemment entendu dire que Powell avait reproché aux parlementaires noirs « d'avoir perdu leur vision et leur spécificité ».

« Je veux l'épingler, lui dire qu'ils n'ont jamais perdu leur spécificité.

– Monsieur le Président, si vous prononcez une seule parole qui ait si peu que ce soit l'air d'une critique, tout le monde va dire que vous avez peur de Powell, qu'il vous obsède et on ne vous laissera pas en paix. Soyez simplement généreux, soyez courtois.

– Vous avez raison, je sais. Mais cet article dit un peu trop de bien de Powell, nous devons lui rabattre un peu son caquet.

– Très bien, rabattez. »

Et je profitai de l'occasion pour enfourcher à nouveau mon dada :

« Si vous voulez enterrez Colin, le meilleur moyen de le faire devant les parlementaires noirs, c'est d'éreinter le projet de budget républicain. » Les mots étaient nouveaux mais la routine était familière : ce moment me rappela les matinées de la campagne où nous étions assis sur un lit, dans la chambre d'un motel quelconque et que nous passions en revue le planning de la journée pendant que Clinton se détendait après son jogging.

Si ce n'est que le candidat d'autrefois était devenu président et que nous nous trouvions à la Maison-Blanche. Pendant que le président se rasait, il se mit à faire des gammes pour relâcher son diaphragme et me raconta que Kennedy avait l'habitude « de s'enfermer dans les toilettes et d'aboyer comme un chien ». Puis il se mit à aboyer. La référence à la lignée des présidents qui l'avaient précédé était constante chez Clinton.

En le quittant, ce soir-là, j'avais l'impression d'avoir effectué du bon travail : Clinton était gonflé à bloc, confiant, il avait laissé ses démons au vestiaire et se préparait à faire ce que personne, pas même Colin Powell, ne faisait mieux que lui : sentir un auditoire, répondre à son attente. « Ils vont avoir droit à un discours du feu de Dieu ! Ils me démoliront peut-être, mais ils se diront : il ne se laissera pas abattre sans combattre. »

La lutte à laquelle se préparait Clinton n'eut pas lieu ce soir-là. Le président comme le général choisirent la voix de la sagesse. Mais les mois suivants, le mouvement en faveur de la candidature Powell accapara complètement la vie politique.

C'est pourtant le destin d'un autre noir célèbre qui préoccupait vraiment le grand public à cette époque, celui d'O.J. Simpson[3]. À la Maison-Blanche, nous réfléchissions aux conséquences du verdict pour Clinton et pour le pays – et nous nous préparions au pire.

Le lundi 2 octobre, Gene Sperling et moi étions dans mon bureau quand, sur l'écran du téléviseur toujours allumé, CNN annonça un « bulletin spécial ». Nous ne nous attendions pas à une décision aussi rapide : les délibérations avaient duré moins de quatre heures. Panetta

---

3. NdT. Célèbre footballeur noir américain. Arrêté, il est inculpé du double meurtre de son ex-femme Nicole et de son amant Ron Goldman.

convoqua en hâte une réunion dans son bureau. Nous devions rédiger une déclaration pour le président et le ministère de la Justice se préparait à d'éventuelles émeutes à Los Angeles. Nous commençâmes bien sûr à spéculer sur le verdict et chacun y alla de ses prévisions : Leon, ancien procureur et partisan d'une stricte application de la loi, ne doutait pas une seconde de la culpabilité de Simpson. Morris évoqua les derniers sondages : « 80 pour cent des Noirs de ce pays pensent que Simpson a été victime d'un coup monté ou qu'il y a eu des irrégularités dans l'instruction de l'affaire. Avec autant de Noirs dans le jury, je vous le dis, il est innocent. » Carville téléphona et nous livra son intuition profonde : « Il est coupable. Je le sens. Ils vont le déclarer coupable. » Ma propre conclusion était plus un vœu qu'une prédiction : « Coupable », fis-je. Le président refusa de parier, se contentant de dire qu'il était surpris que le verdict ait été rendu aussi vite. Morris ne put s'empêcher de commenter : « Ce genre d'impétuosité est caractéristique des Noirs. »

Le lendemain matin, nous examinâmes les plans de crise élaborés par les hauts fonctionnaires du secrétariat à la Justice. Selon les rapports qu'ils avaient reçus, les Afro-américains de Los Angeles étaient sur les dents et obsédés par Mark Fuhrman. Ces hauts responsables redoutaient qu'un verdict de culpabilité déclenche des émeutes et ils étaient en liaison avec la police de L.A. et les chefs de la communauté noire pour tenter de garder la maîtrise de la situation. Le procureur général adjoint, Jamie Gorelick, nous confirma que dès l'annonce du verdict, le ministère de la Justice déposerait une plainte contre Mark Fuhrman pour violation des droits civiques et entamerait une procédure concernant d'éventuelles fautes des policiers chargés de l'enquête, un geste particulièrement utile si Simpson était déclaré coupable. Nous étions tous d'accord pour considérer que la déclaration du président devait rester aussi neutre que possible.

Quand nous allâmes lui présenter le résultat de nos cogitations, il demanda, avec un humour sombre : « Alors, Jamie, faut-il s'attendre à des émeutes noires ou blanches aujourd'hui ? » Clinton m'avait parlé de Simpson, avec qui il avait joué au golf, peu après son arrestation. Il avait évoqué les angoisses qui rongent un homme d'âge mûr dont les hauts faits appartiennent à un passé révolu. Clinton craignait qu'un acquittement alimente l'animosité des Blancs et le préjugé selon lequel « on ne peut faire confiance aux Noirs pour rendre la justice ». Clinton savait que l'aggravation des divisions raciales signifierait sans doute aussi un plus grand nombre de voix « d'hommes blancs en colère » pour les républicains en 1996.

Le verdict était attendu pour 13 h. Nous étions cloués sur place par le suspense comme le reste du pays. Quelques-uns d'entre nous le suivirent dans le bureau de Betty Currie, la secrétaire du président. Clinton, installé devant le téléviseur de Betty, le plus grand de la suite du Bureau ovale, ne levait pas les yeux d'un magazine de mots croisés et affichait un calme inhabituel. Mais quand l'avocat Gerry Spence prédit un verdict de culpabilité, le président marmonna « tant mieux pour toi ». Puis les membres du jury prirent place et l'on donna lecture de la décision : « Non coupable ! »

Clinton fixa l'écran en silence. Pour nous qui avions les yeux rivés sur Clinton, le suspense n'était pas fini. Personne ne prononça le moindre mot, comme si nous attendions la directive du président pour savoir quoi penser. Le président comprenait aussi le poids de ses paroles. Un ou deux ans plus tôt, il aurait sans doute livré le fond de sa pensée et commenté la sentence en détail. Mais à ce moment de sa présidence il distillait les jugements avec la prudence que confère l'expérience. Il luttait pour ne rien laisser transparaître mais il se trahit quand même, d'un seul mot : « Merde ! »

Alors que la télévision montrait des scènes de liesse populaire dans les rues de South Central à Los Angeles, la colère et l'indignation se donnèrent libre cours dans le petit bureau de Betty. Clinton révisa sa déclaration en silence. Une simple phrase dans laquelle il exprimait son respect pour la décision du jury et sa tristesse pour « Ron et Nicole ». Mike McCurry vint chercher la déclaration et demanda au président s'il avait d'autres pensées à formuler. « Pas que je veuille dire », répondit Clinton qui se pencha en avant, enfouit son front dans ses paumes et s'essuya mécaniquement les yeux comme s'il voulait empêcher toutes ses pensées de s'échapper.

Betty était la seule Noire américaine parmi nous. C'était une présence sereine, toujours chaleureuse et accueillante quand on avait l'air soucieux. En retournant vers mon bureau, je pensai à elle. *Mon Dieu, ça a dû être douloureux d'assister à cette scène, même si elle aime le président, même si elle est notre amie.* Soudain honteux de mon manque de tact, je revins la voir pour lui parler de ce qui venait de se passer : comment expliquait-elle ces scènes de liesse ?

« Vous me demandez ce qu'on pense dans la communauté ? dit-elle avec une légère nervosité qui me fit comprendre qu'elle avait noté ma réaction indignée à l'annonce du verdict. « La plupart d'entre eux se sentent vengés par ce jugement. Il transmet un message : la police ne peut pas se comporter n'importe comment avec les Noirs. »

Mais, Betty, quel genre de message véhicule le fait d'acquitter un meurtrier et de lui rendre la liberté ? L'expression de mon visage me trahissant, Betty me rappela une conversation que nous avions eue peu après l'arrestation de Simpson : « Rappelez-vous, George, quand tout ceci a commencé, je pensais qu'il était coupable et vous refusiez de le croire. » C'était un reproche gentil, qui me rappelait de rester humble dans mes jugements et un autre symptôme du fossé qui s'était creusé entre Blancs et Noirs au cours de ce procès. Parmi nous, certains passèrent le reste de l'après-midi à se demander si le président devait faire une autre déclaration, mais Clinton ne voulait plus parler de ce sujet, une décision que Morris approuva en annonçant les résultats d'un nouveau sondage : « 80 pour cent des Américains sont opposés à une nouvelle intervention présidentielle au sujet du verdict Simpson. »

La déclaration présidentielle la plus importante de cet automne ne donna lieu à aucun sondage parce qu'elle n'était pas censée bénéficier d'une grande publicité : lors d'un dîner de collecte de fonds à Houston, le président se livra à une confession publique devant une salle pleine de donateurs. Reconnaissant que beaucoup d'entre eux étaient « furieux » parce qu'ils jugeaient que Clinton « avait trop augmenté leurs impôts », le président ajouta : « Cela vous surprendra peut-être d'apprendre que je pense moi aussi les avoir trop augmentés. » La plupart des journalistes de la Maison-Blanche manquèrent cette déclaration parce qu'ils avaient séché le discours et étaient allés dîner en ville. Après tout, Clinton faisait rarement la une avec ce genre de soirées, de toute façon trop tardives pour les nouvelles du soir – et on ne trouvait pas de bon restos tex-mex à Wahington… Mais une correspondante de l'agence Reuter trouva matière à pondre de la copie quand elle entendit Clinton renier, de toute évidence, une des réalisations majeures de sa présidence.

Le lendemain matin, je sursautai en découvrant le gros titre d'un article du *Washington Times* : « Clinton déclare avoir trop augmenté les impôts. » Replacés dans leur contexte, les propos de Clinton prenaient un autre sens : celui d'une défense véhémente de notre plan économique de 1993. Une fois isolés de celui-ci, en revanche, ils ressemblaient à de la propagande républicaine. J'annonçai aux principaux responsables de la Maison-Blanche que nous avions un « gros problème ». En fait, je pensais quasiment que le ciel nous tombait sur la tête.

Il fallait agir vite, je n'étais pas le seul à lire le *Washington Times*. Les républicains, qui voulaient qu'on parle d'autre chose que des coupes qu'ils allaient imposer dans l'assistance médicale aux personnes âgées, sautèrent sur l'occasion. Gingrich et Dole tinrent une conférence de presse triomphante sur l'air d'« on vous l'avait bien dit ». Ils avaient fait suspendre au mur, derrière eux, une énorme photo de Clinton reconnaissant son péché. Les démocrates qui avaient déjà un lourd contentieux avec le président, qu'ils soupçonnaient de vouloir les lâcher dans les discussions budgétaires, passèrent du désarroi chronique à la crise d'apoplexie. Lors de la réunion de la commission des Finances du Sénat, le sénateur Moynihan poussa ses collègues à la révolte en leur distribuant des photocopies de la dernière trahison de Clinton. Les dirigeants du parti appelèrent Leon pour exiger un démenti officiel.

Il fallait que Clinton se rétracte et que son démenti paraisse dans les journaux du matin. Mais il se reposait dans sa résidence après un voyage de plusieurs jours et personne n'avait très envie de le déranger. Peu avant que le président ne quitte à nouveau la Maison-Blanche pour un autre dîner de collecte de fonds (la campagne en faveur des programmes sociaux avait coûté cher) Gene Sperling et moi demandâmes à Erskine Bowles un entretien de cinq minutes avec Clinton : « Je sais qu'il va nous hurler dessus. Je sais qu'il va se mettre en colère. Mais il faut qu'il retire ses propos sinon cette histoire va le tuer. »

Erskine expliqua à Clinton pourquoi nous étions venus. Il était épuisé. Avant qu'il ait eu le temps de réagir, je lui débitai mon boniment : « Nous vous avons défendu toute la journée, monsieur le Président, mais après avoir parlé avec les parlementaires et écouté les nouvelles, nous sentons que nous avons vraiment un problème qui doit être réglé. » Je suggérai ensuite une rétractation présidentielle – une potion maison : trois cuillerées de miel et une de vinaigre : « Primo, vous avez parfaitement le droit de dire que vos paroles ont été extraites de leur contexte. C'est vrai. Deuxio, soulignez que vous êtes très très fier de votre programme économique. Tertio, dites que personne n'aime les hausses d'impôts. Et quarto, nous devrions conclure avec une formule du type « Je n'aurais pas dû dire ce que j'ai dit », ou « Ce n'était pas juste de dire ce que j'ai dit », ou « C'était une erreur. J'ai eu tort ». »

L'index était pointé vers moi avant que j'aie fini ma phrase. Clinton avança d'un pas, me toisa de toute sa hauteur d'un œil furieux en jouant au maximum de sa supériorité physique. « Je ne vais pas dire ça ! déclara-t-il. Vous voulez me forcer à dire quelque chose qui n'est pas vrai ! »

S'ensuivit un raisonnement touffu sur la façon dont les hausses d'impôts ciblées sur les hauts revenus, nos promesses de campagne, avaient eu un impact plus limité que celles votées par le Congrès parce que les fonctionnaires des Finances avaient été incapables d'interpréter correctement nos propositions budgétaires. En outre, les républicains avaient refusé toute hausse d'impôts et les démocrates s'étaient opposés dès le départ à la hausse de la taxe sur l'énergie proposée par le président, et pour finir les représentants démocrates avaient refusé d'entériner certaines de nos promesses.

Sperling vint à ma rescousse. Reprenant des citations du président pendant la campagne, et invoquant son plan économique de 1993, Gene conclut en avocat : « Nous ne pouvons pas revenir sur ce que nous avons fait, monsieur le Président. Même si vous avez raison, nous ne pouvons tout simplement pas.

– Qu'attendez-vous donc de moi ? fit-il, sur un ton irrité, mais déjà gagné à nos arguments.

– Nous avons besoin d'une concession, si minime soit-elle. Pouvons-nous dire que vous êtes fier de votre plan et que vous n'avez pas de regrets ? » Ce n'était pas assez fort. Pas vraiment des excuses et de plus,

Clinton refusait d'apparaître en personne devant les caméras. Il fallait que ce soit moi qui diffuse un communiqué. Mais il faudrait faire avec. Gene et moi rédigeâmes une brève déclaration ainsi conçue : « Le président n'a absolument aucun regret. Aucun. Et il n'a rien voulu suggérer d'autre. » La dernière phrase outrepassait la consigne du président. Mais c'était le strict minimum nécessaire pour éviter le désastre le lendemain.

Après avoir entendu les questions que les journalistes lui criaient sur le chemin de sa limousine, Clinton commença à mieux apprécier la situation. Il m'appela plusieurs fois dans la soirée pour me demander comment elle évoluait. C'était sa façon à lui de me remercier et de s'excuser pour son accès de fureur. Mais le lendemain, il n'était toujours pas d'humeur à s'acquitter du mea culpa en bonne et due forme réclamé par les démocrates et la presse. Ses plus proches collaborateurs lui enjoignirent à l'unanimité de rencontrer lui-même les journalistes pour s'expliquer directement avec eux. Hillary me téléphona à deux reprises pour me répéter la même chose. Mais Clinton rechignait toujours devant un démenti aussi formel. Gore, Panetta, Rubin, Bowles et Ickes insistèrent tous, mais le président n'accepta que des excuses au conditionnel, une déclaration du type : « Si j'ai dit quelque chose qu'on a mal compris... », assorti d'une plaisanterie bancale sur sa mère qui lui avait fait promettre de ne jamais prononcer de discours quand il était fatigué...

Pourtant, même les erreurs de Clinton finissaient toujours par tourner à son avantage. Pour amadouer les démocrates, sa conférence de presse commença par un coup de clairon à l'adresse des républicains : « Mon message aux républicains est simple... Je ne vous laisserai pas détruire Medicare et j'opposerai mon veto à votre projet de loi. » Le président entérinait la stratégie d'intransigeance que nous avions mise au point. Au fond, Clinton voulait toujours parvenir à un compromis, il y tenait absolument. À tel point qu'un peu plus tard il laissa échapper une concession énorme en disant que nous pouvions envisager de revenir à l'équilibre sur sept ans au lieu des neuf initialement annoncés dans notre projet de loi de finances. Cela revenait à une concession unilatérale d'environ 200 milliards de dollars aux républicains. J'appuyai silencieusement mon front contre le mur pour m'empêcher de crier. Gene semblait sur le point d'éclater en sanglots. Nous venions à peine de régler un problème qu'un autre surgissait inopinément de la bouche du président.

Ce que nous ne savions pas, et ne pouvions savoir, c'est que même cette gaffe allait jouer en notre faveur. Notre ligne publique dure combinée avec une campagne publicitaire efficace rassembla les démocrates et affaiblit les positions républicaines. Et simultanément, les conversations secrètes de Morris avec Lott, les coups de fil apaisants de Clinton à Gingrich et ses réticences affichées à l'égard des démocrates, de même que ses concessions publiques aux républicains, toutes ces démarches sincères chacune à leur façon se combinèrent pour créer une campagne de désinformation – involontairement – ingénieuse. Elle incita les républicains à penser que Clinton se dégonflerait pourvu qu'ils se montrent assez patients.

Mais ils ne savaient pas que fin octobre, le camp de l'affrontement ouvert (Trent Lott nous appelait « les sandinistes[4] »), Panetta, Ickes et moi, avait un nouvel atout. En devenant un personnage en vue, Morris avait attiré sur lui l'attention des médias. Le *Sunday Times* expliquait en détail, dans sa une, comment dans ses missions antérieures Morris avait « ouvertement et vigoureusement ridiculisé le comportement personnel et les positions politiques de M. Clinton et conseillé ses clients sur la meilleure manière d'exploiter les faiblesses du président dans leurs campagnes ». D'autres journalistes commencèrent à fouiller le passé de Dick et découvrirent qu'il avait collaboré à des campagnes républicaines vertement critiquées pour leurs insinuations racistes. Morris s'était d'ailleurs targué d'être l'auteur de la formule infâme « les mains blanches », utilisée par Jesse Helms contre son adversaire Harvey Gantt, qu'il accusait de soutenir une politique de quotas en faveur des minorités. Pour un autre candidat républicain du Sud, il avait réalisé une annonce radio qui défendait les symboles de la vieille confédération, sur l'air de *Dixie*[5].

Dick comprit rapidement que ces révélations menaçaient son gagne-pain. Les démocrates du Capitole étaient décidés à en finir avec lui. Étant donné l'engagement du président en faveur de l'anti-racisme, l'associa-

4. NdT. Mouvement marxiste nicaraguayen qui a gouverné le pays de 1979 à 1990. Les républicains ont soutenu financièrement la Contra, la faction rebelle.

5. NdT. Chant de Daniel Decatur Emmet, écrit en 1859. Sera adopté par les États du Sud esclavagistes comme leur hymne officieux pendant la guerre de Sécession (1861-1865).

tion de Dick avec des campagnes teintées de racisme allaient leur fournir des raisons supplémentaires d'exiger son limogeage. En tout cas, c'est ce que j'espérais. Quand les journalistes sortirent l'histoire des « mains blanches », je demandai à Morris si c'était vrai. « Eh bien non, pas exactement, commença-t-il. J'ai travaillé sur ce problème, l'ai fait sondé, ai conseillé Helms là-dessus... » Soudain, il comprit que je lui tendais un piège ; il s'interrompit et conclut d'un ton vibrant d'indignation : « Mais je ne suis pas l'auteur de ce slogan scandaleux, méprisable et raciste. »

Pour moi, il était trempé jusqu'au cou dans cette affaire. Lors d'une réunion avec Harold, Erskine et Leon, j'expliquai que si les accusations portées contre lui étaient vraies, Morris devait être viré. « Nous avons jeté Lani Guinier dehors à cause de ses opinions racistes, et alors que ce type écrit le slogan le plus raciste de l'histoire contemporaine, tout ce que nous trouvons à dire, c'est : alors, où est le problème ? »

Nous voulions tous mettre Dick à la porte et Leon demanda à Erskine de fouiller son passé à la recherche d'autres « bombes » éventuelles. Mais Morris orchestra une campagne efficace pour brouiller les pistes. En revenant à mon bureau, je le trouvai confortablement installé dans mon fauteuil capitonné. Quand je lui demandai ce qu'il pensait de l'affaire Helms, il ne cilla même pas. « Clinton était au courant de tout, fit-il. Je lui ai raconté, durant toute la campagne, à quel point l'exploitation de ce thème était payante. » Je ne savais pas jusqu'à quel point tout cela était vrai, mais c'était exactement ce que je ne voulais pas entendre. *Bien sûr, Clinton savait. Et il s'en fichait.* Ce n'est pas un péché capital, une mauvaise action, juste une association aux relents désagréables, mais tout de même démoralisante.

Morris allait malgré tout avoir du mal à s'en remettre. Toute cette publicité faite autour de lui l'avait affaibli. Le gouvernement était sur le point de se trouver en cessation de paiements ; c'était une question de jours. Un compromis sur la loi budgétaire était donc de plus en plus urgent. Panetta, Pat Griffin et moi saisîmes l'occasion de mettre les points sur les i avec Morris autour de la table de conférence de Leon. « Dès qu'ils le pourront, les démocrates s'en prendront à vous, lui expliqua Pat. Ils exigeront votre tête en échange de leurs voix. » Le chantage fonctionnait de notre côté à présent.

Terrifié à la perspective de se faire « trianguler », Dick joua la conversion politique de dernière minute : « J'ai réexaminé la situation. Il est clair pour moi que nous ne pouvons accepter aucun compromis, que nous n'obtiendrons pas d'accord… Je ne suis même plus sûr qu'il soit nécessaire de présenter un budget en équilibre. Les gens croient que nous voulons équilibrer le budget, mais rien ne nous y force. Mais le seul moyen de faire passer cette stratégie d'intransigeance, c'est de monter une *très très très grosse* campagne médiatique payante. »

Très grosse afin que Morris puisse toucher des millions de dollars de commission, évidemment. « Certaines personnes ont besoin d'un verre de vodka pour se donner du cœur au ventre, ajouta-t-il. Le président a besoin d'une campagne médiatique. J'ai besoin d'une campagne médiatique. Je n'ai pas de courage sans ça. » Ça ne pouvait pas durer longtemps mais à un moment crucial, pour le juste prix, Morris était devenu un démocrate de gauche comme moi. Un jusqu'au-boutiste du veto. Après tout, le prix à payer pour cette volte-face n'était pas énorme.

Clinton, en revanche, continuait à croire dans la doctrine Morris du début, celle de l'arrangement avec les républicains, inclination renforcée par la perspective de plus en plus imminente d'une faillite de l'État. Les républicains refusaient de concéder des lignes de crédit supplémentaires jusqu'à ce que nous ayons accepté des concessions unilatérales sur le budget. Rubin, le secrétaire au Trésor, réalisait des acrobaties financières pour repousser le jour fatal, mais si le Congrès n'autorisait pas le gouvernement à émettre de nouvelles obligations, les États-Unis seraient, pour la première fois de leur histoire, incapables de faire face au remboursement de leur dette.

En public, le président restait intransigeant. En privé, il hésitait. Il ne voulait pas porter le chapeau quand 43 millions d'Américains allaient se voir privés de leur chèque de la Sécurité sociale. De plus, Clinton redoutait une réaction très négative des marchés. Bob Rubin continuait de répéter d'un air de sphinx que cela pourrait sans doute arriver mais que la cessation de paiements « était impensable ». La capitulation aussi. Cuirassé par des années de calcul de probabilités et de placements financiers à hauts risques, le secrétaire au Trésor pensait que la capitulation devant le chantage du Sénat créerait un précédent terrible, affaiblirait la présidence et nous placerait en position d'infériorité dans toutes les discussions budgétaires à venir. Sa résolution fut notre meilleur atout contre les hésitations de Clinton.

Si bien que lorsque Gingrich appela Clinton pour discuter de la dette, nous interceptâmes le message et demandâmes à Rubin de le rappeler. Nous disions que pour empêcher Clinton de rappeler Newt et de « brader la boutique », nous étions prêts à débrancher les téléphones « comme ils l'ont fait à Gorbatchev pendant le coup d'État ». Mais le Speaker, légitimement, ne voulait parler qu'avec le président. Une réunion dans le Bureau ovale fut convoquée pour le mercredi 1er novembre.

Les deux jours qui précédèrent cette rencontre, l'équipe chargée de la préparation du budget passa presque huit heures à essayer de mettre au point une stratégie pour empêcher le président de reculer. Et pour verrouiller la situation, Panetta confia au *Washington Post* que le président préférait « pas d'accord du tout à un mauvais accord ». Propos qu'il reprit devant les parlementaires démocrates le mercredi suivant. En attendant Gingrich et Dole dans le Bureau ovale, tous les conseillers du président qui l'entouraient s'efforçaient de le galvaniser, lui répétaient à quel point il avait l'air fort quand il tenait bon sur les principes et lui rappelaient les conséquences de ses reculades passées. Je critiquai Newt Gingrich avec véhémence. « Newt est prêt à mentir et à tricher pour vous forcer la main », déclarai-je à Clinton en ajoutant qu'il devait rester sur ses gardes et ne pas chercher à le retenir : « Dans ce cas, une réunion ratée sera une réunion réussie. »

« George a parfaitement raison sur ce point ! » Un allié puissant et inattendu volait à mon secours : Gore pensait que nous n'obtiendrions un accord acceptable avec les républicains que si nous campions ferme sur nos positions. Il n'était pas homme à craindre un éventuel affrontement. Quand Newt ouvrit la réunion en se plaignant de nos attaques sur leur budget « extrémiste », le vice-président riposta : « En tout cas, nous ne vous avons pas accusé d'avoir noyé des petits enfants en Caroline du Sud. »

Cette remarque faisait allusion à une conférence de presse récente de Gingrich dans laquelle il avait évoqué le cas de Susan Smith – une femme de Caroline du Sud qui avait noyé ses enfants – comme une raison de voter républicain. La réplique de Gore cloua Gingrich sur place et renforça la position de Clinton. Un président occupe toujours la première place mais, à l'occasion, Gore savait en imposer. Toujours respectueux en public, il discutait d'égal à égal avec Clinton durant leur sacro-saint déjeuner hebdomadaire. La vision de Gore rabattant son caquet à Gingrich stimula la pugnacité de Clinton : « Si vous voulez que quelqu'un signe votre budget, lança-t-il le doigt pointé vers son bureau de l'autre côté de la pièce, vous devrez faire élire Bob Dole pour qu'il prenne place à ce bureau, parce que je n'ai pas l'intention de le faire. » La réunion s'était très bien passée mais nous étions toujours dans l'impasse.

Une semaine plus tard, l'émulation fraternelle de Clinton et Gore se manifesta à nouveau à l'occasion du retrait de Powell de la course présidentielle :

« Tu penses vraiment qu'il ne va pas se présenter ? demanda Clinton.

– J'en suis absolument sûr. Il va l'annoncer dans l'heure.

– C'est à cause de son sens du devoir. McClellan est le seul général en exercice à s'être présenté contre son commandant en chef. Ike aurait pu se présenter contre Truman mais il a préféré attendre. »

Avant que je sorte du bureau, Clinton ajouta d'un ton espiègle : « Vraiment dommage pour Al ! »

Nancy Hernreich et moi éclatâmes de rire tandis que le président ne pouvait s'empêcher de sourire de toutes ses dents. Il fit cependant machine arrière aussitôt, un peu embarrassé par l'impression que pouvait produire cet étalage d'égoïsme politique : « Al sait qu'il vaut mieux pour lui que ce soit encore nous qui gagnions cette fois-ci. » Mais son sourire ne s'effaça pas. Tel fut le seul commentaire de Clinton sur la rumeur qui commençait à se répandre : Colin Powell était sur le point d'annoncer son désistement pour les élections de 1996. Si Powell se présentait en l'an 2000, ce serait le problème de Gore.

Finalement, les républicains eux-mêmes furent les principaux artisans de leur échec et notre meilleure arme secrète.

D'abord, ils ne parvinrent pas à faire voter leur budget à temps : comme ils avaient raté le coche, il nous fut d'autant plus facile de leur reprocher les déboires de trésorerie du gouvernement. Mais leur pire décision fut le vote du report des allocations d'aide aux personnes âgées. Ils nous facilitaient presque trop la tâche. Non seulement cette piteuse manœuvre renforça l'impact de nos spots télé qui montraient Dole et Gingrich se félicitant de vouloir supprimer Medicare, mais Clinton opposa son veto à la loi de finances provisoire qui devait permettre au gouvernement d'honorer ses échéances : quand il apparut sur le petit écran pour stigmatiser la « profonde irresponsabilité » des dirigeants républicains qui coupaient les crédits de l'assistance aux personnes âgées et qui en faisaient une condition de la survie matérielle du gouvernement, le visage grave et plein de compassion de Clinton était celui du père de l'Amérique.

Pendant ce temps Gingrich passait, lui, pour le sale gosse de l'Amérique : le 15 novembre, il déclara devant une salle bondée de journalistes qu'il avait serré les cordons de la bourse gouvernementale suite à la façon dont il avait été traité par le président lors du voyage de celui-ci en Israël, à l'occasion des funérailles de Rabin. Il avait effectivement été relégué dans son coin à cause du chagrin qu'éprouvait le président pour le défunt : Rabin était le chef d'État qu'il respectait le plus, mais aussi parce que nous ne voulions pas d'une négociation budgétaire pendant le vol. C'était une des responsabilités de Leon, ce jour-là. La réaction infantile de Newt transforma ce débat très abstrait en une brouille plus intelligible pour l'homme de la rue : il connaissait le crime (la suppression des crédits au gouvernement), tenait le coupable (Newt) et le mobile (l'affront personnel). Le lendemain, tout le pays était au courant du coup d'éclat de Gingrich. Quand on demanda au président s'il savait pourquoi Newt avait réagi aussi vivement au traitement subi à bord d'Air Force One, il proposa de s'excuser en ces termes : « Je puis vous dire ceci : si cela permet au gouvernement de se remettre au travail, je lui présenterai volontiers mes excuses. »

Malgré ces gaffes, le rapport de force restait toujours en faveur des républicains. La Maison-Blanche, ses lignes de crédit réduites au minimum, fonctionnait avec une équipe squelettique et notre coalition parlementaire commençait à se fissurer. Quarante-huit démocrates avaient voté pour une loi de finances provisoire républicaine excluant le versement des allocations Medicare et exigeant du président qu'il soumette un projet de budget en équilibre sur sept ans. C'était toujours du chantage, mais plus habile puisque Clinton avait déjà concédé qu'il était possible d'équilibrer le budget sur sept ans. Nous ne disposions plus d'assez de représentants démocrates pour soutenir notre veto.

Pour prévenir ce désastre, nos experts économiques proposèrent aux républicains d'appuyer leur projet de budget en équilibre sur sept ans « si et seulement si » ils acceptaient de « voter un financement adéquat » pour les priorités présidentielles : Medicare, Medicaid, l'éducation et l'environnement. Dans notre esprit, les deux parties de la résolution s'annulaient l'une l'autre. Certains que les républicains allaient la rejeter, nous retournâmes à la Maison-Blanche et attendîmes. Clinton était renfrogné. Soudain Betty poussa la porte et tendit à Leon la contre-proposition des républicains qui venait d'arriver par fax.

La lisant par-dessus l'épaule de Leon, je vis que les quelques retouches proposées étaient superficielles. « Ça y est ! », cria Leon. Le président traversa la pièce d'un bond. Nos amis démocrates du Capitole acceptèrent immédiatement les amendements et le gouvernement put recommencer à fonctionner normalement. L'unité démocrate sortait renforcée de cette épreuve qui avait divisé les républicains. Ils avaient raté l'occasion de faire éclater la coalition démocrate. Naïveté, intransigeance, manque de cran ? En tout cas, dès ce moment, la chance avait tourné.

La loi de finances provisoire s'achevant le 15 décembre, une nouvelle suppression des crédits gouvernementaux restait possible à Noël. Mais le calendrier jouait à présent en notre faveur : Newt Gingrich savait bien qu'en cas de nouvelle impasse budgétaire et de cessation de paiements, il serait brocardé comme le « Gingrich qui nous avait volé Noël ». Il avait de toute façon perdu le contrôle de ses troupes. Alors que nous avions travaillé à renforcer l'unité des démocrates, Gingrich se trouvait confronté à de jeunes élus républicains décidés à en découdre avec le gouvernement à moins que celui-ci ne se rende à leurs conditions. Ces républicains plus royalistes que le roi étaient devenus le pire cauchemar de Newt Gingrich – et nos meilleurs alliés. Même des républicains réfléchis et pragmatiques adoptèrent cette attitude suicidaire : « Nous n'abandonnerons jamais, jamais, jamais, tonna Bob Livingston, le représentant de la Louisiane. Nous resterons ici jusqu'au jour du Jugement dernier ! »

Pas Bob Dole, cependant. Quelques jours avant Noël, nous nous retrouvâmes dans son bureau du Sénat à discuter avant un nouveau round de discussions budgétaires. La pièce embaumait le pin, un feu pétillait dans l'âtre. Le chef de la majorité sénatoriale s'y trouvait là comme chez lui. Mais il convoitait le bureau présidentiel et la paralysie gouvernementale l'empêchait de se lancer dans la campagne. Il commenta sa situation fâcheuse : « Je dois me rendre dans le New Hampshire. D'une façon ou d'une autre, tout sera fini le 31 parce que je serai parti. »

Erreur ou message ? Peu importe. Tout ce que nous avons à faire est de tenir une semaine de plus. Ils vont craquer. « Tout sera fini le 31… »

Le jour de la Saint-Sylvestre, les discussions budgétaires à la Maison-Blanche furent suspendues pour une semaine. Les deux camps maintenaient toujours leurs positions et, comme il l'avait annoncé, Bob Dole était sur le départ. Deux jours plus tard, il annonça que les sénateurs républicains abandonnaient leurs collègues de la Chambre et votaient avec les démocrates pour mettre fin à la paralysie du gouvernement. Les républicains étaient finalement devenus cette « bande de va-nu-pieds hagards » que Morris avait prophétisée quelques mois plus tôt. Il n'y aurait pas de compromis budgétaire.

Le président était toujours de bonne humeur. Il ne perdait pas espoir. Avant de quitter la Maison-Blanche pour prendre quelques jours de repos, il m'appela dans le Bureau ovale. « Vous devez savoir que Dick vous rend responsable de ça », me dit-il en me tendant une feuille de papier.

« La confrontation est la clé de la popularité de Clinton : la stratégie du conseiller Morris s'avère incohérente. » Il s'agissait d'un article paru dans le *Washington Post* du jour. Un article dont je m'étais déjà délecté à plusieurs reprises. On y trouvait une analyse détaillée de derniers sondages qui montraient que la popularité de Clinton avait en fait baissé après le discours de juin sur le budget. Il concluait aussi que « les seules fois où la popularité de Clinton a substantiellement augmenté l'année dernière après des actes politiques, ont été celles où il a adopté une stratégie de confrontation et non de triangulation ».

Le président me regarda pendant que je relisais l'article, en totalité et en silence. Je ne pouvais plus contenir ma satisfaction. Chaque phrase résonnait comme une délicieuse vengeance. L'année qui avait débuté pour moi par un exil se concluait sur une victoire. Nous avions effectué les justes choix, qui s'étaient avérés payants et mes efforts étaient enfin couronnés de succès. À moins que ? *Il est terriblement silencieux. Il n'est quand même pas furieux pour ça, non ?*

Non, Clinton était simplement Clinton. Pendant des mois, il nous avait joué l'un contre l'autre, Morris et moi, tirant le meilleur de chacun de nous. Dick avait eu raison de pousser le président à proposer un budget en équilibre. Mes collègues de la Maison-Blanche et moi avions eu raison d'insister sur une ferme défense du New Deal clintonien, la « Grande Société » que Morris était prêt à sacrifier sans hésiter. Clinton avait eu raison de faire le tri dans nos analyses et de forger une synthèse qui lui semblait juste et qui serait bonne pour le pays. Mais dans cette rencontre silencieuse au tournant de l'année, Clinton dut sentir combien il était difficile d'être victime de ses mouvements d'humeur et il se rattrapait par le geste exactement approprié au moment le plus approprié.

« Ne vous en faites pas. » Il sourit : « Dick est un peu paranoïaque. Continuez de faire ce que vous faites. »

16 FIN DE PARTIE

« Je ne veux pas rester... »

Les mots s'échappèrent de ma bouche avant que j'eus compris leur signification. Mais le sourire du Dr Hyde me montra qu'il avait compris. Il avait à peu près mon âge, les cheveux courts et la carrure d'un joueur de rugby ; c'était un des plus grands spécialistes dans sa discipline, la neuro-psychiatrie. Et il venait de m'expliquer que si je n'étais pas parvenu à gérer le stress, ce n'était pas en m'imposant un second mandat que je l'apprendrais. Quand je laissai échapper que tout ce que je voulais, c'était parvenir au bout de l'année prochaine et partir, il insista gentiment : « Pouvez-vous vraiment partir de la Maison-Blanche ? Ne vous sentez-vous pas obligé de rester ? » Mais, malgré ses questions, je n'éprouvais ni honte de ne pas être heureux, ni culpabilité d'avoir envie de partir. C'est ainsi que je compris qu'il était temps.

Bien sûr, cette décision ne m'appartenait pas entièrement. Nous étions en décembre 1995, un sombre après-midi d'hiver à quelques jours de la menace d'une nouvelle paralysie gouvernementale. Nous ne savions toujours pas comment allaient se terminer cette confrontation budgétaire et la campagne de 1996. Et j'étais décidé à partir en posant mes conditions : après que nous aurions remporté la bataille budgétaire et après la réélection de Clinton qui allait être le premier président démocrate réélu depuis Roosevelt. Je passai donc un marché avec le docteur : requinquez-moi maintenant et je vous promets de changer ma vie plus tard. Il me prescrivit du Zoloft, un anxiolytique et anti-dépresseur, et me conseilla des marches à pied plus fréquentes.

J'avais repoussé ce rendez-vous pendant des mois. Le moment le plus grave de ma dépression était passé, mais j'avais les nerfs à vif et ça commençait à se voir. Durant les batailles de juin sur le budget et les mesures en faveur des minorités, après des crises d'urticaire sur le menton, je m'étais laissé pousser la barbe. Ce symptôme avait disparu après les vacances d'été, mais le plus pernicieux, invisible, lui, persistait. C'était un son horripilant : des ongles crissant sur une ardoise, ou une fourchette raclant une assiette en porcelaine. Plusieurs fois par jour, ce son strident jaillissait dans ma cervelle et déferlait dans ma poitrine comme l'effet Larsen d'une guitare mal réglée. Cette torture pouvait durer jusqu'à une heure. Je contractais le visage pour faire cesser le bruit et je me frottais compulsivement le haut du crâne quand mes cheveux commençaient à se dresser sur ma tête. Mais je n'arrivais pas à maîtriser cette sensation. Ma thérapeute me prescrivit des jeux mentaux : imaginez que vous vous trouvez dans un bain chaud ou dans des draps frais. Imaginez que vous cuisinez un bon dîner. Si vous ratez une étape, recommencez. Elle me proposa des médicaments et me donna finalement le numéro de téléphone du Dr Hyde. Je résistais. Le Spartiate en moi se répétait : « Encaisse ! » et l'expert en communication pensait déjà aux manchettes des journaux.

En décembre, je ne supportais plus cette situation, j'avais besoin de retrouver immédiatement un peu de sérénité. Si bien que quand Clinton fut parti à l'étranger, je pris rendez-vous avec le Dr Hyde qui me fit asseoir sur son divan et m'appris ce que je savais déjà : j'étais surmené. Un inhibiteur de la sérotonine comme le Zoloft allait empêcher mes nerfs de déverser dans mon cerveau les molécules chimiques responsables de mes symptômes. Le simple fait de l'entendre expliquer le fonctionnement du produit me calma et le Zoloft m'apaisa encore plus. Je recommençai bientôt à dormir quatre heures d'affilée puis six. Je ne me réveillais plus en attendant que le bruit commence. La sensation d'écho cessa et je recommençai à respirer profondément. Pour me tester moi-même, je visualisais des ongles sur un tableau noir, j'entendais le son et je l'interrompais à volonté.

Tous les stress de la Maison-Blanche étaient encore présents mais ils ne m'affectaient plus aussi gravement. Le médicament me délivra des strates d'inquiétude accumulées et fit resurgir des sensations anciennes : j'étais un rongeur d'ongles mélancolique, sans doute, mais pas un être dévoré d'anxiété, qui ne valait que par sa proximité ou son éloignement au président ; pas non plus un être qui s'imaginait que ses faits et gestes pouvaient faire ou défaire un président.

Le médicament m'aida à prendre du recul, à restaurer cet équilibre intérieur dont mon père m'avait appris qu'il était si précieux. Je travaillais toujours aussi dur, mais je me tourmentais moins. Je devins moins obsessionnel, plus calme, plus détaché, je pensais à mon prochain départ.

Malgré les progrès de ma santé, je n'étais pas tenté de rempiler pour un second mandat. Je voulais bien sûr toujours que Clinton gagne. Une victoire effacerait nos échecs et confirmerait nos succès. Quatre années de plus à la Maison-Blanche, cela signifiait aussi plus de juges démocrates dans les cours fédérales et peut-être un autre siège à la Cour suprême. Cela signifiait qu'un plus grand nombre de démocrates allaient administrer le pays plus longtemps, et prendre toutes les décisions quotidiennes qui contribuent à changer la société. Au Parlement, Clinton allait user de son droit de veto pour empêcher le Congrès républicain de faire trop de dégâts et inciter son leader pugnace à les convaincre de faire un peu de bien. Il allait devenir un commandant en chef plus confiant, impulser une diplomatie plus créative. L'expérience du pouvoir et de la fonction, et le fait de ne plus avoir à penser à la prochaine élection allaient faire de lui un meilleur président.

Mais pas plus hardi. En 1993, Clinton protestait contre le marché obligataire qui le transformait en un Eisenhower républicain. En 1996, avec une nation prospère et en paix et un Sénat contrôlé par les républicains, on pouvait s'attendre à ce que le second mandat de Clinton ressemble encore plus à celui d'Ike et ça ne semblait pas le déranger. Je ne pouvais complètement lui en vouloir de se conformer à l'idéologie ambiante. Les électeurs n'envoyaient pas un message clair et la modération a incontestablement ses vertus. Pas très excitantes, certes. J'ai donc décidé de jouer la carte de la sécurité, comme mon patron. À la Maison-Blanche, j'avais survécu au scandale, aux échecs, à l'exil intérieur. Ma prochaine erreur, la prochaine campagne orchestrée contre moi risquait de m'être fatale. Je pensais à ma réputation et j'étais moins captivé par Clinton, désormais. Pourquoi risquer ma bonne étoile dans un second mandat qui promettait d'être compétent mais consensuel ? Le slogan « L'ère du gouvernement fort est terminée », résumait le sens que Clinton voulait donner à sa seconde présidence.

Produit par l'imagination fertile de Dick Morris, ce mot d'ordre était au cœur du discours de 1996 sur l'état de l'Union. Selon Dick, il synthétisait « un nouveau consensus national ». Je trouvais surtout qu'il prouvait que nous avions gagné quelques batailles mais que nous avions perdu la guerre la plus importante, que nous étions prisonniers d'une rhétorique conservatrice et que les Américains étaient aussi pétris de contradictions que leur président. *Que penseraient-ils si nous disions que l'ère de Medicare ou de la Sécurité sociale est terminée ? Comment le prendront-ils, la prochaine fois qu'ils seront confrontés à un tremblement de terre ou un raz-de-marée, si nous leur annonçons que l'ère de l'assistance et de la solidarité en cas de catastrophe naturelle est terminée ?* La remontée de Clinton devait beaucoup à sa défense du « gouvernement fort ». Ce nouveau slogan semblait condamner insidieusement les démocrates, de Roosevelt à Johnson, les jeter aux poubelles de l'histoire, au nom d'un mot d'ordre stéréotypé.

Mais cette nouvelle touche consensuelle recueillait 80 pour cent d'opinions favorables dans les sondages. Et après tout, Clinton qui avait payé un lourd tribut politique à la réduction du déficit, n'avait-il pas le droit d'en engranger les dividendes ? Il refusa d'éliminer ce slogan de son discours. Nous proposâmes d'ajouter pour équilibrer la phrase : « Mais l'ère du chaque-homme-pour-lui-même ne doit jamais voir le jour. » Bizarrement, Morris n'éleva pas d'objection. Mais les clameurs du politiquement correct s'en chargèrent. Ce « chaque homme pour lui-même » était une insulte sexiste et le président en fut dûment avisé. Clinton proposa une phrase plus neutre : « Mais nous ne pouvons pas revenir aux temps où nos citoyens devaient compter sur eux-mêmes pour survivre. » Cependant, cette phrase n'avait pas l'impact du slogan sur le gouvernement fort. Dans un discours politique, seul un slogan peut compenser un autre slogan. Celui-ci résumait la trajectoire d'une génération : le Parti démocrate autrefois unifié par la croyance que le gouvernement pouvait être le bâtisseur du bien commun, était devenu un amalgame de clans coupé du peuple par sa fixation obsessionnelle sur les clivages socio-culturels. Ce slogan néo-clintonien annonçait, comme l'expliqua un de nos rédacteurs de discours en quittant le Bureau ovale avec moi, « la mort du progressisme de son propre fait ». La capacité de Clinton à intégrer certains aspects de l'idéologie républicaine expliquait aussi sa popularité montante dans un parti sur le déclin. Tout en piétinant allégrement les plates-bandes républicaines, il avait l'art d'en faire juste assez pour sauvegarder l'unité de la fragile coalition parlementaire qui le soutenait. Les centristes avaient leur slogan. Les féministes faisaient sauter les expressions qui les dérangeaient. Les démocrates de gauche comme moi ne pouvaient pas vraiment se plaindre. Il subsistait quelques beaux restes de nos idées, même si la rhétorique qui les exprimait paraissait très assagie.

Le pays adora ce discours. Pas seulement la mort du gouvernement fort, mais aussi les messages que Clinton fit passer sur des questions qui interpellaient les mères de famille des banlieues : uniforme scolaire, interdiction aux adolescents de traîner dans les rues le soir, proscription de la publicité pour le tabac à destination des enfants, codes anti-violence et anti-sexe à la télévision. Paradoxalement, le volontarisme gouvernemental de toutes ces mesures ne les empêchaient pas d'être très populaires. Elles résultaient surtout d'une application systématique de la stratégie du « sonder d'abord, proposer ensuite » : Morris, à cet égard, avait été l'initiateur d'une évolution décisive dans notre manière de gouverner.

Ma seule contribution au discours prit la forme d'une petite pique à Bob Dole : dans un passage du discours, Clinton remerciait « nos anciens combattants » d'avoir procuré à l'Amérique « cinquante années de prospérité et de sécurité ». Je suggérai que le président rende un hommage particulier au sénateur Dole et à ses collègues ayant participé à la seconde guerre mondiale. Clinton sourit et nota la suggestion sur son discours exemplaire.

Cette manœuvre ne pouvait qu'ulcérer Dole sans qu'il puisse riposter. Comment critiquer un hommage public rendu par le président des États-Unis à son principal adversaire dans son discours sur l'état de l'Union ?

C'était une bombe cachée dans un bouquet. L'hommage apparemment bienveillant de Clinton soulignait que Dole était un homme du passé. Dole n'avait d'ailleurs pas besoin de ce coup ; sa candidature était sur le point d'échouer. Les indicateurs économiques étaient au vert, Clinton s'était approprié le centre de l'échiquier politique et même une campagne républicaine impeccable serait probablement tombée à plat. Tous les symboles essentiels parlaient en notre faveur : avec ses trente-cinq ans de carrière parlementaire, Dole incarnait le politicien de Washington ; Clinton avait gardé une touche de nouveau venu provincial qui parlait plus à l'Américain moyen. La paralysie gouvernementale orchestrée par les républicains, au cours de laquelle Dole s'était affiché à la télévision et dans des conférences de presse avec Newt Gingrich, le faisait apparaître comme l'otage des forces les plus réactionnaires de son parti. Clinton avait montré du caractère en résistant à leur ultimatum. Enfin, le président, sans doute un peu vert au début de son mandat, avait pris de la bouteille tandis que Dole semblait désormais trop vieux pour devenir président.

Morris voulait tant que Dole soit investi comme candidat par les républicains qu'il avait essayé de l'aider – à sa manière. Deux jours après le discours sur l'état de l'Union, il avait secrètement transmis un sondage aux républicains qui montrait que sans accord budgétaire, Dole ne pourrait remporter ni la primaire du New Hampshire ni celle de l'Iowa. Les collaborateurs de Dole trouvèrent son analyse bizarre et ils furent bien incapables de deviner les raisons de son comportement. Mais ils sautèrent sur l'occasion de nous embarrasser et transmirent le sondage au *Washington Post*.

Quand Ann Devroy appela Mike McCurry pour obtenir ses commentaires officiels, celui-ci se tourna vers Morris et Morris essaya de me faire porter le chapeau ! Selon lui, j'avais dû dérober ce mémo sur le bureau de Clinton, le passer à Carville qui l'aurait donné à sa femme, une militante républicaine, qui l'aurait fait parvenir à Devroy, tout cela pour diffamer Morris. Cette extrapolation alambiquée ne convainquit guère. McCurry, Panetta et Ickes plaidèrent, en mon absence, ma cause auprès du président. Quelques jours plus tôt, ayant entendu dire que Morris avait transmis son mémo aux républicains, j'avais averti Clinton. « Dick n'était pas censé faire *ça* », me répondit-il. Cette réprimande recelait un aveu involontaire. Morris avait sans doute dit au président qu'il tenterait à nouveau d'obtenir un accord budgétaire en donnant quelques munitions à la campagne Dole, mais Clinton devait penser que Morris aurait l'intelligence de ne pas se trahir.

Et c'est ce qui le rendait furieux : quand Leon et Harold revinrent du Bureau ovale et m'annoncèrent que le président m'avait défendu et qu'il avait pesté contre Morris, j'en eus, malgré moi, les larmes aux yeux. Cet épisode se termina par un article de Devroy en première page du *Post*, un blâme de McCurry à l'adresse de Morris et des excuses de celui-ci que je n'ai pas acceptées. Il était désolé de s'être fait prendre sur le fait mais je n'avais plus à jouer les bonnes volontés. Je savais que désormais les éventuelles attaques de Morris tomberaient à plat.

Dole obtint l'investiture en ignorant les conseils de Dick, mais il ne put créer de véritable effet d'entraînement. Il essaya de tirer parti de sa position de chef de la majorité républicaine au Sénat en proposant des allégements fiscaux populaires qui devaient provoquer un nouveau veto de Clinton. Mais l'efficacité de la riposte démocrate le persuada de démissionner pour redonner un élan à sa campagne. Son discours d'adieu fut un des temps forts de cette campagne, sans doute le plus émouvant, mais il ne put en engranger les dividendes. En campagne, il avait l'air perdu, presque triste, comme déconcerté de ne plus arpenter les travées du Capitole. Il essaya de compenser la maigreur de ses financements en participant à toutes sortes d'émissions « gratuites ». Mais l'humour ironique de Dole et ses formules à l'emporte-pièce de vieux politicien blanchi sous le harnais ne passaient pas toujours bien à la télévision. À côté des jeunes animatrices de talk-show qui l'invitaient, il avait l'air grincheux et dépassé. Pourtant, Dole pouvait se prévaloir d'une supériorité sur Clinton : communicant certes médiocre, il restait un héros de guerre d'une intégrité sans faille. Mais pour nous, Clinton, dont les « affaires » étaient encore dans les mémoires, pouvait vaincre toutes les attaques personnelles tant qu'il s'attaquait aux véritables problèmes de gens. C'était notre profession de foi. Cela supposait tout de même que ses collaborateurs parviennent à tenir à distance le « bruit des sabots ».

En juin 1996, nous eûmes l'impression qu'une horde entière convergeait vers la Maison-Blanche. Ken Starr réussit à faire condamner Jim Guy Tucker, le gouverneur de l'Arkansas, et Jim et Susan McDougal, les associés de Clinton dans l'affaire Whitewater. Le sénateur D'Amato publia un rapport cinglant sur l'affaire Whitewater, recommandant que plusieurs amis et collaborateurs des Clinton soient mis en examen pour faux témoignage.

Pis encore, nous avions involontairement provoqué un nouveau scandale : deux collaborateurs subalternes de la Maison-Blanche avaient demandé par erreur au FBI les dossiers de neuf cents républicains de gouvernements précédents, parmi lesquels celui de l'ancien secrétaire d'État aux Affaires étrangères, James Baker. « Filegate » fut notre bavure bureaucratique à nous, avec ses relents de Watergate – sans parler de nos attaques de 1992 contre les services de Bush qui avaient examiné le dossier des passeports de Clinton… Cette bavure menaçait de se transformer en scandale, le plus grave que nous ayons eu à affronter.

Mais la limitation des dégâts était devenue une industrie prospère à la Maison-Blanche. Nous avions une équipe d'avocats, surnommés les Maîtres du Désastre, dont l'unique mission consistait à s'occuper de Whitewater et des procédures connexes en cours, de répondre aux citations du grand jury, de préparer des témoignages devant le Congrès et de répondre aux questions de la presse. Je préférais que ce travail leur revienne à eux plutôt qu'à moi. Je savais que le simple fait de mettre un doigt dans l'engrenage suffisait, parfois, à en ressortir mal en point, c'est-à-dire avec une réputation entachée et des dettes phénoménales : je trouvais que les honoraires que j'avais réglés à mes avocats – environ 100 000 dollars – étaient bien assez élevés. Je parlais souvent aux Maîtres du Désastre mais je m'étais totalement désinvesti de la gestion quotidienne des scandales.

Fin juin, je dus cependant sortir de ma retraite anticipée pour un dernier duel avec « le complot de la droite dure ». Gary Aldrich, un ancien agent du FBI, venait de faire paraître un livre où il racontait les turpitudes supposées des collaborateurs de la Maison-Blanche dont il prétendait avoir été le témoin. Avec l'aide d'une fondation de droite liée à Newt Gingrich et un financement de Richard Mellon (un magnat des affaires qui dépensait des millions de dollars pour prouver que la

Maison-Blanche était un repaire de traîtres), il avait écrit un roman qu'il cherchait à faire passer pour un livre de souvenirs : *Accès illimité, un agent du FBI dans la Maison-Blanche de Clinton.*

Nous savions que le *New York Times* et le *Washington Post* avaient prévu de titrer à la une sur l'invention la plus sensationnelle du livre : à savoir que Clinton quittait souvent la Maison-Blanche subrepticement, sur le siège arrière de la voiture de Bruce Lindsey, pour se faire conduire à l'hôtel Marriott, dans le centre ville. Malgré le caractère risible de cette allégation, les médias prenaient Aldrich au sérieux. Il devait passer dans les émissions les plus regardées la semaine suivante et des millions d'Américains allaient découvrir Gary Aldrich et ses inventions.

Pour contrer cette nouvelle attaque, il fallait d'abord que je lise ce livre. Les allégations d'Aldrich étaient stupides, spécieuses et parfois franchement mensongères. Il prétendait par exemple que le service social avait suspendu des décorations pornographiques sur le sapin de Noël de la Maison-Blanche ; que quand l'affaire Gennifer Flowers avait refait surface, Hillary avait conclu un accord avec Clinton pour avoir la haute main sur le recrutement du personnel en échange de son soutien ; que les hommes de l'équipe Clinton portaient des anneaux d'oreilles et les femmes pas de sous-vêtements… Plus j'avançais dans ma lecture, plus j'étais indigné par la sottise de cette prose. *Comment peuvent-ils croire que leurs conneries vont être prises au sérieux par les médias sans même être vérifiées ?*

Mais le récit exotique d'Aldrich constituait aussi une aubaine pour nous : son quart d'heure de gloire médiatique allait en faire le symbole du complot anti-Clinton. Si nous parvenions à ruiner définitivement sa crédibilité, les journalistes allaient accueillir l'inévitable torrent de calomnies charrié par la campagne avec plus de scepticisme.

Le lendemain matin, je travaillai avec notre équipe sur la piste des accointances politiques d'Aldrich, et nous recueillîmes des déclarations sous serment réfutant ses allégations. Puis j'appelai Howard Kurtz, un critique de la rubrique média du *Washington Post.* Kurtz est un journaliste respecté dont les papiers sont lus par les rédacteurs en chef et les producteurs télé : il pouvait donner le ton de la réaction à adopter vis-à-vis du livre d'Aldrich.

En lui offrant un avant-goût des informations que nous avions réunies sur toute l'affaire, je semai le doute sur la moralité des articles qui propageaient les pseudo-scoops de Gary Aldrich. La vraie affaire, ici, soulignai-je, ce n'est pas la vie sexuelle de Clinton, mais le caractère sordide des attaques lancées contre lui et l'état du journalisme actuel. J'ajoutai que « l'enquête » de Gary Aldrich aurait été jugée irrecevable dans n'importe quelle école de journalisme. Les producteurs du « Brinkley Show », à qui je tentai de faire valoir leurs responsabilités à l'égard du premier amendement – ce qui les laissa de marbre – refusèrent d'annuler l'invitation d'Aldrich mais me proposèrent de répondre en personne à ses accusations lors de l'enregistrement de l'émission.

J'arrivai au studio bien décidé à me battre et la vue du coach d'Aldrich dans les loges ne fit que me conforter dans ma décision : c'était Craig Shirley, conseiller de la campagne de Dole et préposé notoire aux basses œuvres de la NRA et des grands fabricants de tabac, ennemis de Clinton. Sa présence était la meilleure preuve dont j'avais besoin pour démontrer que le livre d'Aldrich était un élément d'une « campagne de diffamation orchestrée par les dirigeants du Parti républicain ». Mais ma présence s'est rapidement avérée largement superflue. Comme un boxeur qui cherche à intimider son adversaire en montant sur le ring, je murmurai « menteur ! » à l'adresse d'Aldrich en arrivant sur le plateau. Mais il s'était déjà fait démolir par un des animateurs de l'émission, George Will, qui avait montré que l'histoire de l'hôtel Marriott était une invention empruntée au livre de David Brock, *Troopergate's*. Un article de *Newsweek* avait déjà évoqué l'affaire, et David Kurtz, dans le *Post*, avait posé toutes les questions de déontologie journalistique que soulevait cette enquête. Dès le dimanche après-midi, « Dateline » et « Larry King Live » avaient annulé Aldrich et la plupart des articles qui parurent ensuite mirent l'accent sur ses sources douteuses et sur ses accointances suspectes.

Ne jamais prendre aucune menace politique à la légère était une règle cardinale de la « culture Clinton ».

Le 31 juillet 1996, cette leçon allait nous être utile : l'année précédente, le président avait opposé son veto à deux amendements républicains sur la réforme de l'aide sociale qui auraient supprimé la garantie fédérale d'assistance et de soins aux enfants de milieux modestes. Après avoir rétabli la garantie de soins mais pas l'aide sociale, le Congrès renvoyait une troisième fois le projet de loi à la signature présidentielle. Nous n'étions plus qu'à trois mois de l'élection et à trois heures de la prise de décision finale : Clinton était une fois de plus confronté à un choix lourd de conséquences.

« S'il oppose son veto à cette loi, il perdra l'élection, décréta Morris. »

Dick affirma que les sondages prédisaient qu'un veto sur la réforme de l'aide sociale transformerait notre avance de quinze points en un retard de trois points, et il me supplia de changer de position et de soutenir la loi. Dick se vantait depuis des jours de pouvoir faire signer la réforme à Clinton, prenant même des paris à dix contre un quand on osait protester. Mais à quelques heures de la décision, son angoisse me parut tout à fait réconfortante. J'opposai un refus inflexible à ses prières.

Hillary aussi. J'avais senti dans nos derniers coups de fil qu'elle était en faveur du veto. Elle craignait que cette loi supprime le filet de sécurité sanitaire et social permettant à des millions d'enfants de garder la tête hors de l'eau. Mais après l'échec de sa réforme du système de santé et vu les séquelles persistantes de Whitewater, la prudence politique et l'équilibre des forces dans le ménage l'incitaient à une certaine retenue dans ses interventions politiques. Elle avait visiblement décidé de jouer la politique des petits pas.

L'atmosphère dans la salle du conseil, ce matin-là, était empreinte d'une certaine solennité, comme si nous étions réunis pour un conseil de guerre. Et c'était bien le cas. La décision de supprimer un des fondements du New Deal était historique et il y avait des millions de vies dans la balance. Des hauts fonctionnaires citèrent une étude qui prévoyait que la promulgation de la nouvelle loi pourrait avoir des conséquences néfastes pour onze millions de familles. Nombreux furent les collaborateurs du président à se prononcer en faveur du veto. J'étais de ceux-là. Quelques collaborateurs du président, parmi lesquels Rahm Emmanuel et Mickey Kantor, nous expliquèrent que le refus de cette loi aurait des effets encore plus négatifs car cela reviendrait à perpétuer un système qui enfermait les familles dans un cycle de dépendance. Après avoir écouté attentivement tous les membres du cabinet développer leurs arguments, les avoir notés et posé des questions en se faisant l'avocat du diable, le président se garda bien de livrer sa position.

L'argumentation la plus forte en faveur de la signature vint d'un conseiller à la politique intérieure, Bruce Reed, un nouveau démocrate intègre et convaincu qui était responsable de la politique d'aide sociale du gouvernement depuis 1992. Il concéda que les coupes sombres dans les bons de nourriture et les secours d'urgence aux immigrants légaux étaient injustifiées et que leur financement devaient être rétabli. Mais il insista aussi sur le fait que les conditions (assistance limitée dans le temps et exigence de réintégration professionnelle) énoncées dans le projet de réforme se rapprochaient des propositions originales de Clinton ; que les modifications apportées dans le domaine de la protection infantile et sur les plans sanitaire et scolaire en faisaient une bien meilleure loi que les deux précédentes auxquelles Clinton s'était opposé. Il souligna que nous n'obtiendrions pas une meilleure loi si celle-ci était rejetée, et qu'un troisième veto contredirait l'engagement pris par Clinton en 1992. N'avait-il pas promis de « faire cesser l'aide sociale telle que nous la connaissons » ?

Le plaidoyer de Bruce était excellent et j'eus quelque peine à faire valoir mes arguments : tout en recommandant un veto et en expliquant que la suppression des prestations aux immigrants légaux était déraisonnable et anti-américaine, je me rappelais que j'avais moi aussi soutenu la campagne de 1992, « Supprimer l'aide sociale telle que nous la connaissons ». Mais celle-ci se proposait d'augmenter les prestations servies aux destinataires des allocations qui cherchaient du travail, et non de les diminuer. Restait la question de l'opportunité électorale de ce veto. Je dus concéder qu'il pourrait provoquer une chute brutale de cinq à six points dans les sondages, mais qu'en aucun cas nous ne risquions de perdre l'élection à cause de lui. Je soulignai que le président avait toujours su tirer profit de décisions a priori impopulaires, notamment sur la Bosnie, le budget et les mesures en faveur des minorités, en campant fermement sur des positions de principe. À vrai dire, je demandais à Clinton de défendre résolument ces gens qui n'avaient personne vers qui se tourner. De plus, nous avions besoin de rallier les démocrates du Congrès tentés de se positionner au centre à cause du glissement à droite des républicains emmenés par Gingrich.

Après plus de deux heures de discussion, Clinton se retira dans le Bureau ovale avec Panetta et Gore, la seule autre personne dans la pièce à n'avoir pas livré le fond de sa pensée. Clinton savait qu'il s'agissait d'une décision de principe et qu'avant d'agir il lui fallait se convaincre qu'il faisait à tous égards le bon choix. Le cœur du président penchait du côté du veto, mais sa tête calculait les risques et sa volonté cherchait un compromis acceptable. Une volonté de gagner, inséparable de la conviction que le cas de figure idéal, pour les pauvres, c'était qu'il soit élu président. Ils n'avaient qu'à lui faire confiance : aujourd'hui il signait et demain, une fois réélu, il réglerait leurs problèmes.

Clinton était convaincu que la promulgation de cette nouvelle loi permettrait d'en finir avec les stéréotypes sur l'aide sociale, et d'inaugurer une ère d'altruisme. Et il nourrissait l'espoir, aussi illusoire, selon moi, qu'un nouveau Congrès rétablirait les crédits que la nouvelle loi allait amputer. Pourtant, quelques semaines plus tard, lors d'une Convention démocrate, je me fis l'écho fidèle de cette argumentation pour empêcher une manifestation sur la réforme de l'aide sociale projetée par quelques délégués démocrates de gauche. C'était le marché. En échange d'un siège lors des réunions de cabinet, en échange du privilège d'influence sur les décisions stratégiques qui vous importent, en échange de l'excitation du pouvoir et de la gloire qui l'auréole, vous défendez le patron, férocement, inflexiblement, vous ne cédez sur rien. Si vous ne pouvez pas, vous n'avez qu'à partir.

Mais je ne veux pas démissionner. Pas avant que nous ayons été réélus. Et qui suis-je pour juger ? Clinton en sait beaucoup plus que toi sur l'aide sociale, George. De plus, il a déjà survécu à la bataille pour les mesures anti-discriminatoires et à celle sur le budget, et nous ne pouvons prendre le risque de perdre la Maison-Blanche. On ne peut pas faire passer nos projets à tous les coups. Une démission à l'approche d'une élection aussi importante serait une démarche par trop narcissique.

Les démocrates non plus ne tenaient pas à une nouvelle bagarre législative. Ils voulaient surtout en éviter le dénouement probable : un président républicain travaillant avec un Congrès républicain. Et ils étaient ragaillardis par l'embellie économique et politique que nous vivions. Avec un président qui savait rebondir et une économie de plus en plus dynamique, cette Convention était gagnée d'avance. Personne ne voulait gâcher la célébration, en attendant le couronnement.

Même Morris n'y parvint pas. Cette semaine-là, l'homme qui lors de notre premier dîner avait déclaré : « Je ne veux aucune publicité » faisait la une de *Time*, et il accordait interview sur interview pour expliquer comment il avait orchestré la remontée de Clinton. J'essayais de réfréner ma jalousie naturelle en me disant qu'il méritait bien sa part de lauriers pour le rétablissement de Clinton. Mais il se faisait de nouveaux ennemis chaque jour. Pas seulement à cause de sa frénésie médiatique. Il était entré dans une nouvelle phase maniaque. Dans sa folle volonté de contrôle total, il essayait même de substituer ses topos bâclés aux discours de Hillary et de Gore. Il était tellement déphasé qu'Harry Thomason finit par lâcher : « Dick tourne mal. Il est temps de le faire passer à la trappe. »

Mais Dick Morris s'en chargea lui-même. Le premier soir de la Convention démocrate, Morris me confia qu'un article racontant une vilaine affaire personnelle allait paraître sur lui dans le *Star*, journal à sensation. Je ne voulais pas en connaître les détails parce que je ne voulais pas porter le chapeau en cas de fuites sur son compte, et le défendre contre la presse de caniveau ne rentrait pas exactement dans la définition de mes fonctions.

Le mercredi soir, en pleine Convention démocrate, Harold me prit à part pour me confier qu'il avait entendu une rumeur selon laquelle le *Post* et le *Star* allaient sortir une histoire sur Morris et une prostituée.

Le jeudi matin, j'appelai Dick pour notre briefing quotidien sur les sondages de la veille.

« Ils sont bons, dit-il, mais je démissionne. »

Il n'avait pas à s'expliquer. L'article avait dû paraître et était sans doute aussi sordide qu'il le redoutait. « Nous avons été ennemis, au début. Mais à présent je vous respecte vraiment », m'assura-t-il.

– Je suis désolé, Dick. »

Je n'aimais pas Dick – en fait, je le haïssais. Je voulais qu'il parte. Mais devoir affronter un déshonneur pareil le jour d'un tel triomphe pour le président semblait un destin trop cruel, presque celui d'un personnage de tragédie grecque. En apprenant les détails de l'histoire – non seulement il avait eu recours aux services d'une prostituée, mais en plus il l'avait laissée écouter ses conversations téléphoniques avec Clinton – ma compassion céda la place à de l'irritation : il avait exposé le président et le travail que nous accomplissions. Mais devant l'insistance d'Hillary, je dissimulai ma colère. Craignant que Dick, très perturbé par ces événements, ne se suicide, elle avait donné des ordres stricts pour que personne ne fasse de commentaires publics sur le cas Morris.

Clinton qui surfait à nouveau sur la crête de la vague ne parla plus de Dick. Concentré sur la préparation de son discours à la Convention, il me semblait soulagé, presque enjoué. Il n'avait plus besoin de son éminence grise à présent. Nous avons travaillé toute la journée comme si Morris n'avait jamais existé. Tout était redevenu si simple... Panetta se fendit d'un petit discours de condoléances de trente secondes sur son ancien collaborateur et ce fut tout. J'étais là, Dick était parti. *Mais Dieu qu'il faut avoir de sang-froid pour faire ce boulot !* ai-je pensé ce jour-là.

Deux mois plus tard, deux jours avant le dernier débat présidentiel, je me trouvais au bar de l'Holliday Inn d'Albuquerque avec quelques d'autres membres de l'équipe Clinton. Nous avions passé la soirée à préparer le débat quand, vers minuit, un réceptionniste vint me chercher pour me dire que le président était en ligne.

« Vous êtes occupé ?

– Non.

– Vous pouvez monter me voir un moment ? »

C'était le moment que je redoutais. Le matin même, un article de David Remnick était paru dans le *New Yorker*, un portrait de moi dans lequel je parlais ouvertement de quitter l'équipe Clinton avant le début du second mandat. J'avais été sincère avec Remnick, en partie parce que je ne voulais pas me laisser d'échappatoires. Mais je pensais avoir été assez prudent pour éviter les remous. C'était apparemment raté. Mes projets d'avenir étaient abondamment commentés par CNN et l'Associated Press – et je n'avais pas encore parlé au président. Je cherchais à repousser cette discussion aussi longtemps que possible. Mais le moment de l'explication finale était arrivé.

Quand j'entrai dans sa suite, il était étendu sur son lit en tee-shirt et jeans et le contenu de sa serviette était répandu autour de lui : dossiers, livres, romans policiers... Je traversai la pièce et m'adossai au radiateur, de l'autre côté.

« Alors, cet article de Remnick, comment est-il ?

– Pas trop mal, répondis-je. »

Mais ce sujet me mettait mal à l'aise et je changeai rapidement de sujet. « La préparation du débat s'est bien passée aujourd'hui. Nous sommes en avance sur le planning. Si vous dormez bien mercredi, l'élection est dans la poche. » C'était comme ça qu'il fallait procéder avec Clinton, en revenir au travail, au candidat et à son équipe. La conversation porta sur son prochain cabinet. Je lui conseillai de prendre au moins un républicain et nous évoquâmes les trois candidats de tête au poste de secrétaire d'État aux Affaires étrangères : George Mitchell, Madeline Albright et le toujours insaisissable Colin Powell. Mais au bout de quelques minutes, Clinton m'arrêta.

« Parlons un peu de vous, maintenant. Vous voulez vraiment partir ? Personne ici ne pourra faire ce que vous faites. »

Je m'étais armé de courage pour ce moment. Le magnétisme personnel de Clinton avait moins de prise sur moi, désormais. Je me considérais plutôt comme un observateur détaché des mécanismes de séduction de Clinton que comme leur victime. Mais en sollicitant mon désir d'être indispensable, pour contrer ma position défensive, il avait su trouver exactement la bonne réplique : « Personne ici ne pourra faire ce que vous faites. » Et puis c'était le président. Avec le temps, à mesure que j'avais appris à mieux connaître l'homme Clinton, mon respect pour la fonction n'avait fait que croître. Et ce soir-là, c'est au président que je craignais de ne pas pouvoir dire non.

En outre, j'étais reconnaissant à Clinton des chances qu'il m'avait données et des choses qu'il m'avait apprises. Je l'admirais pour son intelligence et sa force d'âme, pour son dévouement au service public, pour la façon dont il avait affronté les grands problèmes de son mandat et pour les progrès qu'il avait effectués jour après jour dans sa fonction. En outre, je lui étais reconnaissant de ne pas trop insister. Je lui confiai que je me faisais traiter depuis six mois pour surmenage et il me suggéra de prendre un congé sabbatique de six mois pour revenir travailler ensuite. Je lui sus gré de cette attention délicate, mais ce n'était pas ainsi que travaillait la Maison-Blanche. Nous abordâmes d'autres sujets et, après une heure et demie de discussion, je rappelai à Clinton qu'il avait besoin de sommeil et je partis, soulagé. Le président des États-Unis m'avait dit qu'il avait besoin de moi mais ne m'avait pas ordonné de rester. Je n'en espérais pas plus. Avant que je parte, il me demanda de reconsidérer sa proposition. « Bien sûr », fis-je. Mais nous savions tous deux que c'était un au revoir.

Le jour de l'élection de 1996, je fis la grasse matinée. Vers midi, j'enfilai une paire de jeans et une casquette de base-ball pour une promenade anonyme dans Little Rock. Je voulais déjeuner chez Doe's et me promener dans la rue principale, revoir le QG de campagne. Les locaux avaient été loués pour une réception d'entreprise…

La brume automnale me rappela le jour où j'avais atterri pour la première fois à Little Rock, la résidence du gouverneur Clinton, la chambre des Clinton, le magasin de peinture où la campagne avait commencé. *Les allergies de Clinton vont le reprendre. Dieu que tout cela me semble loin ! Il s'est passé tant de choses depuis… terribles parfois. Nous n'avons pas réussi tout ce que nous avons entrepris. Mais le pays est en bon état et nous avons réalisé de bonnes choses…* En passant devant la vieille gare, ma rêverie fut interrompue par un cri : « Êtes-vous inscrit sur les listes électorales de Little Rock ? » Une femme aux cheveux noirs entremêlés et vêtue d'une longue robe blanche se précipita vers moi et me tendit une carte professionnelle, avec un caramel enveloppé de papier doré attaché sur un coin :

> VOTEZ CONNIE HAMZY
>
> CONSEIL MUNICIPAL, 10e POSITION
>
> « POUR REPRÉSENTER LES INTÉRÊTS DES TRAVAILLEURS PAUVRES. »

Je jetai un coup d'œil à la carte puis la fixai un instant. Chère, chère Connie. Candidate au conseil municipal ! Mon premier « problème féminin » avec Clinton. Je quittais la scène, elle y entrait.

Plus tard, ce soir-là, dans la suite de l'Excelsior, je parlai de cette rencontre à Clinton. « Vous a-t-elle reconnu ? » Je hochai la tête. « Dommage, elle aurait peut-être flashé. » En riant de bon cœur, il me raconta à nouveau dans tous ses détails l'histoire de leur rencontre au Hilton de Little Rock. On pouvait en rire sans crainte à présent.

Hillary se trouvait dans la chambre voisine avec Chelsea qu'elle aidait à s'habiller. Juste avant de partir retrouver les présentateurs télé, je frappai à sa porte. Elle passa la tête par la porte entrebâillée : « Une seconde ! », et me retrouva dans le couloir. Pour un au revoir privé. Elle me prit dans ses bras et se recula une seconde, ses mains sur mes deux épaules, les yeux brillants.

Nous sourîmes en silence. Cette victoire était une vengeance, encore plus douce pour elle que pour son mari. Elle avait payé un prix plus élevé, pris des coups plus rudes, accompli moins de rêves. C'était un nouveau départ pour elle aussi, et je lui souhaitai bonne chance. Elle en fit autant. Toutes les tensions et les menaces, tous les soupçons et les ressentiments, toutes les fois où nous nous étions heurtés parce que je lui reprochais d'être trop rigide moralement et qu'elle me reprochait de ne pas être aussi coriace que les « hommes de Kennedy », tout cela était derrière nous à présent. Nous avions survécu. Nous avions gagné. L'avenir était à nous.

« Je vous aime, George Stephanopoulos.

– Je vous aime aussi. »

Je sortis : je n'étais plus un homme du président.

ÉPILOGUE : CAVALIER SEUL

> La fonction, pas l'homme. C'est ce que les historiens disaient et pour une fois, les historiens avaient raison. Oh, quelle ville que Washington, vue de l'intérieur de la Maison-Blanche ! À portée de main, à côté du Bureau ovale, au cœur de l'action. Il y avait passé huit ans comme assistant ; un homme du président. Maintenant il était sur la touche. Il haïssait le fait d'être sur la touche plus que n'importe quoi au monde. Un homme du président a du mal à perdre ses habitudes, et, soudain, il avait peur.
> — Ward Just, « Un Guide de l'architecture de Washington, D.C. »

Après quatre ans, à la différence du personnage de Ward Just, je m'étais placé de moi-même sur la touche. Peut-être était-ce pour cela que je n'avais pas peur. Reconnaissant du privilège d'avoir servi un président et soulagé d'en sortir à peu près intact. Je partais en me sentant aussi chanceux que le jour où tout avait commencé. La Maison-Blanche allait me manquer : être dans le secret des dieux, prendre et faire prendre des décisions, participer aux événements qui font l'histoire et tous ces moments intimes où la Maison-Blanche avait été ma maison... Mais le sentiment d'une responsabilité dévorante n'allait pas me manquer pas plus que celui d'être l'éternel assistant. Pour la première fois dans ma vie professionnelle, je voulais travailler pour mon compte.

Je m'installai à New York où je commençai une nouvelle carrière d'écrivain, d'enseignant et de commentateur de télévision, et je pris peu à peu l'habitude de parler en public sans me demander au préalable si mes propos allaient desservir le président ni quelle influence ils auraient sur la vie politique. Libéré des crises cycliques de la Maison-Blanche, j'appris à mieux équilibrer ma vie. Avec le temps, je cessai de prendre des anti-dépresseurs. Mais certaines habitudes sont longues à perdre : après une conférence de presse présidentielle, je laissais un message de félicitations à Betty Currie en espérant que Clinton appellerait. Quand je le défendais publiquement, Clinton me remerciait en essayant de me joindre pour me dire quelques mots. Et j'avais droit à vingt minutes de conversation avec cette voix familière, endormie, enrouée, passant en revue tous les problèmes qui le préoccupaient. Le temps d'un coup de fil, je me sentais encore un homme du président.

Un dimanche après-midi de septembre 1997, pour la première fois depuis des mois, je retournai à la Maison-Blanche pour rendre visite à Gene Sperling. Nous déambulâmes dans l'aile Ouest vide et je revis mon ancien bureau, celui de Rahm désormais, avant de traverser le couloir vers le salon Roosevelt. Ensuite, Gene et moi nous installâmes dans des fauteuils, adoptant d'instinct une posture mise au point durant des dizaines de réunions : les yeux fixés au plafond, la tête renversée en arrière sur le dossier et les genoux croisés haut contre le bord de la table. Mais notre causerie nostalgique fut interrompue par les bips stridents si reconnaissables du bureau des Services secrets, au rez-de-chaussée.

Le président était là. Je me redressai instantanément dans mon fauteuil, prêt à fonctionner, tandis qu'un agent en uniforme entrait dans la pièce pour refermer la porte de quinze centimètres d'épaisseur qui faisait face à la grande entrée du Bureau ovale. Mon cœur battit plus vite, mon estomac se contracta et j'éprouvai la sensation qu'on a quand on reconnaît dans la rue une fille qui vous a quitté mais qu'on aime toujours.

Un an plus tôt, je serai entré dans le Bureau ovale sans même y penser. C'était l'époque où je me surnommais moi-même « clintonologue en chef ». Vous avez besoin d'un bon conseil sur l'attitude à adopter avec lui, vous voulez être au courant de ce qui se passe ? Passez me voir !

Mais, en regardant la porte qui venait de se refermer, je compris que tout cela n'était plus vrai. Je ne savais pas quoi faire. J'avais soudain peur de déranger le président. Je ne me sentais plus à ma place. Clinton était toujours le président mais il n'était plus « mon » président, comme il l'avait été. Mon indécision à ce moment était le plus sûr signe que je n'appartenais plus à ce monde.

Quand je quittai Gene, j'espérais croiser Clinton, je songeai à pousser la porte du Bureau ovale et à glisser ma tête mais quand nous passâmes devant, la porte était ouverte, le président parti.

C'est ainsi que mon histoire était censée se terminer. Mais le mercredi 21 janvier 1998 un rebondissement inattendu se produisit.

Peu avant 5 h ce matin-là, je me préparai à régler ma note de l'hôtel Tutwiler à Birmingham, Alabama. La veille au soir, j'avais donné une conférence à l'université de l'Alabama avec mon refrain habituel sur les scandales Clinton. Fin 1998, avais-je prédit avec assurance, le président gagnera l'affaire Paula Jones et Ken Starr refermera ses dossiers, sans avoir pu prouver la moindre faute de la part des Clinton dans les différentes affaires où ils furent impliqués. Je devais rentrer rapidement chez moi pour donner mon cours hebdomadaire sur la présidence à l'université de Columbia. Mais quand j'arrivai à l'accueil, la réceptionniste me tendit le téléphone. Mes nouveaux employeurs d'ABC News étaient au bout du fil. Une affaire grave était en train d'éclater concernant le président et une ancienne stagiaire de la Maison-Blanche, une certaine Monica Lewinsky. Ils avaient eu des rapports sexuels. Clinton lui avait peut-être demandé de faire un faux témoignage. Il y avait des bandes magnétiques. Starr enquêtait. On m'attendait au studio immédiatement. Je demandai un fax résumant l'affaire et je remontai dans ma chambre passer un costume.

Cette maudite rumeur de Newsweek *était donc vraie.* Le samedi précédent, pendant que le président déposait dans l'affaire Paula Jones, mes amis de la Maison-Blanche redoutaient que le magazine ne publie un article sur la relation de Clinton avec une stagiaire. En fin de journée, *Newsweek* avait expliqué à Rahm que ces bruits étaient infondés et

Rahm m'avait dit que la déposition du président mettrait un point final à ses démêlés avec Starr. Encore une fausse alerte. Le lendemain matin, quand mon collègue Bill Kristol avait fait état de cette rumeur dans son émission, je lui avais cloué le bec et je l'avais accusé de colporter les ragots répandus sur Internet par l'échotier Matt Drudge qui avait consacré un bulletin aux délibérations internes de la rédaction de *Newsweek*. Nous étions vite passés à d'autres sujets et j'avais espéré que cette histoire de stagiaire ressemblerait à ces nuages noirs annonciateurs d'orage que le vent dissipe rapidement. Plus tard, en route vers l'Alabama, j'avais appelé Betty Currie d'une cabine de l'aéroport et lui avait laissé un message pour Clinton : « Tenez bon et emmenez Arafat au musée de l'Holocauste. » C'était l'autre grosse affaire de la semaine.

Le mercredi matin, il n'était plus question que de cette nouvelle affaire. Dans le taxi qui me conduisait dans les locaux d'ABC à Birmingham, je découvris la une du *Washington Post* : « Clinton accusé d'avoir sollicité un faux témoignage d'une stagiaire », puis parcourus rapidement l'article, à la recherche de faits qui l'innocentaient, de déductions abusives et d'affirmations infondées. Mais un certain nombre d'indices laissaient présager le pire : Janet Reno, le secrétaire de la Justice, avait personnellement autorisé Starr à enquêter sur les présomptions de « subornation de témoins, de faux témoignages et d'obstruction à la justice » de la part du président. *Il doit y avoir des preuves solides.* L'avocat de Clinton, Robert Bennett, nia l'existence d'une « relation » entre Monica Lewinsky et Clinton, mais refusa de se prononcer sur l'éventualité d'une discussion entre eux au sujet d'un hypothétique témoignage de Monica dans l'affaire Jones. *Ils ont dû en parler ensemble.* L'avocat de Monica Lewinsky, William Ginsburg, refusait étrangement de nier que sa cliente avait eu des relations sexuelles avec le président. *Merde, ils ont eu des rapports sexuels. Et il y a des bandes.* Des enregistrements de plusieurs heures « selon des sources autorisées » qui décrivent toute l'affaire dans les moindres détails. Dans ces conversations, Lewinsky rapporte que Clinton et Vernon Jordan « lui ont ordonné de faire un faux témoignage dans l'affaire Paula Jones. »

J'empruntai le téléphone cellulaire du chauffeur de taxi pour appeler la Maison-Blanche. Mais Rahm me dit qu'il n'en savait pas plus que ce qu'il avait lu dans les journaux et il avait l'air consterné. Sa voix tremblante me rappela les pires moments de mon ancienne vie. L'après-midi à Little Rock, où j'avais entendu la voix de Clinton sur les bandes de Gennifer. Le soir à New York, où j'avais appris qu'il s'était dérobé à ses obligations militaires. Le matin à Washington, où j'avais lu que Clinton avait appelé les soldats affectés à sa protection dans l'Arkansas pour qu'ils se taisent. Ces allégations étaient les plus graves auxquelles il avait eu à répondre jusqu'à maintenant. Il s'agissait du présent et non du passé. Lui était président, elle stagiaire. Si Clinton lui avait demandé de mentir sous serment, ou qu'il avait menti sous serment lui-même, il avait enfreint la loi.

Je me souvins alors d'un dimanche matin de 1996. Monica s'était approchée de moi alors que je sortais de mon appartement. Je ne l'avais pas vue depuis presque un an mais je me rappelais vaguement d'elle comme d'une jolie stagiaire légèrement aguicheuse, aux formes rebondies, que je croisais régulièrement dans les couloirs, y compris le week-end. Elle avait tenté, à plusieurs reprises, des percées surprises dans mon bureau mais Laura Capps, mon assistante, l'avait arrêtée sur le pas de la porte. Ce matin-là, Monica Lewinsky m'avait posé une question : « Votre président dit-il la vérité ? » J'avais trouvé la question saugrenue, mais je croisais sans arrêt des gens qui me posaient des questions étranges. Après avoir marmonné une réponse du genre : « Il fait de son mieux », j'allai me chercher un café et n'y pensai plus.

Jusqu'à aujourd'hui. Ce souvenir, ajouté aux fuites du bureau du procureur Starr, résonnait comme une présomption supplémentaire contre Clinton. J'avais pourtant bien du mal à imaginer que le président des États-Unis puisse prendre un tel risque, mais je pressentais d'instinct que le fond de l'histoire était vrai. Autant je voulais croire Clinton, autant je ne pouvais faire semblant de le croire, je n'y parvenais pas. Je lui devais beaucoup mais je ne pensais pas que la loyauté exige de mentir et mon devoir dans ma nouvelle vie consistait à livrer mes véritables opinions au public. C'est parce que j'aimais encore le président et que je soutenais sa politique que j'étais si furieux : *Comment avait-il pu être si stupide ? Si imprudent ? Si égoïste ?*

Je rejoignis le studio de l'émission « Good Morning America » juste au moment où le générique démarrait. Tandis que les techniciens m'agrafaient le micro et l'oreillette, je me répétais de rester pondéré, de contenir ma colère contre Clinton et mon instinct de défense automatique. *Ne l'accuse pas, ne le défends pas. Analyse.* Quand la présentatrice Lisa McRee m'interrogea, je lui répondis que je ne savais pas grand-chose sur Monica ni sur sa relation avec Clinton avant d'ajouter :

> « Ce sont probablement les plus sérieuses accusations portées contre le président. Si elles sont vraies, elles ne sont pas seulement politiquement dommageables, elles pourraient aussi déclencher une procédure de destitution. Mais pour l'instant, ce ne sont que des questions et c'est pourquoi je pense que nous devons tous y réfléchir à deux fois avant d'aller trop loin. »

Je ne croyais pas avoir passé la mesure. En disant que des accusations de faux témoignage, de subornation de témoins, d'entrave à la justice, contre le président des États Unis « pourraient » pousser le Congrès à mettre en route une procédure de destitution, j'avais le sentiment d'énoncer une litote. Mais pour le monde politique cette déclaration fut un signe. Entendre un ex-conseiller proche du président s'exprimer en son nom propre confortait ses soupçons : « *Même des inconditionnels comme George Stephanopoulos pensent que Clinton ment cette fois-ci.* » Mes propos furent répétés et utilisés : le *Wall Street Journal* qui m'attaquait depuis des années me cita complaisamment. Mon analyse était exacte mais je n'avais pas réalisé à quel point il suffisait que j'ouvre la bouche pour manifester un changement aussi spectaculaire avec mon passé.

Ce premier jour ressembla au bon vieux temps des « crises féminines » de Clinton. Mais en discutant avec mes copains de la Maison-Blanche, je sentis que j'appelai désormais depuis l'autre camp – le siège de la chaîne ABC. Ils avaient un travail à faire et le mien était tout autre. Ils me parlaient de leur frustration, de l'épreuve épouvantable qu'ils traversaient, mais s'efforçaient de me manipuler. Dès le départ, je demandai à Rahm de ne rien me dire s'il ne voulait pas que je le répète et nous avons mis au point un nouveau code pour nos conversations téléphoniques : « purement amical » signifiait « officieusement ». Nous nous promîmes de ne pas laisser la folie de Clinton nous éloigner l'un de l'autre tout en sachant que ça arriverait. Ils conseillaient le président, j'analysais ses prestations médiatiques. Ils s'appliquaient à défendre le président sur les plateaux télé, je ne pouvais cacher mon scepticisme devant ses déclarations.

Je me suis demandé comment je me serais comporté à leur place :

J'aurais conseillé au président de dire la vérité et j'aurais démissionné s'il ne l'avait pas fait... Seul ? Mais alors tu aurais joué le rôle de Brutus lui portant le coup fatal. Impossible... Très bien, je serais resté par loyauté, mais je n'aurais pas pris sa défense en public... Après avoir été en première ligne pendant des années ? Un silence public équivaut à une condamnation... OK, j'aurais défendu Clinton mais refusé de m'en prendre à ses accusateurs... Mais ils mentent à son sujet ! Il est victime d'un coup monté et Starr est devenu incontrôlable. C'est la guerre : si nous ne les détruisons pas, ils nous détruiront nous et tout ce que nous avons accompli...

En fait, j'étais bien incapable de savoir comment j'aurais réagi parce que je n'étais pas là, dans le Bureau ovale à inhaler l'air des cimes qu'on respirait à la Maison-Blanche, avec le président des États-Unis en face de moi, les yeux dans les yeux, la main posée sur mon épaule, me priant instamment de le croire encore une fois, une dernière fois.

Cette rencontre avec Clinton était la dernière chose au monde que je souhaitais, mais j'essayai tout de même de le conseiller à distance. Le second jour du scandale, pendant une émission spéciale intitulée « Crise à la Maison-Blanche », Peter Jennings m'en donna l'occasion :

« George, je présume que le président Clinton a sans doute beaucoup mieux à faire en ce moment que de regarder la chaîne ABC. Mais s'il nous regardait en ce moment, que lui diriez-vous ? »

– Je lui dirais : Monsieur le Président, adoptez une version cohérente et faites-le aussi vite que possible. Vous êtes passé par des choses dures auparavant. Vous pourrez surmonter cette tempête si vous jouez franc jeu, adoptez une version cohérente et répondez à toutes les questions du mieux que vous pourrez. »

Je voulais crier : Dites la vérité, prenez vos responsabilités ! Mais je ne pouvais pas accuser directement le président de mensonge. Jouer franc jeu devant le pays n'allait pas être facile mais c'était le geste juste. Tous mes amis de l'intérieur, Bowles, Panetta, Ickes, lui donnèrent le même conseil. Mais en cette heure de grand danger, Clinton choisit de se laisser guider par ses vieux démons et de suivre le conseil de Morris. Les sondages parlèrent, ils lui dirent : mentez. Et la situation lui échappa.

Le lendemain, Clinton réunit son cabinet et demanda à ses ministres de le défendre. *Pourquoi mêle-t-il le secrétaire d'État à tout ça ?* Le dimanche suivant, j'étais assis, consterné, devant ma télé et je regardais Paul Begala se faire harceler de questions auxquelles il ne pouvait répondre, par des commentateurs politiques implacables. *Comment Clinton peut-il leur faire ça ?* Le lundi 26 janvier, je regardai avec une sorte de dégoût fasciné le président Clinton agiter un index solennel en expliquant « qu'il n'avait jamais eu de relations sexuelles avec cette femme ». C'était le pire Clinton, le tricheur de sang-froid. Il ne mentait plus comme autrefois en baissant les yeux et en trébuchant sur les mots. Il affichait désormais une colère indignée, il mentait avec une conviction authentique. Plus rien ne comptait que sa survie. Tout le monde devait servir de bouclier : son équipe, son cabinet, le pays et même sa femme.

Je ne pense pas qu'Hillary ait entendu parler de Monica avant que Clinton revienne du tribunal où il avait déposé dans l'affaire Paula Jones. Ce soir-là, ils annulèrent leur dîner avec Erskine et Crandall Bowles, et Hillary laissa échapper plus tard, évasivement, qu'ils avaient passé la majeure partie de leur week-end à « vider les placards ». Mais même à ce moment-là, Clinton n'a pas dû jouer franc jeu. Il a dû dire à sa femme qu'il avait commis une bévue mais sans franchir la ligne jaune, qu'il était venu en aide à une jeune fille perturbée, une amie de sa secrétaire, Betty Currie. Et puis la situation lui avait échappé parce que cette fille était immature, instable et un peu folle. Elle s'était entichée de lui, avait commencé à rêver d'une liaison, s'était mise à le traquer et à confier son délire à ses amies. D'une façon ou d'une autre, les avocats de Jones avaient entendu parler d'elle. Il avait stupidement essayé de régler le problème lui-même : il avait discuté avec elle au téléphone, l'avait rencontrée quand elle était venue voir Betty, avait demandé à Vernon Jordan de l'aider à trouver un travail et de lui faire quitter la ville. Mais il n'avait jamais eu de relations sexuelles avec elle et ne lui avait jamais demandé de mentir.

Comment Hillary pouvait-elle croire cela ? Comment ne l'aurait-elle pas cru ? L'alternative était trop douloureuse à admettre et pas seulement parce qu'elle craignait pour leur survie politique. Tout mariage est un mystère, mais il me semblait que l'intensité de leur expérience à la Maison-Blanche avait renforcé leur relation et que Hillary était retombée amoureuse du jeune homme de l'Arkansas qui était devenu le président dont elle rêvait. À l'époque où j'ai quitté la Maison-Blanche, les rumeurs de tensions conjugales étaient plus rares. Il avait même été question que le couple adopte un enfant, après avoir essayé en vain d'en avoir un second. La dernière fois que je les avais vus ensemble, c'était en octobre 1997, à la fête d'anniversaire des cinquante ans d'Hillary. La salle de bal du Ritz-Carlton était pleine d'amis des Clinton et toute l'élite de Washington était présente. Au bras de son mari, virevoltant parmi ses proches et ses amis, elle semblait plus heureuse que jamais.

Hillary n'avait guère le choix : elle devait le croire. C'était plus difficile cette fois-ci, mais il le fallait. Il fallait qu'elle croie qu'il l'aimait assez pour ne pas l'humilier. Elle ne pouvait que ravaler ses doutes, soutenir son époux et rendre coup pour coup à leurs ennemis comme elle le pouvait. Elle fit donner les grandes orgues, entonna l'air connu, celui de « la conspiration des extrémistes de droite » et battit le rappel des troupes.

Comme je n'avais pas répondu présent à l'appel et que je n'étais pas prêt à adopter la ligne officielle qui rejetait la faute sur les accusateurs de Clinton, je fus banni. C'est ainsi avec les Clinton : celui qui n'est pas avec eux est contre eux. Les premiers signes de ce rejet furent douloureux et déroutants. J'avais été invité au cinquième anniversaire du discours économique de Clinton, début février, mais je reçus in extremis une série de coups de fil de Rahm et de Paul m'adjurant de ne pas venir, l'invitation ayant été envoyée par erreur par le secrétariat de la Maison-Blanche. J'appris qu'en ce qui concernait Clinton, je n'existais plus et mon nom ne devait pas être prononcé en sa présence. Comme la Maison-Blanche s'installait dans une stratégie de dérobades et de dénégations, mes commentaires se firent plus acérés et mon ton plus sévère. La Maison-Blanche répondit à sa façon et mes amitiés avec les collaborateurs du président se tendirent. Une série d'articles parurent dans quelques grands journaux où j'étais présenté comme l'archétype du traître.

Les démocrates me traitèrent de renégat et m'expliquèrent que mon devoir était de ravaler mes doutes et de soutenir l'homme qui m'avait « créé ». Les journalistes me traitèrent d'hypocrite, arguant que j'avais forcément été au courant de l'affaire Monica et qu'à cause de mes défenses passées de Clinton contre des accusations similaires, mon scepticisme actuel était peu crédible. Mes anciens collègues adoptèrent une tactique plus subtile, en suggérant officieusement que mon ton provocant était ma façon de complaire à mes nouveaux employeurs. Officiellement, ils expliquèrent ma vision sinistre des conséquences de ce scandale comme un symptôme de plus de mon angoisse et de mon pessimisme.

Ces accusations étaient juste assez pertinentes pour m'atteindre. Je ne pensais pas que Clinton m'avait « créé » ou que la loyauté exigeait de moi que je défende un comportement qui me révulsait, mais Clinton m'avait donné la chance de ma vie et je lui devais évidemment au moins le bénéfice du doute. Je ne me considérais pas comme un hypocrite parce que ma défense de Clinton lors de ses « problèmes féminins » d'autrefois avait été basée sur ma conviction qu'ils ne se reproduiraient pas. On ferme les yeux parce qu'on ne veut pas voir, et si je n'ai jamais surpris Clinton dans une position compromettante avec Monica Lewinsky ou d'autres, peut-être ne tenais-je pas à découvrir une telle vérité. J'étais sûr que les allégations de Monica étaient vraies et que Clinton n'avait pas hésité à mettre sa présidence en péril en essayant de les étouffer, mais après tout peut-être était-ce ma « face obscure » qui parlait ? Il y avait tout de même des détails qui me laissaient songeur : les trente-sept visites de Monica à la Maison-Blanche, les coups de téléphone tard le soir, les cadeaux, la robe bleue…

Je dus m'armer de courage pour faire face à ces critiques, aux insultes des démocrates, moi qui étais habitué à celles des républicains. Le pire, ce fut les jugements des amis. Après un passage dans l'émission « This Week » où j'avais plutôt joué le rôle du procureur que celui de l'analyste, Carville, avec qui je continuais à discuter plusieurs fois par jour au téléphone, n'hésita pas à me lancer avec véhémence : « Bon Dieu, tu as été dur ce matin, on a l'impression que tu roules pour l'autre camp ! »

Ce n'était pas tout à fait faux. Il y eut bien des moments où je fus tenté de rouler pour l'autre camp. Je n'étais pas fier de cette tentation et j'essayai de la réfréner ; je m'efforçais de rester juste mais je voulais que Clinton paie le prix de ses fautes. Plus il mentait, plus il donnait l'impression qu'il allait s'en tirer, plus j'étais furieux. J'en voulais à Clinton d'avoir risqué égoïstement sa présidence pour un badinage insensé. Et que signifiait le « nouveau contrat » au cœur de la politique de Clinton quand le président s'exceptait de la règle de responsabilité personnelle qui s'appliquait à tous les Américains ?

Je finis par comprendre que l'intensité de ma colère était à la fois irrationnelle et peu charitable mais je ne pouvais m'empêcher de ressentir les actes de Clinton comme des offenses personnelles. Je me sentais floué. J'avais fait tout ce qui était en mon pouvoir pour que Clinton devienne président et pour qu'il le demeure. Certes, je n'étais pas fier de tout ce que j'avais fait mais j'étais fier de ce que nous avions accompli. Or, ce scandale jetait une ombre et donnait soudain une tonalité plus triviale à toute notre aventure. Des décisions que j'avais défendues dans le passé me semblaient désormais moins honorables. Si j'avais accepté de me salir les mains en attaquant Gennifer Flowers ou en collaborant avec Dick Morris, ce n'était pas uniquement pour l'excitation du combat ou le culte du pouvoir, mais parce que nul mieux que Clinton ne pouvait défendre nos idéaux progressistes. Si c'était vrai, Clinton n'avait pas le droit de prendre le moindre risque. Il n'avait pas le droit de trahir ceux qui avaient placé leur confiance en lui. En agissant ainsi, il m'incitait à me demander si l'aider à se faire élire était la meilleure chose que j'aie jamais faite – ou la pire. Et c'est cela qu'il n'avait pas le droit de faire.

Tous ces sentiments se combattaient en moi le 17 août, lorsque Clinton s'adressa à la nation après son audition devant le grand jury. Pour ceux, nombreux, qui avaient choisi de le croire, ce fut le pire moment : ils étaient aux prises avec des sentiments de colère, de désillusion et d'amour trahi. Pour Clinton, ce fut une autre occasion manquée. S'il s'était excusé, s'il avait reconnu ses manquements et accepté d'endosser ses responsabilités plus courageusement, s'il avait, ce soir-là, résisté à la tentation de déverser sa fureur sur Starr devant cet auditoire, la procédure de destitution aurait été enrayée. Mais l'entendre reconnaître les faits, malgré lui, avec tant de réticences, constitua tout de même un soulagement.

Cet aveu mettait fin aux débats futiles sur ce qu'il avait fait et sur la question de savoir s'il méritait ou non d'être cru. Ce moment m'aida à prendre du recul devant les défaillances de Clinton.

Malgré toute ma colère, je ne pensais pas qu'il méritait d'être destitué. Dans toute l'histoire des États-Unis, malgré une kyrielle de scandales petits et grands, seul un président a été destitué, seul un président s'est démis de ses fonctions. Le pays voulait, envers et contre tout, que Clinton reste. La démission aurait sans doute montré un sens de l'honneur personnel, mais l'acharnement obsessionnel de ses inquisiteurs et de leurs complices plaidait en faveur de la résistance. L'enquête de Starr démontrait que Clinton avait menti sous serment sur la nature de sa relation avec Monica Lewinski, mais elle ne prouvait pas qu'il avait fait obstruction à la justice. Il s'était humilié lui-même, avait déshonoré la présidence et méritait d'être puni, mais n'avait pas abusé de son pouvoir présidentiel d'une manière justifiant la destitution. Les fautes concernaient plus l'homme que la fonction.

Le 21 septembre je pus voir, comme des millions d'Américains, l'enregistrement de son témoignage devant le grand jury, que je devais commenter pour la chaîne ABC. Une caméra fixe dans un angle de la pièce, un éclairage trop brillant et peu flatteur, un bruit de fond de conversations et de chuchotements hors champ, bref à peu près l'ambiance et la qualité d'un film porno amateur. Mais le pire, c'était le gros plan sur Clinton : l'image d'un président des États-Unis seul et démuni. Pas de drapeau américain, pas de Bureau ovale, pas d'armes présidentielles. Seulement un homme dans un fauteuil droit, face à un jury composé de ses pairs et aux procureurs qui avaient ruiné sa vie. Cette image proclamait : aucun président n'est au-dessus des lois.

Quand les questions portèrent, après de rapides préliminaires, sur les relations sexuelles, je tressaillis intérieurement. Peut-être à cause de ses lunettes demi-lune démodées ; nous l'avions toujours encouragé à les porter devant les photographes parce qu'elles lui donnaient un air paternel. Ce jour-là, elles le faisaient seulement paraître fatigué et vieux. Les paroles que Clinton prononça étaient plus agaçantes qu'émouvantes. Il essayait encore une fois d'esquiver la vérité. Mais toute cette scène était poignante. Pour la première fois depuis des mois, je recommençai à éprouver de la compassion pour mon ancien patron.

Après la lecture de sa déclaration, Clinton ôta ses lunettes et attendit que l'interrogatoire se poursuive. Pendant quelques instants, il n'essaya plus de charmer, de persuader, d'esquiver ou de sympathiser, ni de miser sur l'habileté ambiguë qui avait rendu possible son extraordinaire carrière politique, mais qui était aussi la source de ses tourments judiciaires. C'était un homme seul étalant ses faiblesses à la face du monde, un homme forcé de confesser des péchés qui avaient consterné sa famille et démoli les espoirs de sa vie, un homme honteux. Ses traits s'affaissèrent, il soupira longuement. Détournant le regard, je me mis à pleurer silencieusement.

« Monsieur le Speaker, le Président des États-Unis ! »

Ce matin du 19 janvier 1999, Clinton suivit le sergent d'armes dans la Chambre des représentants comme chaque année, buvant les applaudissements, serrant quelques mains au passage de chaque côté des travées, jetant un coup d'œil impatient vers l'estrade où il allait tenir son discours sur l'état de l'Union. Ce discours ne pouvait manquer d'être un succès. C'était toujours le cas. Mais, alors qu'il bondissait vers le fauteuil du Speaker, les paumes tournées vers la foule cherchant à obtenir le silence, Clinton me sembla nerveux – et on ne pouvait lui en tenir rigueur. Un mois plus tôt devant cette même assemblée, Clinton était devenu le premier président des États-Unis à avoir essuyé un vote de destitution.

Agissant avec une imprudence qui égalait celle de Clinton, suivant les consignes de la direction du parti, la majorité républicaine de la Chambre avait voté deux articles de destitution, et les républicains en payaient à présent le prix. Un an après le scandale Monica, leur cote de popularité était au plus bas alors que celle de Clinton flirtait avec des sommets inédits. Deux Speakers républicains avaient démissionné. Clinton était toujours en place. Cette tache de la destitution, peut-être n'arrivera-t-il jamais à l'effacer, mais ces représentants qui l'ont votée non plus. Le matin même au Sénat, son avocat, Charles Ruff, avait plaidé avec une éloquence impressionnante en faveur de l'acquittement. Ce soir, le président lui-même montait sur le podium pour plaider sa cause.

« Mes compatriotes américains, je suis devant vous aujourd'hui pour déclarer que l'état de notre Union est fort. » Sans jamais évoquer la question qui avait rongé sa présidence, mais exposant une panoplie de propositions populaires sur tous les sujets, qu'il s'agisse de la Sécurité sociale ou du système de santé, de l'éducation ou de la criminalité, Clinton fut son meilleur avocat : il faisait ce qu'il savait le mieux faire. Arrivé à mi-discours, il se permit même le luxe de donner quelques coups de griffe à ses tourmenteurs républicains. Quand ils commencèrent à applaudir, il les félicita d'adhérer à l'esprit bipartisan. Quand son auditoire l'ovationna, il lui lança un regard de défi, un regard qui signifiait : « Vous pouvez me cogner tant que vous voudrez, les gars. Ce soir, je vous mets dans ma poche. » La lueur du triomphe qui brillait dans ses yeux en faisait, ce jour-là, l'homme apparemment le plus insouciant du monde.

À l'autre bout de la ville, assis dans mon fauteuil, dans mon bureau d'ABC, je ne pus m'empêcher de rire, et de jubiler devant l'incroyable virtuosité politique de la performance de Clinton, jusqu'au « I love you » muet et final qu'il avait adressé à sa femme, comme si elle allait être la seule au monde à le lire sur ses lèvres. « C'est notre moment », avait dit Clinton au début de sa conclusion. Et il avait raison. L'Amérique se porte bien, mieux que bien, mieux que je ne l'aurais imaginé il y a sept ans, quand je lui avais tendu son discours d'investiture, avant qu'il prête serment et qu'il promette au pays de « forcer le printemps ». Et en regardant ce spectacle de loin, j'appréciai la performance mais je me pris à songer. À songer à ce qu'aurait été l'histoire de ce pays – si seulement ce bon président avait été un homme meilleur.

NOTE SUR LES SOURCES

Je n'ai pas tenu de journal pendant mon séjour à la Maison-Blanche, mais j'ai passé une dizaine d'après-midi de week-ends à discuter avec mon ami Eric Alterman, qui préparait une thèse d'histoire américaine à l'université de Stanford. Il a enregistré toutes nos conversations et, après mon départ de la Maison-Blanche, m'a permis d'utiliser ces documents pour écrire mon livre. Sans la chaleur de son amitié, la pertinence de ses questions, la rigueur de son esprit critique et sa discrétion absolue, ce livre n'aurait jamais vu le jour.

J'ai également suivi un conseil de William Safire, qui dès le début de mes fonctions, m'a invité à noter mes observations personnelles le plus souvent possible, et à les entasser dans un tiroir. Un bon nombre d'entre elles ont été reprises dans ce livre.

Les citations publiées ici sont fidèles à la virgule près. Elles proviennent essentiellement de mes notes personnelles et des cassettes d'Eric Alterman, ainsi que, plus rarement, de la presse ou d'autres ouvrages consultés par la suite.

Parmi les autres livres déjà écrits sur Clinton, et qui m'ont apporté une aide inestimable, figurent particulièrement *On the Edge* et *Showdown,* d'Elizabeth Drew ; *The Agenda* et *The Choice,* de Bob Woodward ; *First in His Class,* de David Maraniss ; *Quest for the Presidency, 1992* et *Back From the Dead,* du Service politique de

Newsweek ; *Behind the Oval Office*, de Dick Morris ; *Blood Sport*, de James Stewart ; *The System*, de Haynes Johnson et David Broder ; et *Not All Black and White*, de Christopher Edley.

Enfin, pour chacun des incidents que j'ai choisi de relater, j'ai consulté les archives du *Washington Post*, du *New York Times* et de quelques autres quotidiens et hebdomadaires. *The Public Papers of the Presidents*, 1993-1996 m'ont également été très utiles.

Je n'ai pas utilisé de documents classés secrets.

REMERCIEMENTS

Je n'aurais jamais pu écrire ce livre sans le soutien et les conseils affectueux de toute ma famille et des nombreux amis qu'il m'est impossible de citer tous ici. Si j'en oublie quelques-uns, qu'ils me pardonnent.

William Novak a été pour moi le meilleur conseiller qu'un auteur débutant pouvait espérer, sans cesse disponible au téléphone, depuis notre première rencontre jusqu'au soir où je lui ai lu la dernière phrase de mon manuscrit. Il a passé en 1997 plusieurs dizaines d'heures à m'interroger, à transcrire mes notes et à m'aider à structurer mon livre et mes idées. Et lorsque j'ai vraiment commencé à écrire, il m'a offert le luxe de m'écouter lui lire au téléphone ma production quotidienne, avant de me faire ses suggestions. Une fois le manuscrit terminé, ses assistants m'ont aidé à mettre de l'ordre dans la pagaille de mon texte. William s'est comporté en ami, me recevant chez lui, et me répétant que le blocage de l'écrivain devant la page blanche n'est qu'un phénomène éphémère. Je remercie aussi sa femme Linda pour son hospitalité, ainsi que toute la famille Novak, avec une mention spéciale pour Ben – pour sa lecture attentive de mon premier manuscrit et la franchise de ses remarques.

Bill Phillips fut un aussi bon directeur éditorial que Bill Novak fut un bon conseiller. C'est lui qui m'a poussé à raconter mon histoire telle que je l'avais vécue, à la revivre en l'écrivant, et à rester honnête envers moi-même comme envers mes lecteurs. À plusieurs reprises, il m'a donné l'impression de mieux s'y retrouver dans mon récit que je n'y parvenais moi-même. Il a passé son temps à me regonfler de son enthousiasme clairvoyant. Mes remerciements vont aussi à Gladys Phillips et à Nicole Hirsh. Quant à l'éditeur Sarah Crichton, qui a réussi à me passionner pour mon livre, sa patience et son jugement m'ont été très précieux.

Peter Osnos, l'éditeur de *Public Affairs*, s'est montré tout à la fois un lecteur perspicace qui ne mâchait pas ses mots et un conseiller fort avisé.

Un grand nombre de mes amis ont également pris sur leur temps pour relire, discuter et améliorer mon manuscrit. Je voudrais remercier, entre autres, M.J. Rosenberg, Dan Porterfield, Karen Herrling, David Dreyer, Mark Steitz, Mark Halperin, Karen Avrich, Diana Silver, et Wendy Smith. Merci aussi à Betsy Uhrig, la minutieuse et rigoureuse secrétaire de rédaction de Little, Brown. Merci aussi à Barney Frank, Paul Begala, Gene Sperling, Mark Katz et Michael Waldman, qui m'ont rafraîchi la mémoire sur divers épisodes racontés dans ce livre. Les éventuelles erreurs factuelles, comme les erreurs de jugement, relèvent de mon entière responsabilité.

À l'université de Columbia, Jenny Parker et Chris Glaros ont fait l'impossible pour me permettre d'écrire ce livre. Outre la gestion de mon emploi du temps et de mon bureau, aussi désorganisés l'un que l'autre, Jenny s'est montrée une lectrice et d'une assistante sérieuse et réfléchie. Quant à Chris Glaros, avant de s'envoler pour Stanford, elle était mon assistante à Columbia, pour les cours comme pour les recherches, passant en revue des milliers de pages de textes, pour s'assurer de l'exactitude et de la cohérence des aspects factuels du récit. Sous la direction conjointe de Jenny et de Chris, ont travaillé les stagiaires Leora Hanser, Jacob Kupietzky, Nandini Ramnath, Margaret Connolly, Allison Mascorro, James Frederick Carson, Jennifer Credilio, Georgia Aarons, John Ray Clemmons, Meena Untawale, Lauren Rosenberg, Stefan Davis et Robert Mook. Qu'ils soient tous remerciés aussi.

Une mention particulière pour Heather Beckel, Laura Capps, Emily Lentzner, Stacy Parker et Marlene McDonald, qui ont été mes précieuses assistantes pendant la campagne de 1992 et plus tard à la Maison-Blanche.

Toute ma reconnaissance à mon agent et avocat, Bob Barnett, du cabinet Williams & Connolly, pour ses qualités juridiques et pour son amitié. Merci aussi à Jackie Davis et Sylvia Faison.

Et pour terminer, merci à Kirk O'Donnell et Ann Devroy, qui m'ont beaucoup appris sur la vie politique et la vie tout court. Ils me manquent beaucoup aujourd'hui.

Achevé d'imprimer par Brodart et Taupin
en juillet 1999
pour le compte des Éditions Générales FIRST

N° d'édition : 561
Dépôt légal : juillet 1999
N° d'impression : 6152W

Imprimé en France